COLLECTION «VI

DINA KAMINSKAYA

AVOCATE
EN U.R.S.S.

Traduction française par Jérôme du Theil

ÉDITIONS ROBERT LAFFONT
PARIS

Titre original : FINAL JUDGMENT
© Dina Kaminskaya, 1982
Traduction française : Éditions Robert Laffont, S.A., Paris 1983

ISBN 2-221-01171-6
(édition originale :
ISBN 0-671-24739-5 Simon & Schuster, New York).

Sommaire

Première partie

LE MÉTIER D'AVOCAT
EN UNION SOVIÉTIQUE

J'étais dans un vaste bâtiment ancien aux plafonds hauts et voûtés qui semblaient se perdre à l'infini. Comme dans le grand hall du conservatoire de Moscou, les murs étaient garnis de portraits : des hommes en robes noires et en perruques blanches, aux traits empreints de dignité et de force. Tout autour de moi, il y avait des hommes et des femmes vêtus des mêmes robes noires et portant les mêmes perruques.

Il ne me semblait pas étrange, en cette fin du XXᵉ siècle, que des gens en perruques frisées pussent aller et venir sans embarras, que les femmes ne portassent pas des robes courtes sans manches, mais des robes noires avec deux rabats blancs sur le cou. Je ne trouvais cela ni anachronique ni comique, pas plus qu'on ne trouve démodé ou absurde un rituel religieux. Car je me trouvais dans un temple : le Palais de justice de Londres, symbole de la loi britannique.

Pour la première fois de ma vie, j'allais dans un tribunal non pour y travailler, mais pour regarder et pour écouter. A deux heures précises, l'huissier déclara l'audience ouverte. Le juge prit place sur la haute estrade, seul, nous dominant tous, et le procès commença.

J'écoutais des débats menés dans une langue étrangère, régis par des lois qui me semblaient étranges, obéissant à des règles que je ne connaissais pas. En écoutant les questions posées par un excellent avocat, John Macdonald, je fus prise d'une douloureuse jalousie : j'aurais voulu être moi-même en robe noire et poser les questions à sa place.

Au même moment, je me rappelais les longues heures passées dans les petites pièces sombres et sales qui sont assignées aux avocats même dans les meilleurs tribunaux de Moscou. Je me souvenais de la « salle nº 13 », dans le bâtiment de la Cour suprême de la république de Russie, qui n'avait ni fenêtre ni ventilation, où il était littéralement impossible de respirer et où les avocats avaient à étudier les affaires les plus difficiles jugées dans toute la république.

Je me rappelais tout cela parce que ces choses — la saleté, les attentes interminables, la grossièreté des greffiers et les robes claires des avocates — étaient l'équivalent soviétique des perruques et des robes noires; elles étaient un symbole, là-bas comme ici, et mettaient en évidence l'attitude soviétique à l'égard de la grande institution de la justice.

Si j'enviais mes confrères londoniens, ce n'était pas seulement à cause de l'environnement ni à cause du magnifique bâtiment où tout respire le respect de la justice, ou parce que les robes d'avocat étaient un témoignage de leur grand prestige: je les enviais parce que j'aime énormément ma profession, à laquelle j'ai consacré trente-sept ans de ma vie.

Bref, j'avais de bonnes raisons d'envier mes confrères occidentaux. Plus je passais de temps dans les cours de justice occidentales, cependant, plus j'écoutais de plaidoiries, et plus j'étais envahie par un nouveau sentiment: un sentiment de fierté devant les exploits accomplis par les avocats soviétiques. Car je pus acquérir la conviction que nous autres, perchés sur nos rebords de fenêtres ou sur nos gradins pour prendre des notes, nous déplaçant de salle en salle, nous nous arrangions néanmoins pour traiter nos dossiers aussi bien (et quelquefois, pensais-je, même mieux) que nos collègues de l'Ouest.

Quand je décidai de faire mes études de droit, je n'avais qu'une vague idée de la jurisprudence et de la nature du travail que j'aurais à accomplir une fois mon diplôme obtenu. Incontestablement, mon choix fut influencé par le fait que ma sœur aînée était justement sur le point de passer son diplôme à l'école de droit. Mon père aussi avait une formation de juriste et abordait souvent des questions de droit à la maison. Ma sœur fit des études supérieures, devint ensuite universitaire et, jusqu'à sa mort, se consacra à la recherche à l'Institut de droit. En ce qui me concerne, je voulais entrer au ministère public, et c'est dans ce dessein que je fréquentai les cours de l'Institut de droit de Moscou.

Ma matière favorite était la procédure criminelle. Le cours était assuré par le professeur Boris Arsenev, qui avait précédemment occupé plusieurs postes de doyen au parquet. Ses conférences étaient claires, distrayantes et instructives. Au cours de notre troisième année à l'Institut, nous eûmes à effectuer notre premier travail pratique; nous fûmes autorisés à choisir entre le système judiciaire et le travail d'instruction. L'écrasante majorité de mes camarades de classe optèrent pour le ministère public, tandis que quelques-uns choisirent la magistrature assise, mais je ne me souviens pas que quiconque, à l'époque, ait voulu apprendre le métier d'avocat. Une explication partielle à cela, naturellement, était que nous étions tous influencés par les conférences de notre aimé et respecté professeur Arsenev. Si les avocats étaient jamais mentionnés dans ses conférences, c'était seulement dans le rôle d'opposant misérable et battu. Je suis sûre qu'il y avait une autre raison à cet état de fait : bien que nous n'eussions pas encore pleinement réalisé à quel point était bas le prestige de la profession d'avocat dans l'État soviétique, nous étions parfaitement conscients de son impopularité parmi le public dans son ensemble.

J'étais parmi les étudiants qui voulaient entrer au ministère public, et je fus affectée à Moscou, au parquet du district de Leningrad. Là, je fus placée sous le contrôle d'un juge d'instruction expérimenté qui m'enseigna comment conduire une enquête criminelle, y compris l'interrogatoire des témoins et des accusés, comment inspecter la scène du crime, rechercher les indices et asseoir l'accusation. Placée à côté d'un procureur, j'ai également pris part à plusieurs procès.

Ce fut durant cette période de stage pratique que je ressentis pour la première fois un intérêt authentique pour le travail juridique, en étudiant un dossier, en parvenant à une conclusion indépendante. Cependant, l'aura romantique créée autour du détective et de l'enquêteur par les livres, les films et surtout par nos conférences de l'Institut s'assombrit notablement quand l'image ainsi construite fut comparée à la réalité quotidienne. Je découvris bientôt que la masse des dossiers traités par les enquêteurs du ministère étaient inintéressants et peu attrayants intellectuellement. En fait, les juges d'instruction étaient littéralement submergés par les cas de menus larcins commis dans les usines et les bureaux du district de Leningrad. Ces cas étaient simples, car, en règle générale, les accusés étaient des ouvriers ou des employés de bureau arrêtés par les gardes à la porte des usines, où toute personne entrant ou sortant était soumise à la fouille obligatoire. Leur butin, maladroitement dissimulé, était saisi sur place, et la tâche des enquêteurs se limitait à dresser des listes des marchandises dérobées.

Pour moi, l'aura qui entourait le juge d'instruction pâlit en même temps qu'augmentait mon intérêt pour la perspective de prendre la parole en cour de justice. J'étais subjuguée, je pense, par le côté compétition, le duel que représentait la procédure, et mes réquisitoires comme procureur stagiaire m'avaient convaincue de mes dons d'orateur. Ainsi, quand je fus diplômée de l'Institut, j'eus à choisir entre deux aspects de la profession juridique que je trouvais également attrayants : ou bien devenir procureur et agir pour l'État, ou bien devenir avocate et défendre l'individu contre l'accusation.

Je suis heureuse que, jeune comme je l'étais, un sixième sens m'ait portée à choisir la profession qui répond à un besoin fondamental de ma nature : le métier qui m'a permis de défendre tant de gens contre le pouvoir cruel et souvent arbitraire de l'État soviétique.

Deux mois de stage me suffirent pour réaliser à quel point le statut d'avocat était peu enviable dans le système juridique soviétique. Personne ne se donnait la peine de le cacher, ni dans ses paroles ni dans son comportement. Souvent, pendant un procès, le juge interrompait rudement un avocat et lui interdisait de poser des questions dont la nécessité était évidente, même pour moi. Cependant, ce même juge ne se serait pas permis d'adopter une attitude semblable à l'égard d'un procureur. Pendant une suspension de séance, le procureur entrait librement dans le bureau du juge, où nul avocat n'avait accès. J'ai été présente dans des bureaux de juges quand le juge, le procureur — et souvent le juge d'instruction — discutaient le cas en cours de jugement. Ensemble ils évaluaient les preuves et, assez souvent, ils décidaient tout de suite du sort de l'accusé, non seulement en ce qui concernait la question de la culpabilité, mais aussi en ce qui concernait la durée de la peine de prison.

La parité constitutionnellement établie entre les deux parties de la cour — l'égalité des droits entre procureur et avocat de la défense — n'était jamais observée ; on ne se donnait même pas la peine de camoufler ou de rendre moins évidente la prééminence accordée au procureur en tant que représentant de l'État.

Quelle explication donner à ce manque total de prestige de la profession d'avocat en ce temps-là ? Dans le système de gouvernement qui prévalait sous Staline (quand les violations de la loi n'étaient pas dues aux erreurs et aux excès des fonctionnaires, mais étaient le résultat direct de la politique du parti communiste et de l'État), la profession d'avocat elle-même — consistant moins à défendre les prisonniers contre les accusations de l'État qu'à les défendre contre l'arbitraire de ce même État raillant ses propres lois — était étrangère au système. La fonction d'avocat était tolérée comme un anachronisme nécessaire au prestige de l'Union soviétique à l'étranger, mais ne fut jamais admise comme ayant quelque valeur pour la vie intérieure du pays.

La structure elle-même de la profession — une association auto-gérée — dans une société totalement dirigée ne faisait que renforcer son caractère étranger et, par conséquent, son manque de prestige.

Les collèges d'avocats qui remplacèrent la pratique juridique privée — abolie par la révolution d'Octobre — étaient constitués initialement par d'anciens maîtres du barreau dont l'écrasante majorité n'étaient pas membres du parti et dont les attitudes sociales et politiques, par conséquent, étaient extrêmement suspectes aux yeux de l'État. Le résultat, c'est que les autorités n'accordaient aucun respect à la profession et se méfiaient des avocats, collectivement et individuellement.

Tandis que je prenais conscience de tout cela, je remarquai aussi que les avocats qui avaient à subir les humiliations de juges et de procureurs suffisants et rustres étaient, presque sans exceptions, beaucoup mieux éduqués et d'un niveau de qualification bien supérieur. Il y avait une explication à cela.

Dans ces années d'avant-guerre, les juges d'instruction, les procureurs et les juges étaient tirés de ce qu'on appelait la « promotion » : il s'agissait d'ouvriers rapidement appelés à des positions d'autorité, conséquence de la politique du parti visant à favoriser la domination de la classe ouvrière. Nombre d'entre eux non seulement manquaient de pratique juridique, mais n'avaient même pas terminé leurs études secondaires. Ils combinaient leur travail juridique de haute responsabilité avec la fréquentation d'une école de nuit ou l'assistance à des cours de droit spécialement organisés à leur intention. En revanche, les avocats comptaient maint ancien maître du barreau ayant reçu une formation universitaire de première classe avant la révolution.

Il devint également évident à mes yeux que les avocats qui enduraient des humiliations au tribunal étaient en fait beaucoup plus libres que les juges et les procureurs qui les insultaient. C'est l'avocat lui-même qui décidait de son approche du dossier, sans nécessité d'en référer à une autorité supérieure, tandis que le procureur de l'État, qui se comportait avec une indépendance de seigneur durant un procès, était obligé de faire un rapport à l'avance sur l'affaire et sur sa manière de la traiter auprès du procureur général, et les vues de ses supérieurs étaient pour lui contraignantes. Si jamais l'accusation était réfutée ou sérieusement ébranlée pendant un procès, le procureur, obligé par force de retirer l'affaire, ne pouvait le faire de sa propre initiative. Dans une telle situation, si le procureur demandait une suspension de séance avant de prononcer son réquisitoire, nous savions tous que c'était pour aller chercher auprès du procureur général l'autorisation de modifier sa position.

Ma période de stage fut pour moi la source de connaissances qui allaient bien au-delà d'un entraînement purement professionnel. Ce fut ma première rencontre avec les dures réalités de la vie, une part de mon éducation qui n'avait pas seulement une valeur pratique : elle fut essentielle à ma formation en tant qu'être humain accédant à la maturité.

Depuis ma plus tendre enfance, ma famille, mes amis et mon instruction m'avaient placée — par comparaison avec la grande majorité des gosses — dans une position extrêmement privilégiée. Les circonstances de mon éducation favorisèrent mon développement en une personne intelligente et bien élevée, mais en même temps elles me voilèrent les réalités de la vie et me privèrent des possibilités de les comprendre.

A quoi ressemblais-je à dix-neuf ans ? A quoi est-ce que je croyais ?

Pour répondre à ces questions, il me faut remonter à mon enfance et à ma jeunesse, aux circonstances qui ont formé mon caractère et mes inclinations, qui ont déterminé mon choix d'une profession et le cours ultérieur de ma vie.

Souvent, évoquant mon passé maintenant que je suis devenue une femme mûre, je m'émerveille de la manière heureuse dont ma vie s'est développée. Mes parents traversèrent leur maturité sans faire l'expérience de l'incarcération, ni en prison ni dans un camp de travail. C'était un rare privilège dans le milieu socio-culturel auquel ils appartenaient. C'était aussi étonnant, car, étant jeune homme, avant la révolution, mon père avait d'abord appartenu au parti social-révolutionnaire, puis était devenu un membre actif du parti connu sous le nom de «constitutionnel-démocrate» (ou «des Cadets»). Il ne cacha jamais son passé politique et, quand il lui arrivait d'avoir à remplir un questionnaire officiel, il écrivait invariablement, dans la colonne correspondante, «ancien S.R., ancien Cadet». Encore plus étonnant fut le fait que, sous les Soviets, et même pendant les grandes purges staliniennes de 1937, lui — un sans-parti — occupa un poste politiquement délicat, celui de directeur de la Banque industrielle de l'U.R.S.S., alors responsable du financement des investissements industriels dans tout le pays.

Mon père et ma mère étaient tous deux issus de familles provinciales juives et pauvres; tous les deux, chacun à sa manière, étaient doués de la plus haute sensibilité spirituelle et d'une honnêteté irréprochable. Dans le cas de ma mère, cela était dû à une bonté naturelle, à une certaine délicatesse innée et à une noblesse pour lesquelles il n'est besoin ni d'éducation ni de connaissances spéciales. Tous mes amis l'aimaient et admiraient sa beauté. Son visage était remarquablement beau, évoquant un portrait au pastel. Sa beauté survécut longtemps à sa jeunesse. Bien qu'elle eût changé et vieilli avec les ans, même octogénaire elle surprenait les gens qui venaient chez nous par sa belle prestance, son expression de gentillesse et de sérénité — une sorte de simplicité aristocratique naturelle. Ma mère était une personne d'un tact étonnant. Extrêmement gentille de nature, elle supporta toutes ses infortunes et ses maladies avec un courage et une force de caractère remarquables. La seule chose qui lui faisait peur était la perspective de tomber dans une sénilité sans recours. Elle eut la chance de mourir subitement à l'âge de quatre-vingt-six ans, ayant conservé jusqu'au bout un esprit lucide et une bonne force physique.

Mon père était de nature exceptionnellement réservé, sérieux et ascétique. Il n'avait pas d'amis et, loin de rechercher l'amitié, il l'évitait activement. Il était doué d'une fantastique capacité de travail et d'une grande fixité d'objectifs. Non seulement il ne se plaignait jamais d'être fatigué, mais *il n'était jamais* fatigué. Je suis convaincue que, n'eût été la révolution d'Octobre, il eût été fort loin, car ses aptitudes évidentes combinées à son caractère le rendaient capable de faire des progrès précoces et rapides à la fois en politique et dans les affaires.

Mon père, diplômé de la faculté de droit de l'université de Kharkov, débuta dans la branche sud de la Banque russo-asiatique, dont il devint très vite le vice-président. Son intelligence, son flair politique et ses dons d'orateur lui valurent d'être nommé en 1918 candidat des Cadets à l'élection de l'Assemblée constituante russe.

Mon père refusa la révolution, non pas parce qu'elle le dépossédait de sa position ou de sa fortune (il n'a jamais été riche), mais parce qu'elle était sanguinaire, violente, désordonnée et mensongère. Et il maintint ce point de vue jusqu'à sa mort.

L'apparence extérieure de mon père correspondait remarquablement à sa nature intérieure. Il était grand et mince. Bien que n'ayant jamais servi dans l'armée, il avait un port martial et, même fort âgé, il ne se voûta jamais. Maintenant, quand j'évoque mon père, les traits dont je me souviens surtout sont ses yeux profondément enfoncés et hautement intelligents; ses lèvres minces, hermétiquement closes et la crispation permanente de sa tête. Ce tic nerveux, qui commença à l'affliger sitôt après la révolution, était toujours dans la même direction: horizontalement, de droite à gauche, comme s'il faisait sans arrêt un geste de négation.

On lui conseilla un jour de consulter un neurologue renommé. Après avoir examiné soigneusement mon père, le médecin dit: «Il existe quelque chose que, intérieurement, vous rejetez catégoriquement. Vous devez vous en débarrasser à tout prix, et alors votre tic disparaîtra immédiatement.»

Cette crispation faciale était une négation involontaire de tout ce qui constituait l'environnement de sa vie. C'était un «non» au mensonge et à la violence. Il est remarquable que les dernières paroles de mon père aient été: «Je suis fatigué de vivre dans cette atmosphère de mensonges.»

Après la révolution, toute l'intelligence politique de mon père, toute sa détermination furent reconverties dans la dimension intérieure de sa vie. La littérature, la musique, la peinture, la philosophie, la biologie et surtout la religion constituèrent l'éventail de ses intérêts. Il rassembla une magnifique bibliothèque des philosophes et poètes idéalistes russes. Les livres furent sa passion. Il se moquait parfois lui-même de son fanatisme, mais était incapable de s'en débarrasser.

Pendant la guerre, toute la famille fut évacuée de Moscou. Mon père fut le premier d'entre nous, au début de 1942, à revenir dans la capitale, où il constata que la plus grande partie de sa bibliothèque avait été pillée. Il décida de la reconstituer à tout prix. Chaque jour, après son travail, il se mit à faire le tour des librairies d'occasion, où il cherchait les livres portant ses propres ex-libris, et les rachetait. Il combla aussi les lacunes en achetant de nouveaux livres, de sorte qu'au bout d'un an il avait presque complètement reconstitué sa bibliothèque. Mais à quel prix! Il envoyait à ma mère la quasi-totalité de son modeste salaire, gardant juste de quoi se nourrir, de sorte que, pour acheter des livres, il devait réduire son alimentation au strict minimum. Il alla même jusqu'à revendre sa maigre ration

17

quotidienne de pain (moins d'une livre). Une malnutrition s'ensuivit, ses jambes enflèrent et il eut des accès de vertige, mais ne put s'arrêter. Seule mon arrivée, suivie par le retour de ma mère, le ramena à la santé.

Mon père ne restait jamais sans livre et, pour cette raison, prisait particulièrement les petites éditions de poche qu'il pouvait porter sur lui et lire quand il voyageait ou durant ses éternelles promenades dominicales dans la campagne moscovite.

L'été, il se levait tôt tous les dimanches, prenait quelques sandwiches et partait. C'était un marcheur infatigable, qui ne me fit jamais aucune concession. Ni mes larmes ni mes affirmations que j'étais sur le point de tomber raide morte de fatigue ne faisaient sur lui la moindre impression. Quand il s'adressait à moi, son mot le plus habituel était « devoir » : tu *dois* manger ton poisson (que je haïssais), tu *dois* te lever de bonne heure (jusqu'à l'âge de quatorze ans, j'aimais faire la grasse matinée), tu *dois* résoudre ces damnés problèmes de mathématique (que je n'ai jamais pu comprendre). Dans tous mes souvenirs d'enfant, je ne me rappelle pas une seule occasion où mon père m'ait réconfortée ou embrassée. Sans aucun doute, c'est par une sorte de protestation inconsciente contre cette froideur et cet ascétisme, ou peut-être parce que j'ai hérité du caractère de ma mère, que j'aime tant la chaleur des contacts humains, que j'ai tant besoin d'amitié et que je consacre tant de temps à la cultiver. Je n'ai pas hérité non plus des convictions politiques de mon père, ni de sa droiture, ni de son ascétisme.

J'aime la vie, avec tous ses plaisirs terrestres et son confort. Ma maison était connue comme l'une des plus hospitalières de tout Moscou, et j'ai toujours été enchantée par une table bien dressée, une nourriture délicieuse et la compagnie d'amis intimes — principale joie de ma vie adulte.

En ce qui concerne l'amour de l'art et de la culture, mon père réussit non seulement à l'éveiller en moi, mais à en faire une part essentielle de ma vie. Je réalise maintenant que tout ce qui m'a été révélé en matière d'art et de culture me l'a d'abord été par lui. Tous les musées que j'ai tant aimés et que j'aime encore en souvenir, je les ai d'abord visités en sa compagnie. C'est par lui que j'ai entendu pour la première fois les poésies de Pouchkine, de Joukovski, de Goethe, de Heine, de Byron et de Shakespeare ; ce fut lui qui me fit connaître Bach et Mozart.

Pour moi, l'autorité non seulement intellectuelle mais aussi morale de mes parents était indiscutable. Quand je me remémore maintenant mon enfance et ma jeunesse, je réalise à quel point ma conception de l'existence a été façonnée par la nature et le style des relations personnelles à l'intérieur de ma famille, où jamais personne n'a envié quiconque ; où carrière et argent non seulement étaient méprisés comme buts en eux-mêmes, mais n'étaient même jamais abordés dans les conversations familiales ; où le concept de relation « utile » ou « opportune » n'existait tout simplement pas.

En dépit du fait que mon père n'acceptait pas la révolution bolchevique, il évita sciemment de m'élever dans un esprit antisoviétique ; en fait, je le réalisai plus tard, il alla même jusqu'à refréner toute expression de jugement politique en ma présence. Je fus un authentique enfant « soviétique ». A l'âge requis, j'adhérai aux Jeunes Pionniers (l'organisation du parti communiste pour les enfants), et je participai avec plaisir à toutes les activités de pionniers organisées à l'école.

Le début des purges staliniennes massives de 1936-38 coïncida avec la fin de mon adolescence et mon entrée à l'école de droit. Je me souviens de mon père rentrant à la maison et parlant de la dernière série d'arrestations parmi ses collègues ; je me souviens de l'arrestation de parents de mes camarades d'école, puis de mes camarades de classe à l'Institut ; je me souviens de la disparition de professeurs qui nous avaient fait des conférences, et même d'étudiants que je connaissais ; je me souviens de la sensation de frayeur quand d'aventure on sonnait à la porte la nuit. Toutefois, je ne puis dire que ces événements, à l'époque, s'imprimaient vraiment dans mon esprit ; je dois même admettre qu'ils n'ont pas réellement jeté une ombre sur ma vie. Pour être honnête, je n'ai pas non plus été très troublée par le fait que mon père était chômeur, que, pendant une longue période, il ne put trouver de travail et vécut sous la constante menace d'une arrestation. En ce temps-là, j'étais inconsciente de la réalité de cette menace, et je poursuivais simplement ma vie insouciante d'étudiante.

Bien des années plus tard, j'évoquais ces années avec une amie intime dont j'avais fait la connaissance en 1937, au plus fort de la « grande purge de Staline ». Je commençai par lui dire à quel point mon enfance avait été heureuse, comment ces années étaient passées sur moi sans laisser de traces ni dans mon esprit ni dans mon affectivité. Elle acquiesça, affirmant qu'elle aussi était au supplice devant sa propre inaptitude à comprendre ce phénomène extraordinaire par lequel une génération tout entière, à de très rares exceptions près, s'était privée, consciemment ou inconsciemment, de cette faculté de doute si naturelle à l'homme. Simplement, nous avions été incapables de percevoir l'horreur et le désespoir qui étreignaient la génération de nos parents. Ensuite, à son tour, elle me raconta un épisode de sa propre vie ; non pas un événement très important, mais une anecdote caractéristique de l'époque et de la manière dont notre génération y réagissait.

En 1938, alors qu'elle était encore étudiante à l'Institut de philosophie, elle rentra tard d'une soirée d'étudiants pour s'apercevoir qu'elle avait oublié la clé de l'appartement de ses parents. Rien d'autre à faire que de sonner à la porte pour réveiller sa famille. N'obtenant pas de réponse, elle sonna une seconde fois. Elle entendit bientôt des pas et la porte s'ouvrit. Son père était là, habillé comme s'il ne s'était pas couché et venait juste d'arriver, ou bien était sur le point de ressortir. Il portait un costume sombre, une chemise propre et une cravate bien nouée. En voyant sa fille, il la regarda fixement en silence puis, sans dire un mot, il la gifla.

Je connaissais ses parents; son père était un homme intelligent, cultivé et bien élevé. A l'époque où elle me raconta l'histoire, nous ne comprîmes toutes deux que trop bien pourquoi personne n'avait ouvert la porte, pourquoi son père était habillé comme il l'était et pourquoi il l'avait regardée fixement en silence comme s'il était incapable d'en croire ses yeux. Nous savions maintenant comment les gens interprétaient un coup de sonnette nocturne à la porte d'entrée; nous savions que, tandis qu'elle attendait dehors, son père s'était habillé dans la perspective de quitter sa maison pour toujours; car il ne doutait pas que les autorités étaient venues pour lui, que cela signifiait son arrestation et, au bout du compte, une mort certaine. A l'époque, cependant, sa seule réaction fut de se sentir choquée et insultée par cette gifle imméritée. Apitoyée sur son propre sort, elle éclata en sanglots et fit des reproches à son père. Puis elle oublia complètement l'incident. Des années passèrent avant qu'elle ne se ressouvienne du visage pâle de son père, de son silence et de cette claque en pleine figure: sans aucun doute la seule fois de sa vie où il ait jamais frappé quelqu'un. Je me rappelle la douleur avec laquelle elle me raconta cette histoire et combien elle était rongée par la culpabilité au souvenir de l'incompréhension dont non seulement elle mais toute notre génération avions fait preuve.

Pourtant, nous n'étions ni indifférents ni intimidés. Nous étions prêts à réagir à toute injustice. Avec la certitude intransigeante de la jeunesse, nous condamnions toute attitude de nos contemporains considérée par nous comme «peu camarade». Nous aimions et respections nos parents et, si le pire leur était arrivé, nous n'aurions pas renoncé à eux et nous aurions cru en leur innocence. Notre cécité mentale était due plutôt à de bonnes qu'à de mauvaises dispositions. Notre intellect et notre affectivité étaient tout simplement incapables d'admettre la possibilité d'un mal aussi épouvantable que la destruction consciente et délibérée de gens parfaitement innocents. C'est pourquoi nous ne pouvions partager la peur et les alarmes de nos parents: nous savions qu'*ils* étaient innocents.

«Je ne désire pas effacer ces années de mes Mémoires. Ce n'est pas que je refuse de supprimer de tristes souvenirs; le fait est que mes souvenirs de ce temps-là ne sont pas tristes du tout: nous jouissions de la vie, nous trouvions l'amour et la véritable amitié.» J'inclus cette citation de Ievgueni Gnedine (*Catastrophe et renaissance*) parce que je pourrais la reprendre à mon compte, d'autant que cet auteur est considérablement plus vieux que moi. A la fin des années trente, il était déjà dans sa maturité (il avait quarante ans en 1938), il avait travaillé pendant des années au service de presse du commissariat du peuple (ministère) aux Affaires étrangères, dont il était le directeur. Il était infiniment mieux informé que moi. Qui plus est, il connaissait personnellement beaucoup des personnes innocentes qui étaient arrêtées et liquidées. Il assista aux procès-parades politiques les plus notoires et remarqua une « certaine inconsistance » dans les accusations ; pourtant, même lui ne réalisa pas qu'il était le témoin « d'une farce judiciaire et de la tragédie de gens innocents ».

Après cela, notre cécité et notre incompréhension étaient-elles réellement étonnantes ?

Il serait simple de trouver une réponse à cette question en l'expliquant par notre jeunesse, notre ignorance de la vie et les circonstances de notre éducation. Il est beaucoup plus difficile de comprendre comment la combinaison de deux sortes d'hypnoses — l'hypnose de l'idéalisme révolutionnaire et l'hypnose des mensonges cyniques éhontés — a été capable d'émousser les sens d'une nation tout entière, de la priver du désir de voir et de comprendre ce qui arrivait.

Quand j'avais cinq ans, mes parents se virent affecter un appartement dans un lotissement neuf alors situé à la périphérie de Moscou, dans un quartier habité par des chauffeurs de taxis, des marchands de chevaux et des bohémiens ; aujourd'hui, il est occupé par un énorme complexe industriel ainsi que par les bureaux et ateliers d'imprimerie de la *Pravda*. A l'époque, c'était un vaste lotissement entouré d'une clôture en bois, où s'élevaient plus de trente bâtiments préfabriqués nouvellement construits, équipés d'un confort moderne qui était un luxe inouï pour l'époque, et spécialement pour ce quartier (eau courante, tout-à-l'égout et même salles de bains). L'endroit était possédé par le commissariat du peuple aux Finances ; les bâtiments étaient divisés en appartements et loués à de vieux fonctionnaires du commissariat. Nous occupions la moitié de l'une de ces maisons, c'est-à-dire trois grandes pièces, ce qui était un grand privilège et une chance incroyable. Encore plus heureux cependant était le fait que je me retrouvais parmi des enfants bien élevés. A cinq ou six ans, nous nous connaissions tous ; nous grandîmes ensemble, nos intérêts se développèrent en commun et, avec la plupart d'entre eux, nous sommes restés amis jusqu'à la fin de ma vie à Moscou. Ce fut un énorme coup de chance.

Tout notre temps libre, nous le passions ensemble (ainsi que notre temps d'étude, pendant l'année scolaire ; nous étions tous de mauvais élèves et faisions en secret l'école buissonnière). Nous avions tout ce que nous pouvions souhaiter : séjours de ski, chants et danses, expéditions au cinéma ou au théâtre, interminables séances de lecture de poèmes. Nous faisions tout ensemble : nous mettions en commun l'argent de notre déjeuner pour que deux de nos amis pussent aller faire une randonnée en

21

Crimée pendant l'été ; nous passions ensemble le réveillon de fin d'année ; le dimanche, c'est ensemble que nous allions nous baigner ou faire une balade en forêt.

Les intérêts et les plaisirs de nos jeunes vies devinrent encore plus intenses à partir de l'année 1934, quand Pavel Kogan devint un membre attitré de notre groupe et son chef incontesté. Pavel est mort à la guerre après s'être engagé, mais son nom est toujours connu parmi les étudiants moscovites d'aujourd'hui. Quand je fis sa connaissance, il avait seize ans et c'était déjà un poète. Notre amour de la poésie prit une nouvelle dimension : nous avions maintenant notre poète à nous, dont les vers nous captivaient à la première audition. Il écrivait sur toutes les choses qui captivent les jeunes poètes lyriques, mais il écrivait aussi sur nous : sur nos vies, nos amitiés ou notre premier amour. Indéniablement, nous étions tous sous son influence. Nous chantions nos propres chansons, dont les paroles étaient écrites par Pavel et la musique par un ami à moi.

Eh bien, même dans des groupes aussi parfaitement éduqués que le nôtre, un jeune aussi intelligent, aussi passionné et aussi intransigeant dans ses jugements moraux que l'était Pavel pouvait écrire, en ces horribles années de terreur, une chanson qui contenait ces lignes :

> *Croire en notre pays est si facile,*
> *On y respire si librement :*
> *Notre glorieuse, bien-aimée terre soviétique...*

Et nous, en 1936 et 1937, nous chantions cela avec ravissement.
Ou encore des lignes comme celles-ci :

> *Notre vie soviétique est si bonne et si lumineuse*
> *Que les enfants des âges à venir*
> *Sangloteront la nuit dans leur berceau*
> *Pour n'être pas nés en notre temps...*

Nous récitions ces vers si souvent et avec tant d'émerveillement que même maintenant, un demi-siècle plus tard, je puis les citer de mémoire.

Je me souviens comment nous avons célébré le Nouvel An 1940. Les étudiants-poètes Sergueï Narovtchatov et Mikhaïl Molotchko quittèrent la fête pour se rendre en première ligne de la guerre finno-soviétique. Je me rappelle comme nous frémissions à l'évocation de leur bravoure, quels héros ils étaient à nos yeux. Mais pas une fois l'idée ne nous traversa l'esprit que cette guerre était le résultat d'une agression soviétique éhontée, qu'ils partaient pour tuer des Finlandais simplement parce que ce pays petit mais brave refusait de se soumettre aux menaces de son énorme et puissant voisin.

En me remémorant tout cela bien des années plus tard, je réalise que, dès l'enfance, je fus entourée par la plus horrible des souffrances humaines : mendiants dans les rues pendant la famine d'Ukraine, affreuses histoires de la collectivisation, arrestation et mort en camp de travaux forcés de gens dont je n'aurais jamais douté de l'innocence. Et en réalisant cela, j'ai pris conscience de la terrible myopie mentale dont mes amis et moi étions affligés.

L'école où j'ai étudié pendant dix ans a exercé sur mon caractère beaucoup moins d'influence que ne le firent ma famille et mes amis. En me mettant dans cette école, qui était fort éloignée de notre maison, mes parents misaient sur le fait que sa localisation garantissait de meilleurs maîtres et de meilleurs élèves que ce n'aurait été le cas dans notre voisinage, avec sa population de bohémiens et de chauffeurs de taxis. Et effectivement, mes camarades de classe étaient pour la plupart des enfants de bon milieu.

Mon environnement scolaire me fournit l'occasion de fréquenter la couche privilégiée et plus cultivée de la société soviétique, de connaître le style de vie de la classe supérieure.

Ce fut mon stage pratique au ministère public qui me mit en contact pour la première fois avec la vie quotidienne de la classe ouvrière, la classe pour laquelle la révolution avait été faite, pour le bien-être de laquelle le socialisme avait été créé. Ce premier contact eut lieu en 1939-40, vingt-deux ans après le succès de la révolution, dans le pays où l'égalité presque totale avait été instaurée.

Je me souviens de ces horribles cabanes en bois ressemblant à des taudis, sans eau courante ni tout-à-l'égout, divisées en cellules minuscules où adultes et enfants, jeunes et vieux dormaient littéralement côte à côte. J'y allai avec un enquêteur afin d'inspecter la propriété à confisquer de ces ouvriers misérables qui étaient officiellement stigmatisés comme « ennemis du peuple ». C'étaient des femmes qui avaient essayé de ramener à la maison quelques morceaux de sucre ou quelques cuillerées de confiture, de l'usine de confiserie « bolchevique » où elles travaillaient, pour nourrir leurs mioches crevant de faim ; c'étaient des hommes et des femmes arrêtés pour avoir empoché une bobine de coton, quelques paquets de cigarettes, un morceau de pain. D'après la loi soviétique du 7 août 1932, ils étaient classés comme dangereux criminels et passibles de dix ans d'emprisonnement. Dans presque tous les cas, nous consignions au procès-verbal qu'il n'y avait pas de propriété à saisir (et nous étions habilités à saisir tout l'ameublement, excepté une table par famille, une chaise par personne et un lit).

Ce que je vis n'était pas de l'insuffisance matérielle, ce n'était même pas de la pauvreté ; c'était le plus complet dénuement. J'avais déjà vu cela auparavant — au cinéma —, ou je l'avais lu dans les livres ; mais les films et les livres faisaient toujours référence à un passé lointain, à une époque couverte par l'expression « avant la révolution », où ils servaient à illustrer la condition misérable de la classe ouvrière sous le tsarisme. Maintenant, pour la première fois, je rencontrais une misère humaine qui n'était pas causée par quelque catastrophe extérieure et temporaire comme la maladie, la mort de parents proches, ou bien un désastre naturel, mais une misère qui accompagnait les gens en permanence, toute leur vie. C'était le premier désaccord concret, absolument réel, entre ce que je voyais de mes propres yeux et ce que j'avais lu sur la vie des ouvriers dans les journaux soviétiques.

C'est aussi durant cette année de stage que je réalisai combien ce travail au ministère public était incompatible avec mon caractère. Ce n'était pas seulement parce que les enquêteurs et les procureurs avec lesquels j'entrais en contact me surprenaient par leur indifférence et leur mépris de la souffrance humaine. La raison était ailleurs. Ayant vu les conditions de vie, la nourriture et les vêtements des gens qui étaient poursuivis pour menus larcins ou autres délits mineurs, je commençai à douter que l'État agisse justement dans ces cas en punissant des gens affamés par des sentences de prison aussi sauvages. Je réalisai que la punition devait être proportionnée au crime; quand ces mêmes enquêteurs arrêtaient des meurtriers, des voleurs professionnels ou des délinquants violents, lesquels étaient ensuite confondus par la cour et sévèrement punis, je considérais cela comme inévitable et même juste. Mais c'était exactement la même échelle de punitions qui était appliquée pour les petits vols; et uniquement parce que la tranche de pain ou les quelques morceaux de sucre volés étaient qualifiés de «propriété socialiste» (et que, par conséquent, quiconque mettait la main dessus était un «ennemi du peuple»).

Quand je m'imaginais dans un tribunal, exigeant au nom de l'État que ces gens fussent impitoyablement châtiés, je réalisais que j'en étais simplement incapable.

Ce fut alors que je commençai à douter d'avoir choisi la bonne carrière. Et de nouveau je fus confrontée à la même question: qu'allais-je devenir? Plus j'y pensais, plus j'inclinais vers l'idée du barreau. Je ne pense pas que, en ce temps-là, j'étais motivée (du moins consciemment) par cette qualité, essentielle pour un avocat, d'une authentique compassion pour toute personne, même les coupables, qu'il ou elle a à défendre. Cette aptitude à compatir au malheur des gens est quelque chose qui ne vint que plus tard, après des années de travail dans la profession. Au début, je voulais seulement paraître au tribunal et prononcer des plaidoiries (dont je ne doutais pas que toutes seraient bonnes); mais je ne voulais le faire qu'à la condition d'un minimum d'indépendance et de liberté intellectuelle. La forme sous laquelle la profession d'avocat est organisée offre le niveau de liberté le plus élevé possible qui puisse exister en Union soviétique (bien que, naturellement, la liberté soit loin d'être totale).

24

La profession d'avocat en Union soviétique — ou « le barreau », pour faire référence à l'Occident — est décrite dans la phraséologie officielle comme une « organisation sociale autogérée ». Les avocats, contrairement à l'écrasante majorité de tous les autres citoyens qui travaillent en Union soviétique (à l'exception des paysans dans les fermes collectives), ne sont pas des employés de l'État et ne reçoivent de ce dernier ni salaire ni rémunération d'aucune sorte.

Tous les avocats — dans chaque *oblast* (unité administrative généralement rendue par le terme de « province ») et dans quelques-unes des plus grandes villes de l'U.R.S.S. — sont organisés en corps appelés « collèges ». Les fonctions administratives, financières et professionnelles de chaque collège sont assumées par un groupe de représentants élus : le praesidium du collège des avocats. Le praesidium est investi de pouvoirs réels et effectifs à l'égard de tous les avocats : il décide de l'admission des nouveaux membres dans le collège ; il congédie les membres qui ont commis de sérieuses infractions à la discipline professionnelle ; il nomme le chef de chaque « consultation » (bureau local, la plus petite unité collective de la profession).

Le président du praesidium et ses adjoints représentent le collège dans toutes ses relations avec le parti et les organismes gouvernementaux. Ces trois personnes sont dites « membres libres » du praesidium, c'est-à-dire qu'elles reçoivent un salaire pour ce travail, lequel est payé sur les gains de tous les avocats du collège, dont il est déduit.

Comme toute organisation soviétique, le praesidium doit coordonner son travail avec les corps appropriés du parti et du gouvernement : au niveau gouvernemental, la division « Avocats » du ministère de la Justice, ou encore les départements « Justice » des comités exécutifs des soviets municipaux ou provinciaux ; au niveau du parti, les divisions administratives des comités municipaux ou provinciaux du parti communiste de l'Union soviétique. Les membres du praesidium, toutefois, sont entièrement responsables de la manière dont un problème spécifique est rapporté à l'autorité extérieure ; du degré de fermeté avec lequel ils défendent les intérêts du collège ; de l'admission des nouveaux membres ; de toutes autres matières affectant la vie professionnelle quotidienne des avocats.

Les élections au praesidium sont des événements importants pour les membres du collège. A Moscou, le praesidium est choisi lors d'un congrès électoral spécial auquel des délégués ont été élus. Chaque bureau juridique a le droit d'envoyer un certain nombre de délégués (proportionnel au nombre d'avocats travaillant dans ce bureau, en moyenne entre cinquante et soixante-dix). Après une discussion préliminaire des représentants du parti au sein du bureau juridique, il est établi une liste de candidats, laquelle est soumise à l'assemblée plénière des avocats du bureau. Cette dernière décide à main levée quels sont les candidats qui doivent être laissés sur la liste et propose des remplaçants pour ceux qui auraient pu être rejetés.

Une grande importance est accordée au nombre de candidats qui sont membres du parti ; c'est à travers eux en effet — les délégués qui sont membres du parti communiste — que le comité de Moscou du parti dirige le travail du congrès électoral. Depuis seize ou dix-sept ans, un autre quota a également été appliqué : celui des juifs.

Aucun votant n'est indifférent au résultat de cette élection. Il est vital pour chacun que les places du praesidium soient occupées par des gens qui ont à cœur les intérêts du collège, qui connaissent et aiment la profession d'avocat — et cela est vrai tout autant pour la majorité « sans-parti » que pour ceux qui sont membres du parti.

Avant d'avoir des ennuis en tant qu'avocate de dissidents, je fus déléguée à tous les congrès électoraux. Cela en partie à cause de mes excellentes relations avec mes collègues, mais aussi parce que j'étais bien connue et en bons termes avec nombre d'avocats d'autres bureaux moscovites. Ce dernier facteur était très important dans le choix d'un délégué. Officiellement, il n'y avait rien qui ressemblât à une campagne électorale ; nous ne savions même pas d'avance les noms des candidats de notre propre bureau. Une campagne officieuse, cependant, commençait plusieurs semaines avant le congrès. Où que nous nous rencontrions — habituellement dans les couloirs du tribunal —, nous discutions des perspectives de l'élection, essayant de deviner quels candidats le parti proposerait, lesquels d'entre eux pourraient rester sur la liste, lesquels seraient éliminés et par qui ils seraient remplacés.

Mais le maquignonnage électoral commençait au congrès lui-même, et particulièrement le deuxième jour. Tôt le matin, ce jour-là, le groupe du parti, c'est-à-dire tous les délégués qui étaient membres du parti, tenait une réunion où était discutée la liste des candidats au praesidium, approuvée par le comité de Moscou du parti. Cette réunion était habituellement présidée par un personnage qui n'était rien de moins que le chef de la division administrative du comité de Moscou. A cette réunion, les propositions de candidature étaient adoptées à main levée, et généralement la liste du parti était acceptée telle quelle, ou avec seulement des modifications mineures.

Nous autres — les sans-parti —, nous nous amassions dans le couloir, attendant l'apparition de nos collègues du parti, par définition les mieux informés. Dès qu'ils émergeaient, la véritable discussion des candidatures commençait. Le plus difficile, et le plus important, c'était de se mettre d'accord, parmi les délégués, sur les candidats (ethniquement) russes et membres du parti pour lesquels nous devions voter, et lesquels d'entre eux devaient être définitivement écartés.

Les candidatures des Russes sans parti et celles des Juifs nous intéressaient beaucoup moins ; *nul* d'entre eux ne pourrait jamais devenir président du praesidium. Seul un individu ethniquement russe et membre du parti communiste pouvait être élu à ce poste.

C'était précisément à ce stade qu'il était important, pour un délégué, d'être connu des avocats d'autres bureaux et d'être investi de leur confiance. Tous les délégués communistes étaient tenus, de par la discipline du parti, d'adhérer — au moins publiquement — à la liste déjà choisie à la réunion du parti. En l'espace de quelques heures, cependant, ils étaient capables de voter contre n'importe laquelle de ces candidatures qu'ils désapprouvaient, puisque le scrutin final était secret.

Je démarrai ma carrière au collège parmi des avocats qui conservaient les attitudes traditionnelles de la profession, la vieille approche de la procédure, l'ancienne conception du barreau. En ces années-là, le collège était composé de juristes véritablement remarquables et de brillants orateurs. J'ai souvent travaillé main dans la main, dans les procès, avec un vieil avocat moscovite qui avait débuté avant la révolution. Leonid Zakharovitch Kats était un maître du barreau, un brillant orateur. C'était un homme élégant, grand, bien proportionné, avec une petite barbe soigneusement entretenue, toujours vêtu de façon classique. Avec les ans, son allure devint de plus en plus aristocratique. Nous lui avions donné le surnom de « lord anglais ». Parmi tous ceux avec qui j'avais travaillé, Kats émergeait par sa connaissance irréprochable de la procédure. Quel que soit le volume du dossier, qu'il ait ou non des rapports avec son client, Leonid Zakharovitch n'ignorait rien de l'affaire. Ses questions étaient toujours brèves et précises, et il les formulait avec grand soin. Il abordait la solution des problèmes du point de vue le plus large possible, mais la réponse à une question suivait logiquement la réponse à la question précédente.

Les plaidoiries de Kats étaient un modèle d'éloquence. Elles avaient toutes les qualités : exposition bien articulée de l'affaire, superbe analyse des preuves et parfait raisonnement logique. Il parlait toujours avec une grande émotion et utilisait à bon escient tous les procédés de l'art oratoire : modulations de la voix, gestes et citations appropriés. Je sentais pourtant que ses plaidoiries perdaient quelque crédibilité pour être trop sophistiquées. Elles me laissaient souvent froide.

Je me souviens à quel point je trouvai intéressants les procès auxquels prirent part Kats et Nikolaï Nikolaïevitch Milovidov, à l'époque l'avocat le plus apprécié du barreau de Moscou, notamment parmi les juges. Il serait injuste de dire qu'il n'avait pas belle apparence. Pas aussi raffiné que Kats, mais non moins aristocratique dans sa complète ingénuité. Milovidov était un gentleman, un gentleman russe indolent, un « barine », un noceur qui buvait sec, aimait les restaurants, qui, à cette époque, étaient excellents à Moscou.

Il ne posait pas beaucoup de questions pendant un procès. J'ai toujours pensé qu'il ne connaissait pas trop bien son dossier. Un jour, il me dit : « Je suis sûr que tout ce dont j'ai besoin pour la défense, je l'entendrai au procès. » Il y avait beaucoup de vérité dans cette déclaration : en fait, quand il prenait une affaire en main, il ne se familiarisait guère avec son contenu. Mais il absorbait comme une éponge tout ce qui se disait dans la salle d'audience. Il emmagasinait dans sa mémoire les détails les plus insignifiants, les plus petites nuances dans les dépositions des témoins ou des accusés, lesquels pouvaient prendre dans son esprit la plus grande importance.

Ses plaidoyers étaient dépourvus d'effets et d'ornements, mais, à mon avis, c'était un orateur du plus haut niveau. Je me rappelle comment il se levait lentement de son banc d'avocat, se tournait lentement vers la cour et se mettait à parler d'une voix lente et calme. Plutôt qu'un discours, c'était comme une conversation intime entre deux parties : la cour et lui-même. Fréquemment, Milovidov s'avançait dans le tribunal, s'arrêtait devant les juges, semblant ignorer l'assistance. Tout ce qu'il voulait, c'était voir la cour. Il avait besoin d'un contact direct avec la cour, et avec elle seule.

« Dieu seul sait comment il s'y prend, me dit un jour Ivan Klimov, l'un des juges les plus terrifiants de l'époque de Staline. On l'écoute et on croit tout ce qu'il dit. »

Sa manière calme de parler, remplie d'une tension intérieure si terrible, était en fait captivante, ensorcelante. J'ai toujours senti que chaque mot prononcé par lui était le seul capable d'exprimer sa pensée, et que le remplacer par quelqu'autre serait impossible. Tout ce qu'il disait, les pensées qu'il formulait, tout semblait couler de source, naturellement, comme une évidence. Je m'étonnais seulement de ne pas y avoir moi-même pensé plus tôt.

Je suis convaincue que, si les procès avec jury existaient en Union soviétique, Milovidov n'aurait jamais connu une seule défaite à leur occasion.

Je rêve à l'époque où j'aurais été capable de conduire un interrogatoire comme Leonid Kats et de prononcer un discours à la manière digne et noble de Nikolaï Milovidov.

Les avocats enrôlés au cours des années qui précédèrent immédiatement mon arrivée étaient pour la plupart d'anciens enquêteurs du N.K.V.D. (actuellement le K.G.B.), ou bien des juges qui avaient été renvoyés de la magistrature pour certains délits (des plus inconvenants, le plus souvent) et qui, sur ordre du parti, s'étaient vu affecter un travail d'avocat.

Ces personnes représentaient un élément très hétérogène de la profession. Certaines étaient indubitablement des gens de talent qui maîtrisèrent vite les finesses du métier, mais il y en avait aussi qui, non seulement étaient dépourvues de toute pratique juridique, mais manquaient même complètement d'une instruction de base. Ce nouveau groupe, cependant, possédait un énorme avantage sur les avocats plus anciens : il était constitué par des gens qui, tous, quelle que fût leur origine, étaient membres du parti communiste. C'est dans leurs rangs exclusivement qu'étaient recrutés les chefs des bureaux, et à travers eux que s'exerçaient la direction et le contrôle du parti sur tous les membres de la profession. En dépit du fait qu'ils avaient été renvoyés de fonctions plus prestigieuses comme punition de leurs méfaits, ils étaient toujours considérés par le parti comme figurant dans «ses» effectifs, ils étaient encore des représentants de la même classe, du même parti dirigeant.

Pour ces gens, la mutation dans le corps des avocats représentait une brusque chute de statut vers le bas de la pyramide hiérarchique, et elle leur fermait la porte à toute chance d'un avancement ultérieur, dans leur carrière ou dans le parti. Je me souviens d'avocats qui avaient été précédemment des enquêteurs affectés à des cas particulièrement importants au ministère public de l'U.R.S.S. ; je me souviens d'autres qui avaient été antérieurement des membres de la Cour suprême de la R.S.F.S.R. ou des membres de cours martiales au quartier général des Armées. Dans toute ma carrière, cependant, je n'ai pas rencontré un seul cas d'avocats quittant la profession pour passer dans la magistrature assise ou debout, ou bien pour devenir permanent du parti (à une exception près, toutefois).

A l'époque, la profession d'avocat n'offrait une certaine satisfaction qu'à ceux qui aimaient vraiment ce travail, et leur apportait en même temps une certaine rémunération, bien inférieure cependant à celle que nous associons en Occident à la carrière juridique.

Les gains des avocats soviétiques sont constitués par les honoraires que paient les clients au caissier du bureau, honoraires qui sont calculés strictement d'après le tarif en vigueur pour les différents services fournis par les avocats. Chaque note d'honoraires est créditée au compte de l'avocat chargé du dossier correspondant. A la fin du mois, ces honoraires sont totalisés et lui sont versés après déduction des impôts acquittés par tout citoyen soviétique et d'autres sommes fixes telles que la quote-part du loyer des locaux et des salaires destinés aux fonctionnaires et permanents du collège des avocats. En moyenne, ces déductions sont comprises entre vingt et trente pour cent des gains bruts des avocats.

Pour donner une idée du pouvoir d'achat réel des avocats, il faut citer quelques exemples d'honoraires maximaux facturables. Pour mener une affaire criminelle ordinaire ne nécessitant pas plus de deux jours d'audience, l'avocat peut facturer un maximum de vingt-cinq roubles. Après toutes les déductions, il touche dix-huit roubles soixante-quinze kopecks, incluant le temps passé à étudier le dossier, les entretiens avec le client dans la prison, les deux jours d'audience au tribunal, une visite supplémentaire à la prison après le verdict, l'étude de la copie du jugement et, peut-être, le pourvoi en appel. Les honoraires pour traiter un dossier civil sont également misérables. Pour une consultation donnée au bureau à un client, les honoraires sont de un rouble (soit soixante-six kopecks nets après déduction); pour un avis écrit sur un problème juridique, pour dresser ou certifier un acte, l'honoraire brut n'excède pas trois roubles.

Même ainsi, en travaillant très dur (ce qui, à mon sens, nuit inévitablement à la qualité de son travail), un avocat qui se concentre sur des cas mineurs durant entre un et trois jours chacun peut gagner considérablement plus que, disons, la moyenne des ingénieurs, des enseignants ou des médecins — certainement beaucoup plus que ne peut gagner un avocat-conseil auprès de quelque organisation et plus que le salaire d'un juge de tribunal d'instance ou d'un enquêteur dans un parquet de district (du moins jusqu'à l'augmentation de salaire accordée à ce dernier dans les années 70).

Assez paradoxalement, les avocats les plus mal lotis sont ceux qui sont le plus qualifiés, ceux qui traitent les affaires plus longues et plus compliquées, nécessitant une préparation sérieuse et intensive. Les services d'un avocat dans une affaire qui dure plusieurs mois sont payés au taux de dix roubles par jour d'audience. Les jours de suspension, inévitables dans un procès, sont rétribués à cinq roubles par jour. Par conséquent, le maximum absolu qu'un avocat puisse gagner en honoraires pour un mois de travail dans un procès d'une certaine extension se situe entre 170 et 180 roubles, dont il faut retirer les déductions habituelles. Si l'on se rappelle que le temps important nécessité par la maîtrise de son affaire n'est récompensé par aucun paiement, le caractère misérable et inadéquat de la rémunération officielle de l'avocat devient évident.

C'est ce qui a donné naissance à un phénomène qui est devenu un aspect permanent et quasi universel de la vie professionnelle de l'avocat, connu dans le jargon du métier sous le terme de « mixte ».

Le mixte est le système d'honoraires supplémentaires illégaux que le client paie directement à l'avocat. C'est du mixte que l'avocat retire l'essentiel de son revenu. Ce n'est pas un pot-de-vin. Le mixte n'est pas payé en fonction de l'issue du procès, parce que celle-ci ne dépend pas de l'avocat. C'est un honoraire pour services rendus. Bien que ce système ne soit guère à l'honneur du barreau soviétique, dont les intérêts et le prestige me restent chers, je n'ai pas le droit de passer sous silence cette question particulière.

Je suis certaine que la plupart des avocats ne voient rien d'immoral dans le fait de recevoir cette forme de rémunération supplémentaire; à leurs yeux, l'échelle officielle des rémunérations, outrageusement injuste, leur donne le droit de redresser la balance en leur faveur. Naturellement, un système libre, franc et légalisé d'accord direct avec le client sur les honoraires serait préférable à cette méthode illégale et hautement dangereuse de rétribution. Après tout, l'avocat qui accepte un mixte est placé dans une position de dépendance humiliante à l'égard de son client, sachant que si le client informe quiconque de sa prestation directe à l'avocat, ce dernier se verra inéluctablement expulsé du collège des avocats.

L'illégalité de ce système et les risques qui lui sont liés ont conduit certains avocats à exiger des honoraires énormément élevés, qui n'ont plus aucun lien avec le travail effectué. Le montant du mixte est très variable. Il dépend des besoins et des moyens du client, de la nature de l'affaire, mais surtout, je pense, du caractère de l'avocat. Il y en a qui annoncent le chiffre eux-mêmes, et qui n'accepteront l'affaire qu'à ces conditions, tandis que d'autres s'en remettent à la «conscience» du client; mais, dans toute ma carrière d'avocat, je n'en ai vu que très peu qui ne prenaient aucun mixte.

En dépit du risque lié à la perception d'un mixte, les avocats en discutent très ouvertement entre eux. Juges et procureurs sont parfaitement au fait de cette pratique et, en privé, non seulement ils ne la condamnent pas, mais ils la considèrent comme juste et raisonnable. Pour cette raison, les gens qui, pour des motifs divers, voient leur carrière terminée dans les institutions judiciaires de l'État sont heureux d'accepter l'offre d'une place d'avocat. Ils réalisent que, s'ils ont perdu pour toujours la chance de satisfaire leurs ambitions de briller dans la vie publique, ils reçoivent en échange un niveau de vie matériel plus élevé.

La situation a changé au cours des années récentes. Nombre de diplômés de l'université cherchent à être admis dans le collège des avocats. L'enrôlement y est très restreint, et y être accepté est d'un très grand prix, non à la portée de beaucoup de postulants. La possession d'un diplôme de droit est maintenant obligatoire pour tout nouvel avocat. Des avocats ont commencé d'être élus députés aux soviets locaux; on les invite à des conférences prestigieuses, on les inclut dans des délégations de juristes et on les envoie en visite officielle à l'étranger. Même encore maintenant, cependant, on ne compte pas un seul avocat dans les instances supérieures du gouvernement et du parti.

Je pense que le désir des jeunes juristes de devenir avocat (dans la mesure où il n'est pas imputable à des considérations purement matérielles) doit s'interpréter comme une volonté consciente et délibérée d'échapper à une participation active à la vie publique dans le cadre du système officiel, comme une tentative d'organiser leur vie professionnelle dans les conditions d'une relative indépendance par rapport à l'État, conditions que leur offre certainement le métier d'avocat. Comme par le passé, des enquêteurs, des juges et des procureurs continuent de venir chez les avocats, mais, tandis que, dans les années du début de ma car-

rière, l'écrasante majorité de ceux-ci étaient les brebis galeuses du barreau, on en trouve aujourd'hui de nouvelles catégories à côté des anciennes. Parmi les nouvelles recrues, on compte désormais des procureurs
qui ne peuvent plus tolérer la soumission aux ordres des autorités supérieures et qui refusent de continuer à persécuter des gens dont la culpabilité ne leur paraît pas prouvée ; on compte des juges convaincus que
l'indépendance du judiciaire n'est que pure comédie. Tous ces gens ont
été placés en face d'un choix entre l'acceptation inconditionnelle de ce qui
est appelé en Union soviétique la «politique punitive» (non pas la loi,
notez bien, mais la *politique*) et la démission, volontaire ou forcée, de la
magistrature assise ou du parquet.

Le niveau professionnel moyen des avocats de Moscou s'est incontestablement amélioré, mais en même temps il s'est unifié. On ne voit plus
ces personnalités frappantes qui fleurissaient au début de ma carrière,
quand nous autres, jeunes avocats, faisions un effort particulier pour
assister aux procès où ces figures remarquables plaidaient. Effectivement, les jeunes avocats d'aujourd'hui n'en ont pas le temps : ils ont à
atteindre un obligatoire objectif financier, et cela implique de voler d'affaire en affaire sans disposer du temps nécessaire pour préparer correctement chaque cas ou pour compléter l'entraînement professionnel de façon
satisfaisante. Mais c'est un problème de notre époque. Ma première rencontre avec la profession d'avocat soviétique s'est faite en un temps où
elle n'était pas seulement sous-payée, mais aussi dépourvue de tout prestige et statut. Ajoutez à cela que les droits et privilèges d'un avocat soviétique sont infiniment plus restreints que ceux dont jouissent ses homo-
logues d'Europe ou d'Amérique. D'après la législation soviétique existante, un avocat peut accepter n'importe quelle affaire, civile ou criminelle, devant être jugée devant n'importe quelle cour du pays. En réalité,
cependant, les droits des avocats et des accusés sont grossièrement violés
par l'État lui-même. Au moyen du système de l' «accès».

L'essence de ce système est que, dans tous les cas où l'enquête est
menée par le K.G.B. (cela inclut toutes les affaires politiques aussi bien
que le trafic illégal de devises impliquant des étrangers, ainsi que certaines autres catégories de procès), seuls les avocats munis d'une autorisation spéciale peuvent plaider en cour. Les experts étrangers en droit
soviétique chercheront en vain, parmi les textes législatifs de l'U.R.S.S.,
une référence, ou même une allusion, à l'existence du système de
l'«accès». Tant le Code de procédure pénale que le Statut des avocats sont
fondés sur le principe d'une totale égalité de tous les membres de la profession. Ni l'ancienneté, ni l'expérience, ni l'aptitude ne confèrent d'avan-
tages, tant en ce qui concerne le droit de plaider dans toutes les cours que
le droit d'accepter n'importe quelle affaire, ou en ce qui concerne le montant des honoraires. En fait, cependant, l'inégalité existe entre les avo-

cats ; elle est déterminée par ce que le parti perçoit comme un certain degré de sûreté politique. L'indication formelle de cette sûreté est l'existence de l' « accès ».

Le praesidium d'un collège, en consultation avec le K.G.B., établit la liste des avocats à qui l' « accès » est accordé (à Moscou, la proportion est approximativement de dix pour cent du total, soit entre 100 et 120 avocats).

L' « accès » est toujours donné aux membres d'un praesidium de collège, à tous les chefs de bureau et à tous les secrétaires du parti dans les bureaux. En outre, il est accordé à trois ou quatre avocats dans chaque bureau, habituellement des membres du parti. Pendant plusieurs années, j'eus moi-même l' « accès » (nul doute que je n'étais pas le seul sans-parti à l'avoir, mais je ne me souviens pas d'un autre cas semblable).

Il convient de souligner que l' « accès » d'un avocat aux affaires instruites par le K.G.B. est différent de l'accès aux documents secrets, qui est accordé à tous les citoyens soviétiques travaillant dans des établissements secrets. Les deux choses ne sont pas équivalentes, parce que la majorité des cas pour lesquels les avocats ont besoin d'un « accès » ne comportent aucune information ni document secrets et sont, en fait, jugés en public. L'État, qui contrôle strictement toute déclaration publique ayant un contenu idéologique ou politique, n'est pas disposé à accorder l'usage incontrôlé du forum de la cour à un avocat qui n'a pas passé un test spécial d'obédience politique.

Il n'a pas fallu beaucoup de temps pour que je fusse privée de l' « accès », non que j'eusse divulgué quelque information secrète — il n'y en avait aucune dans les affaires dont je m'étais occupée —, mais parce que j'avais échoué au test d'obédience politique.

L'illégalité du système de l' « accès » fut mentionnée pour la première fois en liaison avec certains procès politiques qui eurent lieu en Union soviétique, et le terme d' « accès » fut connu en Occident. Dans les articles de presse concernant les procès de Chtcharanski, d'Orlov et de certains autres, il fut invariablement rapporté que ces personnes ne pouvaient s'assurer les services des avocats de leur choix.

Le Kremlin réalisa alors que le prestige de la justice soviétique en était terni. Bien que les autorités n'aient pas aboli le système, elles ont fait tout leur possible pour rendre son existence moins voyante. Alors que, six ans auparavant, le président du praesidium du collège des avocats de Moscou n'avait pas hésité à écrire, en réponse à une requête de la mère de Boukovski (elle avait demandé que je défende son fils), que l'avocate Kaminskaya ne pouvait être autorisée à accepter cette affaire parce que le droit d'assurer la défense, dans ces cas-là, était limité aux avocats figurant sur la liste approuvée par le K.G.B., aucun commentaire écrit semblable ne fut fait en réponse à une requête similaire faite en juin 1977 par la mère de Anatoli Chtcharanski. Elle aussi fut privée du droit de choisir librement un défenseur pour son fils, mais, dans son cas, le refus fut fait verbalement. Qui plus est, j'eus à subir une réprimande de la part du vice-président du praesidium : « Qu'aviez-vous à mentionner le mot « accès » en public et à soulever toute cette fureur superflue ? Vous auriez dû dire que vous étiez malade ou occupée, et invoquer cette raison pour refuser le dossier. »

Ainsi, il existe toute une catégorie de cas auxquels une grande majorité d'avocats ne peuvent prendre part. Dans toutes les autres occasions, en revanche, le droit de l'avocat à accepter n'importe quel dossier civil ou pénal est incontesté. En règle générale, la participation de l'avocat à une affaire pénale ne commence que quand l'enquête préliminaire est achevée (si l'accusé est un mineur, et dans certains autres cas très rares, elle commence dès que l'accusation est formulée). C'est la première occasion qu'a l'avocat de rencontrer son client, soit en présence de l'enquêteur, soit, avec l'approbation de ce dernier, seul.

Quand l'affaire arrive au tribunal, le stade principal commence avec la préparation et la conduite de la défense. J'avais l'habitude de relire le dossier dans la salle d'audience pour m'assurer que je n'avais rien oublié, et de procéder aux transcriptions éventuellement nécessaires à partir du matériel documentaire.

Dans le bâtiment de la Cour suprême de R.S.F.S.R., les avocats compulsent leurs dossiers dans la salle n° 13, au premier étage. Là, nous étudions les affaires les plus complexes, les plus volumineuses, assis à cinq petites tables si proches qu'elles se touchent presque. La fenêtre donne sur la cage d'escalier intérieure. Il n'y a ni éclairage naturel, ni air frais, ni, a fortiori, air conditionné. Été comme hiver, il y est presque impossible de respirer, et nous y restons assis pendant des heures, des jours et des semaines, copiant page par page, à la main, tout ce dont nous avons besoin, sans aucune forme d'assistance.

Dans le tribunal de la ville de Moscou, il y a une salle des avocats qui possède une fenêtre donnant sur la rue, mais il y fait toujours froid, à cause d'une défectuosité dans le système de chauffage que personne, en trente ans, n'a été capable de réparer. De toute façon, personne ne s'intéresse à sa réparation : ce n'est que la salle des avocats. Au tribunal de la province de Moscou et dans la plupart des cours populaires, aucune place n'est prévue pour que les avocats étudient leurs dossiers. Il nous faut monter et descendre des escaliers, trimbalant nos dossiers, à la recherche d'une salle d'audience inoccupée. Si nous avons de la chance, nous pouvons nous y asseoir et y travailler, jusqu'au moment où le greffier apparaît et nous dit : « Camarade avocat, nous allons commencer le procès... » Alors nous ramassons nos manteaux, nos serviettes, nos notes, nos volumes de documentation et nous repartons d'étage en étage en quête d'une salle vide. Et si nous n'avons pas de chance, nous travaillons dans le couloir, perché sur un banc ou même sur le rebord d'une fenêtre.

Durant les années où j'ai vécu en Occident, j'ai eu l'occasion de visiter des tribunaux en Angleterre et en France. Chaque fois, le premier sentiment que j'ai ressenti a été l'envie. J'ai envié les splendides bâtiments de justice, l'atmosphère calme et sérieuse qui règne dans les tribunaux, le ton courtois des juges quand ils s'adressent aux avocats de la défense. J'ai envié, également, les documents dactylographiés des avocats et tout leur entourage d'assistants : avocats stagiaires, sténographes, employés. J'ai beaucoup envié aussi les magnifiques locaux des bureaux d'avocats, non pas pour leur luxe, mais pour leur confort, leur commodité et le calme dans lequel leurs occupants pouvaient travailler. Assise dans le cabinet de l'avocat londonien John Macdonald, installé dans les anciens bâtiments de Lincoln's Inn, meublé d'acajou ancien, comment aurais-je pu m'empêcher de penser à nos bureaux d'avocats de Moscou ?

Quiconque a pénétré dans des bureaux d'avocats en Amérique, en Angleterre ou en France doit complètement effacer de sa mémoire le souvenir qu'il en a gardé s'il veut imaginer les locaux de justice de Moscou, district de Leningrad. Au début des années 40, quand je commençais ma carrière, c'était un très petit bâtiment en bois d'un seul niveau. Quatre ou cinq marches à demi cassées conduisaient à la porte d'entrée, par laquelle le client entrait directement dans la pièce principale. La secrétaire du bureau y était assise à sa table (elle était à la fois l'unique dactylo du bureau et la caissière). La pièce contenait trois autres tables, où tout le travail des avocats était censé s'effectuer. Il y avait plus de douze avocats dans le bureau. En règle générale, ces trois tables étaient occupées par les avocats de service — ceux dont c'était le tour, d'après le tableau, de recevoir les clients venus soit pour consulter, soit pour demander un défenseur (c'est ce qu'on appelle la partie «boutique» de la pratique, par opposition aux entretiens «personnels», quand le client vient voir l'avocat qu'il a déjà sélectionné).

Dans la journée, quand beaucoup d'avocats sont au tribunal et que la majorité des clients sont au travail, il y a quelque chance de pouvoir travailler normalement — mais le soir ! Comment décrire cette maison de fous en laquelle la pièce était transformée ? Elle était occupée par les trois avocats de service, la secrétaire et pas moins de dix ou douze autres avocats et leurs clients. Les entretiens avec les clients se déroulaient essentiellement debout, dans le petit espace compris entre la porte et le bureau de la secrétaire. La seule façon d'éviter cela était de recevoir les clients «personnels» à son domicile privé, mais c'était toujours — et c'est encore — considéré comme un manque des plus sérieux à la discipline professionnelle.

Depuis cette époque, de nombreux bureaux d'avocats moscovites ont été gratifiés de nouveaux locaux, plus convenables. Des facilités, bien que limitées, existent pour les avocats de recevoir leurs clients en privé. La grande salle, rencontrée dans tous les bureaux, est divisée par des cloisons en contre-plaqué en petites cabines, chacune de la dimension d'une cabine de douche. Les cloisons s'arrêtent peu avant le plafond, afin de permettre à l'air de circuler. Dans chaque cabine, il y a de la place pour une petite table, une chaise pour l'avocat et un maximum de deux chaises pour le client. Bien que ce soit là une grande amélioration, il y a encore des soirs où des avocats doivent attendre des heures pour une table ou une cabine.

Une connaissance approfondie du dossier — des documents réunis au cours de l'enquête préalable — est essentielle pour la conduite d'une défense consciencieuse et efficace dans les tribunaux soviétiques. Les avocats soviétiques ne peuvent s'en remettre à la tactique qui consiste à présenter de nouvelles preuves durant le procès ou à appeler de nouveaux témoins, parce qu'ils ne peuvent jamais savoir à l'avance s'ils y seront autorisés. Par conséquent, le premier but de la défense est de miner la confiance de la cour en les preuves réunies par l'enquêteur.

Les membres de la cour ont une prévention naturelle contre l'accusé. Je qualifie cette attitude de «naturelle» parce que, avant le procès, ils ne voient que les preuves soigneusement rassemblées par l'enquêteur, lesquelles sont directement dirigées contre l'accusé et étayent la version des événements soutenue par l'accusation. C'est précisément ce matériel qui façonne et détermine l'attitude psychologique du juge, qui est une attitude de méfiance à l'égard du défenseur qui plaide non coupable.

Ainsi, un bon avocat doit avoir une connaissance exhaustive du contenu de son dossier ; une aptitude à la pensée logique stricte ; la capacité de réagir avec la vitesse de l'éclair à tout développement durant le procès ; l'adresse de formuler ses questions avec une absolue précision ; une grande circonspection dans le choix des questions (car nul avocat ne peut en prédire les réponses) ; et enfin le don d'élocution. Dans les cas litigieux, naturellement, un juge soviétique est enclin à se laisser bien davantage impressionner par la logique et par les faits que par la coloration émotionnelle d'un discours.

L'avocat a un champ d'action bien plus grand pendant le procès que pendant l'enquête préliminaire, car, au stade préjudiciaire, la loi elle-même établit une nette supériorité de l'enquêteur et du procureur, tandis qu'au tribunal accusation et défense sont dotées de droits égaux et d'un champ d'action égal. La mise en œuvre des droits de la défense, dans une affaire pénale ordinaire (non politique), dépend souvent à un degré égal de la fermeté et du courage de l'avocat et des qualités personnelles du juge. Naturellement, le statut prééminent du procureur se manifeste devant la cour ; les requêtes du procureur sont moins souvent rejetées que celles de la défense — non pas parce qu'elles sont mieux fondées, mais parce que, derrière le procureur, il y a l'autorité de l'État : n'est-il pas après tout le « procureur de l'État » ?

Plus on s'éloigne de Moscou, plus cette inégalité devient grande et manifeste. Plus l'instance judiciaire est petite, plus il est difficile pour un avocat, en règle générale, de se battre pour imposer une défense efficace. Toutefois, il serait injuste de ne pas observer que, au cours des récentes décennies, la manière dont sont conduits les procès s'est notablement améliorée : à Moscou en particulier, mes confrontations avec des juges grossiers et ignorants sont devenues de moins en moins fréquentes. Je pense que les juges qui continuent d'adopter une attitude méprisante et discourtoise à l'égard des représentants de la défense ne le font pas par obéissance à quelque directive secrète du parti ou de l'État, mais par suite d'une longue tradition et du préjugé défavorable qu'ils nourrissent contre les accusés. Les choses étant ce qu'elles sont, ils traitent toutes les requêtes soumises par la défense comme superflues et dilatoires : il serait tellement plus facile de liquider le procès en transcrivant mot pour mot l'accusation dans le verdict, et en se contentant d'ajouter la longueur de la peine de prison ou de camp de travail. Bien que ne témoignant aucun respect pour les avocats, ils les jalousent, considérant leur travail comme facile et lucratif.

Pour moi, le travail n'a jamais été facile. Bien que je l'aimasse, je le trouvais aussi atroce. Il ne me laissait jamais le moindre répit : quelle que fût l'heure, que je fusse en train d'étudier un dossier ou de rentrer chez moi en métro, ou bien assise devant un souper tardif avec mon mari, un autre processus de pensée était quelque part à l'œuvre dans mon subconscient, parallèle au premier.

Une fois, lors d'une réunion de la Société de criminologie du collège des avocats de Moscou, consacrée à l'étude d'un cas que je venais justement de terminer, quelqu'un me demanda de décrire ma méthode de travail. Je fus incapable de révéler à mes collègues quoi que ce soit qui fût saisissant ou neuf. Ma méthode consistait simplement en une étude exhaustive de chaque affaire (j'ai toujours été stimulée par le sentiment irrationnel que la page que j'omettrais de lire serait celle qui se révélerait être la plus importante), en une réflexion prolongée et en une tentative de comprendre la psychologie de la personne dont j'assurais la défense. Je ne me plaignais jamais quand un procès était ajourné ou remis, ne considérant pas cela comme du temps perdu, parce que je pouvais toujours en faire un bon usage. Cela pouvait signifier, par exemple, que je pourrais retourner à la prison et avoir un nouvel entretien avec mon client ; parfois, nous pourrions discuter de choses qui ne concernaient pas l'affaire, mais qui me permettraient d'améliorer ma connaissance et ma compréhension de l'homme. Les acteurs disent qu'ils « entrent dans la peau d'un rôle»; j'avais toujours besoin d'«entrer dans la peau d'une affaire».

En ce qui concerne mes plaidoyers, je ne les écrivais jamais *in extenso*, mais ils n'étaient jamais non plus prononcés impromptu. Ma méthode favorite, et la plus efficace, pour rassembler tous les éléments de ma pensée dans la préparation finale de mon discours, c'était de jouer au solitaire. Pendant la plus grande partie de ma carrière (quand mes parents étaient encore en vie et avant que mon fils et ma belle-fille émigrent aux États-Unis, en 1972), j'avais l'habitude de travailler la nuit, dans la cuisine. Plus tard, j'eus la possibilité de m'aménager un cabinet d'étude, avec un beau bureau ancien en acajou, mais je ne travaillais jamais à ce bureau. Ma véritable place de travail, c'était un petit divan d'angle, en face duquel se trouvait une table ovale. J'avais l'habitude d'empiler mes notes sur le divan et de disposer mon solitaire sur la table, à côté de quelques bouts de papier sur quoi prendre des notes et esquisser le plan de ma plaidoirie. Parfois, je restais assise pendant des heures, jouant au solitaire et testant mentalement la plausibilité et la logique de mes arguments de défense, essayant de me mettre dans la peau du juge et d'écouter mon discours à travers ses oreilles.

Au moment de conclure ce chapitre, j'aimerais noter que jamais je n'ai regretté le choix que j'ai fait quand j'étais étudiante. Non seulement ma profession était compatible avec mes aptitudes et mon caractère, mais elle a fait de moi, intellectuellement et moralement, une personne meilleure.

2

POURQUOI JE DEVINS
UN AVOCAT « POLITIQUE »

« Camarade avocate, pourquoi défendez-vous tant de ces gens ? Qui plus est, vous ne le faites pas parce qu'on vous le demande, mais par choix. »

La question me fut posée par le juge Pissarenko, membre du tribunal de la ville de Tachkent, où, en 1970, je défendais Ilia Gabaï contre l'accusation de diffamer le système soviétique.

« Pourquoi vous souciez-vous de défendre ces politiques ? Vous feriez mieux de défendre les employés de magasin, cela paye mieux et, encore plus important, cela assure une vie plus tranquille », me dit un de mes collègues du bureau, un vieil avocat expérimenté.

Que pouvais-je leur dire en réponse ?

Ma réponse fut que je défendais quiconque avait besoin d'aide ; que c'était mon métier, et que je ne voyais aucune raison de refuser mon assistance à Gabaï, à Boukovski, à Litvinov ou à Galanskov. Même si mes propres opinions politiques m'influençaient, j'agissais fondamentalement par convictions morales, par simple devoir professionnel.

Quand j'acceptai de défendre Vladimir Boukovski (ma première affaire politique), j'ignorais tout de ses convictions politiques et de ses qualités humaines. Pour moi, c'était une personne qui avait pris part à une manifestation pacifique et qui, pour cela, avait été accusée de crime. J'aurais accepté de le défendre, que je partage ou non ses vues politiques, et je fus guidée par les mêmes principes quand j'acceptai de défendre d'autres cas similaires.

Ma décision était influencée dans une certaine mesure, naturellement, par le fait que les vues de mes clients coïncidaient largement avec les miennes, et que certains d'entre eux n'étaient pas simplement des clients, mais des personnes pour lesquelles, en les défendant, je m'efforçais de montrer mon admiration et mon respect. Mais même quand je ne partageais pas les opinions qu'ils soutenaient et proclamaient, ma décision ne s'en trouvait pas influencée. Quel avocat est obligé, après tout, de sympathiser avec les motifs des actions de ses clients, ou de partager toutes ses vues ? Pourquoi, d'autre part, aurais-je accepté sans un moment d'hésitation la défense de certains dissidents dont les convictions chauvines et nationalistes m'étaient profondément étrangères ? Je voyais que c'était mon devoir de défendre le droit à la libre parole — un droit garanti par la constitution soviétique et invariablement violé chaque fois que les autorités poursuivent quelqu'un pour avoir exprimé des vues dissidentes.

Pourquoi un avocat professionnel déclinerait-il le dossier dans un cas semblable, négligeant ainsi son devoir ? Je suis certaine que la première raison en serait la peur — une peur entièrement justifiée et compréhensible : la peur d'être radié, qui excuse son refus aux yeux de ses amis, et spécialement de ses collègues.

Qu'est-ce qu'un avocat peut avoir à redouter dans une telle situation ? La période à laquelle je me réfère était, après tout, la seconde moitié des années 60. Les arrestations massives et la terreur de l'ère stalinienne étaient passées.

En assumant la défense dans des procès politiques, je n'ai pas pensé une seule fois que je pourrais être arrêtée. Je considérais que, si je menais la défense dans le cadre de la loi, je ne mettais pas ma liberté en danger. Je suis certaine que mes collègues ne redoutaient non plus ni arrestation ni condamnation, aussi bien ceux qui paraissaient dans des procès politiques que ceux qui n'y paraissaient point. Ils craignaient que — et c'était absolument justifié —, s'ils menaient une telle défense en leur âme et conscience, c'est-à-dire une défense fondée sur les pièces du dossier et une analyse de la législation soviétique applicable, ils seraient expulsés du collège des avocats et se verraient interdire pour toujours le droit d'exercer leur profession, même si on leur permettait d'accomplir un autre travail.

Bien sûr, je connais des cas où, sur ordre direct de l'autorité supérieure, le collège des avocats de Moscou a réadmis des avocats expulsés pour manquement grave à la discipline ou même pour grossière incompétence professionnelle. Il y a aussi eu des cas — et assez nombreux — où des avocats ont été réadmis dans le collège après avoir été injustement condamnés sous la terreur stalinienne, et ultérieurement réhabilités. Mais les avocats expulsés pour prise de parole politiquement non conforme devant un tribunal ne sont jamais rétablis.

Quelle est l'ampleur du sacrifice qu'un avocat doit être prêt à assumer quand il accepte de défendre dans un procès politique et quand il mène cette défense en accord avec son devoir professionnel ? A quelle aune la mesurer ?

Quand Aleksandr Soljenitsyne refusait d'accorder à la couche sociale à laquelle il appartenait le droit de s'appeler «intelligentsia», il nous décrivait comme une «canaille éduquée». Je ne puis me quereller avec lui, car l'écrasante majorité de l'intelligentsia soviétique a mérité presque tout ce qu'il a écrit à son propos dans une telle colère. Et il a le droit d'appeler tous les hommes et toutes les femmes de conscience à consentir un «sacrifice conscient et volontaire».

«Ce qu'il faut se préparer à perdre, écrit-il, ce n'est pas le caviar — qu'on ne trouve plus aujourd'hui que dans les musées —, mais les oranges et le beurre.»

C'est, naturellement, un sacrifice, et pas mince s'il dure longtemps; mais pas si grand que nombre de ceux que je connaissais dans mon entourage de «canaille éduquée» ne fussent prêts à le consentir. Il existe, cependant, une autre sorte de sacrifice — un sacrifice spirituel, qui n'a été pris en compte ni par Soljenitsyne (l'un des hommes spirituellement les plus sensibles dans la Russie d'aujourd'hui) ni par ses partisans et suiveurs; et ce sacrifice-là est plus grand que celui que Soljenitsyne nous appelle à consentir.

Un jour, un ami très proche qui avait fait le «sacrifice» me dit dans un entretien privé et confidentiel (c'est pourquoi je ne puis le nommer): «Tu sais, j'ai été mort pendant longtemps.»

Cela fut dit par un homme qui ne regretta jamais d'avoir agi en accord avec sa conscience, qui, si les mêmes circonstances se répétaient, referait exactement la même chose, sachant ce que seraient les conséquences, sachant que, à cause de cela, il serait «mort». Pourtant, après son expulsion, il eut un travail qui ne lui apporta pas seulement le pain et le beurre, mais aussi une voiture; il avait une splendide famille et de nombreux amis, proches et chers. Son sacrifice, par conséquent, fut réellement plus grand (et d'un ordre différent) que celui que Soljenitsyne lui-même fit volontairement et consciemment, car Soljenitsyne, en dépit de ses souffrances, n'eut pas à payer sa liberté spirituelle au prix de son œuvre créatrice, c'est-à-dire qu'il put poursuivre sa vocation. Il fut aussi heureux de voir réaliser son désir — le désir le plus naturel et le plus vital de tout écrivain: avoir des lecteurs, et cela non seulement quand il fut publié à grands tirages, mais aussi quand ses écrits, et son nom lui-même, étaient rigoureusement proscrits.

Naturellement, ni moi, ni mes amis, ni mes collègues qui furent confrontés au choix de participer ou non à des procès politiques ne possédons le degré de talent dont Dieu a gratifié Soljenitsyne, ni le degré d'importance qu'il a pour la renaissance spirituelle de son pays. Mais rien de cela ne rend le sacrifice auquel Soljenitsyne somme la «canaille éduquée» de consentir moins dur que le sacrifice qu'il aurait eu à faire s'il avait été forcé d'abandonner pour toujours les joies et les affres de l'œuvre créatrice. Mais l'amplitude du sacrifice n'est pas déterminée par la mesure du talent ; elle l'est bien plutôt par la valeur, pour chaque individu, de ce qu'il sacrifie.

C'est pourquoi non seulement je comprenais ceux qui refusaient d'assurer les affaires politiques, mais même je n'ai jamais osé les condamner. Pour la même raison, ayant accepté de paraître dans des procès de cette nature, j'accordais toujours l'attention la plus soigneuse à la formulation de chaque pensée que je me proposais d'exprimer dans mes discours ou d'écrire dans un pourvoi. Je n'ai jamais désespéré d'être capable d'éviter le terrible danger qui me menaçait — le danger de perdre mon métier, le seul travail qui fût véritablement le mien, que je savais pouvoir exercer et qui m'apportait dans chaque affaire (que je gagne ou que je perde) le sentiment d'être indispensable.

Bien que, en fait, j'estimasse tout à fait correctement l'étendue du sacrifice, je réalise que je n'ai jamais véritablement fait le moindre « sacrifice » et que je n'ai jamais consciemment couru de risque. Qui plus est, je puis dire avec certitude que, quand j'assumais la défense dans des procès politiques, ce n'était pas seulement parce que mes clients voulaient que je le fisse, mais c'était aussi, à un degré égal, parce que moi aussi j'en avais besoin.

La peur de l'individu innocent et sans défense devant l'arrestation arbitraire ne devint un élément constant et inéluctable de ma vie que pendant les dernières années du règne de Staline.

L'ère de la « grande terreur » (1936-1939) coïncida avec les années de mon enfance et de ma prime adolescence, époque marquée pour moi par un bonheur insouciant. Puis vint la guerre. La peur que je ressentis alors fut naturelle et nullement honteuse — c'était la peur pour mon pays, que j'aimais énormément ; c'était la peur du fascisme, que je haïssais ; c'était la peur pour la vie de ceux qui m'étaient proches et chers.

La sorte de peur que je vais maintenant essayer de décrire — avec l'extrême répulsion que je ressentis à l'égard de maint aspect de la vie soviétique — commença avec la campagne contre les « cosmopolites déracinés », déclenchée par les autorités en 1948. Ce fut une campagne ouverte et débridée de persécution contre les juifs, au moment même où les chefs du parti communiste et du gouvernement soviétique juraient une indéfectible fidélité aux principes du marxisme-léninisme fondés sur l' « internationalisme prolétarien » et sur l'égalité de toutes les nationalités constituant l'État soviétique. Le caractère manifestement antisémite de la campagne fut mollement camouflé par le fait que les victimes de la persécution ne furent pas appelées « juifs », mais « cosmopolites déracinés » — calomnie impliquant que ces gens n'avaient pas de réelle patrie et étaient liés par certaines relations mystérieuses en une vaste conspiration internationale.

La campagne fut très manifestement orchestrée et dirigée par en haut. Pratiquement chaque jour des journaux et des magazines publiaient des articles dans lesquels les accusations les plus ridicules, encore que terribles, étaient portées contre des écrivains, des savants, des metteurs en scène, des acteurs et des artistes juifs, articles illustrés de caricatures montrant des créatures misérables, roublardes et rabougries, avec de grands nez crochus, engagées dans de sordides petits trafics. Au printemps de 1949 eurent lieu une multitude de réunions dans toutes les universités, les institutions scientifiques et savantes, où des orateurs sélectionnés et bien entraînés dénoncèrent les savants juifs pour leurs machinations «cosmopolites» supposées malfaisantes. Tous ces meetings se terminaient par l'adoption d'une résolution unanime qui censurait les «cosmopolites déracinés» et exigeait leur expulsion; et l'expulsion, invariablement, suivait sans délai. Les juifs étaient renvoyés de leurs emplois et personne, naturellement, n'était disposé à les accepter ailleurs. La phase suivante fut constituée par la publication d'une série d'articles de journaux concernant les agents sinistres et mystérieux du «Joint», l'organisation internationale d'espionnage juif.

Cependant, la campagne antisémite atteignit son comble avec le prétendu «complot des médecins». En 1952, un certain nombre d'éminents médecins furent arrêtés à Moscou : lumières de la science médicale, ils étaient tous juifs (à une exception près, je crois). Ils étaient accusés d'avoir administré des traitements incorrects, de propos délibéré et dans des intentions criminelles, à des clients haut placés membres du gouvernement et du Politburo du parti communiste. Le rôle d'*agent provocateur*, dans cette affaire, fut confié à l'assistante de l'un de ces professeurs, une certaine Lidiïa Timochouk, qui, sur l'ordre du N.K.V.D. (plus tard le K.G.B.), «démasqua» leur vilenie.

La photo de cette «noble patriote russe» parut à la une de tous les journaux, et ses services furent récompensés par la plus haute décoration du pays : l'ordre de Lénine. Le 13 janvier 1953, les journaux publièrent un communiqué officiel à propos de l'affaire, annonçant que les criminels avaient avoué leurs odieux forfaits et seraient bientôt traduits devant un tribunal. Je me souviendrai toute ma vie de cette journée, car le 13 janvier était le jour de mon anniversaire et, selon une longue tradition, mes parents et amis devaient venir à la maison pour fêter l'événement. Dans la plus grande pièce de notre appartement, la longue table était garnie de boissons et de mets pour vingt-cinq personnes. La soirée passa, mais pas une seule personne — littéralement pas une — ne vint à la fête.

Nous devinions qu'une catastrophe était arrivée. Mais c'est beaucoup plus tard, après la mort de Staline, en mars 1953, que nous connûmes toute la vérité. A l'époque, nous ne savions pas, par exemple, que les aveux des médecins leur avaient été arrachés par les plus abominables tortures; qu'une foule d'agents du N.K.V.D. déguisés en citoyens attendraient les «assassins en blouse blanche» à la sortie du procès pour les mettre en pièces, exprimant la «juste colère» du peuple russe; que, à la suite de cet événement, le Soviet suprême de l'U.R.S.S. voterait un décret ordonnant la déportation de tous les juifs soviétiques dans des camps de concentration en Sibérie et au Kazakhstan, afin de les «protéger» contre la «juste colère russe»; que, enfin, les cabanes destinées à ces camps de concentration étaient déjà construites.

Tout cela, nous devions le découvrir plus tard; mais, ce jour de janvier, mon mari et moi étions seuls assis en silence à la table de fête, dans notre appartement brillamment éclairé, et c'est en silence que nous levâmes nos verres à mon anniversaire. Nous réalisions que notre vie normale était finie, que quelque chose de terrible nous attendait, nous et tous les autres juifs soviétiques. Nos amis — les Russes comme les juifs — le comprenaient aussi. C'est pourquoi pas un seul d'entre eux ne s'était senti capable de venir à une soirée d'anniversaire.

Ce furent des années terribles — terribles et dures à supporter. Pour notre famille, comme pour des milliers d'autres familles juives, ce furent aussi des temps difficiles au sens matériel du terme. Mon mari, qui était professeur depuis 1945 à l'École supérieure de Diplomatie et à l'Institut de relations internationales, fut renvoyé sans explications et resta au chômage total jusqu'à l'été de 1953, en dépit de sa volonté d'accepter n'importe quel travail, même le plus servile. Ma sœur — assistante de recherche à l'Institut de droit public de l'Académie des sciences — se trouva elle aussi renvoyée. Tous ses efforts pour trouver un travail juridique, où que ce soit dans le pays, restèrent vains. Ni son diplôme d'études supérieures, ni les ouvrages qu'elle avait publiés, ni sa réputation de savante ne lui furent d'aucune aide. Pendant près de sept ans, elle et sa jeune sœur ne purent survivre que grâce à l'argent que mes parents lui envoyaient chaque mois, venant s'ajouter à des travaux savants occasionnels que des amis lui donnaient, qu'ils publiaient sous leur nom et pour lesquels ils lui remettaient les honoraires.

Pourtant, quand je me remémore ces années comme étant les plus sombres de ma vie, ce n'est pas aux privations matérielles que je pense. Je continuais à travailler, et mes gains suffisaient à nous assurer une très modeste existence. J'évoque cette période comme celle où la plus écœurante fausseté régnait en maître, où les mensonges étaient même dépourvus de la tentative hypocrite de sembler plausibles. Les arrestations, une fois de plus opérées à grande échelle, étaient faites sur des accusations à couper le souffle par leur complète absurdité. (L'un de nos amis — un juif — fut arrêté et condamné à de nombreuses années de camp de travail pour «admiration servile de l'art bourgeois occidental»: à une réunion, il s'était référé avec enthousiasme aux films de Charlie Chaplin).

Et la persécution des juifs devint de plus en plus ouverte et effrénée.

Je suis juive. J'ai appris cela en Union soviétique pendant la campagne dont le but était d'attiser les flammes de l'antisémitisme dans tout le pays et de diriger les mécontentements du peuple contre les juifs. Maintenant, ayant quitté l'Union soviétique, je suis une fois de plus incertaine de mon identité. Ma langue maternelle — la seule que je connaisse — est le russe. Ma culture est la culture russe. L'histoire dont je me souviens est celle de la Russie. Mais j'ai souffert pendant la campagne antisémite contre le «cosmopolitisme» plus douloureusement et plus intensément que bien des Russes. J'étais plus vulnérable qu'ils ne l'étaient. L'antisémitisme tendait à nous isoler du reste de la société et à nous pousser en première ligne. Les origines raciales devenaient une menace en elles-mêmes et par conséquent une source de frayeur pour soi-même, sa famille, ses amis juifs.

Pourtant, mes sentiments de répulsion à l'égard de ces événements ne furent pas aggravés du fait que j'étais juive. Bien des fois depuis je me suis posé la question: «Si je n'avais pas fait partie des juifs qui étaient humiliés, insultés et persécutés, aurais-je ressenti un mépris aussi fort, trouvé la persécution aussi répugnante?»

Je n'ai jamais mis en doute la réponse à cette question. Ce n'est pas simplement que je hais le racisme; je suis incapable d'être raciste. Je crois qu'un vrai sens du respect et de l'orgueil national est incompatible avec la haine et le mépris pour les personnes d'une autre race.

L'émotion la plus amère de toutes celles dont j'ai fait l'expérience m'est particulièrement pénible parce que ce sentiment n'est pas dirigé contre le régime soviétique. Ce régime, je l'ai reconnu depuis longtemps. J'en veux à une partie assez importante de l'intelligentsia russe de m'avoir privée de mon pays natal. Non pas à ceux qui vivent en Union soviétique et qui voient dans l'antisémitisme un moyen de promouvoir leur carrière, pour qui l'antisémitisme est un moyen commode d'écarter des concurrents qualifiés et talentueux. J'en veux à ceux qui, vivant en exil ou en U.R.S.S., affirment qu'ils sont préoccupés par l'avenir de leur pays, appellent les individus à rechercher la perfection morale, cherchent la voie d'une régénération spirituelle de la Russie, et combinent cette attitude avec le racisme; qui s'efforcent de stigmatiser tout juif sur la base du sang — qu'il s'appelle Ossip Mandelstam ou Boris Pasternak — comme «cosmopolite déraciné».

Il y a, cependant, d'autres membres de l'intelligentsia russe qui sont différents. Je me souviens d'un jour, au plus fort de la vague d'hystérie antisémite de 1948-49, où les *Izvestia* avaient publié leur article ordurier habituel, accompagné d'un dessin antisémite. Un vieil avocat russe, un homme véritablement cultivé dans la grande tradition russe, s'approcha de moi au tribunal, pendant une suspension de séance. Il me dit tout haut et distinctement : « Je veux que vous sachiez que je ressens une honte profonde. Aujourd'hui, j'ai honte d'être russe. »

Je me rappelle un autre avocat russe éminent, me disant à la même époque : « C'est dégoûtant. C'est pis que sous le tsarisme. C'est plus dégoûtant parce que, en ce temps-là, il s'agissait de gens ouvertement antisémites ; mais maintenant, il s'agit de soi-disant intellectuels qui font profession d'internationalisme. »

Ces avocats n'ont jamais rien publié en samizdat, ni à l'étranger. Ils n'ont jamais fait de déclarations publiques comme porte-parole de l'honneur et de la dignité du pays. C'étaient simplement des gens convenables, et même pas particulièrement braves.

Revenons-en au thème de la peur : ce fut en 1952 que notre famille se trouva en danger immédiat, lorsque l'un de nos amis proches fut arrêté ; il s'agissait d'un jeune juriste érudit du nom de Valentine Lifschnitz. Son histoire, qui eut une influence significative sur la formation de mon caractère, reflète la vie de mon pays durant ces dernières années terribles du règne de Staline.

Valentine Lifschnitz fut arrêté et condamné au peloton d'exécution pour avoir attenté à la vie de Staline.

Valentine était plus jeune que nous. Il était étudiant diplômé à l'Institut de droit public, là où en 1945 mon mari avait obtenu un poste de professeur. Ils se rencontrèrent à l'Institut, et plus tard ils se lièrent d'amitié avec un historien bien connu de droit russe, le professeur Serafim Pokrovski, un homme de talent exceptionnel et de grande érudition. Pokrovski possédait une étonnante ressemblance avec Dostoïevski, qu'il s'efforçait de souligner par tous les moyens : il portait la barbe, s'habillait en hiver d'un manteau soigneusement copié du XIXe siècle comportant un col de castor et mettait sur sa tête un haut chapeau en fourrure de castor.

Valentine et mon mari étaient absolument subjugués par cet homme. Il devint très vite leur compagnon de distraction, puis leur ami, à qui ils faisaient complètement confiance. Cet homme m'a déplu au premier coup d'œil. Ce fut une répulsion instinctive. Je ne pouvais trouver une seule cause rationnelle qui aurait pu justifier ce sentiment. La seule chose que je pouvais leur dire, et que je leur disais souvent, était : « Qu'est-ce qu'il vous veut ? Vous êtes encore de jeunes hommes, et c'est déjà un homme mûr. Pourquoi insiste-t-il pour être si intime avec vous ? » Je ne puis dire que je le soupçonnais d'être un provocateur. Simplement, je n'avais pas confiance en lui. Ce fut la seule occasion de ma vie où j'ai dit : « Je ne veux plus voir cet homme dans notre maison. » Et je tins bon. Mon mari et Valentine, cependant, continuèrent à voir Pokrovski, et les trois hommes passaient ensemble une grande partie de leur temps libre.

Puis vint l'époque de la campagne « anticosmopolite ». Mon mari se retrouva au chômage et dut partir pour un temps à Rostov-sur-le-Don, où on lui offrait une chance de professer un cours à l'université. Valentine défendit brillamment le mémoire de son maître, mais celui-ci ne fut pas pris à l'Institut de droit. Il trouva un emploi plus que modeste à l'École d'enseignement par correspondance de la ville de Gorki (il était juif, après tout).

L'amitié de mon mari pour Serafim Pokrovski s'interrompit spontanément. Ce dernier et Valentine, cependant, devinrent absolument inséparables. Chaque fois que Valentine était à Moscou, il passait tout son temps avec Pokrovski. En été, Pokrovski vivait dans la maison de campagne de Valentine, expliquant qu'il s'était disputé avec sa femme, et il passait aussi souvent la nuit dans son appartement, en ville. Puis, au tout début de 1952, Valentine fut arrêté. Cela se passa à Gorki, où il vivait seul. Personne ne vit jamais son mandat d'arrestation, personne ne sut pourquoi il avait été arrêté.

Toutes les tentatives faites par la mère de Valentine — femme âgée et professeur émérite — pour découvrir quelque chose sur son sort restèrent infructueuses. Plusieurs mois après, nous apprîmes que certaines personnes, des amis de Valentine et des amis à nous, avaient été convoquées au N.K.V.D. et sommées de fournir des preuves des vues antisoviétiques de Valentine. Parmi eux se trouvait Serafim Pokrovski.

Le procès de Valentine s'ouvrit à la fin de décembre 1952. Il fut jugé en cour martiale, ce qui était en soi-même un signe de la gravité de l'accusation. Le procès eut lieu à huis clos (même la mère de Valentine ne put y assister) et sans défenseurs, puisque à l'époque les avocats étaient interdits pour les crimes «contre-révolutionnaires». Ainsi, tout ce que nous sûmes fut que deux témoins seulement avaient été appelés : une jeune femme à qui Valentine était fiancé, et Pokrovski. La sentence fut prononcée le 31 décembre 1952 : Valentine fut convaincu d'attentat contre la personne de Staline et condamné au peloton d'exécution.

Je ne puis décrire quel choc terrible et quel chagrin ce fut pour nous et pour tous ceux qui connaissaient et aimaient Valentine. Je puis seulement dire que personne ne douta jamais un instant de la complète absurdité d'une telle accusation. Non seulement les circonstances empêchèrent toujours Valentine d'apercevoir Staline, mais c'était une personne totalement incapable de toute espèce de violence. C'était aussi un érudit sérieux, complètement consacré à l'étude.

Peu après la condamnation de Valentine, je rencontrai l'un de ses plus vieux et de ses plus proches amis, que j'ai toujours considéré et considère encore comme un homme d'une intégrité irréprochable. Citant la fiancée de Valentine, Nastia, qui avait assisté au procès comme témoin, il nous dit que Valentine avait été condamné sur le témoignage de Pokrovski. Nastia disait que, quand elle vit Valentine devant la cour, elle ne le reconnut pas au premier abord. Ses cheveux étaient devenus complètement gris (il n'avait pas trente ans) et son visage gonflé ressemblait à un masque outrageusement poudré. Pendant tout le temps qu'elle témoignait (après quoi on la fit immédiatement sortir de la salle), Valentine était effondré, se couvrant le visage avec ses mains. C'est seulement en répondant à une question du président qu'il leva la tête et montra son visage.

La nouvelle que c'était Serafim Pokrovski qui avait détruit Valentine nous atterra. Même moi ne pouvais imaginer que cet homme était capable d'une telle perfidie. Nous décidâmes que, puisqu'il n'y avait eu que deux témoins au procès — Nastia et Pokrovski —, l'un des deux devait être le coupable et chacun essaierait d'accuser l'autre, de sorte que nous n'avions pas le droit de croire l'un plutôt que l'autre.

Fin avril 1953, la mère de Valentine réussit à obtenir une entrevue avec l'adjoint de Lavrenti Beria, le tout-puissant chef de la police d'État. Il lui assura que Valentine était toujours en vie, que son procès serait révisé et que ses jours n'étaient plus en danger. Cela était très plausible ; après la mort de Staline, une amnistie générale avait été proclamée pour les prisonniers de droit commun, et chacun s'attendait à ce que le sort des prisonniers politiques s'éclaircisse également. Ce que nous ne savions ni ne pouvions savoir, c'était que, le jour où l'adjoint de Beria affirma à la mère de Valentine que la vie de son fils n'était plus en danger, Valentine était déjà mort. Le 16 avril, il avait été tué dans les caves de la Loubianka. Un mois plus tard, sa mère fut avisée que son fils s'était suicidé (ce qui était tout à fait impossible dans la « prison interne » de la police d'État).

Nous n'apprîmes les circonstances réelles du procès de Valentine que trois ans plus tard — après le XXᵉ Congrès du parti, en 1956 — grâce à G., un avocat moscovite qui s'était occupé du procès de réhabilitation posthume de Valentine. C'est par lui que nous apprîmes l'horrible vérité et la part qu'y avait prise Serafim Pokrovski.

Ce que G. nous dit était atterrant. Nous apprîmes par lui que la fiancée de Valentine, Nastia, n'avait rien dit qui pût incriminer Valentine, et que le seul témoin à charge avait été Serafim Pokrovski, dont le témoignage avait été l'unique fondement de la fatale accusation de tentative d'assassinat contre Staline. Pokrovski avait déclaré que, au cours d'une conversation avec Valentine, celui-ci avait souhaité que Staline connût une mort prochaine. (A cette époque, c'était tout à fait suffisant pour convaincre quelqu'un de tentative d'attentat.)

Mais ce n'était pas le pire que nous apprîmes à propos de Pokrovski. Il se révéla qu'il n'était pas seulement un informateur qui avait trahi la confiance de son ami ; il était aussi un *agent provocateur* qui avait fabriqué de fausses preuves sur l'ordre du N.K.V.D. L'avocat G. nous dit qu'une partie de la preuve étayant l'accusation portée contre Valentine était constituée par une lettre adressée au Comité central du parti communiste, lettre qui avait été tapée sur la machine à écrire de Valentine. Mais quand l'affaire fut revue lors du procès de réhabilitation posthume de Valentine, et que G. eut soigneusement étudié les faits matériels, il fut établi sans doute possible que la lettre en question avait été tapée par Pokrovski sur la machine de Valentine. Resté seul un jour dans l'appartement de Valentine, Pokrovski avait composé la lettre, l'avait tapée et expédiée au Comité central.

Mais là n'est pas la fin de l'histoire. Après que Valentine eut été déclaré innocent à titre posthume par la chambre militaire de la Cour suprême de l'U.R.S.S., «faute d'un *corpus delicti*», la mère de Valentine, rongée par le chagrin et maintenant totalement aveugle, décida de tout tenter pour que Pokrovski fût châtié. Tout le monde savait alors que c'était un agent provocateur et qu'il avait causé la mort de Valentine; pourtant, on continuait à lui serrer la main. Certains le faisaient par peur, cette peur familière et enracinée qui était devenue pour eux une seconde nature; d'autres par indifférence et par absence totale de moralité. Tous les appels de Sofia Kopelianskaïa (la mère de Valentine) au directeur de l'Institut et au bureau du parti à l'Institut restèrent infructueux. Elle adressa une demande au service de contrôle du Comité de Moscou du parti communiste. Cela se passait après le XXe Congrès du parti communiste de l'Union soviétique, qui avait condamné l'illégalité et la terreur du régime tyrannique de Staline. Kopelianskaïa exigeait l'exclusion du parti de Pokrovski, et une session spéciale du service de contrôle fut consacrée à l'affaire. Pokrovski avoua qu'il avait délibérément incité Valentine à faire des remarques politiquement compromettantes et qu'il avait fabriqué la lettre adressée au Comité central. Son excuse, cependant, fut qu'il avait fait cela sur les instructions directes du N.K.V.D. et qu'il avait considéré comme de son devoir de le faire en tant que citoyen et membre du parti.

Le service de contrôle du Comité de Moscou du parti communiste de l'Union soviétique accepta ses explications, admettant qu'il avait agi en conformité avec son devoir de membre du parti.

C'est seulement à la fin de 1957 ou au début de 1958 que la mère de Valentine réussit à faire examiner son appel par le service de contrôle du Comité central du P.C. de l'Union soviétique. A cette occasion, le service ne se limita pas à entendre les explications de Pokrovski. Ses membres écoutèrent les enregistrements de toutes les conversations qu'il avait eues avec Valentine dans les bars et les restaurants, ainsi que les enregistrements de conversations que Pokrovski avait eues dans une cellule de la prison du N.K.V.D., où il avait été placé comme mouchard dans les jours qui suivirent la mort de Staline. Le caractère provocateur de ces conversations était évident; cette fois-ci, Pokrovski fut exclu du parti communiste.

Je ne sais pas combien de vies ruinées Pokrovski avait sur la conscience, mais je sais que son choix de Valentine comme victime n'était pas fortuit. Je suis même certaine que son choix ne fut pas facile, car, aussi monstrueux que cela puisse paraître, il était sincèrement attaché à Valentine et le considérait comme hautement doué. Cependant, au cours de la campagne notoire contre le «cosmopolitisme», le N.K.V.D. forgea un certain nombre de grandes «affaires» antijuives; l'une d'entre elles devait être le scandale provoqué par plusieurs avocats juifs éminents, dénoncés comme terroristes et saboteurs. Le rôle de *provocateur*, dans cette affaire, avait été assigné au professeur Serafim Pokrovski.

Valentine fut la première et unique victime de ce plan. Le choix tomba sur lui en partie parce qu'il était proche de Pokrovski, ce qui simplifiait la tâche de la fabrication des fausses preuves contre lui; mais il fut surtout choisi parce qu'il avait été l'étudiant préféré de deux savants juristes parmi les plus éminents d'Union soviétique, tous deux membres correspondants de l'Académie des sciences: Aaron Traïnine et Mikhaïl Strogovitch. Ils avaient été choisis pour être les principaux accusés du «complot» préfabriqué des avocats juifs, et Valentine devait être contraint à fournir un témoignage contre eux.

Quel courage, quelles qualités d'honneur et de noblesse Valentine doit avoir possédés pour résister à la torture sans mentionner un seul nom, sans impliquer une seule personne. C'est ainsi que nous finîmes par comprendre pourquoi, devant la cour, son visage ressemblait à un masque poudré, pourquoi ses cheveux étaient devenus complètement gris.

Près de trente ans se sont écoulés depuis les événements en question. Ma profession m'a enseigné à mieux comprendre les gens et à être plus disposée à leur pardonner. Le temps et la mort auraient dû effacer les sentiments de mépris et de haine que je nourrissais à l'égard de Serafim Pokrovski, mais ils n'ont rien effacé; j'ai été incapable de l'oublier et de lui pardonner, et je n'en ai même pas honte.

Il était nécessaire de raconter comment notre ami fut détruit pour expliquer le sens de la peur qui m'envahit durant ces années. En fait, nous étions si paralysés par ce sentiment que la première réaction, instinctive, que j'eus en entendant à la radio l'annonce de la dernière maladie de Staline fut une réaction de peur. Quand mon mari me dit: «De quoi as-tu peur? Le tyran, l'assassin est en train de mourir, n'est-ce pas?», j'acquiesçai, réalisant qu'il avait raison, mais j'avais toujours peur. Une époque était en train de mourir, et je ne savais pas ce que l'avenir nous réservait.

La libéralisation qui suivit la mort de Staline eut pour effet de libérer progressivement les gens de la peur. Ils se mirent à dormir la nuit, ils cessèrent d'avoir peur des appels téléphoniques tardifs et des bruits de pas dans la cage d'escalier au petit matin. Toutefois, il y eut des gens qui, de toute leur vie, ne purent se défaire de cette peur et de son corollaire, l'obéissance inconditionnelle. Moi-même, je ne puis prétendre avoir réussi à bannir toute réaction de peur. Peut-être est-ce la raison pour laquelle je ne suis jamais devenue une dissidente au sens héroïque du terme, celui auquel je pense quand je mentionne les noms de Larissa Bogoraz-Daniel, de Vladimir Boukovski, de Pavel Litvinov et de bien d'autres. Pourtant, je me suis employée très durement à ne pas laisser mes actions être guidées par la peur. Après tout, j'avais atteint l'âge de prêter attention aux ordres de ma conscience, puisque la cécité morale de ma jeunesse n'était plus possible.

Assez curieusement, c'est un film américain qui imprima en moi le sentiment de responsabilité personnelle et de culpabilité éprouvé à la participation de toute forme d'injustice ou d'illégalité, même sanctionnée ou imposée par l'État, comme un impératif moral clairement défini.

Ce film, c'était *Jugement à Nuremberg*, qui me frappa par sa force morale et par la similitude des situations créées par les systèmes juridiques soviétique et nazi. Longtemps je restai sous sa puissante influence, parce qu'il posait et résolvait les mêmes problèmes que ceux qui me préoccupaient à l'époque, et qui continuaient à me mettre dans les transes de l'indécision.

Y avait-il une place pour moi en tant qu'avocate dans le système juridique soviétique? Étais-je complice de ses injustices? Pour moi, ce n'étaient pas là des questions oiseuses; de leur solution dépendait ma certitude d'être ou de ne pas être à quelque degré responsable de ce qui était arrivé et de ce qui arrivait encore dans le système judiciaire soviétique.

Le 12 janvier 1968, une fois le verdict rendu dans le procès d'Aleksandr Guinzbourg, de Iouri Galanskov et d'autres dissidents, mes collègues et moi-même nous trouvions dans la galerie du Palais de justice de Moscou. Le procès était terminé, tous les autres participants s'étaient dispersés, et il ne restait plus que nous, les quatre avocats, dans le bâtiment. Nous nous tenions là, accablés par la dureté et l'injustice des sentences, même si leur sévérité n'était pas inattendue. Quand je réalisai que nous devions sortir dans la rue et faire face aux gens qui attendaient dehors dans le gel féroce de janvier, ne comptant pas sur la justice mais l'espérant quand même, je fus saisie par un sentiment aigu de honte.

Peut-être, l'un de mes compagnons défenseurs avait-il raison quand il dit: «Vous n'avez pas lieu d'avoir honte. Nous ne sommes pas les complices de la cour. Nous ne sommes pas responsables de ses injustices.»

Nous sortîmes dans la rue, où nous nous trouvâmes face à une foule de gens exténués et transis, maintenus à l'écart du Palais de justice par un cordon de police. Ils avaient déjà entendu le verdict, mais ils ne s'étaient pas dispersés. Ils voulaient nous voir.

Je me rappelle qu'ils criaient «merci, merci» tandis qu'ils nous envoyaient des bouquets de fleurs fraîches. (Comment s'y étaient-ils pris pour les garder fraîches si longtemps à une température de — 40 ºC, je ne le sais pas.)

Ayant pris place dans un taxi, mon ami, le remarquable avocat Boris Zolotoukhine, et moi-même nous éloignâmes en silence. Puis Boris me dit:

«Vous voyez, eux aussi comprennent que nous ne sommes pas complices de la cour.

— Mais pourquoi êtes-vous aussi silencieux? lui demandai-je.

— Vous savez, c'est stupide, mais je me sens honteux également.»

Qu'avait-il à être honteux quand, la veille seulement, il avait prononcé un brillant plaidoyer pour la défense de Aleksandr Guinzbourg? Un plaidoyer qui fut cité dans de nombreux journaux étrangers comme un exemple de courage; un plaidoyer pour lequel, quelques mois plus tard, il allait être expulsé du parti communiste et du collège des avocats.

Je suis certaine que cette honte était, dans une certaine mesure, le résultat du simple fait qu'il était professionnellement impliqué dans le système judiciaire soviétique. Certains de mes collègues, quand ils refusaient la défense dans un procès politique, avaient l'habitude de dire qu'ils ne déclinaient pas ce travail par peur. Ils considéraient que la participation d'un avocat choisi par l'accusé créait l'illusion d'un système judiciaire équitable et juste, et ils ne voulaient pas être partie prenante dans une telle tromperie.

Je partageais ce point de vue, mais néanmoins j'ai toujours décidé d'accepter le dossier dans une affaire «politique». Je savais que je serais réduite au désespoir par la conscience de ma propre impuissance, par le dégoût devant cette farce cynique et par une honte irrationnelle d'y avoir été mêlée. Je savais aussi, cependant, que, si je refusais, je ressentirais encore plus de honte, et que cette honte serait pleinement justifiée.

Mon métier d'avocat représentait ma place dans la vie, mon moyen d'y participer. Quelque honteux qu'aient pu être les procès dans lesquels je suis apparue, je ne me sentais pas capable de m'en tenir à l'écart tout en dégageant ma responsabilité.

Tout ce que j'ai pu écrire dans ce chapitre est lié dans mon esprit avec la réponse à ces questions: «Pourquoi ai-je accepté de défendre des dissidents? Pourquoi me suis-je considérée comme obligée de le faire?»

La réponse à ces questions est directement liée à mes opinions sur le système politique existant en Union soviétique.

Le temps de mes illusions de jeunesse était passé depuis longtemps. Je ne puis croire non plus que toutes les illégalités, la cruauté et le mépris à l'égard de la personnalité humaine perpétrés dans mon pays n'ont été que la conséquence de la «violation de la légalité socialiste pendant le culte de la personnalité sous Staline». Après les révélations terribles du XXᵉ Congrès du parti et les assurances jurées des nouveaux dirigeants que les erreurs passées ne se répéteraient pas, je vis naître et se développer un nouveau culte, celui de Khrouchtchev. Une fois de plus, il était lié aux mensonges et à l'arbitraire, au mépris de la loi, tandis qu'on donnait libre cours à la persécution du grand poète russe Boris Pasternak et que toute liberté était supprimée : la liberté de créer, de penser, de dire ce en quoi on croit. Je réalisai que cette absence de liberté était une caractéristique du système, qu'elle en faisait partie intégrante.

Les dissidents soviétiques que je défendais n'étaient ni des terroristes ni des extrémistes. C'étaient des gens qui luttaient, dans le cadre de la loi, pour amener l'État à respecter les droits naturels et légitimes de l'individu. Je considérais qu'ils combattaient, ouvertement et par devoir, pour quelque chose que nous autres avocats étions appelés à défendre de par la nature même de notre profession. En les défendant, je sentais que moi aussi, d'une certaine manière, je prenais part à leur lutte.

Bien que je susse que l'issue de ces procès ne serait pas affectée par ce que je pourrais dire devant la cour, que les verdicts avaient été décidés d'avance, je ne considérais pas ma participation aux procès politiques comme inutile. Je suis convaincue que j'ai aidé mes clients moralement et professionnellement, et que mon aide a été pour eux d'une certaine valeur.

Je crois que, si l'illégalité des procès de dissidents en Union soviétique est devenue si évidente aux yeux du monde entier, c'est grâce aux avocats.

La portée de la défense, dans les procès politiques soviétiques, est extrêmement réduite, non pas tant à cause des effets réducteurs de l'autocensure, qui pèsent sur nous tous, mais à cause de la loi elle-même. Aucune cour soviétique n'a le pouvoir de reconnaître l'inconstitutionnalité d'une loi. Par conséquent, un avocat ne peut montrer que les articles du Code pénal sur «l'agitation et la propagande antisoviétiques» ou les articles sur «la diffamation de l'État soviétique et du système social» sont en opposition avec la constitution, et sont donc *ipso facto* illégaux. Cependant, chaque fois qu'un avocat a fourni, en plein tribunal, une analyse juridique de ces articles et affirmé que, même dans les termes de ces lois, l'accusé n'avait commis aucune crime ; chaque fois qu'il a affirmé que la critique du gouvernement soviétique et de ses chefs était un droit de tout citoyen, que chacun pouvait se déclarer en désaccord et que les convictions d'un individu ne pouvaient être considérées comme une diffamation, l'avocat a accompli non seulement une défense juridique, mais aussi une défense politique.

Je ne me suis jamais qualifiée de dissidente, ni alors, quand je vivais en Union soviétique, ni encore moins maintenant que j'ai quitté le pays. J'ai toujours été consciente de la différence entre deux sortes de courage : le courage qu'il fallait pour aller manifester sur la place Rouge contre l'occupation de la Tchécoslovaquie, et le courage requis par quelqu'un qui, comme moi, avait mission de défendre ces gens.

En défendant les dissidents, cependant, je considérais que je jouais un rôle dans le développement du respect pour la loi parmi le peuple soviétique, et que j'aidais l'ensemble du mouvement de défense de la légalité.

3

LA JUSTICE SOVIÉTIQUE

La structure de la procédure judiciaire soviétique et les règles sur la base desquelles elle fonctionne diffèrent considérablement des systèmes américain et britannique.

En U.R.S.S., le procès n'est que le point culminant du processus judiciaire. Il est précédé d'une enquête préliminaire prolongée (qui dure souvent plusieurs mois) conduite par différents corps, organiquement séparés et indépendants des tribunaux. Ce sont le ministère public, la police, le ministère de l'Intérieur et — dans les affaires qui sont du ressort des services de sécurité — le K.G.B. La police a pour mission d'empêcher et de prévenir le crime, et de mener toutes les enquêtes nécessaires pour identifier un ou des suspects une fois le crime commis. Les forces de police entretiennent un réseau d'agents secrets qui surveille les malfaiteurs connus et le milieu en général. Le travail principal de débrouillement du crime, cependant, est effectué par les fonctionnaires des départements enquêteurs du ministère public, par les personnels du ministère de l'Intérieur et du K.G.B. Ils ont tout pouvoir pour commencer ou interrompre une enquête en matière criminelle ; ils ont une complète indépendance pour programmer et conduire toutes les procédures d'investigation nécessaires.

En droit soviétique, tout le matériel concerné doit être consigné par écrit dans le dossier de chaque affaire. Cela inclut les dépositions de tous les témoins interrogés, sans considération de leur importance relative, et les procès-verbaux de toutes les procédures mises en œuvre, telles que perquisitions, saisies, examens de preuves matérielles, inspections de la scène du crime. Tous ces documents de l'enquête préliminaire aboutissent à l'inculpation, laquelle est compilée par l'enquêteur et confirmée par le procureur. C'est là le document à charge le plus important, dont la publication marque le début du processus judiciaire.

Dans l'inculpation, l'enquêteur doit non seulement indiquer l'accusation principale retenue contre chaque accusé, mais aussi mentionner quel article ou quels articles du Code ont été violés, et faire un relevé précis de toutes les preuves qui montrent la culpabilité de l'accusé. Si l'accusé plaide non coupable, l'enquêteur doit également fournir une transcription de la déposition de l'accusé et faire la liste des arguments qui réfutent cette déposition.

Des preuves insuffisantes, résultant d'une enquête incomplète, donnent à la cour le droit de renvoyer l'affaire pour complément d'information. Ainsi, toute affaire pénale ayant la moindre complexité prend des mois d'enquête.

La loi soviétique autorise un suspect à rester en liberté avant le procès ; dans ce cas, il ou elle est tenu de s'engager par écrit à ne pas quitter la localité sans l'autorisation de l'enquêteur. C'est ce qui est le plus couramment pratiqué dans les cas de délits mineurs, et en particulier quand l'accusé est très jeune, ou malade, ou lorsqu'il s'agit d'une femme avec des petits enfants.

Théoriquement, un suspect peut également rester en liberté pendant l'enquête contre le versement d'une caution. La loi l'autorise, mais, dans toute ma carrière, je n'ai jamais vu un seul cas où la caution ait été accordée. Je suis certaine, en fait, qu'une caution n'a pas été accordée en Union soviétique depuis quarante ans.

Dans l'écrasante majorité des cas, les accusés, en attendant leur procès, sont maintenus en prison dans le plus strict isolement, sans jouir du privilège de la correspondance, sans visites de leur famille, et sans le droit de consulter leur avocat tant que l'enquête n'est pas terminée. Le régime alimentaire de la prison est extrêmement maigre, les colis de nourriture ne peuvent être reçus que des proches parents, et seulement dans la limite de cinq kilos par mois. Ces gens, qui n'ont pas encore été reconnus coupables par un tribunal, peuvent être gardés dans ces conditions pendant plusieurs mois, conditions qui sont déjà, de par leur nature, une forme sévère de punition.

La durée de la détention préventive est limitée, en droit soviétique, à un maximum de neuf mois. A la fin des années 50 et au début des années 60, cependant, une pratique illégale s'est développée qui permettait de prolonger cette période maximale grâce à un décret spécial du praesidium du Soviet suprême. Cette pratique se poursuit, et quand, en 1978, pour des raisons politiques, le gouvernement soviétique a eu besoin de différer les procès de Chtcharanski et de Guinzbourg, le praesidium du Soviet suprême prolongea leur détention préventive.

Quand l'enquête est terminée, le juge d'instruction doit présenter à l'accusé (et à son avocat, si l'accusé le désire) toutes les pièces du dossier pour qu'il les étudie, y compris les procès-verbaux des dépositions fournies par les témoins.

Au stade de l'enquête préliminaire, la tâche de l'avocat consiste essentiellement à étudier les pièces du dossier. C'est là un droit absolu, que j'ai toujours été en mesure d'exercer pleinement. L'avocat aussi a le droit de présenter des preuves, c'est-à-dire des documents relatifs à l'affaire ; de soumettre des requêtes (pour supplément d'information, pour la convocation et l'interrogatoire de témoins, pour l'organisation de confrontations ou l'obtention de nouvelles expertises) ; de soumettre des conclusions pour la modification des déductions tirées de l'enquête, pour la modification des fondements de l'accusation, pour le retrait total des charges ou l'exclusion d'événements spécifiques de l'accusation, etc.

Un avocat, cependant, n'a que le droit de demander ; le juge d'instruction n'est en aucune manière tenu d'accéder à ces requêtes. Les seules requêtes qui ne soulèvent aucune objection sont celles qui n'ébranlent pas les conclusions de base de l'enquête (requêtes visant à verser au dossier des certificats médicaux, concernant l'existence d'enfants, relatives à des commentaires positifs sur les performances de travail de l'accusé ou concernant la preuve de récompenses gouvernementales). Les autres requêtes de la défense sont rarement accordées. Cela est dû en partie au fait qu'aucun enquêteur ne veut ajouter au dossier des éléments supplémentaires qui pourraient affaiblir ou miner sa version de l'accusation, laquelle représente des mois de travail de sa part, mais aussi au fait que l'enquêteur, tout simplement, n'a pas le temps d'accéder sérieusement aux requêtes : le délai légal de détention préventive est sur le point d'expirer. Obtenir une prorogation de ce délai exige une procédure assez embarrassante, et personne ne veut la mettre en marche, particulièrement quand la raison d'agir ainsi peut aller à l'encontre de sa version de l'affaire.

Par conséquent, jusqu'à ce que l'affaire vienne devant le tribunal, les fonctions de la défense sont limitées par la loi à une étude du dossier et à l'élaboration conjointe d'une tactique de défense par l'avocat et son client. Naturellement, j'ai connu des exemples dans ma propre pratique et dans celle de mes collègues où certaines de nos requêtes réellement importantes étaient prises en considération par le juge d'instruction, mais cela uniquement quand les fonctionnaires concernés reconnaissaient l'évidence absolue de nos arguments et réalisaient que rejeter une telle requête conduirait inévitablement à un renvoi du procès par la cour pour supplément d'information.

Une fois — cela se passait au cours de ma dernière année d'exercice — je fus appelée par un ami qui me demanda de défendre une femme journaliste de ses connaissances. Elle était accusée de complicité dans un vol de la propriété de l'État et était passible, si elle était reconnue coupable, d'une peine de prison allant jusqu'à sept ans. La succession des faits, dans cette affaire, était très simple, et il n'y avait pas de doute qu'un crime avait été commis. Cette journaliste voulait réparer le parquet de son appartement. Ses chances d'acquérir du parquet dans un magasin étaient nulles (dans le langage quotidien des Russes, le verbe « acquérir » est beaucoup plus utilisé que le verbe « acheter », car il est beaucoup plus difficile de trouver ce qu'on veut que de payer pour l'obtenir). Elle décida donc de faire ce que des millions d'autres Soviétiques font dans un cas semblable : elle se rendit sur le chantier de construction le plus proche et marchanda avec les ouvriers pour leur acheter la quantité nécessaire de parquet. Elle était consciente du fait que les ouvriers ne possédaient pas leurs propres approvisionnements de parquet, mais qu'ils lui vendraient des blocs qu'ils auraient volés sur les matériaux de construction du chantier.

Au moment même où ils chargeaient les blocs de bois dans le coffre de sa voiture, ils furent tous arrêtés par la police. Le sort de l'affaire dépendait de la valeur du parquet volé. Si sa valeur ne dépassait pas 100 roubles, l'affaire échapperait à la compétence du tribunal criminel et serait portée devant un « tribunal de camarades ». Le procureur, cependant, s'était arrangé pour que les marchandises soient évaluées commercialement ; en conséquence, leur valeur fut fixée à 284 roubles.

Quand je me mis à étudier l'affaire, deux choses frappèrent mon attention. Premièrement, l'estimateur ne s'était pas fait présenter effectivement les marchandises en question, mais s'était contenté de calculer leur valeur par référence au tarif. C'était là une erreur de la part de l'enquêteur. Deuxièmement, le parquet volé n'était pas enveloppé dans l'emballage de l'usine, mais en vrac. Cela me parut bizarre. Il semblait évident qu'il aurait été beaucoup plus simple de charger le coffre d'une petite voiture avec des blocs de bois proprement emballés plutôt que de les déballer, de les transférer dans de grands sacs incommodes, de les porter dans ces sacs puis de les transvaser en vrac dans la voiture. La seule explication raisonnable était que les ouvriers avaient simplement ramassé une certaine quantité de blocs au hasard — les blocs qui, pour une raison ou pour une autre, avaient été rejetés au moment de la pose du parquet de la maison en construction. Je réalisai que nous avions probablement affaire à des blocs sous-dimensionnés et à des rebuts.

C'était seulement une hypothèse. La manière la plus simple de la vérifier était d'interroger les ouvriers. Je demandai à l'enquêteur de les interroger, mais il refusa. Je demandai qu'on me montre le parquet. L'enquêteur était légalement obligé d'accéder à ma requête, mais il refusa encore. Je soumis alors une requête demandant que les marchandises fussent de nouveau estimées, mais cette fois-ci par un expert obligé de procéder à un examen physique de *tous* les éléments du parquet, et non pas seulement de quelques pièces. Ma requête fut de nouveau rejetée. L'enquêteur dit qu'il comprenait les raisons de ma demande, mais que l'enquête avait duré trop longtemps et qu'on manquait simplement de temps pour procéder à une nouvelle estimation.

Le lendemain matin, cependant, l'enquêteur me téléphona pour me demander de passer d'urgence au ministère public. Il m'expliqua qu'il avait reçu des instructions du procureur pour accéder à ma requête et procéder à une nouvelle estimation, car sinon il y avait un risque que le dossier fût renvoyé pour supplément d'information. L'estimateur et moi-même nous rencontrâmes dans le bureau de l'enquêteur, et nous nous assîmes par terre, séparés par une énorme pile d'éléments de parquet en vrac. Tandis que nous les examinions un par un, je montrais à l'estimateur chaque nœud, chaque fente dans le bois, et nous partageâmes les pièces en deux tas : les bonnes à gauche, les pièces de rebut à droite. Ce travail nous prit deux heures, durant lesquelles je notai avec délice que le tas de droite ne cessait de grandir. Finalement, tout le lot fut trié. Le moment décisif de l'estimation effective était arrivé.

L'enquêteur et moi-même étions également nerveux : lui parce que sa conduite de l'affaire était passée en jugement, moi parce que le sort de ma cliente était en train de se jouer. Finalement, l'estimateur fit ses calculs et annonça le résultat. La valeur totale des marchandises volées était de quatre-vingt-treize roubles et soixante-quinze kopecks. Ainsi, j'avais le droit de demander une réduction dans la qualification du crime, le montant du vol étant « trivial ». Le lendemain, je reçus la réponse officielle : l'affaire ne serait pas portée devant le tribunal criminel.

J'ai raconté cette histoire pour illustrer la sorte de travail qu'un avocat doit accomplir au cours du stade préparatoire, et pour mettre l'accent sur la situation suivante : tandis que la contribution de l'avocat est limitée dans sa portée, elle n'est en aucune manière inutile.

Tandis qu'il se prépare au procès, seul ou avec son avocat, l'accusé est capable de construire sa défense en pleine connaissance de tout ce qui a donné corps à l'accusation portée contre lui. De plus, grâce à l'acte d'accusation, qui doit leur être remis au plus tard soixante-douze heures avant le procès, le prévenu et son avocat peuvent prendre connaissance de l'argumentation sur laquelle le ministère public fonde la poursuite.

De façon similaire, la cour, en étudiant le dossier avant l'audience, est informée par avance de la déposition de tous les témoins, des expertises et des arguments du ministère public, arguments qu'elle entendra à la fin du procès lors du réquisitoire principal du procureur, parfois avec quelques changements et additions, mais le plus souvent absolument inchangés. Ainsi, le procès judiciaire, pour l'essentiel, est une vérification de tout ce qui a déjà été collationné par le juge d'instruction et confirmé par le procureur.

Tant la constitution de Staline (1936) que celle de Brejnev (1975, article 151) énumèrent les instances judiciaires qui sont autorisées à rendre la justice. Ce sont : la Cour suprême de l'U.R.S.S., les cours suprêmes des républiques de l'Union, les cours régionales, les cours provinciales, les cours urbaines, les cours populaires. Il existe aussi des cours martiales, qui jugent tous les crimes commis par les membres des forces armées.

Toutes les affaires criminelles en Union soviétique, quelles que soient leur importance ou la gravité de l'accusation, sont jugées par une cour constituée de trois personnes : un juge et deux « assesseurs du peuple », lesquels, de par la loi, sont dotés des mêmes pouvoirs que le juge. Les assesseurs du peuple — élus dans les usines et autres lieux de travail — sont habilités non seulement à prendre une part active à la mise en évidence des preuves pendant le procès, mais aussi, en même temps que le juge, à décider sur tous les points de droit : si l'accusation est correctement montée ; si elle est prouvée ou non prouvée ; et quelle peine devrait être prononcée si l'accusation est prouvée. Toutes les questions discutées devant le tribunal pendant le procès, de même que l'établissement du verdict, font l'objet d'un vote à la majorité. Le verdict est considéré comme établi même si l'opinion du juge professionnel diffère de celle des assesseurs du peuple.

Ainsi, la loi elle-même garantit à la fois une audience équitable et démocratique de l'affaire et une méthode démocratique d'établissement du verdict. Cependant, ce serait se faire une idée fausse des cours soviétiques que de s'imaginer que les affaires criminelles (et les affaires civiles également) sont effectivement jugées sur la base d'une complète égalité entre les membres de la cour. En pratique, le rôle des assesseurs du peuple est sinon totalement insignifiant, du moins très marginal. La manière même dont la cour est constituée, le fait que les assesseurs du peuple discutent avec le juge tous les aspects de l'affaire les placent dans une situation de dépendance. Le juge les influence à la fois par son autorité professionnelle et par le fait que, les assesseurs n'ayant aucun entraînement juridique, ils sont incapables, sans l'aide du juge, de comprendre la terminologie juridique ou d'évaluer correctement les actions de l'accusé en termes de droit.

De nombreuses années dans la profession m'ont convaincue que les assesseurs agissent autrement qu'en figurants uniquement dans les cas exceptionnels, sensationnels. Je n'ai connu que deux cas de cette sorte dans toute ma carrière. Dans le premier, l'un des assesseurs était un juriste professionnel nanti d'un diplôme d'études supérieures, et dans le second un assesseur était un journaliste qui avait publié plusieurs articles sur des questions juridiques.

Le principe le plus fondamental de toute justice est l'indépendance absolue du judiciaire par rapport à l'État; c'est seulement alors qu'un juge peut prendre des décisions objectives et justes dans l'affaire qu'il a à juger. Officiellement, l'Union soviétique adhère aux principes de l'indépendance complète du judicaire et de la subordination de la cour à la seule loi. Tristement, je dois dire que, dans toute ma carrière d'avocate, je n'ai jamais rencontré un juge véritablement indépendant. La soumission complète du judiciaire au parti et aux directives gouvernementales en matière de politique pénale a toujours existé en Union soviétique et demeure inchangée à ce jour. En ce qui concerne l'impartialité du juge dans les cas spécifiques, son degré de dépendance par rapport aux autorités supérieures a heureusement diminué avec les ans.

De nombreux facteurs se combinent pour empêcher un juge soviétique d'être indépendant. Tout d'abord, une situation dans la magistrature est élective. La durée du mandat, à tous les niveaux de la hiérarchie, est limitée à cinq ans. En outre, toutes les candidatures aux charges judiciaires doivent être proposées et approuvées par les autorités du parti. Dans la pratique, par conséquent, chaque juge sait que l'approbation de sa candidature à la réélection, et par conséquent la poursuite de sa carrière, dépend de l'évaluation de son dossier par le parti. Chaque juge réalise aussi qu'il ne peut compter sur sa réélection que s'il a rigoureusement suivi à la fois les directives générales du parti et les instructions spécifiques qu'il a reçues du comité du parti auquel il est immédiatement subordonné. Dans ces conditions, toute manifestation d'indépendance et d'authentique impartialité provoque inévitablement le mécontentement du parti et, en conséquence, la perte de la charge judiciaire.

Chaque corps du parti désigne un fonctionnaire spécial qui observe le fonctionnement de la cour locale et du ministère public, et exerce sa direction sur eux au nom du parti. Il convient de noter également que tous les juges soviétiques sans exception sont membres du parti communiste, et que déjà pour cette raison ils sont obligés d'obéir à toutes les décisions des organes compétents du parti.

Périodiquement, les bureaux de district et les comités provinciaux du parti tiennent des sessions obligatoires au cours desquelles les présidents de la magistrature des divers tribunaux (cours populaires et cours provinciales) font des rapports sur le travail de chaque juge, notant leurs défauts et leurs performances et indiquant comment chaque carence devrait être éliminée. Ces appréciations du parti contiennent aussi certains commentaires sur le « degré de libéralisme » dont tel ou tel juge a fait preuve (c'est là un cliché accepté du parti qui signifie que le juge en question a ou non prononcé trop de sentences légères); et si le juge veut garder son emploi, il doit inévitablement renforcer sa sévérité. Le parti peut aussi indiquer que la cour accorde une attention insuffisante à la nécessité de combattre une forme particulière de crime, comme le vandalisme ou la corruption ; en conséquence de quoi tous les juges de ce district ou de cette province sont obligés de prononcer des sentences plus dures à l'encontre de ceux qui sont convaincus de ces crimes ou délits.

Les juges, cependant, ne dépendent pas seulement des organes du parti ; ils dépendent des cours supérieures. Aucune tentative n'est faite pour le cacher : à peu près une fois par semaine, la cour supérieure convoque tous les juges de la ville ou de la province à une conférence où sont données les instructions.

A Moscou, où j'ai travaillé toute ma vie, les juges des cours populaires de la ville se rassemblent chaque mercredi au Palais de justice. Ils assistent à cette conférence pour entendre le président de la cour ou l'un de ses adjoints les informer des directives du parti et du gouvernement qui doivent leur servir de guide dans les procès civils et criminels. Ces directives sont obligatoires pour les juges. La conférence discute le travail des diverses cours du district et de chaque juge individuellement : avec quelle régularité et quelle obéissance ont-ils mis les directives en pratique ?

C'est pourquoi tous les juges de ce pays, sans exception, administrent la justice en accord avec des directives supérieures, contre leurs propres convictions et même contre les intérêts de la société.

Quand Nikita Khrouchtchev était au pouvoir, il pressa les juges soviétiques d'adopter une approche plus humaine pour décider du sort des citoyens. Il dit qu'une personne ne devait être privée de liberté que si toutes les autres mesures disciplinaires avaient été épuisées sans donner de résultat.

Les juges furent convoqués à des séminaires spéciaux des comités régionaux et locaux du parti communiste, et les résultats des instructions données se firent sentir immédiatement.

Il ne faudrait pas croire cependant que tous les juges acceptent ces limitations sans résistance intérieure ou opposition, avec tranquillité et indifférence. Ou qu'ils ne comprennent pas la bassesse de leur position ou le fait que toutes ces instructions idéologiques ne sont rien d'autre qu'une perversion de la justice.

En ce point de mon récit, je voudrais raconter l'histoire de la femme juge qui pleura.

Cela se passa dans une cour populaire de Moscou, secteur de Leningrad, durant cette courte période du libéralisme de Khrouchtchev que j'ai mentionné plus haut. Ce jour-là, j'allai au Palais de justice pour obtenir un permis de visite à mon client en prison. Les avocats n'ont ces entretiens que sur autorisation spéciale signée par un juge et certifiée par le cachet de la cour.

La femme juge qui allait me donner le permis était seule dans son cabinet. Peu avant mon arrivée, elle avait prononcé une sentence dans un procès criminel et était très fatiguée. Elle paraissait si exténuée que je me sentis obligée de lui demander si elle allait bien et si elle avait besoin d'aide. Soudain, elle fondit en larmes. C'était étonnant : une femme juge qui n'était pas connue pour sa sentimentalité ou sa douceur d'esprit sanglotait de désespoir à cause d'une sentence qu'elle venait elle-même de prononcer.

« C'est terrible, dit la femme juge, ce qu'ils m'ont fait faire ! J'ai dû acquitter deux bandits. De vrais bandits qui demain vont attaquer quelqu'un. C'est monstrueux, mais je n'ai pas pu faire autrement. »

Je ne lui ai pas demandé qui la contraignait, ni pourquoi elle ne pouvait pas agir autrement. Je le savais de toute façon.

Quoi qu'il en soit, ces tribulations de juges n'ont pas duré longtemps. Dès que les conditions et les circonstances changèrent, les directives d'en haut en firent autant. Et la femme juge, ne sanglotant plus, prononça des sentences envoyant en prison des femmes qui avaient de petits enfants, ou des mineurs qui avaient volé une guitare dans un club pour entrer dans un orchestre.

Une cruauté et une dureté injustifiées étaient plus proches de son cœur de femme qu'un libéralisme injustifié.

En définitive, c'est la nécessité d'exécuter une « justice » sous la pression constante d'en haut et conformément à une série de directives politiques constamment changeantes qui a, de mon point de vue, entraîné cette attitude de cynisme et d'indifférence au destin des hommes qui caractérise maint juge soviétique. C'est là, j'en suis convaincue, que réside l'une des causes de la corruption quasi universelle du judiciaire, qui est devenue un trait notable de la vie soviétique au cours de la Seconde Guerre mondiale pour devenir un phénomène choquant et général dans les années 50. Étant constamment obligés de se moquer de la loi, les juges ont perdu tout respect pour elle ; cela a conduit inévitablement à une situation où ils sont prêts à enfreindre la loi non seulement sur les ordres venus d'en haut, mais aussi pour de l'argent. Un autre facteur important a été les salaires extrêmement bas alors payés aux juges, aux enquêteurs et aux procureurs. La rémunération mensuelle nette d'un juge de province, par exemple, était comprise entre 90 et 100 roubles (120 à 130 dollars), tandis qu'un juge moscovite touchait de 100 à 110 roubles (130 à 135 dollars). Cette échelle de salaires misérable n'était pas seulement inadéquate pour assurer un niveau de vie moyen : elle pouvait à peine maintenir une famille au-dessus de l'état de famine.

A la fin des années 50, une vague de « crimes économiques » secoua les cours soviétiques, crimes essentiellement liés aux petites usines qui appartenaient au réseau des coopératives de production. Les accusés, dans ces affaires, étaient les directeurs et les chefs d'atelier, parfois les comptables. Généralement, leur crime était le suivant : ayant fourni leur quota de production à l'État conformément au Plan, ils continuaient à fabriquer un volume considérable de marchandises supplémentaires, lesquelles n'étaient pas comptabilisées et étaient vendues par des complices travaillant dans de petits magasins (et quelquefois de très grands) appartenant à l'État. L'argent récolté dans ces opérations était partagé entre les participants. Les défendeurs étaient souvent des gens extrêmement riches, et les juges chargés de ces procès étaient probablement confrontés à de réelles fortunes pour la première fois de leur vie. L'argent, naturellement, restait en liquide, entassé dans des cachettes variées, puisqu'il ne pouvait être déposé à la banque et qu'il n'y avait pratiquement aucun moyen de le dépenser. Étant donné ces circonstances, quelles qualités fallait-il pour résister à la tentation permanente à laquelle les juges étaient soumis ? Uniquement la croyance en la justice et en la sainteté de la loi, une conviction intérieure que la loi est souveraine ; et quand cette croyance a été minée et détruite par l'État lui-même, toutes les barrières qui s'opposent à la corruption sont renversées.

Au cours des années qui suivirent immédiatement la mort de Staline, rien qu'à Moscou, pratiquement le corps entier des enquêteurs et des procureurs de la province de Moscou, de nombreux juges de la cour provinciale de Moscou, des fonctionnaires du parquet du district de Kalinine et plusieurs juges de la cour populaire de ce même district, à commencer par le procureur de district lui-même, furent arrêtés et traduits en justice pour perversion de la justice par pot-de-vin et corruption. La quasi-totalité de la magistrature de la cour populaire du district de Kiev, à Moscou, fut arrêtée et traduite en justice pour avoir reçu des pots-de-vin ; cette épidémie n'épargna pas non plus la cour et le parquet de la ville de Moscou. Si les verdicts et les sentences influencés par la corruption étaient devenus un phénomène assez répandu et familier à Moscou, ils étaient devenus dans les cours et les parquets de province (particulièrement dans les républiques non russes de l'U.R.S.S.) une pratique absolument régulière et quotidienne. En Géorgie, en Arménie, en Ouzbékistan et autres régions semblables, les juges qui ne prenaient pas de pots-de-vin étaient un phénomène si inhabituel qu'il suscitait l'incrédulité. La corruption était devenue un fait évident ; les gens en discutaient presque ouvertement. Les personnes qui venaient à nous pour être aidées étaient à la recherche bien souvent moins d'un avocat que d'un intermédiaire susceptible de corrompre le juge. C'est de cette façon également que plusieurs avocats furent entraînés dans la corruption générale de la justice.

Le lien entre la totale dépendance du juge envers ses maîtres politiques et la corruption massive du judiciaire est à la base d'un procès où j'ai figuré comme avocate, il y a bien des années, devant la Cour suprême de la R.S.F.S.R. La longue salle d'audience, mal éclairée et extrêmement froide, était pour moi un environnement familier. Les accusés étaient sur le point d'être introduits : eux aussi constituaient un spectacle familier. Comme ils avaient dû être différents quand ils étaient libres ! Maintenant, ils avaient tous la même pâleur carcérale, les mains derrière le dos, la tête inclinée. Et les femmes ! Les bas tombants (nous n'avions pas de collants à l'époque, les porte-jarretelles sont interdits en prison, de sorte que les prisonnières roulent simplement leurs bas au-dessous du genou comme les paysannes russes ont coutume de le faire), pas de maquillage (interdit en prison), les cheveux tressés en nattes courtes et attachés avec des matériaux hétéroclites (peignes et épingles à cheveux étant également interdits). Quel âge avaient ces femmes qui étaient introduites sous bonne garde dans la salle d'audience ? Plus tard, écoutant leur déposition, je me pris à penser : « Elle est plus jeune que moi, et celle-là aussi... », et, en les regardant, je ne pouvais le croire.

Ce jour-là, toutes les scènes habituellement familières étaient devenues étranges. Les prisonniers qui devaient être escortés dans la salle étaient des gens que je connaissais, des gens à qui j'avais fait face pendant des années dans d'autres tribunaux, à qui j'avais expliqué mes arguments et prononcé mes plaidoiries pour la défense de mes clients, tandis qu'eux, les prisonniers d'aujourd'hui, étaient assis dans des fauteuils de chêne à haut dossier ornés des armes de l'Union soviétique. Parmi eux se trouvait un homme qui avait souvent été mon adversaire dans les procès criminels, qui, au nom de l'État, avait exigé la punition des coupables — et quelquefois des innocents. C'était l'un des procureurs les plus expérimentés de Moscou, Rafael Asse, et il était maintenant mon client. Il était accusé d'avoir systématiquement reçu de l'argent en échange de l'assurance que l'issue du procès serait favorable. Une partie de l'argent allait aux juges, et il gardait le reste pour lui-même. Il s'agissait quelquefois de sommes très importantes — des dizaines de milliers de roubles — et quelquefois, dans les cas mineurs, de trois ou quatre mille roubles seulement.

Il se distinguait de ses autres collègues non seulement par sa haute qualification professionnelle, mais aussi par son attitude et son comportement : c'était un homme civilisé et bien élevé.

Quand j'appris qu'ils avaient arrêté Asse, je fus choquée plutôt que surprise, et je ne pouvais croire qu'il était coupable.

En me rendant à ma première entrevue avec Asse, j'étais terriblement excitée. A quoi ressemblerait-il après tant de mois d'emprisonnement ? J'étais sûre que, quelles que fussent ses conditions physiques, je pouvais compter sur son entière assistance pour préparer la stratégie de sa défense : après tout, n'était-il pas un praticien du droit, bien familiarisé avec le travail d'enquête et de justice ? Mais l'homme que l'huissier introduisit dans mon bureau était une personne complètement démolie. Les maigres rations de la prison l'avaient affaibli et presque réduit à la peau et aux os.

La peur et le désespoir l'étreignaient au point qu'il en était complètement désorienté. Sa déposition, enregistrée par le juge d'instruction, était étonnamment désemparée. Il plaidait coupable quelques jours après son arrestation et croyait aux menaces et aux promesses du magistrat qui l'avait convaincu qu'il possédait déjà des preuves irréfutables de sa culpabilité (bien qu'il n'eût pas spécifié de quelles preuves il s'agissait).

Pourquoi Asse se conduisait-il de cette façon ? La première pensée qui venait à l'esprit, et la plus naturelle, était qu'il se repentait. Une fois en prison, il avait trouvé du soulagement à dire la vérité, bien qu'il fût conscient du fait qu'il serait puni sévèrement — des années et des années de prison. Mais je découvris bientôt qu'il y avait une autre raison. Qu'il n'y avait aucun repentir, aucune autocondamnation morale. Cet homme avait oublié depuis longtemps comment respecter le droit et la justice, et les actes qu'il avait commis ne lui semblaient pas immoraux.

Je me souviens que, tandis que nous discutions de sa déposition, il essaya de me convaincre que la justice n'était pas lésée par le fait que les juges recevaient des pots-de-vin, parce que ces pots-de-vin étaient acceptés uniquement dans le but de prononcer des sentences impartiales et équitables.

Ce fut extrêmement pénible pour moi de me familiariser avec l'affaire, puis de l'entendre de nouveau devant le tribunal. J'eus des haut-le-cœur de dégoût et de désespoir en lisant et en écoutant les dépositions des témoins, qui précisaient où, quand et par qui les pots-de-vin étaient transmis, quand j'en vins à réaliser que la « justice » était décidée dans un petit troquet en bois, bien longtemps avant le procès. Je pensai au temps, à l'énergie et à la tension nerveuse gaspillés dans chaque affaire, puis à l'apparition d'un juge indifférent au regard impavide qui prononcerait la phrase rituelle : « Force reste à la loi. »

J'ai entendu cela dans la bouche de ces mêmes juges qui, le premier jour du procès, furent introduits dans la salle d'audience sous bonne escorte.

Comment pouvez-vous défendre un homme quand, vous-même, ne pouvez trouver aucune raison à son acquittement ?

J'eus pitié de lui quand je vis combien il avait changé, comme il paraissait misérable et confus, coupé du monde par une barrière en bois. J'aurais pu prononcer une plaidoirie absolument sincère en faisant appel à la clémence du juge, mais j'avais besoin de trouver une ligne d'approche qui me permettrait aussi de comprendre comment cela avait pu arriver à Asse, de découvrir pourquoi lui — parmi tous les gens de justice — en était venu à toucher des pots-de-vin. Il n'y avait pas été poussé par le besoin ou par les privations matérielles ; il n'avait pas d'enfants, et sa famille ne comptait que lui et sa femme, qui travaillait et gagnait un bon salaire. Bref, ils avaient des moyens et un bon chez-soi. Après avoir lu les dépositions de nombreux témoins, je fus convaincue que je me faisais une idée correcte de son style de vie : il ne prenait jamais part aux beuveries et aux orgies dont certains procureurs étaient coutumiers, il n'avait pas de maîtresse et il ne jouait pas aux courses.

Pour tenter d'aller au fond de cette affaire énigmatique, je lui demandai de me décrire quelques-uns des procès criminels qui l'avaient particulièrement choqué au cours des dernières années. Nous évoquâmes mainte affaire conclue illégalement, non pas dans la salle d'audience, mais avant le procès, dans le bureau de la secrétaire du comité de district de Leningrad du parti communiste. Asse en discuta calmement, comme si c'était quelque chose de naturel et de normal, d'habituel même. Je réalisai que, entouré de gens qui s'étaient mis à recevoir des pots-de-vin bien longtemps avant lui, Asse avait vu s'émousser progressivement la répugnance morale qu'il avait pour ce crime, jusqu'à ce qu'il en vînt à l'accepter. Après cela, le seul obstacle qui subsistait à sa propre corruption était la peur : un sentiment qui, d'après moi, n'a jamais été un gardien sûr de la loi et de l'ordre.

Je crois que je rapporte ici, presque mot pour mot, ce que j'ai dit pour la défense d'Asse. Tout ce que j'ai dit fut hardi et inattendu dans une cour de justice soviétique, et suscita l'intérêt de la part de mes auditeurs et — le plus important — de la part de la cour. Je pense que cela influença la sentence : il fut condamné au minimum, par comparaison avec les autres accusés (quatre années de prison). En outre, bien qu'il se fût agi là d'une simple affaire criminelle, je crois que c'est à ce moment-là, et non pas des années plus tard durant ma défense de Vladimir Boukovski, que j'inaugurai ma carrière d'avocat « politique ».

J'ai parlé au passé de cette corruption à grande échelle comme si c'était un épisode honteux qui avait maintenant pris fin. Il n'en est malheureusement pas ainsi ; la corruption chez les juges, les enquêteurs et les procureurs persiste jusqu'aujourd'hui. Mais le nombre de ceux qui empochent des pots-de-vin a, naturellement, diminué, en particulier à Moscou et dans quelques autres grandes villes. Le phénomène n'est plus aussi manifeste, mais il existe toujours.

En dépit de tout ce que j'ai dit, le système judiciaire fonctionne en Union soviétique ; il n'y a pas eu que des condamnations, il y a eu aussi des verdicts d'acquittement — moins souvent qu'une authentique justice ne l'aurait exigé, mais il y en eut. Je me souviens de nombreux cas où un coupable a été condamné bien plus lourdement que je ne l'estimais juste ou opportun, mais de telles peines restaient toujours dans les limites légales. Je me rappelle aussi de nombreux procès où la cour acquiesçait à l'interprétation légale des agissements de l'accusé par le procureur, tandis qu'elle rejetait arbitrairement le bien-fondé de la contre-argumentation de la défense. En même temps, je me souviens aussi de cas où la défense réussissait à gagner l'argumentation légale, et de telles occasions n'étaient nullement exceptionnelles. Un acquittement est toujours un événement marquant dans la carrière d'un avocat soviétique.

Quelquefois, nous l'emportions en première instance, mais, le plus souvent, la victoire ne venait qu'à l'issue d'une longue procédure à travers les cours d'instances supérieures. Chacun de mes acquittements fut un événement notable de ma vie, une récompense morale pour tout ce dur travail que je me réjouissais d'accomplir et que je crois pouvoir considérer à juste titre comme la justification de toute ma vie.

Deuxième partie

1

LE CAS DES DEUX GARÇONS

Au début de février 1967, je reçus un coup de téléphone d'un autre avocat, Lev Ioudovitch. Nous nous étions côtoyés pendant des années et, bien que nous ne fussions pas des amis intimes, nos relations étaient celles du respect mutuel.

« J'ai une proposition dangereuse à vous faire, dit Lev. Je veux que vous vous joigniez à moi dans une affaire extrêmement intéressante. Deux garçons — Sacha et Alik — sont accusés d'avoir violé et assassiné une fille de quatorze ans, une camarade de classe de leur école. J'ai déjà étudié le dossier dans le bureau du procureur ; les deux garçons sont complètement innocents. Ils ont été mis en accusation. Voulez-vous défendre le second d'entre eux, Sacha ?

— Je veux bien croire que le cas soit intéressant, mais pourquoi est-il dangereux ? demandai-je avec étonnement. C'est une affaire criminelle sans le moindre soupçon d'élément politique. En quoi est-il possible qu'elle soit dangereuse pour un avocat ?

— Le fait est que tous deux ont avoué leur culpabilité. Puis ils se sont rétractés. Mon client, Alik, nie toujours sa culpabilité. Mais Sacha, s'étant fait expliquer l'affaire par son avocate, Irina Kozopolianskaïa, a dit à l'enquêteur du parquet que c'était elle qui l'avait poussé à renoncer à ses aveux, et qu'en fait tous deux, Alik et lui-même, étaient coupables. Irina s'est vu retirer le dossier, et elle est sous la menace d'une expulsion du collège des avocats. Puis, quelques jours plus tard, Sacha rédigea une déclaration affirmant que, poussé par l'enquêteur, il avait menti à propos de l'avocate, qu'il était complètement innocent et que son précédent témoignage, dans lequel il avouait le viol et le meurtre, était faux. Irina a demandé à l'un de ses collègues de bureau de reprendre la défense de

Sacha (ici, Lev mentionna l'un des meilleurs avocats de Moscou), mais celui-ci a catégoriquement refusé, alléguant qu'il ne voulait pas placer sa carrière entre les mains d'un garçon stupide et embrouillé, qui avait déjà montré son peu de sérieux en calomniant son propre avocat. C'est la raison pour laquelle l'affaire pourrait être dangereuse pour vous. Ne perdez pas de vue, toutefois, que c'est un cas remarquablement intéressant — peut-être le plus intéressant de toute ma carrière.

— J'ai déjà réfléchi, dis-je, dites aux parents de venir à mon bureau à six heures. »

C'est ainsi que je défendis Sacha Kabanov.

Non loin de Moscou se trouve le petit village d'Izmalkovo. Il est situé sur une terrasse élevée qui surplombe une série de petits lacs connus sous le nom d'«étangs d'Izmalkovo-Samarinski». Un pont long et étroit en madriers de bois relie le village à la rive éloignée où est situé le fameux «village des écrivains» de Peredelkino. (C'est là que vécut le grand poète russe Pasternak, et c'est là qu'il est enterré.) Au-delà du village se trouve la «route des Généraux», bordée par les «maisons des généraux», ainsi appelées parce que leurs propriétaires sont pour la plupart d'anciens officiers. Peu après la Seconde Guerre mondiale en effet, Staline avait décrété que ses généraux et ses maréchaux se verraient attribuer des terrains et des maisons de campagne *(datchas)*. La maison la plus proche du lac appartient à Rouslanova, une chanteuse populaire de folklore russe. C'est là également que se trouve la datcha appartenant au maréchal Semen Boudennyï, chef légendaire de la cavalerie de l'armée rouge au temps de la guerre civile.

En 1965, la datcha de Boudennyï subit quelques réparations. Chaque matin, un camion militaire appartenant à une unité basée à proximité apportait sur le chantier un chargement de matériaux de construction et une équipe de soldats utilisés comme ouvriers.

Le 17 juin 1965, trois soldats travaillaient sur le chantier : Bazarov, Zouïev et Sogrine. Ils terminèrent leur travail plus tôt que d'habitude et décidèrent de se rendre sur le terrain de jeu du village, là où les jeunes gens du village avaient coutume de se rassembler le soir. Simultanément, Sacha et Alik (qui avaient tous deux autour de quinze ans) gagnèrent aussi le terrain de jeu, en même temps que quelques filles dont l'âge était compris entre quatorze et seize ans. Ils jouèrent tous ensemble au volley-ball.

Vers 11 heures du soir, les soldats décidèrent de partir (le camion les attendait déjà), et tous les jeunes se déclarèrent d'accord pour faire une promenade vers le pont de bois, en direction de la route des Généraux. Quelques-unes des filles — Nina et Nadia Akatov, Lena Kabanova (la sœur de Sacha) et Ira, une fille qui habitait l'une des datchas — partirent devant avec les soldats, tandis que Sacha, Alik et Marina Kostopravkina s'attardèrent un court instant : Alik pour prendre son accordéon à la maison ; Marina pour aller chercher un sweater ; et Sacha pour dire à sa mère où ils allaient. Cinq ou six minutes plus tard, ils descendaient tous la rue principale d'Izmalkovo, passant devant la seule maison à deux étages du village, connue sous le nom de « sanatorium ». C'est un grand bâtiment de bois, chaque pièce étant occupée par une famille. Toutes les fenêtres de la maison étaient ouvertes — c'était une soirée très chaude — et une lampe était allumée dans chaque pièce, car personne n'était encore allé se coucher.

Les trois jeunes, qui se connaissaient depuis l'enfance, étaient tous des camarades de classe. Ils marchaient, heureux et riants, en direction de la maison des sœurs Akatov, sans se douter que ces quelques minutes allaient être fatales pour eux, qu'ils étaient devant un désastre : une mort hideuse pour Marina, des années de prison pour Sacha et Alik.

Les sœurs Akatov, constatèrent-ils, n'étaient pas chez elles ; ils en conclurent que Nina et Nadia étaient déjà parties en avant en direction du pont, et qu'elles les y attendraient. Le chemin allant de la maison des Akatov au pont passait aussi par la rue principale. La dernière maison de la rue, sur la gauche, appartient à la famille Bogatchev ; derrière, il y a un verger qui s'étend au bord du lac, puis un petit ravin et, au-delà, une vieille clôture en bois qui sépare la propriété de Rouslanova du village lui-même. Descendre la route qui va de la maison des Akatov jusqu'au pont ne prend pas plus de cinq minutes.

Peu de temps après, Sacha et Alik revinrent à la maison des Akatov, mais sans Marina. Toutes les autres filles étaient maintenant là : elles dirent aux garçons qu'elles étaient allées par un autre chemin parce qu'elles voulaient échapper aux soldats et les empêcher de découvrir où elles habitaient. Au bout de quelques minutes (avec quelle anxiété ces minutes devaient être comptées par la suite !), les filles — Nadia et Nina Akatov et Lena Kabanova — ainsi que Sacha et Alik traversaient le pont de madriers en direction de la route des Généraux. Ils furent aperçus par des pêcheurs assis sur la rive (ces étangs sont fameux pour leurs carpes, et il y a de nombreux pêcheurs) ; ils furent aussi entendus par les habitants des maisons voisines, car les enfants chantaient et riaient à haute voix.

Toujours en chantant, ils passèrent le pont. L'une des filles demanda : « Où est Marina ? », et l'un des garçons répondit : « Elle a décidé de partir en avant et de vous rejoindre sur la route des Généraux ; elle n'a pas voulu revenir avec nous. » A quoi l'une des filles répliqua (par la suite, personne ne put se rappeler laquelle) : « Oh, Marina n'en fait jamais qu'à sa tête. » Personne ensuite ne parla plus d'elle.

Il était très tard cette nuit-là quand les enfants rentrèrent finalement chez eux, et c'est seulement à l'aube que la mère de Marina partit de maison en maison pour demander si quelqu'un n'avait pas vu sa fille.

Marina n'était pas rentrée à la maison.

La nouvelle de la disparition de Marina se répandit dans le village avec une incroyable vitesse. Les uns après les autres, les villageois venaient à la maison des Kostopravkine. Parmi eux, il y en avait qui avaient vu les enfants jouer au volley le soir précédent, d'autres qui avaient entendu les voix des enfants lorsqu'ils traversaient le pont ; et il y avait les pêcheurs qui les avaient vus, de la rive ou d'un bateau, et qui même avaient reconnu leurs voix ; les sœurs Akatov, après tout, étaient les deux meilleures chanteuses du village, et il n'y avait pas moyen de se méprendre sur leurs voix.

Au petit matin, un policier fut installé dans la maison des Kostopravkine pour enregistrer les déclarations. Il questionna soigneusement tous ceux qui étaient venus à la maison et nota méticuleusement tous les témoignages, fixant de façon précise l'heure à laquelle les enfants avaient quitté le terrain de volley-ball, et celle à laquelle ils avaient été entendus par les pêcheurs et les habitants des maisons voisines. Il interrogea Alik, Sacha, Nadia, Nina, Ira, Lena et bien d'autres, enregistrant toutes leurs déclarations.

Le policier fut particulièrement inquisiteur dans son interrogatoire d'Alik et de Sacha : après tout, ils étaient les derniers à avoir vu Marina. Eux seuls pouvaient dire pourquoi ils avaient soudainement quitté Marina, pourquoi elle avait continué seule en avant et pourquoi elle n'avait pas voulu revenir avec eux. Mais ni Alik ni Sacha ne purent donner de raison : « Elle n'est pas venue avec nous, c'est tout. » Et encore : « Elle ne voulait pas, tout simplement. » Telles furent les seules explications qu'ils fournirent en ce premier jour, ainsi que les jours qui suivirent.

Pendant ce temps-là, des policiers et des volontaires du cru passaient au peigne fin les rives du lac et le verger, examinant chaque buisson, chaque sentier. Ils cherchèrent jusqu'à la nuit, mais ne trouvèrent pas trace de Marina.

Le 19 juin, les recherches furent reprises tôt le matin. Ce n'est que le soir que les chercheurs tombèrent sur une petite clairière du ravin près de la datcha de Rouslanova. Là, sous un buisson bas, parmi l'herbe foulée, ils trouvèrent le sweater de Marina ; tout près, ils ramassèrent un bouton arraché de son short. Un peu plus loin, il y avait une casquette d'homme à visière et un bouton blanc, de la sorte que l'on coud sur les sous-vêtements à bon marché, comme ceux qui sont livrés aux troupes de l'armée soviétique.

Des hommes-grenouilles vinrent fouiller les étangs, à la recherche du corps de Marina. En vain.

Les jours qui suivirent, la police interrogea de nouveau toutes les personnes qui s'étaient trouvées dans le village ce soir-là, ainsi que tous les habitants des villages voisins sur lesquels elle pouvait nourrir des soupçons.

Les premiers suspectés furent les soldats. Leurs histoires sur la manière dont ils étaient rentrés à leur unité après le jeu de volley-ball étaient pleines de contradictions. L'enquêteur avait été rendu particulièrement sceptique par le témoignage du chauffeur du camion militaire dans lequel les soldats étaient rentrés à leur base. Il insista sur le fait qu'il était arrivé à l'heure convenue : 11 heures du soir. Mais les soldats n'étaient pas là ; ils ne s'étaient pas montrés, affirma-t-il, avant 1 heure du matin. Et quand ils apparurent, ils lui demandèrent de ne parler à personne de leur retard. Les soldats, cependant, ne ressortissent qu'à la justice militaire ; ils ont des procureurs militaires et sont normalement traduits en cour martiale. Mais ici, le procureur militaire refusa de les arrêter, sur la base de preuves insuffisantes de leur culpabilité. Plus l'affaire traînait, plus les témoignages des soldats se ressemblaient, et plus la durée de leur absence illicite se rétrécissait.

Une semaine passa. Le matin du 23 juin, Sacha et quelques-uns de ses amis allèrent ramer sur le lac dans un petit bateau, et ils parlèrent de Marina. Sacha racontait aux autres comment ils étaient allés ensemble vers la maison des Akatov, et de quoi ils avaient parlé en chemin. Soudain il stoppa et, selon les dires de ses amis, devint si pâle qu'ils en furent tous effrayés (cette pâleur fut plus tard interprétée par l'enquêteur comme une preuve de sa culpabilité). Le long du bateau, presque touchant son bord, flottait un cadavre livide et gonflé. C'était Marina.

D'après l'expertise médico-légale, Marina était morte d'«asphyxie causée par noyade». Il était également indiqué que la mort avait été précédée de rapports sexuels subis sous la contrainte.

L'enterrement de Marina eut lieu en présence de tout le village, y compris l'école et tous les instituteurs. Classe après classe, tous défilèrent devant la tombe pour faire leurs derniers adieux. Ce furent des funérailles où le chagrin n'était pas feint, non plus que le désir de vengeance contre un meurtrier non encore identifié.

Le temps passa. Au cours du mois qui suivit la mort de Marina (le 17 juin), la police en uniforme et la police en civil du district arrêtèrent vingt-huit personnes qui, pour des raisons diverses, étaient des suspects potentiels. Parmi elles se trouvait un certain Sadykov, qui avait à son actif un nombre record de condamnations pour vol et conduite débraillée, et qui habitait un petit village non loin d'Izmalkovo. Il n'avait pas passé chez lui la nuit du 17 au 18 juin ; sa femme le découvrit le lendemain matin dans un hangar, ivre mort, les vêtements déchirés et tachés de sang. Il fut placé sous les verrous pendant trois jours, durée autorisée par la loi. Des amis à lui, cependant, confirmèrent à l'enquêteur qu'ils avaient bu ensemble cette nuit-là, qu'une querelle de pochards avait éclaté et que c'était là la raison des taches de sang sur ses vêtements. Sadykov fut donc relâché.

Plus tard, en étudiant le dossier de l'accusation, je fus stupéfiée par l'incompétence évidente de l'enquêteur, qui passait d'une version à l'autre, d'un faisceau de soupçons à un autre sans soumettre aucun d'entre eux à une vérification approfondie. A chaque occasion, il se contentait du plus superficiel des interrogatoires. Il ne faisait aucune tentative pour découvrir les raisons des preuves contradictoires (comme dans le cas des soldats). Il n'envoya pas à l'analyse la chemise ensanglantée de Sadykov, préférant accepter le témoignage de ses compagnons de beuverie. Il omit de faire procéder aux tests biologiques sur les vêtements de chacun des suspects détenus, alors qu'il était si important de déterminer si leurs vêtements présentaient ou non des traces de sperme : les experts, après tout, avaient déjà indiqué que Marina avait été violée. Le temps travaillait inexorablement contre l'enquêteur et contre la probabilité que la justice serait jamais rendue. Le témoignage des suspects devenait de plus en plus assuré, il y avait de moins en moins de contradictions dans leurs déclarations, et ils étaient capables de faire appel à un nombre de plus en plus grand de témoins pour confirmer leur innocence. Au début d'août 1965, le nombre des personnes convoquées pour interrogatoire était tombé pratiquement à zéro. L'enquête était manifestement dans une impasse.

Soudain, au cours de la troisième semaine d'août, la nouvelle fusa dans le district : le meurtrier avait été découvert et arrêté. C'était un criminel endurci qui avait déjà été condamné pour viol et pour meurtre ; Marina n'était pas sa seule victime. On donna même son nom : Nazarov. Puis on eut des renseignements complémentaires : le suspect était passé aux aveux. Il avait dit à l'enquêteur comment il avait battu et violé Marina, puis comment il l'avait tuée et avait jeté son corps dans l'eau.

Le désir naturel de vengeance, de châtiment, que soulève toujours un crime en vint à obséder les pensées et les émotions non seulement de la mère de Marina, Aleksandra Kostopravkina, mais aussi de la majorité des habitants d'Izmalkovo. Ils commencèrent à compter les jours qui les séparaient de la clôture de l'enquête et de l'ouverture du procès. Les expressions de « peine de mort » et de « peloton d'exécution » étaient sur toutes les lèvres.

Mais le temps passait, et aucun signe ne semblait annoncer la clôture de l'enquête. A la fin de décembre 1965, une nouvelle époustouflante arriva : « L'enquête sur la mort de Marina Kostopravkina était close, faute de suspect. »

Une délégation des habitants du village se rendit chez le procureur pour exiger une explication. Qu'est-ce que cela signifiait ? Un suspect avait été détenu, et il avait avoué. Personne n'était satisfait par les explications du procureur selon lesquelles les aveux étaient faux, Nazarov avait rétracté ses déclarations initiales, affirmant qu'il n'était pas dans son état normal quand il les avait faites et qu'il n'y avait pas d'autre preuve de sa culpabilité, même s'il était de notoriété publique qu'il allait être jugé sous peu pour le viol d'une autre fille et pour une série de vols.

Les lettres, les pétitions commencèrent à affluer au Comité central du parti communiste de l'Union soviétique, formulant toutes la même exigence : «Trouvez et châtiez le coupable!» Maintenant, la pression ne s'exerçait plus sur l'enquêteur ni sur le procureur, mais sur le tout-puissant parti communiste.

On était à présent en 1966. Un an déjà aurait bientôt passé depuis la mort de Marina, et toujours aucune nouvelle des enquêteurs. Ils ne rouvriraient pas le dossier, disaient-ils, «faute de suspect». Les lettres au Comité central n'avaient rien donné.

Alors, les villageois décidèrent d'enrôler les écrivains dans leur lutte. Leur village, après tout, était juste de l'autre côté du lac.

Ainsi, les écrivains s'adressèrent au Comité central du parti communiste de l'Union soviétique pour exiger que le criminel fût trouvé et puni.

Le 17 juin, anniversaire de la mort de Marina, parents et voisins des Kostopravkine se réunirent de nouveau au cimetière, en même temps que les instituteurs et les enfants qui avaient été les amis de Marina. Cette fois-ci, il y eut moins de larmes que l'année précédente. Les enfants se tenaient là en silence, tandis que les adultes buvaient de la vodka «à la mémoire de Marina». Pourtant, les larmes ne firent pas défaut : pour la circonstance, la famille avait invité une habitante du village, Iekaterina Martchenkova, bien connue comme pleureuse professionnelle. Maintenant, debout à quelque distance de la foule groupée autour de la tombe, une petite femme grisonnante et frêle portant des lunettes aux verres épais, un grand fichu noir sur la tête, vidait son dernier verre de vodka et se mettait au travail. Ce fut d'abord une basse mélopée, puis les lamentations s'enflèrent et s'accélérèrent.

Elle disait comme Marina avait été belle et intelligente, et comment un méchant homme l'avait détruite. Bientôt il y eut des larmes dans sa voix, et ses paroles furent interrompues par des sanglots. Aleksandra Kostopravkina se mit à répéter après elle : «Ma chère fille, ma belle petite fille, qui est le scélérat qui t'a assassinée? Ma très douce...»

Enfin, la mélopée de Martchenkova atteignit son paroxysme et, d'une voix déchirante, elle articula :

> *Marina, petite Marina, ma chérie!*
> *Pardonne-moi, vieille femme stupide!*
> *Soulage ma conscience coupable.*
> *Pourquoi est-ce que je rêve de toi chaque nuit?*

Tout le monde pleurait à présent, et on pouvait à peine entendre les lamentations funèbres de Martchenkova.

Ce ne fut que plus tard, sur le chemin du retour, que Zakharov, le parrain de Marina, demanda à Aleksandra Kostopravkina si elle avait entendu comment, dans ses lamentations, Martchenkova avait dit qu'elle se sentait coupable à propos de Marina, parce qu'elle aurait pu la sauver et qu'elle ne l'avait pas fait.

Ce soir-là, Kostopravkina invita Martchenkova à venir chez elle pour la veillée. La vodka circula de nouveau, et Kostopravkina demanda à la vieille femme ce qu'elle savait sur la mort de Marina et pourquoi elle avait dit qu'elle aurait pu la sauver et ne l'avait pas fait. D'abord, Martchenkova nia simplement avoir dit de telles choses au cimetière. On but un peu plus et, avant de rentrer chez elle, elle dit que, un an exactement auparavant, le 17 juin, tard dans la soirée, elle était assise dans sa pièce au deuxième étage du sanatorium. La fenêtre était ouverte et, tandis qu'elle soupait, elle entendit une conversation à voix haute venant de la rue. Elle avait reconnu Marina au son de sa voix, et la jeune fille disait : « Alik ! Laisse-moi tranquille ! Cesse de me tourmenter ! Tu devrais avoir honte ! Va-t'en ! Qu'est-ce que tu me veux ? Laissez-moi tranquille tous les deux ! »

En réponse, l'un des garçons avait ri bruyamment.

« Sur le moment, poursuivit Martchenkova, j'ai seulement pensé qu'ils plaisantaient, et je suis allée au lit. »

Et en effet, pour une personne sensée et non concernée entendant par hasard de tels propos, il n'y avait rien là de sensationnel. Même si on croyait que Martchenkova avait réellement entendu par hasard cette conversation, précisément le 17 juin, et qu'elle avait effectivement reconnu la voix de Marina, le fait est que ni l'un ni l'autre des deux garçons n'avait nié être passé devant la maison ce soir-là. Ils avaient eux-mêmes, dès le lendemain, déclaré la chose à la mère de Marina et aux policiers. Bien plus, les mots mêmes de la conversation, tels que rapportés par Martchenkova, n'incriminaient en rien Sacha ou Alik. Marina n'avait pas crié ni appelé à l'aide, bien qu'ils fussent en train de descendre la rue principale du village et que, dans chaque maison, il y eût des gens prêts à venir à la rescousse. Les mots qu'elle avait adressés à Alik ou à Sacha : « Laisse-moi tranquille ! », avaient pu être une réaction normale à n'importe quelle plaisanterie de garçon.

Ainsi d'ailleurs raisonna le procureur du district, à qui le lendemain Aleksandra Kostopravkina remit une déclaration affirmant qu'elle-même et d'autres personnes avaient découvert les meurtriers : Sacha Kabanov et Alik Bourov. Indignée par la manière dont elle avait été reçue par le procureur du district, Kostopravkina adressa alors sa plainte au procureur de la province de Moscou, à quoi on lui répondit que l'enquête sur la mort de Marina avait été confiée à un enquêteur expérimenté répondant au nom de Ioussov.

Ioussov était un homme grand et mince, au visage pâle et ovale. Ses caractéristiques les plus frappantes étaient une grande paire de lunettes, qu'il portait devant ses petits yeux myopes presque réduits à l'état de fente, et ses lèvres minces. Ioussov convoqua immédiatement Kostoprav-kina. Il l'écouta attentivement, la questionnant particulièrement sur l'histoire de Martchenkova. Ses derniers mots furent pour lui assurer que maintenant «tout allait changer». L'affaire avait été placée sous le haut patronage du Comité central du parti communiste de l'Union soviétique (en réaction à la lettre des écrivains), auquel on lui avait ordonné de faire un rapport sur les résultats de ses investigations. Il trouverait les criminels à tout prix.

Sacha Kabanov eut seize ans le 22 juin 1966; c'est l'âge auquel il avait le droit de retirer sa carte d'identité, un document sans lequel aucun citoyen soviétique ne peut exister. Tous les certificats nécessaires avaient déjà été remis au poste de police. On avait dit à Sacha qu'il recevrait sa carte d'identité le 31 août.

Élégamment vêtu d'une chemise neuve spécialement achetée pour l'occasion et d'un pantalon soigneusement repassé par sa mère, il se rendit au poste de police. Pendant ce temps, à la maison, on préparait un repas de fête pour son retour: la famille célébrait encore la majorité d'un autre fils. Le fils aîné était déjà marié et vivait ailleurs, le deuxième fils faisait son service militaire, leur sœur Lenotchka travaillait aussi à présent et, bientôt, ce serait le tour de Sacha de rejoindre l'armée pour ses trois ans de service militaire obligatoire. La famille Kabanov n'était pas seulement une grande famille; c'était une famille unie et pleine d'amour; et surtout, ce qui est extrêmement rare dans la campagne russe, tous ses membres étaient sobres.

A l'heure où Sacha revint du poste de police, toute la famille était réunie. Soudain, deux visiteurs imprévus arrivèrent. L'un d'entre eux était bien connu: c'était l'inspecteur en poste au commissariat local; l'autre était un parfait étranger: grand et mince, portant de grandes lunettes, avec des lèvres fines hermétiquement closes dans un visage pâle. Il se présenta comme étant le nouvel inspecteur du ministère de l'Éducation.

Les manières de l'inspecteur étaient polies, affables et amicales. Il interrogea Sacha sur son travail d'école, sur les livres qu'il lisait, demanda à voir les nouveaux livres de textes et d'exercices que Sacha avait déjà préparés pour le lendemain. Il remercia la famille de son invitation de se joindre au dîner, mais regretta de n'en pas avoir le temps. Il avait à visiter toutes les autres maisons où habitaient les nouveaux élèves de terminale.

«Peut-être Sacha pourrait-il m'aider à trouver le chemin de la maison de son plus proche camarade de classe. Ensuite, il pourra revenir directement, il ne sera pas en retard pour dîner... »

Ainsi partirent-ils : le nouvel inspecteur, Sacha et l'officier de police.

Une heure passa avant que la mère de Sacha apprenne par des voisins que Sacha et Alik avaient été emmenés dans un car de police. C'est seulement au bout de quatre jours de longues et anxieuses recherches — parce que personne ne savait où les deux garçons avaient été pris — que les parents découvrirent finalement que l'un d'eux était détenu dans les cellules de détention préventive de la ville de Zvenigrod et l'autre dans les cellules de détention préventive du village de Golytsino, tous deux ayant été arrêtés sur les ordres de Ioussov, enquêteur en chef du parquet de la province de Moscou.

Le lendemain, la mère d'Alik Bourov et celle de Sacha Kabanov prirent le train pour Moscou, afin de voir le procureur.

Dans un bureau du deuxième étage de l'hôtel du ministère public trônait un homme au visage pâle et ovale, aux grandes lunettes et à la bouche large et hermétiquement close. Cette fois-ci cependant, il ne souriait pas de façon amicale, et il ne posait pas de questions sur le classement du garçon à l'école. Il se révélait maintenant dans son véritable rôle : il n'était pas inspecteur au ministère de l'Éducation, mais l'enquêteur en chef Ioussov.

Ioussov répondit laconiquement aux questions qui lui étaient posées par les deux mères, lesquelles étaient stupéfiées de voir qui leur faisait face derrière le bureau. Il se déclara convaincu qu'Alik et Sacha avaient tué Marina, bien que les deux garçons n'eussent pas été formellement accusés. Il écouta avec une expression ironique quand les deux mères lui assurèrent que leurs fils étaient complètement innocents. Il avait entendu d'innombrables protestations semblables auparavant ; tout cela était pour lui si familier et si ennuyeux. Il ne pouvait prédire quand l'affaire passerait au tribunal, ni quand les parents pourraient engager un avocat — mais il les informerait en temps voulu. La justice soviétique ne permettrait jamais que des enfants fussent privés de l'assistance légale ; tout serait fait conformément à la loi. Naturellement, les garçons ne pouvaient recevoir aucune correspondance : c'était strictement interdit.

Plusieurs jours passèrent, durant lesquels Alik et Sacha étaient toujours détenus dans les cellules de détention préventive. Les parents ne se plaignaient pas, car ils ignoraient que le maximum autorisé, dans de telles conditions, était de trois jours. Ils ne savaient pas non plus que, le 3 septembre, Ioussov avait déjà reçu un ordre écrit du procureur lui intimant de transférer les garçons dans une prison de Moscou.

Le 6 septembre, Lena Kabanova reçut un coup de téléphone sur son lieu de travail. C'était Ioussov qui lui demandait de l'attendre à l'entrée du métro pour lui remettre une lettre de Sacha.

A son arrivée, Ioussov lui remit une enveloppe cachetée en lui demandant de ne l'ouvrir qu'à la maison, en présence de ses parents.

Lena se hâta vers la gare pour prendre son train; si elle le manquait, elle aurait une heure d'attente pour prendre le suivant. Arrivée à la gare de Bakova, elle courut à travers bois, traversa le pont de madriers, remonta la rue principale, longea le terrain de volley-ball et arriva hors d'haleine à la maison.

« Une lettre de Sacha! Ioussov m'a donné cette lettre de Sacha! »

Quel bonheur! Des nouvelles de leur fils, le premier mot de leur garçon depuis qu'il avait été enlevé par un tour de passe-passe qui les avait empêchés même de lui dire au revoir. Ils ouvrirent l'enveloppe. La lettre était écrite sur une grande feuille de papier:

Chers maman, papa, Lena, frères et tante Maroussia,

Ne vous faites pas de souci pour moi, je suis bien traité. J'ai dit ce qu'Alik et moi avions fait à Marina. Nous l'avons violée, puis nous l'avons noyée. Envoyez-moi s'il vous plaît un pantalon propre et quelques biscuits secs. L'enquêteur Ioussov m'a promis qu'ils me seront remis. Pardonnez-moi. J'espère que nous nous reverrons bientôt.

Votre fils, Sacha
6 septembre 1966

Beaucoup plus tard, la mère de Sacha, Klavdia Kabanova, me dit que, après avoir lu cette lettre, aucun d'entre eux n'avait même pleuré. Ils étaient tous là pétrifiés, sans dire un mot. Incapables même de penser, ils ne ressentaient que le vide du total désespoir.

Quand ils furent en mesure de parler à nouveau, ce fut pour constater que pas un d'entre eux n'avait pensé un seul instant que la lettre de Sacha disait la vérité.

Connaissant bien la famille, j'ai cru ce qu'elle me disait. Ces gens simples et sans aucune instruction m'ont constamment étonnée, par le courage digne avec lequel ils ont enduré le chagrin qui les avait terrassés. Klavdia Kabanova n'a jamais cessé de m'étonner; cette femme avait élevé six enfants dans les conditions effroyablement dures de la Russie rurale, vivant dans une cabane en bois uniquement chauffée par un poêle à bois, sans eau courante (toute leur eau devait être ramenée du puits dans des seaux), sans sanitaires, sans fourneau à gaz; travaillant sept jours sur sept depuis le matin jusqu'à la nuit tant au sovkhoze qu'à la maison. Cependant, elle ne manifesta jamais d'amertume, se conduisit toujours avec dignité. Elle sut toujours commander le respect non seulement de ses enfants, qui lui obéissaient invariablement et sans un murmure, mais aussi des autres villageois; et de plus, elle sut garder l'allure fraîche et jeune d'une véritable beauté russe, avec ses cheveux blond cendré montrant à peine une trace de gris, ses petits yeux perçants et d'un bleu brillant.

Elle était le chef incontesté de la famille, bien qu'elle ne donnât jamais d'ordres. En fait, il était à peine besoin qu'elle demande que quelque chose fût fait: d'une certaine manière, les membres de sa famille savaient automatiquement ce qui était nécessaire et comment ils devaient agir. Le père de Sacha travaillait à Moscou comme chauffeur de camion; il rentrait tard à la maison et ne voyait ses enfants que le dimanche.

Tard dans la soirée du 6 septembre, la mère d'Alik arriva, hors d'haleine d'avoir couru, à la maison des Kabanov. Ioussov, apprit-on, avait aussi envoyé une lettre d'Alik. Les familles s'assirent pour lire et relire les deux lettres. Celle d'Alik était ainsi conçue:

Chers maman, papa et Galia,

Ne vous faites pas de souci pour moi. Personne ne m'a fait de mal. J'ai dit à l'enquêteur que Sacha et moi avions violé Marina, puis que nous l'avions jetée dans le lac. Envoyez-moi s'il vous plaît ma casquette neuve et des biscuits secs. L'enquêteur Ioussov dit que vous serez autorisés à me les remettre. Pardonnez-moi.

Votre fils et frère, Alik
6 septembre

Puis il y eut une nouvelle péripétie: un matin, Alik fut amené au village sous escorte. Il parcourut toute la distance allant du terrain de volley-ball jusqu'au lac, avec Ioussov marchant sur ses talons, tandis que des policiers accompagnés de chiens le flanquaient à gauche et à droite. Derrière suivaient un groupe d'étrangers (des «témoins officiels» assermentés pour certifier que l'opération avait été correcte du point de vue de la procédure) et un homme équipé d'une caméra de cinéma.

Tous les gens du village, enfants et adultes, accoururent pour voir. Ils entendirent Alik, décontracté et d'un calme surprenant, montrer la route que Marina et lui avaient suivie depuis le terrain de jeu, descendant la rue principale, passant devant le sanatorium et devant la maison Akatov.

C'était près de la maison des Bogatchev, la dernière de la rue, que lui et Sacha avaient attaqué Marina, lui tordant les bras derrière le dos. Elle avait essayé de crier, mais ils lui avaient bâillonné la bouche avec la casquette neuve d'Alik (celle-là même qu'il demandait à sa mère de lui envoyer dans son colis). Puis ils avaient traîné Marina un peu à l'écart, le long du sentier qui entrait dans le verger, où ils l'avaient jetée à terre sous un arbre.

A la suggestion de l'enquêteur, Alik, sans un instant d'hésitation, montra l'arbre sous lequel lui d'abord, puis ensuite Sacha avaient violé Marina. Ils l'avaient alors étranglée, saisie par les bras et par les jambes, et traînée du côté du lac. Alik marcha vers le bord du lac (tout cela, naturellement, était enregistré par la caméra) et montra l'endroit où, après avoir balancé le corps de Marina deux ou trois fois, ils l'avaient jeté dans le lac.

En faisant le compte rendu des événements, Alik n'était pas seulement calme; il semblait complètement indifférent à la présence de la foule des voisins. Ceux-ci gardaient le silence le plus complet, brisés qu'ils étaient par la terrible histoire, complétée de détails révoltants sur le viol, et par la description qu'Alik faisait du meurtre, dépassionnée et dépourvue d'émotion, prononcée sans un soupçon de remords apparent. Quand il fut raccompagné au car, Aleksandra Kostopravkina accourut en criant: « Assassin! Brute vicieuse! Vous méritez d'être mis en pièces! » Même alors Alik resta calme.

Deux jours passèrent sans que Sacha soit conduit sur la scène du crime. Puis, tôt le matin du 9 septembre, un policier vint à Izmalkovo et invita les mères des deux garçons à venir tout de suite avec lui au poste de police de Zvenigorod, où l'enquêteur Ioussov attendait pour les voir.

Elles rassemblèrent la nourriture qu'elles avaient achetée et la transportèrent dans le car de police. Elles ne furent pas autorisées à pénétrer dans le bureau de Ioussov, on leur demanda d'attendre dans le couloir. On leur prit leurs colis de nourriture, et elles attendirent très longtemps, en fait plusieurs heures. Finalement, Ioussov apparut, accompagné d'un homme grand et corpulent que Ioussov présenta aux deux femmes: « Voici votre défenseur, l'avocat Borissov. Je viens d'interroger vos fils en sa présence et je les ai inculpés de meurtre au premier degré conformément à l'article 102 du Code d'instruction criminelle. Vous pouvez maintenant parler avec votre avocat. »

C'était totalement inattendu. Ayant déjà discuté de la question, Bourova et Kabanova avaient décidé de prendre deux avocats — un pour chacun de leurs fils — et, le plus important, de ne chercher leurs défenseurs qu'à Moscou. Puisque l'enquêteur leur avait dit quelques jours auparavant qu'il les avertirait sans faute quand le moment serait venu, pourquoi avait-il lui-même soudainement engagé un avocat pour Alik et Sacha? Comme s'il prévoyait cette question, Ioussov ajouta immédiatement: « Ne vous inquiétez pas, le camarade Borissov est un avocat très expérimenté, et ce n'est pas simplement un avocat ordinaire, il est responsable d'un bureau juridique. Vous pouvez avoir en lui la plus totale confiance. Je dois partir, maintenant, je suis déjà en retard. Nous en reparlerons une autre fois. »

La consultation de l'avocat Borissov ne prit pas non plus beaucoup de temps. «Les garçons ont tout avoué, dit-il, ils ont agi dans un moment de folie. Non, il ne peut y avoir aucun doute là-dessus. Ils sont réellement coupables : s'ils ne l'étaient pas, ils n'auraient pas avoué. Non, ils n'ont pas été frappés. L'enquêteur Ioussov est un homme bon, et il a bien traité les garçons. Pourquoi êtes-vous bouleversées ? Ils sont tous les deux mineurs, ils ne seront pas exécutés, ils passeront seulement quelques années en prison, et c'est tout. Allons maintenant à mon bureau, il vous faut payer un acompte sur mes honoraires au caissier. » Quand les deux femmes entrèrent dans son bureau aux dimensions modestes, elles remarquèrent une plaque sur la porte :

A.S. BORISSOV
CHEF DE CONSULTATION JURIDIQUE

Ioussov, semblait-il, ne les avait pas trompées : il avait réellement choisi un avocat chevronné pour défendre les garçons.

Le lendemain matin, Sacha fut conduit à Izmalkovo. De nouveau, on accourut pour le voir. Là encore, le garçon fut escorté par Ioussov, des policiers escortés de chiens, des témoins officiels et un cameraman de cinéma. Une fois de plus, la même histoire fut répétée avec le même calme dépassionné, avec les mêmes détails révoltants. La seule différence, dans sa version, était qu'il n'avait pas étranglé Marina ; il pensait qu'elle avait été étouffée quand Alik lui avait enfoncé sa casquette dans la bouche. Cette fois-ci, non seulement Kostopravkina mais la foule entière des spectateurs crièrent : «Assassin ! Brute ! » Sans même tourner la tête, Sacha continua à raconter lentement son histoire ; seul Ioussov se tourna vers la foule en colère en disant de ne pas déranger les fonctionnaires qui essayaient de faire leur travail.

Sacha fut directement reconduit d'Izmalkovo à sa cellule de Zvenigorod, où il fut interrogé en présence de Volkonskaïa, l'institutrice qu'il aimait et respectait beaucoup. Là, de nouveau, il répéta la même histoire, rien de plus et rien de moins, agrémentée de détails identiques.

Quand l'interrogatoire fut terminé, la question que posa Sacha à Ioussov parut à Volkonskaïa des plus étranges, à la limite de l'absurdité : «Allez-vous me laisser partir maintenant ? » L'enseignante fut encore plus surprise par la réponse : «Viens, Sacha, tu ne penses pas que je vais te laisser aller maintenant, n'est-ce pas ? Les parents de Marina sont ici, tu sais. »

Les jours qui suivirent, les autorités interrogèrent tous ceux qui avaient vu les enfants sur le terrain de volley-ball le 17 juin 1965, ainsi que les filles qui avaient joué au ballon et étaient allées plus tard se promener. Chaque témoin fut interrogé sur l'horaire précis : à quelle heure s'étaient-ils mis à jouer ? Quand avaient-ils cessé de jouer ? Combien de temps cela leur avait-il pris pour rentrer à la maison ? Au bout de combien de temps Alik et Sacha les avaient-ils rejoints ?

Les témoins étaient maintenant convoqués pour être interrogés; le 17 septembre, Alik et Sacha avaient été transférés dans une prison ayant une section spéciale pour mineurs.

Nina et Nadia Akatov, Ira Klepikova et Lena Kabanova étaient interrogées par l'enquêteur presque quotidiennement. Exactement comme elles l'avaient fait lors du premier interrogatoire dans les jours qui suivirent la mort de Marina, elles affirmèrent qu'il ne s'était pas écoulé plus de quinze à dix-sept minutes entre le moment où elles avaient quitté le terrain de volley-ball et l'arrivée des garçons au jardin des Akatov. Ioussov, cependant, essaya de les convaincre qu'elles se trompaient, que l'intervalle ne pouvait pas avoir été si court. Commettre un tel crime en un quart d'heure était impossible, et après tout les garçons avaient avoué qu'ils l'avaient fait.

«Vous ne les aiderez pas, et vous pourriez bien vous-mêmes avoir des ennuis. Vous pourriez être accusées de parjure...» Tels étaient les arguments de Ioussov.

(Sous la loi soviétique, les personnes de moins de seize ans ne peuvent être tenues pour criminellement responsables de faux témoignage. Au moment de l'interrogatoire, seule Lena Kabanova avait seize ans, de sorte que les autres filles n'étaient pas passibles de poursuites pour faux témoignage.)

Les filles s'accrochèrent obstinément à leur histoire. Elles furent alors confrontées à Sacha. En leur présence il décrivit, aussi calmement et sans émotion qu'auparavant, ce qu'Alik et lui-même avaient fait à Marina et comment ils l'avaient tuée. Il déclara qu'Alik et lui avaient été absents pendant trente-cinq minutes. Immédiatement, l'enquêteur demanda aux filles: «Est-ce que vous confirmez le témoignage de l'accusé?» Nina, Nadia et Ira répliquèrent: «Oui, nous le confirmons.»

Seule Lena, la sœur de Sacha, répondit à la question par un ferme «non». Qui plus est, en dépit de l'interdiction de Ioussov de s'adresser directement à l'accusé, elle demanda à Sacha:

«Pourquoi mens-tu, Sacha? J'y étais, et je *sais* que tu es arrivé au bout de quinze minutes.»

A cause de cela, l'enquêteur l'invectiva, lui ordonna de signer la mise en accusation et de quitter son bureau.

Puis, soudainement, les interrogatoires des témoins en présence des garçons cessèrent. En vain leurs mères demandèrent-elles à être interrogées en leur présence, de manière à être au moins capables de voir leurs fils et d'entendre par elles-mêmes ce qu'ils avaient à dire. L'enquêteur refusa, tout comme il refusa que les mères rendissent visite à leurs fils à la prison.

Au bout de très peu de temps, Ioussov annonça que l'enquête était terminée. Cette fois, les deux mères déclarèrent catégoriquement qu'elles refusaient d'accepter Borissov comme défenseur, qu'elles voulaient que leurs fils fussent défendus par des avocats de Moscou, d'autant plus que le procès devait avoir lieu dans la capitale.

C'est ainsi que les avocats Lev Ioudovitch et Irina Kozopolianskaïa héritèrent du dossier. C'est par eux que les mères apprirent que Sacha et Alik allaient plaider non coupables, que Ioussov les avait forcés à passer aux aveux et qu'ils étaient, en fait, parfaitement innocents.

La mère de Marina fut également mise au courant de la situation. En fait, Ioussov lui dit que les deux avocats avaient été achetés par les parents des garçons pour qu'ils les persuadent de rétracter leurs aveux. Tout cela devait être mis au jour au procès, et la cour aurait à trier les faits.

A partir de ce moment-là, pratiquement personne au village n'eut une position neutre. Le village tout entier se jeta dans la bataille du châtiment ; en d'autres termes, les villageois étaient contre les garçons et leurs parents (lesquels continuaient à croire en leur innocence) et, naturellement, contre ces avocats corrompus et malhonnêtes qui avaient essayé de protéger les deux criminels, lesquels étaient passés aux aveux et étaient donc incontestablement coupables. Maintenant, tout le monde avait oublié que, avant l'arrestation des garçons, ceux-ci avaient été considérés comme des gosses comme il faut (des deux, Sacha était le plus aimé, parce qu'Alik avait tendance à être effronté avec les adultes) et qu'il n'était venu à l'idée de quiconque de soupçonner leur complicité dans la terrible mort de Marina.

C'est là qu'en était l'affaire quand je dis : « Je suis d'accord », et entrepris la défense de Sacha.

2

LES PRÉLIMINAIRES DU PROCÈS

Il restait seulement un peu plus de deux semaines avant le début de l'audience, et je réalisai que ce délai devrait être entièrement consacré à l'étude de cette affaire complexe.

Le premier jour, je commençai mon travail au Palais de justice de la province de Moscou. Seule dans le tribunal vide, je m'assis à une grande table et entrepris la lecture de l'acte d'accusation : trente-quatre pages dactylographiées (avec espacement simple). A peu près la moitié du texte était constitué par de longs extraits des dépositions d'Alik et de Sacha au moment où ils étaient passés aux aveux.

« En descendant la route, avant d'atteindre la pompe à eau du village, Sacha me suggéra de violer Marina. Je dis que je ne le ferais pas. Nous rejoignîmes Marina à la pompe et nous dirigeâmes ensemble vers le pont. Nous dépassâmes le bâtiment à deux étages du sanatorium et la maison Akatov. Comme il n'y avait personne, nous continuâmes jusqu'à la dernière maison, là où habite Nadia Bogatcheva. Arrivés au coin de la clôture, nous empoignâmes Marina et lui tordîmes les bras. Marina dit qu'elle allait crier. Alors je lui enfonçai ma casquette dans la bouche, et nous la traînâmes sous un pommier du verger. Sacha saisit son bras gauche pour la tirer, et j'utilisai ma main gauche pour tirer son bras droit. Je tenais ma casquette dans ma main droite, et j'en fis usage pour l'étouffer. » (Témoignage d'Alik Bourov, vol. III, pp. 84-88).

Suivaient plusieurs pages de la même déposition, qui décrivaient avec un soin minutieux comment ils avaient traîné Marina vers la deuxième rangée de pommiers et comment ils l'avaient précipitée à terre, comment Sacha avait tenu ses jambes pendant que lui — Alik — violait Marina, comment Sacha l'avait alors étranglée et comment ils avaient transporté son corps vers la rive du lac. Après cela venaient plusieurs pages citant la déposition de Sacha dans laquelle lui aussi avait avoué sa culpabilité :

« Alik et moi allions de sa maison à la pompe. Marina s'y trouvait. Alik venait de me suggérer de la violer, et j'avais accepté. Tous les trois, nous marchâmes jusqu'au sanatorium, et là Alik empoigna Marina. Elle dit : « Laisse-moi tranquille », et nous continuâmes à descendre.

« Il n'y avait personne à la maison des Akatov, et nous continuâmes. Nous nous arrêtâmes près de la maison des Bogatchev, la dernière maison de la rue, et Alik sauta sur Marina, pressant sa casquette sur sa bouche. Nous la tirâmes par les bras et pénétrâmes dans le verger. » (Témoignage de Sacha Kabanov, vol. III, pp. 107-108.)

La suite comportait les mêmes détails que ceux de la déclaration d'Alik, excepté sur un point. La déclaration de Sacha se poursuivait ainsi :

« Quand nous eûmes fini de violer la fille, Alik dit à Marina : " Lève-toi ". Elle ne répondit pas. Nous essayâmes de la relever, mais elle ne bougea pas. Alik retira sa casquette de la bouche de Marina. Nous décidâmes qu'elle était morte, mais nous ne savions pas pourquoi. Peut-être qu'elle s'était étouffée. Alik dit que nous ferions mieux de l'enterrer, mais nous décidâmes alors de la porter jusqu'au lac. » (Témoignage de Sacha Kabanov, vol. III, pp. 110-111.)

Et ainsi de suite pendant des pages et des pages de déposition, n'attestant que des points de différence les plus insignifiants. Le genre de déposition bourrée de détails qui paraît si convaincant.

A la fin du volume III apparut une déposition écrite d'une main enfantine, la déclaration autographe de Sacha :

« J'ai décidé de dire la vérité parce que je veux garder une conscience claire à l'égard du monde. J'ai commis un crime, mais je veux en accepter les conséquences, et je ne veux pas être torturé par ma conscience pour ne pas m'être repenti de ce que j'ai fait.

« Je m'en repens, et ne referai jamais une telle chose, parce qu'elle n'a été faite qu'à cause d'un défi stupide suggéré par Alik Bourov. De moi-même, je n'aurais jamais eu l'idée de faire une chose pareille. » (Vol. III, p. 224.)

De plus en plus souvent, je me surprenais à penser : « Peut-être qu'ils l'ont vraiment fait ? »

Je connaissais à la fois Lev Ioudovitch et Irina Kozopolianskaïa, et je ne pensais pas qu'ils avaient commis la faute de persuader Alik et Sacha de modifier leur témoignage et de rétracter leurs aveux. Lev et Irina étaient tous deux des gens honnêtes et à principes, incapables d'une telle entorse à la déontologie. Ils étaient aussi des avocats chevronnés et de haut niveau parfaitement conscients des conséquences qui en résulteraient pour eux-mêmes si la cour venait à découvrir que l'altération radicale du témoignage des accusés était le résultat de l'influence inconvenante exercée sur eux par leurs défenseurs.

Cependant, je réalisais aussi que, au cours de ces mois de préventive, les garçons avaient fait une nouvelle sorte d'expérience en prison ; et que, si leurs « aveux » étaient le résultat d'une pression illégale de la part de l'enquêteur, il était également possible que leur rétractation soit le résultat de l'influence de compagnons de cellule plus expérimentés.

Au moment même où ces pensées me traversaient l'esprit, la porte de la salle d'audience s'ouvrit et un homme s'avança vers moi.

« Bonjour, camarade avocate. J'ai appris que vous étiez en train d'étudier le dossier des deux garçons, et j'ai décidé de venir me présenter. Je ne pense pas que vous ayez déjà plaidé dans mon tribunal auparavant. »

Il se présenta : juge Kirilov.

Kirilov était un membre relativement jeune de la magistrature provinciale de Moscou. Les avocats qui avaient eu affaire à lui reconnaissaient son intelligence et la solidité de sa pratique juridique, mais ils notaient aussi sa manière dure et presque despotique de conduire un procès. Ils disaient aussi qu'il était souvent brusque et même grossier quand il s'adressait aux défenseurs. Je fus agréablement surprise qu'il se fût détourné de son chemin pour faire ma connaissance. Ce n'était pas la tradition dans les cours moscovites. En fait, il arrivait souvent qu'un juge connu, dans le tribunal duquel vous aviez plaidé de nombreuses fois, passât devant vous sans même tourner la tête dans votre direction.

Kirilov poursuivit :

« Je suis content que vous vous occupiez de cette affaire. C'est un cas très intéressant, mais aussi très désagréable. Ne pensez-vous pas, camarade Kaminskaya, que le cas est très désagréable ?

— Je pense que toutes les affaires de meurtre sont désagréables. Et dans celle-ci, les accusés sont de simples garçons. C'est sans doute extrêmement désagréable.

— C'est vrai, naturellement. Mais cette affaire comporte plusieurs caractéristiques. C'est, pour ainsi dire, un duel pour l'honneur entre le parquet et le barreau. Parce que, comme vous le savez, ou bien quelqu'un a incité ces garçons à faire de faux aveux, ou bien quelqu'un d'autre les a persuadés de rétracter un témoignage véridique et de diffamer l'enquêteur.

— L'honneur de l'enquêteur Ioussov ne se confond pas avec l'honneur du parquet, pas plus que la conduite de l'avocate Kozopolianskaïa ne peut être assimilée à celle du barreau dans son ensemble.

— Vous me comprenez mal, camarade avocate. Il s'agit là d'un cas très difficile et très désagréable. Avez-vous lu le premier volume du dossier de l'accusation ? Non ? Il est essentiel que vous y jetiez au moins un coup d'œil avant d'aller voir votre client en prison. Quand, à propos, aviez-vous l'intention d'aller le voir ?

— Demain matin. J'étais justement sur le point de venir vous voir pour vous demander l'autorisation de visite. Ma demande est déjà prête. La voici. »

Soudain, le visage de Kirilov se fit de marbre et, d'une voix dure qui ne souffrait aucune objection, il dit:

« Je ne puis vous donner d'autorisation aujourd'hui. Vous n'irez pas à la prison demain. Revenez me voir demain en fin de journée, et je vous donnerai alors l'autorisation. Vous pourrez aller le voir après-demain. »

Rien de tel n'était jamais arrivé dans toute ma carrière professionnelle. Le droit de l'avocat de visiter son client avant le procès à n'importe quel moment à sa convenance est un droit qui a toujours été respecté. La seule restriction est que la visite doit avoir lieu pendant les heures d'ouverture de la prison. Aucun autre juge ne s'était jamais préoccupé du jour et de l'heure auxquels un avocat allait voir son client.

Je décidai instantanément que j'obtiendrais cette autorisation le jour même et non plus tard. Si le refus était simplement motivé par le caprice arbitraire de cet homme, alors le juge devait être amené à réaliser que j'étais capable d'insister sur mes droits. Sinon, un juge de cet acabit, une fois qu'il aurait senti la faiblesse ou la flexibilité de l'avocat, rejetterait constamment les questions importantes, de même que les conclusions et requêtes qui seraient essentielles pour la défense.

Si, d'un autre côté, il y avait des raisons plus importantes derrière ce brusque refus, alors il dépendait de moi seule de décider quelle suite donner à l'action.

C'est pourquoi, adoptant un ton que je pensais être à la fois rude et intransigeant, je répliquai:

« Vous vous méprenez, camarade Kirilov. J'irai à la prison demain. Il se trouve que cela me convient, et personne n'a le droit de m'en empêcher. Je vous demande donc de signer immédiatement ma demande de visite à la prison. Vous savez que c'est mon droit et que votre refus est illégal.

— Je ne me propose pas de discuter avec vous de ce qui est légal et de ce qui ne l'est pas. Vous aurez votre autorisation demain. »

Peu de temps après, je me retrouvais dans le bureau du vice-président de la magistrature de la Cour provinciale de Moscou, le juge Tchernomorets. Il me connaissait de par les nombreuses affaires à l'occasion desquelles nous nous étions rencontrés. Il me souhaita la bienvenue et m'écouta attentivement.

« Il y a sûrement un malentendu, camarade Kaminskaya. Ne vous inquiétez pas. Je vais tout de suite parler à Kirilov et régler la question.

Personne dans ce tribunal n'a la moindre intention de restreindre vos droits. »

Je sortis dans le vestibule. Cinq, dix, quinze minutes passèrent. Enfin, je fus rappelée dans le bureau du juge.

« Camarade Kaminskaya, parmi tous les jours possibles, est-ce vraiment demain qu'il vous *faut* y aller ? Pourquoi ne remettez-vous pas votre visite à n'importe quel autre jour qui vous convient ? Le camarade Kirilov et moi-même nous sommes mis d'accord pour qu'il signe votre autorisation aujourd'hui, mais sa date de validité ne sera qu'après-demain. Ainsi, vous n'aurez pas à revenir au Palais exprès pour retirer votre autorisation. »

Tchernomorets était évidemment embarrassé. Je dis fermement :

« Tant que je ne saurai pas pourquoi on a restreint mes droits de voir mon client, je m'en tiendrai à ma décision, et j'exige qu'on me donne l'autorisation aujourd'hui pour faire ma visite demain.

— S'il vous plaît, ne vous sentez pas offensée, camarade avocate. Nous n'avons rien contre vous personnellement. Mais vous savez, naturellement, que le barreau dans son ensemble a été, de quelque manière, compromis en ce qui concerne cette affaire. Un juge doit agir avec prudence et circonspection... »

Je l'écoutais sans comprendre. S'ils n'avaient pas confiance en moi, pourquoi cette méfiance s'étendait-elle seulement jusqu'au lendemain, et non jusqu'au surlendemain ?

« Dites-moi s'il vous plaît pourquoi un juge ne voudrait pas que je voie mon client précisément *demain*. »

Toujours embarrassé, Tchernomorets dit :

« Kirilov a déjà signé une autorisation pour que l'avocat Ioudovitch visite *son* client demain. Il considère comme inopportun que vous vous trouviez tous les deux dans la prison le même jour. »

Je dois admettre que cette explication était totalement inattendue. Elle ne m'était pas venue à l'esprit justement parce qu'elle était absurde. Le juge Kirilov savait tout aussi bien que moi que les prisonniers détenus pour une même affaire étaient gardés dans un isolement complet les uns par rapport aux autres. Il était de peu d'importance que Ioudovitch et moi-même soyons dans la prison simultanément ou à des moments différents, étant donné que les autorités s'arrangeraient, suivant la routine, pour qu'Alik et Sacha n'aient même pas l'occasion de s'apercevoir. Par conséquent, la véritable raison pour laquelle le juge s'opposait à notre visite simultanée était qu'il redoutait un contact entre les deux avocats. Il essayait, d'une manière outrageusement inadéquate, d'empêcher — ou tout au moins de gêner — la mise au point d'une tactique de défense conjointe.

« De quoi avez-vous réellement peur ? Que je puisse rencontrer par hasard Ioudovitch et parler avec lui ? Redoutez-vous sa possible influence sur moi ?

Tchernomorets ne répliqua pas.

« J'irai à la prison demain. Je veux que vous compreniez clairement que, si je considère comme nécessaire d'exercer quelque influence sur mon client, je suis parfaitement capable de le faire de moi-même. Et si je souhaite discuter de ma position avec Ioudovitch, je le ferai dès aujourd'hui — et je le ferai chez moi, et non à la prison. »

Tchernomorets tendit la main :

« Donnez-moi votre autorisation. Je vais la signer moi-même. Toute cette affaire est vraiment ridicule. »

En redescendant le couloir du Palais, je me souvins soudainement que la secrétaire m'avait aimablement offert le premier volume du dossier, un volume dont je n'avais pas besoin à ce stade ; je me rappelai aussi que le juge Kirilov avait insisté pour que je le regarde, fût-ce superficiellement, avant d'aller voir Sacha en prison. Je retournai dans la salle déserte, m'assis de nouveau à la table et m'emparai du premier volume.

Je l'ouvris.

La première page consistait en une grande photographie : un portrait de face en gros plan. Le visage souriant me regardait droit dans les yeux : une fille aux yeux clairs et étincelants, une apparence de bonheur pur et ingénu. C'était Marina.

Je tournai lentement la page.

Une autre photographie : cette fois-ci un cadavre hideux et gonflé, aux traits méconnaissables. Quelques fragments de vêtements collaient encore à ce qui avait été, naguère encore, un corps vivant. Cela aussi, c'était Marina.

De nouveau la pensée me vint : « Peut-être qu'ils l'ont réellement fait. Et je vais les aider à échapper à leurs responsabilités, à échapper au châtiment. Ce serait terrible. »

Tard ce soir-là, Lev Ioudovitch me téléphona chez moi.

« Eh bien, avez-vous jeté un coup d'œil sur le dossier ? »

Il put juger de mon humeur au son de ma voix.

« Ce sentiment passera, Dina, me dit-il. Il passera dès que vous aurez parlé à Sacha, dès que vous aurez commencé à étudier sérieusement les documents. Croyez-moi. Au début, j'étais dans un désespoir plus grand encore que le vôtre. »

Lev me décrivit alors comment, à la suggestion de Ioussov, il avait commencé son étude du dossier par l'audition des bandes d'enregistrement concernant les aveux des garçons et leur confrontation ultérieure.

« Ce fut affreux », dit-il.

Je le croyais. Bien que j'eusse seulement lu leurs dépositions, je pouvais imaginer ces voix que je n'avais pas encore entendues :

« ... Sacha a suggéré. Je ne voulais pas, et c'est seulement plus tard que j'ai accepté. Sacha l'a étranglée, alors que j'étais à côté... »

« ... Alik a suggéré. Pourquoi as-tu voulu me convaincre ? C'était ton idée, et je ne me suis déclaré d'accord que par stupidité. Tu mens, je ne l'ai pas étranglée. Personne ne l'a étranglée. Pourquoi est-elle morte ? Je ne sais pas pourquoi elle est morte. Pourquoi le saurais-je ? Peut-être parce qu'elle a étouffé, peut-être à cause de quelque chose d'autre... »

Tout cela était cohérent ; les paroles n'étaient que trop plausibles. Je me figurais deux bêtes à cornes en train de s'attaquer mutuellement dans l'espoir d'atténuer légèrement leur propre culpabilité. Toute la passion, toute la force émotionnelle étaient mobilisées pour revendiquer le rôle secondaire de complice.

Le lendemain, je partis de chez moi de bonne heure. A la prison, on m'assigna le parloir n° 30. Situé au bout d'un couloir, grand et bien éclairé, avec des fenêtres donnant sur la rue, c'est un lieu de travail commode ; il comportait de grands bureaux avec des tiroirs dans lesquels je pouvais cacher les sandwiches et le chocolat que les parents m'avaient confiés. Il est quelquefois possible de passer de la nourriture aux prisonniers pendant l'entretien, car les gardiens font semblant de ne rien voir, pourvu que les prisonniers ne remportent rien avec eux dans leurs cellules.

Sacha fut introduit.

Il est difficile pour moi, à l'heure actuelle, de séparer cette première impression des impressions ultérieures, celles que je recueillis quand je le connus mieux, quand son visage me devint familier et cher, quand il eut appris à sourire en me parlant.

Sacha était grand ; il avait les cheveux noirs et les yeux brun foncé. Quand je le vis, je fus surprise par ce qui me frappa comme étant de très longs bras ; c'est seulement plus tard que je réalisai que c'était une impression causée par le fait que les manches de son uniforme étaient trop courtes pour lui. Ses mains, rougies par le froid, sortaient gauchement de ses courtes manches. Il avait aux pieds des chaussures incommodes d'ouvrier, sans lacets (interdits par le règlement des prisons), de sorte qu'elles bâillaient quand il marchait. Son pantalon était aussi trop court. L'ensemble donnait un aspect dégingandé et anguleux. Il me regarda maussadement par-dessous ses sourcils bas. Je lui donnai des nouvelles de ses parents, de ses frères et de sa sœur — des détails sur sa famille qui lui firent du bien. Je savais combien il avait attendu ces nouvelles. Plus de deux mois avaient passé depuis sa dernière rencontre avec Kozopolianskaïa, sa précédente avocate, et pendant tout ce temps il n'avait eu ni visite ni courrier.

Cette conversation, cependant, ne fut pas à son seul bénéfice. J'en profitai pour l'observer, pour m'habituer à sa façon de parler, pour juger de sa façon de s'exprimer, pour établir un contact personnel avant d'entrer dans le vif du sujet.

Sacha parlait très lentement, levant à peine la tête. Je lui offris un sandwich, une barre de chocolat, mais il refusa. Quand j'allumai une cigarette, il demanda l'autorisation de fumer aussi : « Seulement, ne le dites pas à ma mère, elle en serait bouleversée. »

Il demanda soudain : « Connaissez-vous Kozopolianskaïa ?

— Oui, je la connais. Elle m'a demandé de vous transmettre ses amitiés.

— Je comprends qu'elle ne veuille plus me défendre, maintenant. J'ai tellement honte de ce que je lui ai fait. »

Je lui sus gré de prononcer ce mot : « honte ». C'est un mot qu'on n'entend pas souvent en prison. Je restai pourtant silencieuse. Sacha poursuivit en parlant de sa vie à la maison, de l'école, du travail qu'il avait à faire chez ses parents, parce que, quand il n'était pas à l'école, il avait l'entière charge de son frère cadet. Il me dit combien il aimait les animaux : les chiens, les chats, les lapins, les oiseaux ; et comment il avait dû quitter son chien et son chaton favori. « Non, dit-il, il n'est pas de race spéciale ; c'est un simple corniaud, mais très intelligent. Je dois lui manquer. »

Il garda le silence un moment, puis, sans changer de ton le moins du monde, il dit soudain :

« Vous ne croyez sûrement pas que j'ai étranglé Marina avec ces mains-là ? »

Ses mains rouges et gercées reposaient sur le bureau, paumes vers le haut, et il les regardait avec intensité. Avec quelle sincérité il prononçait ces mots ! Et comme je voulais le croire ! Mais intérieurement, je pouvais entendre sa voix qui disait :

« Alik m'a suggéré de la violer, et j'ai accepté... Alik dit que nous ferions mieux de l'enterrer, de manière que personne ne la trouve, mais nous décidâmes de la traîner vers le lac. »

Au lieu de lui répondre, je lui demandai de me raconter tout ce qui s'était passé le soir du 17 juin, le soir où Marina fut tuée. Je lui dis que je ne m'intéressais en aucune manière à ce qu'il avait pu dire à Ioussov ou à d'autres enquêteurs ; je ne voulais pas savoir pourquoi il avait avoué et pourquoi il avait ultérieurement changé d'avis. Je voulais simplement qu'il me parle du jeu de volley-ball, du trajet jusqu'au lac et de ce qui était arrivé à partir du moment où ils s'étaient séparés de Marina.

« Seulement, s'il vous plaît, racontez-moi l'histoire avec le plus de détails possible. Tâchez de vous rappeler la plus petite chose : de quoi vous parliez en descendant la rue, si vous avez rencontré quelqu'un en chemin. Essayez de *tout* vous rappeler, et dites-moi juste comment cela s'est passé. »

Une fois de plus, très lentement, s'arrêtant après chaque mot, il commença à décrire cette journée à son tout début. Il terminait une phrase et s'arrêtait. La phrase suivante commençait invariablement par les mêmes mots : « Eh bien, vous voyez... »

Il était presque midi, et il me racontait encore comment il était allé au magasin et ce qu'il avait acheté, comment il était allé au lait chez sa tante Maroussia.

Qu'est-ce qui allait arriver au tribunal s'il parlait si lentement ? Je pouvais déjà imaginer les commentaires irrités du procureur et même du juge. Intérieurement, je pouvais entendre la voix du procureur qui disait : « Pourquoi faites-vous traîner ainsi votre déposition en longueur ? Quand vous avez accepté de commettre le crime, vous parliez plus vite que cela ; maintenant, on dirait que vous avez oublié comment on parle ! »

Ou le juge : « A cette allure, il va nous falloir trois mois pour entendre votre déposition ! »

Il me fallait simplement lui apprendre à parler un petit peu plus vite, et sans ces perpétuels « Eh bien, vous voyez... » et « C'est comme ça ».

Ce jour-là, toutefois, je ne le pressai ni ne le questionnai ; c'est seulement quand il eut terminé son histoire que je dis :

« Vous m'avez dit que, après que Marina vous eut quittés, vous n'étiez pas retournés tout de suite à la maison des Akatov, mais que vous aviez attendu dix minutes derrière le sanatorium. Alors pourquoi, quand vous et Alik avez fait votre première déposition, avez-vous dit que vous étiez allés au club pendant ces dix minutes ?

— Nous ne sommes pas allés au club.

— Dans ce cas, qu'est-ce qui vous a fait dire que vous étiez allés au club ? »

Sacha resta silencieux.

« Il faut me le dire. Si vous ne me le dites pas, comment puis-je vous aider ?

— Eh bien, vous voyez, c'est comme ça. Nous avions convenu de dire aux filles que nous étions allés au club si elles nous demandaient pourquoi nous étions en retard. Une fois que nous avions raconté l'histoire aux filles, il nous fallait bien la répéter à la police.

— Mais pourquoi ne vouliez-vous pas dire aux filles que vous aviez attendu derrière le sanatorium ? »

Nouvelle pause, nouvel « eh bien, vous voyez », et puis :

« Nous nous sommes cachés derrière le sanatorium pour fumer une cigarette. Je ne voulais pas que les filles nous voient, parce que ma sœur Lena était avec elles et elle l'aurait dit à ma mère.

— Votre famille ne savait pas que vous fumiez ?

— Eh bien, vous savez, je ne fumais pas vraiment, à l'époque, j'essayais seulement. Maintenant, je fume, mais pas beaucoup. Maman n'en sait rien, elle ne m'envoie pas de cigarettes dans ses colis. Je vous en prie, ne lui dites pas que je fume, elle en serait bouleversée. Je préfère ne pas recevoir de cigarettes. Mes compagnons de cellule m'en donnent, de toute façon. Cela me suffit. »

Notre rencontre touchait à sa fin. Sacha s'attendait évidemment à ce que je lui dise que je le croyais, que je réalisais maintenant qu'il était innocent. Au lieu de cela, je lui dis que j'allais l'aider, mais qu'il devait me dire la vérité, que je serais son seul défenseur.

« J'y ai déjà réfléchi. Je vous dis vraiment la vérité. Nous ne l'avons pas fait. »

Je rentrai chez moi à l'heure de pointe, en autobus dans les encombrements de la circulation, puis dans un métro bondé, mais je ne remarquais rien de ce qui m'entourait. Tout ce que je voyais, c'était le visage de Sacha, le geste qu'il avait fait en écartant les mains sur le bureau : « Vous ne croyez sûrement pas que j'ai étranglé Marina avec ces mains-là ? » A présent, cette petite voix intérieure était presque réduite au silence par les détails terribles des aveux des garçons.

Il est très important pour un avocat de croire sincèrement en la cause qu'il se propose de défendre devant un tribunal. C'est sans aucun doute la raison pour laquelle nous sommes si enclins à croire nos clients.

La force de persuasion d'un avocat, naturellement, est essentiellement fondée sur une analyse des preuves et sur une argumentation rigoureuse ; mais sa manière de présenter les choses, le timbre de sa voix, les gestes qu'il utilise et quelquefois, quand il fait face au juge, sa manière de le regarder constituent des éléments importants de son efficacité. Quand je parle devant un tribunal, j'emploie un langage très simple. Je suis convaincue que même la pensée la plus complexe, les nuances les plus subtiles de l'émotion peuvent s'exprimer en mots simples. Mais ce style de discours — dépourvu de toute ornementation — interdit la plus légère fausseté. Une oreille exercée la détecterait aussitôt. Je crois que je possède cette aptitude. Un sentiment étrange m'envahissait quand j'entendais soudain ma voix ; j'avais l'impression de parler dans une salle vide. Je savais que c'était ma propre voix, et pourtant elle était détachée de moi, elle vivait sa vie propre, une vie qui m'était étrangère. Cela m'arrivait seulement quand je n'étais pas sincèrement convaincue de la justesse morale de ma position.

Après avoir accepté le dossier de Sacha, je ne voulais pas seulement le croire : j'avais besoin d'être absolument convaincue de son innocence, de la justesse, de la moralité de la position que j'aurais à défendre. Car le crime dont il était accusé était répugnant suivant les critères moraux de toutes les sociétés.

Les journées de travail préparatoire sur l'affaire traînaient en longueur. J'évaluais de nouveau chaque document, chaque preuve du point de vue de l'accusation. J'essayai d'abord de les considérer sous l'angle le plus pessimiste, puis je réfutai les arguments de l'accusation en ignorant totalement les dépositions fournies par les deux accusés. Plus le temps passait et plus j'étais convaincue que la seule preuve de leur culpabilité résidait dans leurs aveux.

Il appartenait à la défense de montrer que ces aveux n'étaient pas corroborés par d'autres preuves incontestables de culpabilité, et de convaincre la cour que les aveux n'étaient en aucune manière conformes aux faits réels, objectifs, qui accompagnaient le crime. Mais les seuls faits qui pussent être considérés comme incontestables, abstraction faite des témoignages de Sacha et d'Alik, étaient les suivants :

1. le jeu de volley-ball, auquel Marina avait pris part, mais dont la durée exacte n'avait jamais été établie ;

2. le fait que, après le jeu, les jeunes gens s'étaient divisés en deux groupes ;

3. le fait que les sœurs Akatov, Ira Klepova, Lena Kabanova et les trois soldats avaient pris les devants ;

4. le fait qu'Alik, Sacha et Marina, pour des raisons diverses, s'étaient attardés dans le village ;

5. le fait que, après un certain laps de temps, Alik et Sacha étaient allés à la maison des Akatov sans Marina ;

6. le fait qu'Alik, Sacha et les autres filles étaient allés se promener le long de la route des Généraux ;

7. le fait que Marina n'était pas rentrée à la maison ;

8. le fait que, le 19 juin, son sweater avait été retrouvé dans le ravin ;

9. le fait que le cadavre avait été trouvé le 23 juin ;

10. le fait que, selon l'expertise, Marina était entrée dans l'eau vivante et qu'elle y avait été noyée.

Tous les autres points encore mentionnés dans l'acte d'accusation comme «faits objectifs» étaient déduits en totalité des aveux des garçons. Si, en plaidant coupables, ils avaient dit la vérité, alors le contenu de leurs dépositions reflétait les circonstances objectives effectives de la mort de Marina.

Mais qu'en était-il s'ils avaient menti ? Comment allions-nous démontrer à la cour que les témoignages d'Alik et de Sacha étaient en contradiction avec les circonstances réelles de la mort de Marina, quand personne ne connaissait ces circonstances réelles ?

Ioudovitch et moi décidâmes d'aller voir la scène du crime, bien que le mois de janvier fût déjà avancé. Le lac était gelé et le verger profondément enfoui sous la neige.

Nous longeâmes la large route des Généraux, puis, au niveau du magasin, là où la route conduit à la cité des écrivains, nous tournâmes en direction du lac. Nous trouvâmes le pont de madriers, long et étroit, et, montant tout droit à partir de là, la route principale d'Izmalkovo, celle-là même qui conduit au terrain de jeu. A droite de la maison des Bogatchev, et immédiatement derrière elle, se trouvait le verger : quelques rangées de pommiers largement espacés. Impossible de descendre vers le lac en traversant le verger : la neige, fraîche et poudreuse, nous arrivait largement au-dessus du genou. Nous rentrâmes donc à Moscou.

Même ainsi, nous n'avions pas complètement perdu notre temps. Nous avions pu voir de près comment tout était situé : le pommier sous lequel Marina avait prétendument été violée, la maison des Bogatchev, la maison des Akatov, la rue principale, le lac, le verger.

Nous calculâmes le temps nécessaire pour aller du sanatorium au verger. Je mis quatre minutes pour couvrir la distance, Lev trois minutes seulement.

L'enquêteur calculait sur les mêmes bases en constatant que les garçons avaient eu assez de temps pour commettre le meurtre : 3 à 4 minutes du sanatorium au verger, 2 minutes du verger au lac, 5 minutes du lac à la maison des Akatov. Cela laissait 30 minutes : un laps de temps amplement suffisant, d'après l'enquêteur, pour violer Marina, l'étrangler, transporter son corps au bord du lac, la balancer par les jambes et les bras et la précipiter dans l'eau depuis la rive élevée.

Comment diable pouvait-on déterminer si ces minutes étaient ou non suffisantes à deux garçons de quatorze ans pour faire tout cela, retourner à leurs amis et puis, trente minutes plus tard, aller se promener sur la route des Généraux en chantant à tue-tête des chansons joyeuses ? Etant donné que l'enquêteur accordait une toute première importance au facteur temps comme preuve indirecte de la culpabilité des garçons, il nous fallait aussi analyser très soigneusement l'élément temps et collationner, fragment par fragment, toute information concernant le temps qui s'était écoulé entre la fin du jeu de volley et le moment où Alik et Sacha étaient retournés à la maison des Akatov. Aucun des témoins n'avait été précis en ce qui concerne l'évaluation du temps ; leurs déclarations avaient toutes été approximatives : « Nous avons fini de jouer à 10 h 40 »... « Nous avons fini de jouer à 10 h 35 »... « Nous avons fini de jouer à 10 h 45 ».

Laquelle de ces heures la cour prendrait-elle comme point de départ ? Si c'était 10 h 45, les garçons ne pouvaient pas avoir commis le crime ; si c'était 10 h 35, ils auraient eu assez de temps...

Nous découvrîmes un autre indice de temps : les filles avaient dit à l'enquêteur que, en arrivant à la maison des Akatov, elles avaient passé un microsillon, parce qu'elles voulaient apprendre les paroles d'une chanson. Les garçons étaient arrivés au moment où les filles avaient déjà écouté approximativement la moitié d'une face de ce disque.

Lev et moi écoutâmes ensemble ce disque : l'audition d'une face nous prit dix-huit minutes et demie. Par conséquent, Alik et Sacha avaient atteint la maison des Akatov neuf à dix minutes après que les filles y étaient elles-mêmes arrivées. Aller du terrain de volley-ball à la maison des Akatov par la route que les filles avaient prise était une affaire de cinq à sept minutes. Par conséquent, entre le moment où les garçons s'étaient séparés des filles et le moment où ils s'étaient rejoints, il ne s'était pas écoulé plus de dix-sept minutes et, dans ce laps de temps, ils ne pouvaient pas avoir commis le crime et rejoint les filles. Toutefois, les filles avaient mis un certain temps pour transporter l'électrophone d'une pièce éloignée où il se trouvait jusqu'à une fenêtre ouverte donnant sur la cour, et pour mettre le disque. Et si, avant de mettre le disque, les filles avaient dit quelque chose comme : « Voyons, il y a une nouvelle chanson qui vient de sortir, écoutons-la » — une telle conversation avait sûrement eu lieu — combien de temps cette conversation avait-elle pu durer ? Cinq minutes ? S'il en était ainsi, les garçons étaient innocents. Mais supposons qu'elle ait duré dix minutes ; le temps aurait alors été suffisant pour commettre le crime.

En interprétant rigoureusement la loi, la cour devrait choisir la variante la plus favorable à Alik et à Sacha, en vertu du principe selon lequel le doute doit toujours bénéficier à l'accusé. Ioudovitch et moi-même, cependant, étions parfaitement conscients que nous aurions à trouver quelque chose de beaucoup plus consistant et de moins contestable, quelque chose qui forcerait la cour à rejeter les « aveux » comme inadmissibles.

Il n'était pas moins important d'établir les raisons pour lesquelles les deux accusés avaient simultanément renié leur témoignage antérieur et avoué quelque chose qu'en réalité ils n'avaient pas fait. De plus, l'explication devait être assez convaincante pour ne laisser aucun doute à la cour sur le fait que ces raisons avaient existé et étaient suffisamment valables pour inciter les garçons à s'accuser de leur propre bouche.

Tous nos entretiens avec nos clients étaient consacrés à la recherche de ces raisons.

« Sacha ! Le 6 septembre, le jour où vous avez avoué pour la première fois votre culpabilité, pourquoi avez-vous déclaré que vous aviez violé Marina sur la rive *opposée* du lac, par rapport au verger ?

— Eh bien, vous voyez, je ne savais pas où elle avait été violée. Alors, j'ai simplement montré l'endroit qui se trouvait proche du lieu où j'avais vu flotter le corps de Marina.

— Mais pourquoi avez-vous dit ensuite que vous aviez violé Marina sous le deuxième pommier du verger ?

— Ioussov m'avait affirmé qu'Alik avait dit cela. Il m'a même montré un morceau de papier, un petit bout de papier gris, sur lequel

Alik l'avait écrit de sa propre main. Alors, j'ai simplement confirmé. »

J'exhibai une copie que j'avais faite du plan du verger, qui montrait la disposition de tous les pommiers et du sentier conduisant au lac. J'indiquai le deuxième pommier à partir de la maison des Bogatchev et je demandai à Sacha de me montrer le chemin allant de ce pommier jusqu'à l'endroit où, d'après la déposition, ils avaient jeté le corps de Marina dans l'eau.

Il me regarda avec perplexité.

« Pourquoi à partir de cet arbre-là ? J'ai indiqué un arbre différent. »

Et spontanément il montra du doigt le deuxième pommier — mais le deuxième arbre compté à partir de l'autre bout du verger, à partir de l'extrémité où il était bordé par un petit fossé et par la clôture qui entourait la propriété de Rouslanova.

« Êtes-vous sûr que vous avez montré *cet* arbre-là ? Rappelez-vous que le témoin officiel est venu dans le verger avec vous, et qu'il peut être appelé à témoigner.

— Je me souviens avoir indiqué exactement cet arbre. »

Deux jours avant cette conversation, tandis que je lisais le premier volume du dossier, j'avais noté une erreur qui avait échappé à l'attention de l'enquêteur Ioussov au moment où il collationnait le procès-verbal de la reconstitution du crime avec Sacha.

Dans le procès-verbal de la reconstitution du crime avec Alik, Ioussov avait écrit :

« Marché jusqu'à la maison des Bogatchev. Tourné à gauche. Au bout de 13,50 mètres, montré le deuxième pommier à partir de la maison des Bogatchev, l'arbre étant situé à une distance de 6 mètres du sentier. »

Dans le procès-verbal de la reconstitution du crime avec Sacha, cependant, le texte de Ioussov se lisait ainsi :

« ... Marché jusqu'à la maison des Bogatchev. Tourné à gauche. Marché le long du sentier jusqu'au deuxième arbre à partir du fond du verger, et montré cet arbre comme l'endroit où lui et Bourov ont violé Marina. »

Ensuite, dans tous les documents concernant l'affaire, Ioussov avait constaté comme un fait incontestablement établi qu'Alik et Sacha avaient montré le *même endroit* — le deuxième pommier à partir du fond du verger — comme étant le lieu où le crime avait été commis.

Cependant, bien que j'eusse noté cette erreur, je ne l'avais pas considérée à ce stade comme ayant une sérieuse importance. Je pensais qu'elle était probablement due à une négligence de la part de Ioussov : il avait, après tout, collationné ce procès-verbal dans la période où Sacha avait avoué et s'apprêtait à plaider coupable. Dans de telles circonstances, les documents sont souvent rédigés à la va-vite : l'accusé ayant avoué, de quelles preuves supplémentaires la cour peut-elle avoir besoin ?

Quand je mentionnai à Lev Ioudovitch cette discordance dans les procès-verbaux, il en donna une interprétation toute différente.

« Vous ne connaissez pas Ioussov, dit-il, je l'observe avec attention depuis que je travaille avec lui sur cette affaire. C'est un scélérat, mais il est un rigoriste en ce qui concerne les formalités, et c'est aussi un enquêteur expérimenté. Il doit y avoir quelque raison cachée derrière cette non-concordance. Je suis sûr qu'il a délibérément falsifié le procès-verbal. »

Les soupçons de Lev allaient bientôt recevoir une première confirmation.

Le lendemain, j'étais de nouveau assise dans la salle vide du tribunal pour étudier le premier volume du dossier, dans lequel se trouvaient les photographies prises pendant les reconstitutions. Il y avait le terrain de volley-ball, il y avait la rue du village avec le sanatorium, il y avait la maison des Bogatchev. Enfin venait une photographie d'Alik. On le voyait de côté, tourné vers l'arbre et le montrant de son bras tendu.

C'était un grand pommier, avec des branches largement écartées et un feuillage dense. Seules les grosses branches basses pouvaient être aperçues à travers les feuilles. A l'arrière-plan, se détachant sur le ciel, il y avait un grand poteau en bois portant des fils électriques à haute tension.

Sacha, sur sa photographie, était debout dans la même position, le bras étendu de la même manière. Le pommier, cependant, me frappa comme étant plus petit ; et, à sa droite, à peine visible dans l'herbe, il y avait la courte souche d'un arbre abattu. Il n'y avait pas de poteau électrique sur l'image, mais la photo était de mauvaise qualité, et toute sa partie supérieure était remplie d'une tache floue et sale.

Le lendemain matin, tandis que j'étudiais le volume II, je notai que la déposition des témoins officiels qui avaient assisté à la reconstitution de Sacha n'était pas versée au dossier. Cela ne pouvait pas être considéré comme une erreur, une omission purement accidentelle. Outre que cela confirmait indirectement l'affirmation de Sacha selon laquelle il avait montré un arbre différent, on pouvait en tirer encore d'autres conclusions.

Très souvent, un enquêteur choisit ses témoins officiels parmi des gens proches de la police, de petits fonctionnaires que leurs attributions amènent en contact direct avec ses services. Il est facile, pour un enquêteur, d'exercer une influence sur de telles gens. Ils ne vendront pas la mèche, s'il est jamais question d'un enquêteur ayant enfreint les règles de la procédure. Le fait que Ioussov n'avait pas pris les déclarations des témoins officiels à la reconstitution de Sacha pouvait indiquer qu'il s'agissait de gens quelconques, d'étrangers, sur lesquels il ne pouvait ou n'osait exercer une pression. La défense aurait donc à demander à la cour d'appeler ces personnes à la barre des témoins en vue de les interroger, requête qui n'avait jamais été rejetée par un tribunal.

En poursuivant l'étude de l'affaire, je fus amenée à noter une succession de détails secondaires qui, au premier abord, semblaient tout à fait insignifiants. Par exemple, l'un des premiers témoins déclarait que, après avoir joué au volley-ball, les garçons et les filles étaient allés au puits pour nettoyer le ballon et se laver les mains. Dans son évaluation du temps, l'enquêteur avait calculé qu'il leur avait fallu deux minutes pour nettoyer le ballon et se laver les mains. Mais pourquoi diable ne s'étaient-ils pas seulement lavé les mains ? Pourquoi aussi le ballon ? Je savais que, le 17 juin, le temps avait été beau et ensoleillé, assez chaud en tout cas pour que les enfants soient allés se baigner. Si, pendant le jeu, le ballon avait atterri dans la boue, il aurait pu être nécessaire de le laver, mais alors seule la personne qui était allée chercher le ballon dans la boue aurait eu besoin de se laver les mains. Cependant, ils étaient *tous* allés se laver les mains.

Je pouvais donc supposer qu'il y avait eu la veille une forte chute de pluie ; forte chute, car, en dépit du temps chaud, la boue n'avait pas eu le temps de sécher. Et si la boue n'avait pas séché dans le village lui-même et sur le terrain de jeu, là où les gens marchaient constamment, le verger devait avoir été encore plus boueux, de même que le sentier allant du verger au bord du lac. Si l'on admettait que les garçons avaient suivi le chemin décrit dans l'acte d'accusation, ils ne pouvaient pas être arrivés à la maison des Akatov dans un état propre et sec.

Je mentionnai ce détail lors de ma conversation suivante avec Sacha. Il confirma que, en effet, il avait fortement plu la veille. Qui plus est, il ajouta que l'endroit, sur la rive du lac, d'où, dans la version de l'accusation, le corps de Marina avait été précipité dans l'eau, était toujours très boueux et marécageux. Sacha dit aussi que Mᵐᵉ Akatova était extrêmement méticuleuse et que, si lui et Alik avaient eu des chaussures boueuses, elle ne les aurait pas laissés entrer.

Ainsi, nous aurions à présenter une nouvelle requête à la cour, requête qui normalement ne devrait pas être rejetée, à savoir : admettre dans les éléments de preuve le temps qu'il avait fait les jours qui avaient précédé le 17 juin 1965.

La question principale, dans toutes nos conversations, était cependant la suivante : pourquoi avaient-ils décidé de plaider coupable ?

Sacha ne s'était jamais plaint d'être mal traité ou d'être battu, non plus que des conditions particulièrement dures dans lesquelles il avait été gardé avant son transfert en prison. Les conditions, dans les cellules de préventive, étaient forcément pires que dans son très modeste logement, mais elles le dérangeaient beaucoup moins qu'elles ne l'auraient fait s'il avait été un citadin, habitué au confort urbain. Aussi rude que ce fût de dormir sans couverture sur une couchette en bois, de ne manger que de la nourriture sèche (aucune cuisine n'est prévue pour la préventive), de geler la nuit et de défaillir le jour, par manque d'air, dans les cellules non ventilées, rien de tout cela ne l'avait incité à plaider coupable.

Ioussov n'avait pas menacé Sacha. Il lui avait simplement donné un compagnon de cellule, une sorte d'«oncle Vania», un prisonnier adulte qui avait raconté à Sacha des histoires horribles sur la prison attachée au Département d'investigation criminelle de Moscou, le célèbre numéro 38 de la rue Petrovka. Il lui avait décrit comment on y bat les prisonniers, comment non seulement les enquêteurs et les gardiens, mais même les codétenus vous injurient et vous humilient. Chaque jour, Ioussov répétait à Sacha que des aveux de sa part détermineraient dans quelle prison il serait envoyé en attendant son procès : s'il avouait, on l'enverrait au Repos du Marin ; sinon, il irait au numéro 38 de la rue Petrovka. Ioussov affirma même à Sacha que, s'il plaidait coupable, il n'irait pas en détention avant son procès.

Heure après heure, jour après jour, «oncle Vania» avait exercé sa pression sur Sacha pour l'amener à avouer ; il avait été placé dans sa cellule jusqu'à ce que le garçon cède, et il fut transféré dès que Sacha eut signé ses aveux. Il persuada Sacha de passer aux aveux non pas parce qu'il était coupable, mais parce que, disait le vieil homme, personne ne croirait en son innocence.

«Vous n'avez d'autre solution que d'avouer, disait «oncle Vania». Si vous ne plaidez pas coupable, ils vous transféreront au numéro 38 de la rue Petrovka, et là, que vous le vouliez ou non, ils vous feront avouer. Ils emploieront d'autres moyens. Vous aurez une plus forte peine et, quand vous aurez dix-huit ans, ils vous enverront dans le pire et le plus éloigné des camps de Sibérie. Vous serez avec des meurtriers qui jouent aux cartes la vie des autres prisonniers et qui n'hésitent pas à tuer et à défigurer lorsqu'ils perdent au jeu. »

«Oncle Vania» releva sa chemise et montra à Sacha une énorme cicatrice allant de la poitrine jusqu'à l'estomac.

«Vous voyez ce qu'ils m'ont fait. C'est un miracle si j'ai survécu. »

Chaque jour, Ioussov convoquait Sacha pour l'interrogatoire, et il lui demandait : «Eh bien, avez-vous changé d'avis ? Allez-vous avouer ? Non ? Eh bien, allez-vous-en et réfléchissez encore. Je ne suis pas pressé. Je puis attendre. » Quand Sacha essayait de protester de son innocence, Ioussov répliquait que les contes de fées ne l'intéressaient pas ; il n'y croyait pas, et aucun tribunal n'y croirait non plus.

De retour dans sa cellule, Sacha retrouvait «oncle Vania» qui l'attendait pour lui dire combien indulgent était le tribunal pour les mineurs qui plaidaient coupable, avec quelle facilité on l'acquitterait. «Si vous avouez, vous n'aurez pas plus de cinq ans. En fait, eu égard à votre jeune âge, on pourrait bien vous relaxer complètement. Vous avez de bonnes références scolaires, et vous êtes issu d'une bonne famille de travailleurs. On pourrait bien vous libérer purement et simplement. »

Et ainsi de suite, quotidiennement. Sacha insistait toujours : « Je ne suis pas coupable. »

Le moment critique fut la déclaration d'Alik, que Ioussov montra à Sacha. Dans ce document, Alik écrivait qu'il avait décidé de tout avouer, et qu'il avait commis le crime « à la suggestion de Sacha ».

« Vous voyez, Sacha, dit Ioussov, vous n'avez plus le choix maintenant. Si vous persistez à vous déclarer innocent, Alik rejettera toute la faute sur vous. La cour lui accordera toutes les circonstances atténuantes, parce qu'il aura été le premier à avouer et à se repentir, et tout le poids de la punition retombera sur vous. »

Sacha réalisa qu'il ne lui restait plus beaucoup de temps. Il ne subsistait plus aucun doute dans son esprit : Ioussov et « oncle Vania » avaient raison. Qui croirait maintenant qu'ils n'avaient rien fait ? Qu'ils n'avaient pas violé la fille ? Qu'ils ne l'avaient pas tuée ? Il fallait qu'il avoue à l'instant même, de manière que ses aveux fussent datés du même jour que ceux d'Alik. Alors, il pourrait aussi espérer l'indulgence. Il fallait qu'il avoue, et qu'il dise qu'Alik avait suggéré le premier et que lui, Sacha, n'avait pas étranglé Marina. Tout cela afin de ne pas être inculpé comme accusé principal. Car Sacha savait déjà, par « oncle Vania », que le principal accusé, ou instigateur du crime — celui qu'on appelle « la locomotive » dans l'argot du milieu —, recevait toujours une sentence beaucoup plus lourde.

Ce même jour, le 6 septembre, Alik devint l'ennemi mortel de Sacha dans la lutte pour la seconde place. Mais Sacha ne savait pas que, au cours de ce même mois de septembre, quelques jours après la terrible confrontation entre les deux garçons, la lutte avait pris fin ; qu'Alik s'était rétracté et qu'il avait déclaré avoir faussement incriminé Sacha et lui-même.

C'est aussi le 6 septembre que Sacha s'entendit assurer avec soulagement, par l'enquêteur, que personne ne saurait jamais qu'Alik avait été le premier à avouer et que, dès que Sacha aurait avoué également, lui, Ioussov, lui permettrait d'écrire chez lui. Alors, plus aucun doute : très bientôt, Ioussov serait en mesure de renvoyer Sacha chez lui jusqu'au procès.

Telles furent les raisons que me donna Sacha de ses faux aveux.

Étaient-elles convaincantes ?

Était-il convaincant que son sentiment de totale impuissance, l'impossibilité de rompre le cercle vicieux constitué par Ioussov et « oncle Vania », enfin sa perte de tout espoir que quelqu'un pût croire en son innocence eussent été suffisants pour l'amener à assumer la culpabilité d'un crime sérieux qu'il n'avait pas commis ?

Je suis sûre qu'il ne peut y avoir aucune réponse globale à cette question. Les raisons peuvent paraître suffisantes à certains, et non à d'autres. Peut-être, pour les adultes soupçonnés du meurtre de Marina (les soldats Sogrine, Zouïev et Bazarov, ce rustre d'ivrogne qu'était Sadykov, et les autres), ces raisons pouvaient-elles être insuffisantes. Il est possible que des adultes aient assez de force de volonté, de persévérance, de jugement et d'expérience pour résister aux interrogatoires et aux méthodes illégales de pression psychologique employées par Ioussov. Ils auraient pu se moquer des tentatives d'intimidation de l' « oncle Vania » et ne pas croire les promesses de Ioussov.

Alik et Sacha étaient incapables de résister à de telles pressions. Ils n'avaient ni la force de caractère, ni l'instruction, ni une expérience suffisamment vaste. Ils n'étaient que de simples garçons de la campagne, qui n'avaient jamais été auparavant séparés de leurs parents, qui avaient été élevés pour faire preuve d'une obéissance inconditionnelle aux adultes et pour témoigner d'une confiance complète en l'autorité d'un homme instruit.

Je suis convaincue que personne ne peut définir les limites de la résistance psychique. C'est une chose très difficile à évaluer, même pour soi-même. Beaucoup de gens ont tendance à exagérer leurs possibilités, tandis que d'autres sous-estiment leur force de caractère ; il est encore plus difficile, naturellement, de faire cette évaluation pour quelqu'un d'autre. Le seul élément de mesure est l'opinion subjective, émotionnelle de l'observateur.

Je crus Sacha.

Tout de suite, je fus capable de comprendre la logique qui se cachait derrière cette énorme violation de la loi que Ioussov avait commise. Il n'avait qu'une seule chose en vue : les aveux. En reprenant le dossier plus d'un an après la mort de la victime, Ioussov ne vit qu'un seul moyen de poursuivre l'enquête. Il savait que les garçons avaient déjà été interrogés de nombreuses fois avant que l'affaire ne lui fût confiée, et il savait aussi que d'autres personnes avaient été détenues et soupçonnées. Cependant, il concentra toute son enquête sur Sacha et Alik. Il rejeta toutes les autres hypothèses comme peu propices à le conduire au succès, réalisant que, au bout d'une période aussi longue, il ne pouvait obtenir des aveux qu'en brisant la volonté de quelqu'un qui n'avait pas encore été formellement accusé et relaxé pour manque de preuve. Briser la volonté de Zouïev ou de Sogrine eût été plus difficile que de le faire avec Sacha ou Alik. C'est pourquoi son choix tomba sur eux. Par conséquent, toutes les illégalités de Ioussov faisaient partie intégrante de sa méthode visant à faire pression sur les garçons, jusqu'à ce qu'ils craquent.

Dans le passé, Ioussov avait eu une carrière d'enquêteur très réussie, mais ensuite il avait été exilé en province pendant plusieurs années, comme punition pour quelque violation des règles officielles. L'affaire d'Alik et de Sacha était l'un des premiers dossiers (sinon le premier) confiés à Ioussov après son retour au bureau central du parquet de la province de Moscou. Elle était considérée comme un test de son aptitude, la pierre de touche de la poursuite de sa carrière. Une solution satisfaisante signifierait pour lui une promotion rapide (surtout depuis que l'affaire se trouvait sous le patronage direct du Comité central du parti communiste de l'Union soviétique).

Ioussov était préparé au risque d'enfreindre la loi, parce qu'il misait sur le fait qu'une solution du crime fondée sur la confession volontaire des accusés — même si elle était fausse — le préserverait d'avoir à répondre de ses actes illégaux (suivant le principe que « les généraux qui gagnent des batailles ne sont pas traduits en cour martiale »). Deux facteurs étaient inextricablement liés l'un à l'autre : son ambition de promouvoir sa carrière et sa crainte de voir découverts les méfaits de procédure qu'il avait déjà commis. Si sa situation avait été différente, Ioussov n'aurait pas eu à s'inquiéter. Des enquêteurs ont été pardonnés pour des péchés semblables, et même pour des péchés plus graves. Dans le cas présent, cependant, l'issue du procès pouvait être un nouveau transfert dans le désert, et cette fois-ci sans aucune perspective d'un retour à Moscou.

Dans ces conditions, son objectif n'était plus de découvrir la véritable solution du crime, mais d'obtenir la condamnation des deux garçons.

3

LE PREMIER PROCÈS

Au moment où le procès s'engagea, tout avait été mis au point entre Sacha et moi. Pendant nos conversations, j'avais essayé de le préparer de telle manière que, dans toute la mesure du possible, aucune question ne pût être pour lui une surprise. Nous commencions chaque entretien par une déposition de sa part, exactement comme s'il se trouvait devant la cour. J'eus à lui apprendre comment se lever devant le tribunal, quand se lever, quand et à qui poser des questions. Je lui posai d'innombrables questions, de celles que le procureur ou le juge lui poseraient immanquablement.

Tout cela pour une raison bien simple : les contacts entre un avocat et son client sont rendus très difficiles pendant le procès. La cour autorise un avocat à parler à son client avant et après l'audience, et pendant les suspensions, mais uniquement en présence d'un gardien. Même dans ces conditions, il est possible de donner un conseil pratique et d'éclaircir une équivoque qui peut s'être glissée. C'est la seule forme de communication qui soit autorisée entre l'accusé et les gens en qui il a confiance.

J'avertis Sacha qu'il serait autorisé à avoir chaque jour de tels entretiens. Eu égard à la prise de bec que j'avais déjà eue avec le juge, nous convînmes que ce serait Sacha qui en demanderait la permission.

Ainsi arriva le premier jour du procès.

L'audience avait lieu dans la plus grande salle du tribunal de la province de Moscou. Tous les témoins — plus d'une centaine — avaient été convoqués. Parmi eux, il n'y avait pas un seul visage qui fût familier à Ioudovitch ou à moi-même. Nous n'avions jamais vu l'un d'entre eux auparavant, même le son de leur voix nous était inconnu.

La presse soviétique ne publie aucun reportage sur les affaires criminelles. Toute l'enquête — par la police et par le parquet — est conduite en secret, et ce secret est garanti par une loi spéciale. Toute personne divulguant une information sur l'enquête préalable peut voir engager sa responsabilité pénale.

Mais, dans l'affaire des deux garçons, l'enquêteur Ioussov avait constamment et de propos délibéré divulgué les éléments de son enquête aux témoins qu'il convoquait pour les interroger. Il décrivait le cas dans ses propres termes, montrant aux témoins l'expertise fournie par les médecins. Si des habitants du village exprimaient un doute sur le fait que Marina ait pu être noyée à l'endroit indiqué par Alik et Sacha, on les impressionnait invariablement au moyen du rapport savant des experts, et ils admettaient qu'il était parfaitement possible que quelqu'un ait pu la noyer à cette place. Ioussov montrait aussi aux témoins des photographies des vêtements qui se trouvaient sur le cadavre de Marina — les lambeaux du slip et d'un survêtement —, et il leur disait :

«Voyez comment ils ont déchiré ce slip quand ils ont déshabillé Marina.»

Par la suite, pendant l'audience, la défense fut capable de combattre cela au moyen d'une contre-expertise affirmant que les dommages causés aux vêtements avaient pu l'être aussi par le déplacement du cadavre dans l'eau (en particulier du fait des nombreux buissons qui bordaient la rive et parce que le fond du lac était jonché de toutes sortes de détritus). Les témoins, cependant, avaient tendance à accepter l'explication de Ioussov comme incontestable.

Ioussov ne révélait aux témoins que les parties de la déposition des deux garçons dans lesquelles ils reconnaissaient leur culpabilité ; et, parmi les autres preuves, il mentionnait seulement celles qui, d'après lui, confirmaient cette culpabilité. Il créa une catégorie spéciale de témoins : des gens qui étaient appelés à témoigner que Ioussov avait interrogé Alik et Sacha avec politesse et calme, que les garçons n'avaient subi aucune contrainte et qu'ils avaient avoué volontairement.

Mais tous les autres témoins étaient aussi devenus des témoins partiaux, du fait de leurs conversations avec Ioussov, et il nous était impossible de nous fier à leur objectivité et à leur honnêteté. Les faits insignifiants dont ils avaient effectivement été témoins s'étaient amalgamés à tant de détails et de conjectures suggérés par Ioussov qu'eux-mêmes étaient partiellement incapables (et dans certains cas indésireux) de démêler les faits des hypothèses. Par conséquent, leur témoignage serait à l'occasion étiré en longueur, et il deviendrait de plus en plus catégorique.

La défense n'avait à s'assurer que d'une chose : que les témoins disaient la vérité, et qu'ils ne témoignaient que de ce qu'ils savaient effectivement.

Que diraient-ils dans leur déposition ?

L'heure à laquelle le jeu de volley-ball s'était terminé; l'heure à laquelle ils avaient entendu les chansons des enfants venant de la direction du pont de madriers; comment Sacha avait pâli en apercevant le cadavre de Marina qui flottait dans l'eau (seul un meurtrier avait pu devenir si pâle!); que les parents d'Alik étaient de mauvaises gens, et qu'on ne pouvait donc pas s'attendre à ce qu'ils élèvent un bon fils.

Mais la cour les interrogerait tous — une centaine de personnes au total — et, jour après jour, heure après heure, la charge émotionnelle de haine et de désir de vengeance qui habitait presque chacun d'entre eux produirait inévitablement ses effets sur la cour; elle renforcerait le préjugé de la cour contre les prévenus et s'ajouterait à la méfiance sous-jacente immanquablement sécrétée par le fait même d'être impliqué dans une affaire criminelle.

Ioudovitch et moi-même scrutions la foule et essayions de deviner qui était Martchenkova, qui était la mère de Marina, qui était la mère des Akatov. Soudain, nous remarquâmes une femme qui se tenait au milieu du groupe des autres témoins, leur expliquant quelque chose: c'était une femme courtaude, très forte, presque carrée; ses cheveux gris formaient d'innombrables petites boucles et étaient maintenus par un grand peigne. Je regardai Lev, et nous prononçâmes son nom en même temps: «Berta Karpovna Brodskaïa».

Qu'est-ce qui nous avait fait nous souvenir si clairement de ce nom, le nom d'un témoin qui n'en était pas un?

Pendant la période qui avait immédiatement suivi la mort de Marina, Brodskaïa était partie en vacances. Quand elle revint à Izmalkovo, les premiers émois s'étaient apaisés, et les gens étaient retournés à leurs occupations quotidiennes, sans lesquelles la vie ne pourrait pas continuer. Brodskaïa, qui vivait seule, avait un besoin irrépressible de se mêler des scandales publics et, sous ce rapport, il y avait longtemps qu'elle n'avait rien eu à se mettre sous la dent. Berta Brodskaïa appartenait à cette catégorie de gens que l'on appelait — non pas officiellement, mais dans un large public — les «vieux bolcheviks».

Ce n'était pas seulement à cause de son appartenance au parti communiste. Il s'agit d'un type psychologique reconnaissable, dont l'apparence extérieure est souvent semblable à celle de Berta: les cheveux coupés court, tirés en arrière et maintenus par un peigne, et une manière de s'habiller qui rappelle les premières années de la révolution. Mais surtout, il s'agit d'une attitude mentale: l'attitude inflexible d'une personne qui n'est jamais en proie au doute. Ces gens-là n'hésitent ni ne se modèrent jamais: leurs jugements sont toujours catégoriques. Au travail, ils sont souvent la cause de bien des ennuis et de désagréments pour leurs collègues. Quand ils atteignent l'âge de la retraite, ils s'occupent toujours d'associations ou d'affaires publiques. Cela leur donne le droit de se

109

mêler de façon éhontée de ce qui ne les regarde pas, de s'ériger en gardiens patentés de la moralité de leurs voisins, d'être les juges de la vie des autres devant le tribunal de l'opinion publique.

Berta Brodskaïa appartenait exactement à ce type.

En l'inscrivant sur sa liste des témoins principaux, Ioussov savait que Brodskaïa ne pouvait fournir un témoignage probant. Non seulement elle était absente du village au moment de la mort de Marina, mais encore elle n'était pas non plus au village quand Alik et Sacha avaient été amenés au village par Ioussov et qu'ils avaient consterné les gens par leur compte rendu indifférent du viol et du meurtre. Il n'y avait pas la moindre circonstance, même la plus insignifiante, que Brodskaïa pût confirmer ou réfuter. Ioussov l'appelait pour que « la colère du peuple » pût s'exprimer par sa bouche devant la cour, pour que celle-ci se rende compte que la sentence la plus impitoyable était exigée.

Ce vieux fer de lance du communisme était passé maître dans l'art de distiller la haine et la méchanceté. Toutes les pétitions exigeant la peine capitale pour les garçons (peine interdite par la loi) étaient écrites par elle. La première signature, sur ces pétitions, était toujours la sienne. Sa déposition à Ioussov contenait la déclaration suivante : « Je ne doute en aucune manière qu'ils soient les meurtriers. J'en suis convaincue, et j'exige que la peine capitale leur soit infligée. »

En prononçant la sentence, le juge « indépendant » prendrait en compte le fait que l'affaire était observée de près par le Comité central, et qu'en conséquence sa sentence ferait l'objet d'un rapport au fonctionnaire approprié du parti. Il savait également que, si la sentence ne satisfaisait pas les gens comme Berta Brodskaïa, elle susciterait un flot de protestations indignées.

Ce témoin avait été appelé pour exercer cette sorte de pression psychologique, et pour aucune autre raison.

En attendant dans le couloir, Lev Ioudovitch et moi-même pouvions sentir l'hostilité de tous ces gens, hostilité qu'ils avaient transférée des prévenus sur nous-mêmes, conseillers de la défense.

L'affaire d'Alik et de Sacha passa trois fois en jugement dans des cours de première instance. Au total, les seules audiences prirent cinq mois : cinq mois de drame concentré et de travail intensif.

La manière dont le juge écoute ou n'écoute pas le témoin, le ton sur lequel le juge ou le procureur pose ses questions (sur un ton gentil ou menaçant, ou peut-être vulgairement sarcastique), la manière dont le juge regarde le prévenu et ce que celui-ci lit dans son regard, tout cela ne peut être rendu dans un procès-verbal. Un silence interminable, ponctué d'un regard ou d'un geste qui en dit long, reste muet et sans signification dans le compte rendu sténographique.

Le moment le plus difficile et le plus tendu de tous fut, à mon avis, cette première audience au tribunal de la province de Moscou.

Nous y étions préparés. Nous réalisions qu'il y aurait un grand nombre de contre-interrogatoires, que la nature bravache du juge Kirilov créerait un élément supplémentaire de tension nerveuse, d'autant plus dur à supporter qu'il était personnel et non juridique.

La séance fut déclarée ouverte.

On lut l'acte d'accusation.

Suivirent les questions invariablement posées aux accusés, dans la forme prescrite par la loi.

« Citoyen Bourov, comprenez-vous l'acte d'accusation qui vous a été lu ? Plaidez-vous coupable ? »

Assis derrière Ioudovîtch, Alik fut sur le point de se lever et de répondre. Tout le monde savait qu'il allait plaider « non coupable » ; il n'y aurait rien d'inattendu dans sa réponse. Lorsque Lev Ioudovitch tourna légèrement la tête pour regarder Alik, un ordre fut soudain aboyé : « Je vous interdis de regarder Bourov ! Comment osez-vous vous retourner ? »

Ce n'était pas le cri d'un gardien ; c'était la manière adoptée par le juge Kirilov pour s'adresser au conseiller de la défense.

Quand Lev est excité, il pâlit. Quand il est en colère, ses narines se gonflent. Il bondit sur ses pieds, prêt à répondre, pâle, les mâchoires serrées et les narines palpitantes. Nouvel aboiement :

« Camarade avocat, asseyez-vous ! Je ne vous permettrai pas d'avoir une altercation avec la cour...

— J'exige que la cour m'autorise à faire une déclaration. Je désire faire une objection à la conduite du président, et que cette objection soit enregistrée... »

A quoi le juge répliqua :

« Camarade avocat, asseyez-vous ! Je vous donnerai une telle autorisation au moment opportun... »

Et Lev fut forcé de se soumettre. Le président du tribunal est le « patron », la défense comme l'accusation doivent obéir à ses instructions, lesquelles peuvent être non seulement illégales, mais aussi complètement insensées. Je ne doutais pas que Lev ne trouvât un moment convenable pour revenir à la charge, et que l'incident serait enregistré. Maintenant, cependant, il agissait d'une manière très correcte, ne voulant pas que le conflit dégénère en une querelle ouverte.

Tout le monde attendait la réponse de Sacha avec une impatience tendue. Il n'avait pas révoqué ses aveux avant l'ultime fin de l'enquête, juste après son entretien avec son premier avocat, Kozopolianskaïa, puis

111

avait de nouveau admis sa culpabilité et, enfin, modifié encore une fois son témoignage.

Heureusement, je n'avais pas à me retourner pour le voir. Il était assis près du pupitre du juge, sous un angle oblique par rapport à moi, et je voyais parfaitement bien son visage.

« Citoyen Kabanov, comprenez-vous l'acte d'accusation qui vient de vous être lu ? Plaidez-vous coupable ? »

Je pouvais sentir la tension générale.

Sacha se leva lentement. Son visage paraissait plus pâle que d'habitude, et je remarquai comment le juge le regardait droit dans les yeux.

Soudain, Sacha me tourna vivement le dos, de sorte qu'il n'était plus de trois quarts par rapport au juge, mais qu'il lui faisait face. Je pouvais voir de derrière qu'il tenait la tête haute, ce qui signifiait qu'il rendait au juge son regard appuyé (comme je le lui avais appris), et il dit fermement :

« Je plaide non coupable.

— Non coupable sur tous les chefs d'accusation ?

— Sur tous les chefs d'accusation. »

On entendit un soupir. Dans cette salle d'audience où ne se trouvaient que les familles des prévenus, la mère de Marina et quelques autres personnes qui avaient reçu une autorisation, on pouvait entendre le moindre son. Ce soupir de soulagement provenait des parents de Sacha ; il fut suivi par un « assassin » émis d'une voix sifflante par Kostopravkina, la mère de Marina.

J'attendais la phrase habituelle : « Asseyez-vous, Kabanov. »

Au lieu de cela, Kirilov demanda au garde d'amener le prévenu tout près du pupitre du juge. Sacha y prit place, seul dans cet espace vide. Dans son pantalon trop court, qui lui arrivait bien au-dessus des chevilles, sa veste de prisonnier en coton gris, ses énormes chaussures, trop grandes de plusieurs pointures, il avait l'air gauche et pathétique.

Se soulevant de son siège, Kirilov se pencha au-dessus du bureau et dit très distinctement :

« Répondez encore une fois à ma question : plaidez-vous coupable ? Prenez votre temps, réfléchissez-y. Nous pouvons attendre. »

De nouveau vint le « non coupable » de Sacha.

« N'écoutez pas quelqu'un qui aurait pu vous dire de mentir. La cour sait distinguer la vérité du mensonge. »

Sacha ne souffla mot.

« Pourquoi restez-vous silencieux ? Qui vous a conseillé de dire des mensonges ? Si vous dites la vérité, vous n'aurez rien à craindre. »

Je ne bougeais pas. J'avais le sentiment qu'une intervention de ma part, à cet instant, ne ferait que causer du désordre et augmenterait la méfiance de la cour à l'égard de la déposition de Sacha.

La réaction de Lev était la même, car il me chuchota : « Restez tranquille. Laissez Kirilov l'interroger, s'il le veut; cela le portera peut-être davantage à le croire. »

« Quelqu'un vous a-t-il poussé à dire des mensonges ?

— Oui, quelqu'un.

— Qui ? cria Kirilov.

— Qui ? prononça comme en écho le procureur.

— Oncle Vania. »

La réponse était époustouflante. Il n'y avait pas la moindre référence à un « oncle Vania » dans le dossier du procureur sur l'affaire (moi-même, je n'avais entendu parler de l' « oncle Vania » que par Sacha, à l'occasion de nos entretiens).

« Qui est « oncle Vania » ? Est-ce quelqu'un que vous avez inventé ?

— Non, je ne l'ai pas inventé. Il a été mis dans ma cellule dès que j'ai été arrêté. Il m'a dit : « L'enquêteur ne croira jamais que vous ne l'avez pas fait. Et le juge ne vous croira pas non plus. Ce sera pire pour vous si vous plaidez non coupable. Votre seul espoir, au procès, c'est d'avouer. Tous les juges aiment qu'un prévenu avoue... »

— Nous n'avons pas besoin de vous pour nous dire ce que les juges aiment et ce qu'ils n'aiment pas, interrompit Kirilov. Asseyez-vous. »

Notre procureur était une femme, Volochina, qui alliait à un rare degré la stupidité à un manque total de connaissances juridiques. Elle était vulgaire et sans éducation ; sa seule manière d'assurer l'autorité du ministère public, c'était de poser des questions le plus bruyamment possible et sur un ton soigneusement étudié d'écrasant sarcasme. En dehors du tribunal, c'était une personne complètement différente : elle nous parlait d'une façon très aimable, se plaignant sans arrêt de sa ménopause, de ses sautes d'humeur et de ses « bouffées de chaleur ». Ses sautes d'humeur avaient tendance à se produire soudainement : quelquefois au beau milieu de l'interrogatoire d'un témoin. Quand cela arrivait, le procès n'avait plus aucune ressemblance avec une audience judiciaire : elle était incapable d'écouter les réponses à ses questions, elle interrompait le témoin au beau milieu d'une phrase et elle intervenait par ses questions quand l'avocat de la défense interrogeait un témoin. Son manque de connaissances juridiques, cependant, lui donnait un avantage : elle n'était jamais gênée par les règles de la procédure, simplement parce qu'elle les ignorait.

Ainsi donc, les augures n'étaient pas favorables : nous avions un juge irascible et autocratique, une femme procureur hystérique, et, pour mère de la victime, une femme pleine de ressentiment ; enfin, le « procureur du peuple », autre participant au procès, était une enseignante de l'école où Marina, Sacha et Alik avaient étudié pendant sept ans.

Cette enseignante venait au procès convaincue d'une chose : « Ils sont coupables. S'ils ont avoué, c'est qu'ils sont coupables. » Rien ne pouvait ébranler cette conviction passionnée. L'aide qu'elle apportait au procureur était véritablement inestimable. Chaque jour, pendant les suspensions de séance, elle nous avait à l'œil, nous les avocats de la défense. Elle essayait d'entendre tout ce que nous nous disions et veillait non seulement à ce que les témoins ne nous parlassent point, mais même à ce qu'ils ne regardassent point dans notre direction. C'est dans cette atmosphère de suspicion, d'espionnage et de malveillance déclarée que nous fûmes obligés de travailler pendant ces six longues semaines que dura le procès au tribunal de la province de Moscou.

Ce premier jour, les accusés ne furent pas interrogés. On lut l'acte d'accusation, puis la cour discuta de diverses requêtes relatives à l'appel de témoins supplémentaires et à d'autres questions de pure procédure.

La séance fut levée plus tôt que d'habitude : autour de cinq heures. Le lendemain matin, on devait commencer l'audition de Sacha. Je demandai à la cour l'autorisation de lui parler. Je voulais lui remonter un peu le moral et discuter avec lui de divers points de tactique. Comme je l'ai déjà dit, l'autorisation de parler à nos clients en présence de gardiens est considérée comme une simple formalité. C'est une loi que les autorités ne transgressent pas.

« Camarade avocate, vous ne pourrez parler à votre client qu'en prison, et seulement après l'interrogatoire du ministère public. Je n'autoriserai aucun entretien auparavant. Cela s'applique aussi à l'avocat Ioudovitch. Compris ? C'est tout. La séance est... »

Il était sur le point de lever la séance et de nous priver, Lev et moi, de l'occasion de déposer une objection officielle. Je l'interrompis en avançant un argument solide à l'appui de ma demande d'entretien avec mon client, citant les articles du Code qui m'en donnaient le droit. Il me fallait aussi m'assurer que le greffier enregistrait mon objection au procès-verbal. Cela en prévision d'un futur procès dans une instance supérieure. Si Kirilov allait convaincre les deux garçons de culpabilité, et si nous devions nous pourvoir en appel contre la condamnation, alors le rejet de ma requête par Kirilov serait considéré comme une sérieuse violation du Code de procédure. Cela, en liaison avec les autres infractions, et avec le caractère douteux de l'ensemble du dossier, pouvait bien conduire à casser le jugement.

Kirilov m'écouta calmement, avec un sourire mollement condescendant.

« Est-ce tout, camarade avocate ? En avez-vous terminé ? »

S'adressant à Ioudovitch, qui s'était également levé, il poursuivit : « Naturellement, vous vous associez à l'objection de votre collègue ? Cela vous convient-il si nous nous inscrivons au procès-verbal comme déposant une requête similaire ? »

De nouveau, Kirilov fut interrompu. Cette fois-ci, c'était Sacha. Il s'était levé aussi et demandait la permission de s'adresser à la cour.

« Eh bien, qu'avez-vous à dire ? Votre avocat a déjà parlé en votre nom.

— Je veux dire, articula Sacha, que je renonce à avoir un entretien avec mon avocat jusqu'à ce que vous le suggériez vous-même. Je ne veux pas que vous pensiez que je me laisse influencer. »

Suivit une pause — une longue pause — pendant laquelle le président regarda Sacha droit dans les yeux. J'eus l'impression que, cette fois, il n'y avait aucune menace dans son regard, mais un intérêt vif et authentique. Je pensai : « Bien joué, Sacha ! » Il avait parlé avec courage et dignité.

Tout de même, il était essentiel que nous nous voyions, et je devais m'assurer d'une manière ou d'une autre que nous le pourrions. En même temps, il me fallait observer le greffier pour vérifier qu'il enregistrait bien la déclaration de Sacha ; c'était très important, car, en cour d'appel, l'avocat ne peut citer que le texte effectif du jugement.

Combien de secondes, combien de minutes dura cette pause ? Elle me sembla très longue. Kirilov regardait silencieusement Sacha, qui ne baissait pas la tête, mais continuait de regarder Kirilov droit dans les yeux.

« Très bien, Kabanov, j'accepte. Je vous dirai quand vous pourrez parler à votre avocat. Nous avons terminé notre travail pour aujourd'hui. Demain, nous commencerons par votre interrogatoire. Réfléchissez-y. Et laissez-moi vous le rappeler encore : dites-nous la vérité. »

Lev et moi-même restâmes dans la salle vide du tribunal, profondément déprimés par l'allure que prenaient les choses, par la grossièreté du juge, par les insultes que nous avait hurlées la mère de Marina, et surtout par le mépris de la loi dont la cour avait fait preuve. Comment allionsnous faire notre travail si nos clients étaient totalement isolés de nous ? Tous les prévenus, même les adultes mûrs et instruits, attendent avec impatience leurs entrevues avec leurs avocats au bout d'une journée de séance, fût-ce pour demander : « Eh bien, comment cela va-t-il, quelle est votre opinion ? Ai-je eu raison de dire... ? » Etc.

Nous rédigeâmes ensemble les protestations écrites que nous nous proposions de présenter à la cour. Nous étions absolument d'accord sur la nécessité de mettre noir sur blanc chaque violation du Code de procédure commise par la cour, chaque manifestation de grossièreté évidente dont le juge faisait preuve à l'égard des deux prévenus ainsi qu'à notre égard, nous leurs avocats. Nous étions d'accord, toutefois, pour tolérer tout ce qui pourrait être dit par Kostopravkina, la mère de Marina, une femme aveuglée par un terrible chagrin. Par respect pour sa souffrance, nous étions prêts à pardonner sa violence. Mais quand nous prîmes cette décision, nous n'avions aucune idée, en fait, de ce que nous serions obligés d'entendre sans protester.

Au cours de ce premier procès, la haine de Kostopravkina était essentiellement dirigée contre mon collègue, de sorte qu'il était beaucoup plus difficile pour lui de respecter notre accord. Et cela d'autant plus que le juge ne réprimandait jamais Kostopravkina. Non seulement il s'abstenait de refréner ses éclats grossiers, mais il prenait même un plaisir évident à observer Kostopravkina, debout devant les magistrats, les bras écartés, les poings sur les hanches, sans aucun doute la posture qu'elle avait coutume d'adopter quand elle se querellait avec ses voisines. C'était une femme forte et solidement bâtie, d'aspect encore jeune, le regard brillant de colère sous son fichu noir de deuil. D'une voix forte, presque en criant, elle avait l'habitude de dire à la cour:

«Je refuse de répondre à cet avocat rétribué. Ma fille a été tuée, mais il gagne de l'argent pour ce qu'il est en train de faire, et il mange du cochon...»

«Pourquoi du cochon?» demandai-je à Lev.

Il haussa les épaules de stupéfaction. C'est seulement plus tard que nous découvrîmes que Kostopravkina et Brodskaïa avaient toutes deux concocté une déclaration qu'elles avaient envoyée à divers fonctionnaires du parti et du gouvernement et dans laquelle elles se plaignaient du fait que les parents d'Alik avaient tué leur cochon et ne cessaient d'approvisionner Ioudovitch en viande de porc.

Elle finit par répondre à mes questions. Debout et détournant la tête de ma direction, les lèvres pincées, elle demandait invariablement au juge: «Suis-je obligée de lui répondre?»

«Oui, vous devez» répondait Kirilov, encore qu'avec une nuance de sympathie et de regret dans la voix.

Il en fut ainsi pendant tout le procès. Lev et moi finîmes par réaliser que notre décision de la tolérer sans réagir avait été une erreur, que nous avions seulement surestimé notre capacité de résistance et que Kostopravkina interprétait notre silence comme un signe de faiblesse, comme une autorisation de poursuivre dans cette voie.

Pendant ce temps, au fil des jours, Sacha et Alik avaient été interrogés. La cour avait été informée des conditions dans lesquelles ils avaient été détenus, ainsi que des méthodes employées par Ioussov pour tromper et persuader. Sacha avait décrit comment, ayant déjà passé aux aveux, il avait montré à l'enquêteur une scène du crime qui était totalement différente de celle montrée par Alik. La cour avait déjà décidé d'appeler les témoins officiels de la reconstitution, d'obtenir une déclaration des policiers chargés des cellules de préventive pour savoir qui d'autre avait été placé dans les cellules des garçons, enfin de se procurer des renseignements sur le temps qu'il avait fait les deux ou trois jours ayant précédé la mort de Marina. En dépit des objections soulevées par le procureur, toutes ces requêtes nous avaient été accordées.

Maintenant, Kirilov commençait à écouter le témoignage de Sacha avec plus de calme et même, du moins le pensions-nous, avec intérêt. Parmi les questions qu'il posait, beaucoup étaient raisonnables et même nécessaires. Il était clair que lui aussi, et pas seulement nous, avait étudié ses dossiers le soir à la maison.

L'audition des témoins était sur le point de commencer quand, soudain, Kirilov annonça une suspension de vingt-quatre heures et, se tournant vers Sacha, lui dit :

« Kabanov, je vais tenir ma parole. Je propose que vous ayez maintenant une entrevue avec votre avocat. Camarades avocats, je vais vous donner aujourd'hui l'autorisation de voir vos clients. Toute la journée de demain est à votre disposition. »

Comme cela semblait de bon augure sur le moment ! Mais beaucoup plus souvent, au cours des six semaines d'audience qui suivirent, nous fûmes saisis par le désespoir quand il semblait que notre cause était désespérée et que la cour, de toute évidence, n'écoutait qu'une seule partie de l'argumentation, celle de l'accusation.

Le jour de vacance de la cour, je passai la matinée au tribunal, ayant décidé d'aller l'après-midi à la prison. En sortant du Palais de justice, je rencontrai Ioudovitch, qui se rendait justement lui aussi à la prison. Je montai dans la voiture de Lev, et nous partîmes ensemble. En nous éloignant, nous aperçûmes Volochina, la femme procureur, qui nous regardait avec une grande dureté.

Le lendemain matin, je fumais une cigarette sur le palier quand j'entendis la forte voix de notre procureur qui disait :

« Eh bien, nous allons vraiment le leur donner aujourd'hui ! Ce sera un charmant petit cadeau pour eux. »

Quelques secondes plus tard, j'aperçus Volochina et Kostopravkina qui grimpaient les escaliers.

« Bonjour, camarade avocate, comment ça a été, hier, avec vos clients ? »

Kostopravkina passa à ma hauteur sans détourner la tête dans ma direction ni dire bonjour.

Qu'est-ce que pouvait être ce « petit cadeau » dont elles avaient parlé ? Quelle surprise nous attendait ?

Je n'eus pas le temps d'en parler à Lev, car il arriva précisément à l'ouverture de la séance.

Les membres de la cour avaient pris place, la séance avait été déclarée ouverte, nous étions tous assis, excepté Volochina, qui était restée debout :

« Je désire communiquer à la cour un document important, et je demande qu'il soit versé au dossier », dit-elle en remettant au juge un petit bout de papier grisâtre.

L'ayant lu, Kirilov le tendit en silence à l'un des assesseurs, qui le lut

117

à son tour et dodelina de la tête d'un air entendu; il le passa ensuite à l'autre assesseur, qui eut la même réaction. C'était maintenant le tour du «procureur du peuple». Elle le prit en main et, sans même le regarder, dit: «S'il vous plaît, versez-le au dossier.»

Qu'est-ce que cela pouvait bien être? Une attestation de la police, certifiant qu'aucune autre personne n'avait été gardée dans les cellules de préventive avec les garçons? Cela eût été un sale coup. La pensée m'en traversa l'esprit au moment même où le juge prononçait les mots rituels: «Camarades avocats, vous pouvez prendre connaissance de ce document.»

Le morceau de papier était entre nos mains. C'était un certificat, timbré du sceau officiel de l'Institution pénale n° 1, la prison où étaient détenus les garçons durant le procès. Il était ainsi rédigé:

«A la requête du ministère public de la province de Moscou, il est confirmé que, conformément au registre, en date du 24 février de cette année, l'avocat Ioudovitch a été admis à un entretien avec son client Bourov (heure d'arrivée: 15 h 35; heure de départ: 18 h 20) et que l'avocate Kaminskaya a été admise à un entretien avec son client Kabanov (heure d'arrivée: 15 h 35; heure de départ: 19 h 50). Autorisation de visite accordée par le tribunal de la province de Moscou.»

Nous n'eûmes pas le temps de la réflexion. Ce n'était d'ailleurs pas nécessaire. L'illégalité et le manque d'à-propos de cette démarche étaient évidents. En allant ensemble à la prison, nous n'avions violé aucune loi, aucun règlement, aucune règle de la morale professionnelle. Son manque d'à-propos résidait dans le fait que son contenu n'avait rien à voir avec le procès des deux garçons.

Je regardai Lev. Comme je m'y attendais, son visage était pâle et ses narines palpitantes. Il était sur le point de plonger dans la mêlée. Je décidai que ce serait moi qui répondrais.

Je me demande parfois à quoi mon visage ressemble quand je suis vraiment en colère, quand mon sentiment dominant est l'indignation. Personne ne me l'a jamais dit. Mon impression personnelle, c'est que mon visage ne change pas; je sais, par exemple, que je ne pâlis ni ne rougis jamais. Je ressens simplement un léger durcissement dans les mâchoires, et je parle un peu plus lentement que d'habitude, martelant chaque mot avec précision. A ce moment précis, il était très important pour moi de ne pas perdre mon contrôle. Je ne devais pas «laisser courir», car en fait la démarche du procureur n'était pas innocente, comme elle aurait pu le paraître au premier abord. Elle ne contenait aucune menace personnelle, ni pour Lev ni pour moi, mais c'était un «coup à retardement», visant une éventuelle occasion future, quand le verdict serait susceptible d'être cassé et que l'affaire pourrait faire l'objet d'un complément d'enquête. Alors, si le certificat était dans le dossier, l'enquêteur pourrait m'appeler ou appeler Ioudovitch en vue d'un interrogatoire, simplement dans le but de confirmer si l'information était matériellement correcte. Et cela pourrait être un prétexte pour nous éliminer du procès, car le témoin d'un procès ne peut paraître comme avocat dans ce même procès.

C'est pourquoi je me levai et fis face à la cour pour demander — très calmement, pensais-je, et en parlant très distinctement — que le procureur de l'État veuille bien spécifier à quel point de l'acte d'accusation de Bourov et de Kabanov ce certificat devait être rattaché. Même maintenant je puis me rappeler l'expression de Kirilov à ce moment-là, ainsi que son attitude, la tête rejetée contre le haut dossier de sa chaise. Il était visiblement dans l'expectative, et je me souviens même de la courte pause qui suivit ma question. Il s'attendait évidemment à ce que j'explose en une tirade furieuse. C'était effectivement ce que je voulais faire, mais je me contins et attendis tandis qu'il se tournait vers Volochina et disait :

« La question de l'avocate est justifiée. Vous n'avez présenté à la cour aucun motif à votre demande. Quels faits, dans le procès de Bourov et de Kabanov, seraient, selon vous, confirmés par le versement au dossier de ce document ? »

Je ne m'assis point, mais demandai l'autorisation de poursuivre.

Je demandai aussi que le procureur de l'État voulût bien spécifier sur quelles bases statutaires il s'était livré à des enquêtes indépendantes, tandis que l'affaire était déjà *sub judice*. J'avais toutes raisons de croire que ces enquêtes n'avaient pas été sanctionnées par la cour, qui avait, de sa propre initiative, proposé que nous visitions nos clients le même jour. Si je me trompais dans mes hypothèses, je souhaitais que l'on me montrât le texte de la demande du procureur ainsi que les directives de la cour y relatives. De nouveau adossé sur sa chaise, Kirilov me regarda et je le regardai. Il y eut de nouveau un court moment de silence mortel dans la salle, puis le juge prononça :

« Vous ne vous étiez pas trompée, camarade avocate, la cour n'était pas au courant de cette démarche. »

Se tournant vers Volochina, il dit, avec une voix changée qui trahissait une certaine exaspération :

« Insistez-vous, camarade procureur ? Fournirez-vous des motifs à votre démarche ?

— Oui, je demande que la cour discute ma requête. Je considère que c'est justifié. Je n'ai rien d'autre à ajouter. »

Suivit l'habituel échange de signes de tête avec les assesseurs.

« S'il vous plaît, versez la pièce au dossier » dit Kirilov au greffier.

« Après consultation *in situ*, la cour a décidé ce qui suit : la requête du procureur est rejetée. Le document est retourné comme étranger à l'affaire. »

Lev se leva et protesta de toute la force de son tempérament belliqueux. Il demanda à la cour de signifier au procureur que son action avait été inadmissible et illégale. Il dit aussi que, tout au long du procès, nous avions fait preuve d'une grande tolérance en ne réagissant pas aux insultes qui nous étaient directement adressées par Kostopravkina, et que nous avions agi ainsi par sympathie pour son chagrin et sa détresse. Que nous nous attendions à ce que, de lui-même, le président expliquât à Kostopravkina que sa conduite était inadmissible, mais que notre attente avait été vaine. Qu'il devait maintenant faire en sorte que les débats retrouvent un niveau de comportement normal qui nous permettrait de faire correctement notre travail et nous mettrait à l'abri de nouvelles insultes.

Hochements de tête à gauche et à droite, puis Kirilov dit :

« Kostopravkina, la cour vous avertit. Vous devez vous conduire décemment durant le procès. Camarade procureur, la cour vous adresse un blâme à ce propos. »

A partir de ce moment, les scènes désagréables du début ne se reproduisirent plus.

Sur ces entrefaites, la cour tout entière, y compris les prévenus, leurs parents et Kostopravkina, s'était retirée dans une petite pièce aux volets clos pour écouter les enregistrements des dépositions des garçons et pour regarder les films des reconstitutions. Tout l'équipement était en place : projecteur de cinéma et magnétophone. Un écran était accroché au mur.

Les premières images apparurent, tremblotantes et accélérées comme celles d'un vieux film muet. Parmi un grand nombre de personnes, j'avais du mal à distinguer les silhouettes d'Alik et de Ioussov, qui se tenait presque en face de lui. On n'apercevait que des silhouettes humaines passant devant la caméra, mais tout était flou et indistinct.

Nous vîmes Ioussov s'arrêter, puis Alik s'arrêta immédiatement derrière lui et étendit le bras... et puis plus rien. Seuls la lumière blanche sur l'écran et le tic-tac du projecteur indiquaient qu'il restait encore quelque chose à venir.

Ce fut alors la rue du village avec des gens qui la descendaient, et Sacha au beau milieu, entouré de chiens. Il marchait la tête penchée, Ioussov à ses côtés. Ce dernier avait posé la main sur l'épaule de Sacha. Ils avaient maintenant atteint la maison des Bogatchev, tourné à gauche et... de nouveau plus rien que le bruit du projecteur et l'écran vide.

Le procureur expliqua que le film avait des défauts, qu'il avait été pris par un amateur. Nous allions voir à présent les séquences suivantes. Une foule de gens. Ioussov debout à côté de Sacha. Le bras tendu de Sacha. Que montrait-il ? Quel chemin avaient-ils suivi à partir de la maison des Bogatchev ? Il était rageant que ce fût justement cette section contestée de l'itinéraire qui ne fût pas montrée, gâtée par une prise de vues maladroite.

A l'évidence, ce film ne fournissait absolument rien, ni en faveur ni à l'encontre de la position du ministère public.

Même ainsi, le film avait un certain impact émotionnel. Pour la première fois je vis Alik et Sacha tels qu'ils avaient été au lendemain de leurs aveux, paradant dans la honte en face de tout le village: leurs voisins, leurs amis et leurs camarades d'école. Je constatai leur attitude de soumission et d'obéissance; d'une certaine manière, je devins encore plus vivement consciente de leur désarroi, et la pitié que j'éprouvais à leur égard en fut renforcée.

Immédiatement après le film, nous écoutâmes les enregistrements magnétiques. L'assistance était silencieuse. Les premiers mots, prononcés par Ioussov, étaient clairement audibles. Il s'agissait de la confrontation entre les deux garçons. Ioussov annonçait que les entretiens seraient enregistrés et que l'avocat Borissov serait présent. Je reconnus tout de suite la voix d'Alik. Il paraissait calme en donnant un compte rendu détaillé du jeu de volley-ball. Je l'entendis dire: «Sacha fut le premier à suggérer le viol de Marina, moi je ne voulais pas. Tous les trois, nous avons descendu la rue principale...» Puis la voix d'Alik devint plus assourdie, les mots devinrent moins distincts. Un certain bruit, distant d'abord, puis de plus en plus fort, rendait l'audition difficile. Bientôt, ce n'était plus seulement un bruit, c'était une musique. La belle mélodie de la *Polonaise* d'Oginski résonnait dans notre tribunal provisoire et, à travers elle, à peine audibles, venaient les terribles paroles qui m'avaient tant fait mal quand je les avais entendues pour la première fois:

«Tu étais le premier! Pourquoi as-tu dit de tels mensonges à mon propos? C'est toi qui as eu l'idée...»

De nouveau, la musique rendait impossible l'audition des paroles.

«Qu'est-ce qui se passe?»

C'était Kirilov qui posait la question au procureur:

«Qu'est-ce qui se passe, camarade procureur?

— C'est très simple. L'enquêteur a oublié de couper la radio. La musique jouait très doucement et ne gênait pas la conversation. Malheureusement, le micro était placé juste au-dessous du haut-parleur. Mais cela ne fait rien. Il existe un procès-verbal de l'entretien, écrit par Ioussov lui-même. Il correspond exactement à l'enregistrement magnétique.»

Il y avait effectivement un procès-verbal écrit; je l'avais lu en étudiant le dossier. Le témoignage des garçons y était retranscrit très exactement, avec un luxe de détails sur le viol. Il constatait comment ils avaient déshabillé Marina, comment ils avaient porté son corps et comment ils s'en étaient débarrassés. Tout cela était reproduit dans l'acte d'accusation comme une preuve irréfutable de la culpabilité des garçons. Mais rien de tout cela — aucun de ces détails — ne m'atteignit à travers les accents de la polonaise.

Au cours de la suspension de séance, Lev et moi décidâmes de demander l'autorisation de réécouter la bande, à n'importe quel moment qui conviendrait à la cour — pendant une séance du procès, ou après, ou de bonne heure le matin suivant. Il nous fallait réécouter cette bande, la transcrire et rétablir le sens de son contenu.

L'article du Code de procédure qui autorise l'enregistrement des interrogatoires stipule certaines conditions que l'enquêteur doit observer. La loi interdit formellement l'enregistrement partiel ou fragmentaire du témoignage; l'enregistrement doit le couvrir en entier, du début à la fin, depuis les mots d'introduction de l'enquêteur annonçant la date et le lieu de l'interrogatoire jusqu'aux derniers mots de la personne interrogée affirmant qu'elle n'a plus rien à ajouter.

La loi stipule aussi catégoriquement que l'enquêteur doit établir un procès-verbal écrit ordinaire, simultanément à l'enregistrement magnétique. Théoriquement, ce procès-verbal écrit est supposé correspondre exactement à la bande, mais tout le monde réalise que c'est pratiquement impossible. L'enquêteur est tout simplement incapable de transcrire le mot à mot de l'interrogatoire. Par conséquent, l'enregistrement magnétique est toujours plus complet que le rapport écrit et, en conséquence, plus long.

Nous voulions rétablir le texte complet de l'enregistrement magnétique afin d'entendre les moindres détails que les garçons avaient mentionnés lors de cette confrontation. Mais il y avait aussi une autre raison. Lev et moi-même avions eu l'impression que, si le procès-verbal écrit de Ioussov était lu à haute voix au même rythme que l'enregistrement magnétique, il serait plus long; par conséquent, il contenait du texte qui n'était pas sur l'enregistrement magnétique — des mots que les garçons n'avaient jamais prononcés du tout.

Nous n'avions aucun moyen de discuter de ces soupçons avec Alik et Sacha, car nous ne pouvions prédire quand Kirilov nous accorderait une nouvelle entrevue avec nos clients, si jamais il nous l'accordait. La meilleure solution que nous pouvions imaginer, c'était d'enregistrer la bande sur un autre magnétophone, puis de la déchiffrer par nous-mêmes sans retarder le procès.

Nous présentâmes une requête à cet effet dès la reprise de l'audience, mais, comme nous nous y attendions, elle fut rejetée.

Après l'échange habituel de hochements de tête entre les assesseurs et Kirilov, celui-ci ordonna au greffier d'enregistrer ce qui suit au procès-verbal: «La requête de la défense est rejetée sous le motif de l'évidente défectuosité de l'enregistrement magnétique.»

Se tournant vers nous, il ajouta:

«Je pense, camarades avocats, que le motif de cette décision vous satisfera.»

En parlant ainsi, Kirilov nous informait qu'il liait la cour à cette décision selon laquelle l'enregistrement magnétique était irrecevable ; selon laquelle il le rejetait comme preuve de la culpabilité des prévenus ; et que, en conséquence, la cour ne pourrait se référer à cet enregistrement en donnant son verdict. Cela ne nous satisfaisait point, cependant, car nous savions que, si la cour allait déclarer les garçons coupables, ce serait sur la base du procès-verbal écrit de cette confrontation, et la défense était désormais définitivement privée de toute possibilité de vérifier ou de contester ce document.

Les filles avec lesquelles Alik et Sacha avaient joué au volley-ball le fameux soir furent ensuite interrogées. Elles affirmèrent toutes que les garçons n'avaient pas été absents plus de quinze minutes entre la fin du jeu et leur rencontre suivante à la maison des Akatov, et qu'elles n'avaient acquiescé à une durée plus longue de leur absence que parce que Ioussov avait insisté là-dessus au cours de l'enquête. Elles furent interrogées et intimidées en plein tribunal d'une manière grossièrement partiale, non seulement par le juge et par le procureur, mais aussi par le « procureur du peuple », leur propre maîtresse d'école.

La défense déposait objection sur objection, se plaignant des méthodes utilisées qui visaient à influencer des témoins mineurs, et des carences dont la cour faisait preuve pour mettre un terme à ces procédés illégaux. De plus en plus fréquemment, Kirilov nous interrompait en disant : « Votre objection sera enregistrée au procès-verbal. Camarade procureur du peuple, vous pouvez poursuivre. »

Il était maintenant évident pour tout le monde que les « aveux » des garçons dominaient ce procès, et que la formule « une fois qu'il a avoué, il est coupable » continuait d'agir comme un ciment qui maintenait toute la structure de culpabilité du dossier de l'accusation.

Quand Berta Brodskaïa fut appelée, elle pénétra dans la salle d'audience avec calme et assurance, et elle répondit aux questions de la cour avec autant de fermeté que de placidité.

« Oui, je sais qu'ils ont tué Marina (elle ne mentionnait jamais les garçons par leur nom ni par leur prénom, bien qu'elle les eût connus tous deux depuis leur naissance). Marina était une fille remarquable. Elle était de la pâte dont sont faits les héros. Et ils l'ont torturée comme des fascistes. Ils n'ont pas seulement privé une mère de sa fille bien-aimée. Ils ont privé le peuple soviétique tout entier d'une personne merveilleuse, dont il eût été fier à juste titre. Quoi qu'ait pu faire Marina si elle avait vécu, elle eût été l'une des meilleures, l'une des premières. Sa mort est une perte pour nous tous. Et au nom de nous tous, j'exige que cette cour — une cour choisie par le peuple — soit impitoyable pour ces meurtriers. Ils n'ont aucun droit à marcher sur cette Terre. »

Cette diatribe suscita des applaudissements de la part du « procureur du peuple » et de Kostopravkina. Les applaudissements ne sont pas autorisés au tribunal durant les débats, mais personne n'intervint. Ni le juge ni le procureur n'avaient de questions à poser à Brodskaïa.

C'était maintenant à nous de lui faire subir un contre-interrogatoire.

« Je suis venue ici pour faire une déclaration à la cour. Je ne désire parler à personne d'autre ici », dit Berta Brodskaïa avec calme et confiance, une expression de triomphe sur le visage.

« Camarade président ! Vous avez averti le témoin en ce qui concerne l'obligation qu'elle a de dire la vérité, mais vous avez apparemment omis de lui rappeler une autre obligation, celle de répondre aux questions. Je demande que vous expliquiez cela au témoin Brodskaïa ; que vous l'avertissiez qu'un refus de sa part peut la faire accuser d'outrage à magistrat et que, si elle persiste à refuser de répondre, elle doit signer une attestation de refus qui sera enregistrée. »

Kirilov avertit immédiatement le témoin d'avoir à écouter les questions et à y répondre.

Après chaque question, Brodskaïa demandait au juge si elle était obligée de répondre, et chaque fois Kirilov aboyait : « Répondez ! » La cour ne put écarter une seule de nos questions. Avec une exactitude pédante, nous ne posions que des questions en relation directe avec les différents chefs d'accusation.

« Témoin Brodskaïa, avez-vous vu vous-même ce que faisaient Bourov et Kabanov le 17 juin entre 22 et 23 heures ? »

« Étiez-vous dans la maison des Akatov le soir du 17 juin ? »

« Avez-vous vu vous-même Bourov et Kabanov arriver dans la cour des Akatov ? »

« Pouvez-vous décrire ce que portaient Bourov et Kabanov ce soir-là ? »

A chaque question, elle était forcée de répondre : « Non, je ne les ai pas vus... Non, je n'y étais pas... Non, je ne les ai pas entendus... »

Et cela continua ainsi à travers tous les points de l'acte d'accusation ; à la fin, Berta Brodskaïa, furieuse et indignée, cria presque au juge :

« Non, je n'ai rien vu ! Je suis venue ici pour donner mon opinion à la cour, l'opinion d'une vieille communiste. »

Brodskaïa ne savait pas, naturellement, que la loi interdit formellement à un tribunal d'admettre une *opinion* comme preuve. A partir de ce moment-là, quel que soit le verdict et quels que soient les motifs sur lesquels il est fondé, le nom de Brodskaïa ne peut y figurer. Kirilov était assez intelligent pour ne pas admettre une « preuve » aussi évidemment hors de propos.

L'interrogatoire de Martchenkova se déroula d'une manière toute différente. Toute son apparence semblait dire : « Que me voulez-vous ? Ne voyez-vous pas que je suis une vieille femme malade et effrayée ? »

Ses vêtements, sa démarche et sa voix à peine perceptible souli-gnaient combien elle était âgée et faible, tandis que ses mains, qui se-couaient nerveusement la canne sur laquelle elle s'appuyait, savaient sus-citer la pitié.

Quand la cour lui posa sa première question, Martchenkova ne donna aucune réponse. Quand la question fut répétée, elle repoussa lentement son chaud fichu de laine, plaça sa main en porte-voix derrière son oreille gauche et dit:

«Veuillez parler très fort, s'il vous plaît. J'y entends à peine.»

Je saisis au vol un rapide échange de coups d'œil entre le juge et Volochina, le procureur, après quoi cette dernière lança un regard interro-gateur à Kostopravkina, qui haussa les épaules.

Cette petite scène était également inattendue pour Lev et pour moi-même. Comment se faisait-il que ni Alik, ni Sacha, ni leurs parents ne nous eussent jamais signalé que Martchenkova était sourde comme un pot? Après tout, elle était le témoin vedette de l'accusation. Et la preuve résidait dans ce qu'elle avait entendu. L'histoire qui avait servi de motif pour l'arrestation et la mise en accusation des deux garçons reposait sur une seule chose: sur le fait qu'elle avait *entendu* une voix à travers la fenêtre à demi ouverte de sa pièce du deuxième étage et reconnu cette voix comme étant celle de Marina. Bien plus, elle prétendait avoir entendu non seulement la voix, mais aussi les mots prononcés: «Alik, enlève tes mains de moi! Sacha, tu devrais avoir honte de toi...» Le tout suivi de rires. Pourtant, ici, elle se tenait tout contre le bureau du juge, le touchant presque, se penchant en avant et marmottant: «S'il vous plaît, répétez. Je ne puis vous entendre.»

«Y a-t-il longtemps que vous êtes sourde? demanda Kirilov avec quelque perplexité.

— Oui, il y a très longtemps. J'y entends à peine. Et je ne peux rien voir du tout.

— Elle est en train de simuler! Elle n'est pas aussi sourde que ça» siffla Kostopravkina assez fort à l'intention du procureur.

Martchenkova ne manifesta aucune réaction à cette remarque, mais ses yeux brillèrent de malveillance derrière les lentilles épaisses de ses lunettes. En fait, elle donnait l'impression de jouer la comédie. C'est pour-quoi nous commençâmes son interrogatoire avec beaucoup de précaution.

«Où recevez-vous des soins? Combien de temps avez-vous été sous traitement? Avec quels médecins?»

Nous avons senti tout de suite que nous étions sur la bonne piste. Quand elle était questionnée sur ses infirmités, elle répondait volontiers, faisant preuve d'une connaissance impressionnante des termes médicaux spécialisés. Elle ajouta aussi quelques détails à son témoignage antérieur:

«Je me rappelle cette journée parce que je ne travaillais pas au sanatorium. J'avais congé, et j'ai fait quelques travaux ménagers. J'ai reconnu la voix de Marina, mais je n'ai fait aucune attention à la conversation sur le moment. Je pensais qu'il s'agissait seulement de gosses qui passaient en chahutant. Je ne m'en suis souvenue que beaucoup plus tard, longtemps après la mort de Marina. C'est pourquoi je me suis lamentée et j'ai pleuré sur sa tombe — parce que j'avais entendu toutes ces paroles et que, si j'étais intervenue, rien ne serait arrivé. »

Dès que son interrogatoire fut terminé, nous soumîmes une requête pour obtenir du sanatorium où elle travaillait un emploi du temps concernant le mois de juin et indiquant ses jours de travail et ses jours de repos. Le 17 juin n'avait pas été un dimanche ; par conséquent, si en fait elle avait travaillé ce jour-là, son histoire de conversation entendue pourrait se rapporter à un autre jour et n'avoir rien à voir avec les événements qui entouraient la mort de Marina. Nous demandâmes aussi que la cour obtienne de la clinique où elle était soignée comme patiente externe un historique médical de l'état de Martchenkova. Cette demande était particulièrement importante ; une fois en possession des documents médicaux, nous pourrions les soumettre à un expert médico-légal pour qu'il dise si oui ou non Martchenkova était capable d'entendre, de sa chambre, une conversation qui avait lieu dans la rue.

Le procureur s'en remit simplement « à la décision de la cour ».

Après l'échange obligatoire de hochements de tête, Kirilov annonça : « La cour décide de laisser la demande en suspens. Elle décidera de la nécessité d'obtenir les documents demandés une fois que tous les témoins auront été interrogés. »

Cette sorte de décisions, les avocats l'entendent souvent au tribunal ; dans la grande majorité des cas, il s'agit d'une forme de refus camouflée. Des décisions semblables avaient déjà été prises au cours du procès.

En fait, plusieurs de nos demandes qui avaient pourtant été accordées par la cour ne furent jamais satisfaites. Nous ne reçûmes jamais, par exemple, des postes de police de Zvenigorod et de Golotsyno, les certificats demandés concernant les conditions de détention des garçons dans les cellules de préventive, bien que la cour nous eût assuré à plusieurs reprises avoir fait tout son possible pour les obtenir. Mais les promesses ne se matérialisèrent jamais.

En revanche, la cour reçut les rapports officiels relatifs aux conditions météorologiques. Il avait plu effectivement, non seulement le 16 juin, mais aussi les trois jours précédents, et plusieurs témoins — les sœurs Akatov et leur mère — avaient confirmé que les vêtements et les chaussures des garçons avaient été secs et propres.

L'audition des témoins supplémentaires requis par la défense — les « témoins officiels » qui avaient accompagné Ioussov et les garçons aux reconstitutions — était fixée aux 25 et 26 mars.

Le premier était un ouvrier d'une petite usine du village voisin de Bakovka. Il n'avait jamais vu Alik, ni pris part à la reconstitution d'Alik. Il avait vu Sacha pour la première fois le 10 septembre 1966, quand l'enquêteur Ioussov l'avait invité à l'accompagner, ainsi que Sacha Kabanov, au village d'Izmalkovo. Ni la cour ni la défense n'avaient de raisons de douter de la sincérité et de l'objectivité du témoin et, puisque le ministère public n'avait pas de questions à lui poser, la cour me donna le droit de procéder au premier interrogatoire.

Je lui demandai si ses droits et devoirs lui avaient été expliqués avant qu'il n'entreprît d'aider l'enquête comme « témoin officiel ».

« Oui. L'enquêteur Ioussov m'a expliqué que je devais rester tout le temps à côté de Sacha, observer soigneusement quand il montrait le chemin, me rappeler l'itinéraire qu'il avait suivi et, surtout, me souvenir du lieu que Kabanov indiquerait comme étant l'endroit où le viol avait été commis. Je devais me souvenir aussi du lieu d'où le corps avait été jeté dans l'eau.

— Pourriez-vous maintenant retracer l'itinéraire et indiquer sur cette carte agrandie les lieux montrés par Kabanov ?

— Naturellement, je le pourrais. Je me rappelle tout très bien. »

Quand le témoin commença à parler, j'écoutai calmement : le terrain de volley-ball... le point d'eau où ils s'étaient lavé les mains... la rue principale... la maison des Akatov... le sanatorium... Peu à peu, je devenais nerveuse, puis la peur commença à m'étreindre. Le destin de Sacha et d'Alik pouvait dépendre de ce que le témoin allait dire ensuite. Car la prétendue concordance de leurs témoignages sur les lieux du crime était l'une des preuves essentielles de leur culpabilité pour le ministère public. Je croyais ce que m'avait dit Sacha. Je n'avais aucune raison de douter que ce témoin dirait la vérité, mais pourtant je me sentais nerveuse comme si mon propre destin était sur le point d'être décidé.

« Je me rappelle, poursuivit le témoin, que nous nous sommes arrêtés à la dernière maison de la rue, sur la gauche. Nous avons noté le nom des occupants. Immédiatement après la maison, nous avons tourné à gauche et pris un sentier étroit qui traverse le verger. Nous marchâmes quelque temps, puis Sacha s'arrêta et dit : « Ici », en montrant un pommier. Je me rappelle très bien qu'il s'agissait du deuxième pommier à partir du fond. »

Sa réponse ne contenait qu'une allusion, quatre mots qui suggéraient que j'étais sur la bonne voie — les mots « nous marchâmes quelque temps ». Le pommier qu'Alik avait désigné se trouvait tout au début du sentier, juste après qu'on avait tourné à gauche en venant de la rue principale.

« Pourriez-vous trouver ce pommier sur la carte ?

— Naturellement. Le croquis a été tracé en ma présence. Je me rappelle très bien. »

Le témoin s'approcha de la table du greffier, sur laquelle se trouvait la carte, et indiqua sans hésitation : « Le voici. »

Que montrait-il ? De la place où j'étais assise, je ne pouvais pas voir. Je demandai à la cour l'autorisation de m'approcher du bureau.

« Il n'y a aucune nécessité pour vous de le faire, camarade avocate. Camarade secrétaire, veuillez consigner ce qui suit : "La cour certifie que le témoin a montré le deuxième pommier à partir de l'extrémité du verger la plus éloignée du village et la plus proche du ravin et de la clôture séparant le verger de la propriété de Rouslanova." Avez-vous écrit cela ? »

Satisfaite de cet enregistrement, je poursuivis mon interrogatoire.

« Le temps nécessaire pour parcourir cette distance a-t-il été mesuré au moyen d'un chronomètre, et le résultat a-t-il été noté ?

— Non, il ne l'a pas été.

— Avez-vous mesuré la distance jusqu'au verger et la distance que vous avez parcourue sur le sentier à l'intérieur du verger ?

— Tandis que nous roulions vers Izmalkovo, Ioussov a dit que nous mesurerions seulement la distance le long du chemin du verger. Mais quand nous quittâmes la rue pour tourner dans le sentier, il se révéla que personne n'avait apporté de chaîne d'arpenteur. Ioussov suggéra que je compte le nombre de mes pas. C'est ce que je fis depuis l'entrée du chemin jusqu'au point où Kabanov s'arrêta et montra le pommier. J'inscrivis alors le chiffre sur un morceau de papier.

— Avez-vous conservé ce morceau de papier ?

— Non, je l'ai aussitôt remis à Ioussov.

— Comment expliquez-vous le fait que, dans le procès-verbal écrit de cette reconstitution, vous n'ayez pas inclus cette mesure ? Vous avez signé le procès-verbal, n'est-ce pas ?

— J'ai suggéré à Ioussov de mentionner le chiffre dans le procès-verbal, mais il a dit qu'il suffisait de déclarer « le deuxième pommier à partir de l'extrémité du verger ». J'ai sincèrement pensé que c'était suffisant, et je me suis donc déclaré d'accord pour signer le procès-verbal. »

Je n'avais plus de questions à poser ; Ioudovitch et le procureur n'en avaient pas non plus.

Le second « témoin officiel » était aussi un ouvrier de Bakovka. Je lui posai les mêmes questions, mais cette fois-ci j'étais moins nerveuse en attendant ses réponses, étant maintenant certaine qu'elles seraient non seulement favorables, mais aussi très importantes.

Les dépositions des deux témoins coïncidaient exactement. Une fois encore, le greffier inscrivit au procès-verbal : « Kabanov montra le deuxième pommier à partir de l'extrémité du verger bordant le ravin et la propriété de Rouslanova. »

Je n'avais plus de questions, mais Volochina, le procureur, demanda l'autorisation de procéder à un contre-interrogatoire.

« Dites-moi, témoin, avez-vous jamais rencontré les parents des prévenus avant d'entrer dans ce tribunal ?

— Non, je ne les ai jamais rencontrés.

— Personne ne vous a demandé de fournir précisément le témoignage que vous venez de donner ?

— Non. L'assignation m'a été apportée hier chez moi, et j'ai simplement pris le train ce matin pour venir à Moscou. Personne ne m'a parlé.

— Et personne n'a tenté de vous influencer ici, au tribunal, avant l'ouverture de la séance ?

— Bien sûr que non ! Je vous ai déjà dit que je ne connais absolument personne ici. Je n'ai jamais vu aucun d'entre eux auparavant.

— Avez-vous dit la vérité, témoin ? Vous savez, n'est-ce pas, qu'un faux serment peut être puni de cinq années de prison ? Est-ce que vous réalisez cela ?

— La cour m'a averti que je devais dire la vérité. Même sans cet avertissement, j'aurais fait de même. Parce que c'est ce qui s'est réellement passé. »

Kirilov semblait n'écouter ni les questions ni les réponses, tandis que nos deux assesseurs profanes ne s'étaient pas départis de leur expression d'ennui. Je ne puis même pas me souvenir si c'étaient des hommes ou des femmes, s'ils étaient jeunes ou vieux. Au cours de ces six semaines de débats, je n'ai pas entendu une seule fois le son de leur voix. Même dans une affaire aussi sérieuse que celle-ci, rien n'était capable d'éveiller leur intérêt. Tout ce qu'ils savaient faire, c'était de hocher la tête pour montrer qu'ils étaient d'accord avec l'opinion de Kirilov.

« Dites-moi, témoin, est-ce que Ioussov a forcé Kabanov à décrire le meurtre en votre présence ? poursuivit le procureur.

— Non, il ne l'a pas forcé.

— En d'autres termes, Kabanov a fait sa description volontairement ?

— Ioussov ne l'a pas contraint.

— A-t-il indiqué le chemin volontairement ?

— Ioussov a dit : "Parcourez le même chemin que le 17 juin" ; et, partant du terrain de volley-ball, il a descendu la rue principale.

— Tout le monde nous a déjà dit que Kabanov était calme en décrivant le viol et le meurtre. Dites-moi, témoin, confirmeriez-vous ce témoignage ? »

Il n'est pas permis de poser les questions sous cette forme. On ne peut indiquer à un témoin quels témoignages ont été fournis avant le sien. Mais la cour ne fit aucune observation au procureur.

« Répondez, témoin.

— Il m'est difficile de dire si Kabanov était calme ou non. Il parlait calmement. Pourtant, je me rappelle avoir été intrigué parce qu'il paraissait moins calme qu'apathique, comme s'il décrivait quelque chose qui ne le concernait pas. Il ne réagissait à rien. Même quand la foule se rassembla et que les gens crièrent : " Sale brute ! Assassin ! ", il resta aussi apathique qu'auparavant.

Le procureur termina son interrogatoire. Les témoins étaient sur le point d'être remerciés, mais je décidai de poser quelques questions supplémentaires. Les dernières réponses de ce témoin m'avaient intéressée. « Où le procès-verbal de la reconstitution a-t-il été rédigé ?

— Tous les points ont été notés sur place. La version finale fut rédigée au poste de police de Bakovka.

— Qui, des participants, vous a accompagné dans le voyage de retour à Izmalkovo ?

— Dans la même voiture que moi se trouvaient Ioussov, Kabanov, un photographe et un second "témoin officiel", dont j'ignore le nom.

— Ioussov a-t-il posé des questions à Kabanov dans la voiture ?

— Non, Ioussov n'a rien dit. Il paraissait très fatigué.

— Et en ce qui concerne Kabanov ? A-t-il demandé quelque chose à Ioussov ?

— Il n'a posé aucune question ; il lui a simplement dit : " Je voudrais bien rentrer chez moi. "

— Ioussov a-t-il dit quelque chose en réponse ?

— Oui. Il a dit : "Attendez, pas si vite. "

— Est-ce que vous vous souvenez bien de cela ?

— Oui, très bien. La conversation m'a grandement intrigué. Je ne pouvais lui trouver aucune explication. »

Pour nous autres avocats, cette journée fut une journée de joie comme l'avait été le jour de l'interrogatoire de Martchenkova.

Il ne restait plus aucune preuve qui pût étayer, de quelque façon que ce fût, l'accusation du ministère public. Elle reposait toujours uniquement sur les aveux des garçons.

Le 29 mars, les divers experts donnèrent leurs réponses aux questions posées par la cour et par les deux parties : « Il est possible que le viol ait eu lieu... » ; « Il est possible que le corps ait dérivé dans l'eau... » ; « Il est possible que les contusions trouvées sur le cadavre aient été causées avant la mort... » ; etc.

En levant la séance de la journée, Kirilov annonça :

« La cour ne siégera pas pendant deux jours. La prochaine séance commencera à 9 h 30 le 1er avril. »

Puis, se tournant vers le procureur et les avocats de la défense, il dit :

« Préparez vos questions complémentaires et vos conclusions. Après cela, nous procéderons à l'audition du réquisitoire et des plaidoiries. Il ne sera pas accordé de temps supplémentaire pour leur préparation. »

Nous étions époustouflés. Etait-ce donc là la réponse à toutes nos demandes, celles que la cour avait laissées en suspens sans prendre de décisions ? Cela signifiait que, le 1ᵉʳ avril, Kirilov les rejetterait toutes en bloc. Le procès était un amas de brèches béantes, que la cour comblerait, comme d'habitude, par la formule : « Les prévenus ont admis leur culpabilité et la cour ne voit aucune raison de douter de la valeur de leur témoignage. »

Nous décidâmes de condenser toutes nos demandes en une seule demande facile à comprendre, et simultanément de déposer une requête pour que la cour fasse appel à une expertise médicale en ce qui concernait Martchenkova. Nous décidâmes de risquer cette demande, bien que nous n'eussions aucune connaissance préalable sur son cas. La raison en était qu'une demande d'expertise doit être discutée par la cour à huis clos et doit faire l'objet d'une réponse écrite indiquant les raisons précises de la décision de la cour. Puisque le greffier avait enregistré que Martchenkova ne pouvait entendre les questions de la cour, qu'elle souffrait, d'après ses propres dires, d'un sérieux handicap auditif, la cour serait incapable de trouver des raisons convaincantes pour rejeter une telle demande.

En plus de notre demande conjointe, nous avions aussi à discuter de nos moyens de défense.

Lev et moi nous comportâmes avec une parfaite courtoisie : chacun de nous deux offrit à l'autre de choisir quand prendre la parole, mais j'insistai pour que Lev ouvrît le feu. D'abord parce que c'était « son » affaire (selon l'expression commune aux avocats) et qu'il m'avait invitée à participer. Ensuite parce que le plan de défense proposé par Lev, auquel j'avais adhéré, rendait nécessaire qu'il parlât le premier.

Nous décidâmes que Ioudovitch présenterait une analyse de tous les faits en rapport avec la scène du crime, le lieu où le sweater de Marina avait été retrouvé et le lieu où le corps avait été découvert, le tout relié à toutes les versions possibles du meurtre : la « version des soldats », la « version Sadykov » et la « version Nazarov ». C'était une partie très complexe de notre stratégie de défense commune. Elle était rendue particulièrement difficile par l'abondance de faits mineurs et isolés, chacun d'entre eux devant être soumis à une analyse séparée et regroupé en catégories qui, prises globalement, viendraient appuyer notre but commun.

Nous convînmes que ma plaidoirie serait consacrée à une analyse matérielle et psychologique des raisons qui avaient amené les garçons à avouer ; à l'étude minutieuse de toutes les preuves relatives au temps, qui déterminaient si oui ou non les garçons avaient été en mesure de commettre le crime ; enfin à l'analyse des conclusions de toutes les expertises : expertise médicale (Alik et Sacha étaient-ils tous deux capables, en 1965, d'avoir des rapports sexuels ?), expertise médico-légale (l'état du corps), rapport des spécialistes sur les vêtements de Marina et sur l'étude hydrologique du lac. (J'ajoute que cette répartition des tâches est restée inchangée tout au long des procès ultérieurs dans les instances supérieures.)

Nous avions deux jours pour nous préparer. Le besoin de réévaluation et de réflexion sur l'affaire était très grand. J'avais aussi besoin de trouver un moyen de distanciation par rapport à l'affaire, de me mettre dans la peau d'un observateur désintéressé pour peser le pour et le contre sans être trop encline à rejeter tous les « contre » ou à accepter tous les « pour ». Il me fallait me mettre à la place du juge — un juge objectif et rigoureux.

Je me livrai à un rapide calcul mental. Avec Lev Ioudovitch conduisant la défense, il n'y avait aucune chance que je parle le 1er avril. J'aurais donc encore toute une nuit devant moi pour préparer ma plaidoirie. Je pouvais donc passer ces deux jours en famille à écouter de la musique et à me détendre intellectuellement. Je savais que je prenais un risque, même s'il était improbable que j'eusse à prendre soudainement la parole. Car si la vérité était encore juste au-dessous du seuil de ma conscience, mon argumentation était prête depuis longtemps. Dès que l'atmosphère du tribunal commencerait à faire son effet, mes arguments referaient surface et tout se mettrait en place. L'atmosphère d'un procès — particulièrement dans sa phase finale, quand le ministère public et la défense prononcent leurs discours de clôture — exerce invariablement cet effet sur moi. Même si je me sens mal, toute indisposition disparaît, y compris le mal de dents. Je me suis souvent comparée à un vieux cheval de cirque, abattu et la tête basse, attendant quelque part dans le noir à l'écart de l'arène. Dès que les cuivres se mettent à jouer et que retentissent les accents de *l'Entrée des gladiateurs*, le vieux cheval relève la tête et se met à piaffer d'impatience.

Lev, cependant, était tout à fait prêt. Il me montra ses notes, ou plutôt son plan détaillé : quatre-vingts pages d'une petite écriture bien propre. Il avait aussi préparé notre requête conjointe à la cour, puisque c'était lui qui aurait à la présenter.

La cour entra. Nous nous assîmes. Le juge déclara la séance ouverte. Lev était sur le point de soumettre notre requête quand Kirilov l'arrêta, échangea des hochements de tête avec les assesseurs et annonça :

« La cour va se retirer pour délibérer. »

« Poisson d'avril » dis-je à Lev.

Il me regarda étonné.

« Poisson d'avril ! La cour vous a joué un tour. La vertu, comme c'est normal un premier avril, est punie, et le vice récompensé. Ils vont ajourner le procès pour complément d'information. Quelle chance que je n'aie pas préparé de plaidoirie ! »

Deux heures et demie plus tard, la cour revint de la salle de délibération. Kirilov prononça alors une décision qui, par sa longueur, équivalait à un résumé de l'affaire et à un verdict. Il y énumérait toutes les défectuosités de l'enquête, toutes les occasions où Ioussov avait grossièrement violé la loi. Il y donnait l'ordre de retenir et d'interroger les deux hommes qui avaient été placés dans les cellules de préventive avec Alik et Sacha, et de réinterroger les trois soldats sous le motif que leurs témoignages étaient contradictoires, et que les raisons de ces contradictions n'avaient pas été clarifiées. La décision de la cour répétait aussi la maxime que nous autres, les avocats de la défense, avions si souvent répétée pendant le procès : « Etablir que les prévenus avaient pu commettre le crime n'était pas une preuve que ce fût eux, et personne d'autre, qui l'avaient commis. » La décision faisait appel à une expertise médicale pour déterminer le degré de surdité de Martchenkova, et soulignait que les deux prévenus avaient indiqué des lieux différents comme celui où le crime aurait été prétendument commis.

Non seulement par sa longueur, mais aussi par son contenu, la décision était équivalente à un verdict : un verdict d'acquittement pour insuffisance de preuves. La différence cruciale, naturellement, c'était qu'Alik et Sacha ne seraient pas sortis de prison. Ce jour-là — le 1er avril — il y avait exactement sept mois qu'ils avaient été arrêtés.

Quelques minutes plus tard, la séance fut levée. La salle d'audience était toujours encombrée : les témoins avaient à faire signer leurs assignations par le greffier, comme preuve qu'ils s'étaient légitimement absentés de leur travail. Les parents des garçons se renseignaient pour savoir s'ils pouvaient avoir une entrevue avec leurs fils.

« Non, ils ne peuvent pas. Aucune visite n'est autorisée avant la fin du complément d'enquête. »

Lev replaçait dans sa serviette les quatre-vingts pages de sa plaidoirie.

Et moi, qu'est-ce que je faisais ? J'étais déjà dans le couloir, la place allouée aux fumeurs.

Kirilov passa près de moi, un sourire de satisfaction sur les lèvres. Il me vit et vint vivement à ma rencontre :

« Eh bien, camarade avocate Kaminskaya, j'ai été très content de faire votre connaissance, et ce sera un plaisir pour moi de vous voir paraître dans mon tribunal lors d'une prochaine occasion. Maintenant, laissez-moi vous donner un petit conseil, à vous et à Ioudovitch : passez ce dossier à deux autres avocats.

— Mais pourquoi le devrions-nous ? Parce que votre décision se réfère à une possible tentative, de la part des avocats, d'exercer une mauvaise influence sur leurs clients ? »

Kirilov ne répondit pas.

« Ou bien sommes-nous ces infortunés boyards que l'on chasse des marches du palais pour apaiser les foules ?

— Dans une certaine mesure, votre interprétation n'est pas mauvaise. En tout cas, il serait préférable pour vous de laisser tomber l'affaire. Elle vous causerait inévitablement des ennuis. »

Nous nous séparâmes sans nous dire au revoir.

Nous restâmes sur l'affaire, pourtant, et nous ne le regrettâmes jamais, bien qu'effectivement elle dût nous causer des ennuis — mais quand est-ce qu'un avocat n'a pas d'ennuis ?

4

LE DEUXIÈME PROCÈS

Comme supplément d'enquête, le tribunal de la province de Moscou posait un grand nombre de questions, y compris la vérification des occasions où Ioussov avait violé les règles de la procédure. A qui le procureur allait-il transmettre le dossier? Cette question allait bientôt trouver une réponse, et une réponse dépourvue d'ambiguïté: le nouvel enquêteur, celui dont la tâche serait de passer au peigne fin le travail de Ioussov et de l'évaluer, agissant en quelque sorte comme son juge, n'était autre que... Ioussov lui-même.

Bien que Lev et moi-même n'eussions pu prédire avec certitude que le ministère public ferait preuve d'un manque d'objectivité aussi patent, nous avions pris certaines précautions. Chacun de nous avait expliqué à son client qu'il avait le droit de récuser l'enquêteur. Nous avions convenu que, si Ioussov était nommé, Alik et Sacha déclareraient qu'ils n'avaient aucune confiance en lui, qu'ils refuseraient fermement de faire une déposition et qu'ils ne répondraient à aucune de ses questions.

Les deux garçons avaient beaucoup appris au cours des six semaines du procès. Ils ne se sentaient plus aussi embarrassés ni aussi impuissants. Ils avaient commencé à retrouver l'espoir, et ils réalisaient qu'ils devaient se battre pour cet espoir. Nous étions certains qu'Alik et Sacha seraient capables d'exécuter notre accord, quelles que fussent les pressions qu'on pût exercer sur eux.

Les semaines qui suivirent furent pleines d'incertitude. Notre objectif immédiat était de faire en sorte que les garçons sortent de prison, sous le motif que leur arrestation initiale avait été illégale et que leur procès n'avait pas produit des preuves suffisantes pour justifier leur maintien en détention.

135

Dès que le dossier fut retourné au ministère public, nous soumîmes une requête conjointe au juge d'instruction pour la mise en liberté des deux garçons. Nous n'escomptions pas un succès rapide. Mais nous savions que, si nous n'entreprenions pas immédiatement les démarches, Alik et Sacha ne seraient pas libérés quand, deux mois plus tard, expirerait leur délai de détention de six mois : en effet, dans l'entre-temps, Ioussov aurait eu le temps d'obtenir, auprès du procureur général de l'U.R.S.S., une prolongation de leur période de détention. A chaque niveau successif de la hiérarchie du parquet, nous écrivions requête sur requête pour la libération des deux garçons, à quoi nous recevions invariablement comme réponse que notre requête avait été transmise au parquet de la province de Moscou, en vue de son étude à la lumière du procès-verbal des séances. C'est de là que vint la réponse définitive : « Requête rejetée. » Nous n'étions pas les seuls à écrire des lettres : les parents aussi en écrivaient. Il se révéla également que d'autres personnes écrivaient aux autorités, et pas seulement pour la mise en liberté des garçons.

Un soir, Lev me téléphona pour me dire qu'il avait été convoqué au ministère de la Justice afin de s'expliquer sur sa conduite ; la raison en était une plainte déposée par Kostopravkina. Une convocation de cette sorte présage toujours des ennuis. Mais une convocation au ministère était le signe du caractère sérieux de l'accusation et de la gravité des conséquences possibles.

Le lendemain, Lev me rappela :

« Que diable peut-il bien se passer ? Pourquoi ont-ils l'air de penser que je ne mange que du porc ?

— Est-ce que les parents d'Alik ont encore tué le cochon ?

— Je ne sais pas. Kostopravkina se plaint de ce qu'ils ont tué leur cochon, et de ce que ce soit moi qui l'ai mangé.

— Et quelle conclusion a été tirée à la suite de cette intéressante conversation ?

— On m'a conseillé de passer le dossier à un autre avocat, et on m'a dit de remettre au ministère une explication écrite, ce que j'ai fait. J'ai écrit que je ne mange jamais de porc, que cela me donne mal au cœur. Je ne passerai à personne la défense de Bourov. Quoi qu'il en soit, pourquoi n'écrit-on pas de plaintes à *votre* encontre ? Est-ce que vous êtes meilleure que moi ?

— C'est vrai, pourquoi ne le font-ils pas ? C'est un cas de discrimination sexuelle ! »

En ce qui concerne l'attitude de Kostopravkina à notre égard, la bonne question n'est pas de se demander lequel de nous elle traitait le mieux, mais lequel elle traitait le plus mal. En vérité, elle ne me considérait pas comme l'ennemi principal, et pas seulement parce que Lev avait été sur l'affaire depuis son tout début. L'apparence de Lev atteste force et volonté : grand, assez solidement bâti, les traits énergiques et la voix forte, il ne peut manquer de faire impression sur les gens.

Moi, en revanche, suis plutôt petite et, en ce temps-là, j'étais très mince. Ma voix n'est forte qu'au tribunal. Pendant les suspensions de séance, je préfère rester silencieuse. Et puis enfin, je suis une femme, ce qui est un élément de nature à influencer les gens ayant le niveau d'instruction de Kostopravkina, quand il s'agit d'évaluer les qualités professionnelles. C'est précisément une telle sous-estimation de mes aptitudes professionnelles (je crois pouvoir le dire sans fausse modestie) qui faisait que toutes les forces méchantes de Kostopravkina étaient essentiellement dirigées contre Lev Ioudovitch. Toute cette histoire idiote de cochon se termina en eau de boudin. Son seul effet fut de causer à Lev un tourment dont il se serait bien passé. Par la suite, le ministère rejeta la plainte de Kostopravkina sous le motif qu'elle était absurde.

Une fois de plus, le temps passait, les garçons étaient toujours en prison, et nous, les avocats, ne savions absolument rien de ce qui se passait dans les bureaux d'enquête du ministère public.

L'enquêteur Ioussov me téléphona quand il eut terminé ses investigations, pour que l'avocat de la défense pût étudier le nouveau matériel.

Sacha et moi-même nous attelâmes à la tâche depuis le matin jusqu'au soir pour lire les quatre volumes de documents supplémentaires, tandis que je recopiais aussi tous les passages significatifs.

Ioussov avait accompli un travail véritablement titanesque. Il avait réinterrogé le village tout entier, n'oubliant personne. Il avait collecté tous les bavardages et toutes les rumeurs qui circulaient à Izmalkovo et dans les environs. Il avait fourni d'énormes efforts, par exemple, pour tenter de prouver que l'imperméable neuf acheté par Nadia Akatova ne pouvait pas avoir été payé avec l'argent de ses parents. Cela était étayé par une comptabilité complète des ressources entrant dans le budget des Akatov. Suivait une «preuve» supplémentaire fournie par Brodskaïa : elle était convaincue que l'imperméable de Nadia avait été acheté avec l'argent de Bourov, de manière que Nadia témoigne au tribunal en faveur d'Alik. Certains villageois avaient remarqué une autre fille qui avait été aussi un témoin à décharge, et ils déclaraient qu'on l'avait vue boire, pas à ses frais, naturellement ; elle n'était pas de l'espèce qui pouvait se permettre de dépenser son argent en vodka : elle préférait qu'on la lui offre. De toute évidence, les Bourov l'avaient approvisionnée en alcool.

Et ainsi de suite, page après page, pendant les quatre volumes. Le seul document nouveau que Ioussov avait ajouté au dossier était une déclaration de la police du district confirmant que le citoyen Ivan Kouznetsov et le citoyen Sergueï Iermolaïev avaient effectivement été détenus dans les cellules de préventive en compagnie respectivement de Kabanov et de Bourov, et que ces individus avaient été relâchés après identification, avec ordre «d'avoir à quitter la ville et la province de Moscou». C'était très important, car cela confirmait les témoignages d'Alik et de Sacha selon lesquels des prisonniers adultes avaient été placés dans leurs cellules. Mais Ioussov n'avait même pas tenté de les retrouver et de les interroger.

Ni Alik ni Sacha n'avaient fait de déposition à Ioussov. Lors de leur première rencontre, ils l'avaient tous deux récusé. De sa propre main, Sacha écrivit leur déclaration unique, laquelle devait être versée au nouveau dossier :

« Je n'ai aucune confiance en vous parce que vous m'avez trompé. J'ai avoué parce que vous m'aviez promis de me relâcher. Vous saviez que j'étais innocent. Je ne répondrai plus à aucune de vos questions. »

A partir de ce moment-là, ni Sacha ni Alik ne furent plus convoqués à l'interrogatoire, mais cela n'empêcha pas Ioussov de terminer son travail sur l'affaire, laissant inchangées dans l'acte d'accusation les «preuves de culpabilité» antérieures.

Une fois de plus, nous rédigeâmes une demande détaillée, fondée sur les arguments suivants, que nous adressâmes au ministère public :

1) l'enquête initiale avait été partiale et menée illégalement ;

2) les aveux des prévenus avaient été obtenus par des moyens illégaux ;

3) l'enquête complémentaire n'avait pas obéi aux instructions du tribunal de la province de Moscou (suivait une liste, point par point, des instructions de la cour).

Nos conclusions se terminaient par trois requêtes :

1) satisfaire aux instructions de la cour ;

2) transmettre le dossier à un autre enquêteur, qui serait objectif ;

3) remettre Bourov et Kabanov en liberté en attendant le nouveau procès.

Nous n'eûmes pas à attendre longtemps la réponse : «Demande rejetée».

C'était ainsi. Il n'y avait plus personne à qui faire appel, étant donné que l'enquête était maintenant close, et que le dossier était rendu à la juridiction du tribunal de la province de Moscou.

La nouvelle année scolaire commençait — la deuxième année d'école que les garçons allaient manquer — et aucune date n'avait été fixée pour le nouveau procès. C'était peut-être bon signe : le tribunal de province avait peut-être refusé le dossier, ou peut-être que l'affaire avait été renvoyée pour complément d'information.

Nous apprîmes finalement, à la fin de septembre 1967, que l'affaire serait entendue par le tribunal de la ville de Moscou.

Tout, dans le procès des deux garçons, était inhabituel, y compris les raisons de son renvoi devant cette cour de justice.

Le tribunal de province et le tribunal de ville se trouvaient tous deux au même niveau de la hiérarchie judiciaire. La différence qui les sépare ne réside pas dans leur compétence, mais dans le territoire qui est soumis à leur juridiction. Par conséquent, ce n'est ni la complexité d'une affaire, ni sa portée, ni la gravité de l'accusation qui peut occasionner le renvoi d'un dossier de l'un de ces tribunaux à l'autre ; dans ce procès, la raison était tout autre.

Le tribunal de la province de Moscou refusait de rejuger l'affaire des deux garçons. Aucun des juges de ce tribunal n'était prêt à prononcer un verdict de culpabilité ; personne n'osait non plus les acquitter, car tout le monde savait que l'affaire était patronnée par le Comité central du parti communiste de l'U.R.S.S., et surtout parce que le caractère et les activités d'Aleksandra Kostopravkina étaient maintenant bien connus de la cour de province. En fait, c'était Kostopravkina elle-même qui avait donné à la cour le prétexte de refuser de juger la phase suivante du procès. Indignées par l'incapacité de Kirilov à convaincre les garçons de culpabilité, Kostopravkina et Berta Brodskaïa s'étaient mises à adresser leurs protestations à d'autres personnes, à côté des avocats. L'une de leurs plaintes déclarait : « Après la conclusion de l'audience, nous avons vu nous-mêmes comment, dans la salle du tribunal, les parents de Bourov et de Kabanov remettaient au greffier une grosse liasse enveloppée de papier. C'était, naturellement, un pot-de-vin destiné au juge et au greffier, pour faire en sorte que seules les preuves favorables aux accusés soient enregistrées au procès-verbal de séance. »

Cette plainte n'eut aucune conséquence ni pour Kirilov ni pour le greffier, car il était évident pour les autorités que personne ne donne des pots-de-vin de cette façon, en présence d'une foule de gens et dans le prétoire. La vraie raison du transfert de dossier, c'était que *tous* les juges du tribunal de province avaient pris l'initiative en étendant à eux-mêmes les soupçons de la plaignante : dans leur lettre d'accompagnement à la Cour suprême, ils constataient noir sur blanc que Kostopravkina avait exprimé sa méfiance envers tous les magistrats de la cour de province. Ils se cramponnaient à cette protestation comme si c'était l'ancre qui devait les sauver d'une défaite professionnelle, se privant ainsi eux-mêmes de la possibilité d'un triomphe : le prononcé d'un juste verdict.

Le tribunal de la ville de Moscou accepta l'affaire sans objection. Il apparut ainsi que le juge, dans le deuxième procès d'Alik et de Sacha, serait un membre féminin de la magistrature de la ville : le juge Kareva.

Le procès des deux garçons fut entendu dans une salle du deuxième étage du tribunal de la ville de Moscou.

J'aime ce prétoire. C'est là que j'avais prononcé ma première plaidoirie. C'est là aussi que j'avais obtenu mon premier verdict d'acquittement. J'avais même une sorte de croyance superstitieuse que cette salle d'audience me portait bonheur, tout comme une écolière croit qu'une robe «porte-bonheur» l'aide à passer ses examens.

Une fois encore, Alik et Sacha furent amenés dans le prétoire, pour prendre place de l'autre côté de la barrière en bois, juste derrière notre dos. En face de nous se tenait le procureur, Volochina. Sur le premier banc du public avaient pris place Aleksandra Kostopravkina et, derrière elle, les parents des garçons. Au-delà, dans le coin le plus éloigné de la salle, se tenait une nouvelle spectatrice. Olga Tchaïkovskaïa, une journaliste bien connue. Ses comptes rendus d'audience paraissaient souvent dans la *Literatournaïa Gazeta* et dans les *Izvestia*. Aujourd'hui encore, vivant en Amérique, je continue de lire ses articles sur la justice soviétique.

C'était moi qui avais persuadé Olga d'assister à ce procès, après que Lev et moi eûmes décidé de faire en sorte que le procès fût couvert par la presse. La présence d'un correspondant de presse — ainsi raisonnions nous — aurait en elle-même un effet modérateur sur la cour et, si les garçons étaient acquittés, il ne nous était pas indifférent qu'un compte rendu fût publié dans les journaux. Si, en revanche, la cour allait juger l'affaire avec partialité, si, en dépit du poids des faits, elle prononçait un verdict de culpabilité, alors un article critiquant le verdict dans un journal pourrait nous aider par la suite, lors d'une instance supérieure.

Juste avant le début de l'audience, Volochina se tourna vers Kostopravkina et demanda: «Où est le procureur du peuple? Pourquoi n'est-elle pas là?»

Au même moment, la porte s'ouvrit et une personne entra qui devait jouer un rôle vital dans notre procès, exerçant ainsi une influence décisive sur le destin d'Alik et de Sacha. C'était une femme. Ni Lev ni moi ne savions qui elle était, mais notre attention fut immédiatement attirée par son sourire gentil et charmant, par son regard clair et enjoué: rare vision dans un prétoire. Elle jeta un coup d'œil autour d'elle, puis s'approcha vivement du procureur, lui chuchota quelque chose et exhiba un morceau de papier. Puis elle s'assit à côté de Volochina, sortit un bloc et de quoi écrire. On voyait qu'elle avait l'intention de rester et d'écouter le procès.

La cour entra et nous nous levâmes, ignorant toujours qui était cette nouvelle venue qui était apparue parmi nous d'une manière si inattendue.

La cour vérifia la présence des participants. Les prévenus furent introduits. Coup de tête au procureur. Coup de tête aux avocats Kaminskaya et Ioudovitch. «Le procureur du peuple?» Regard interrogateur à Volochina. «Non présent?»

«Présente» annonça la femme inconnue. «Je suis le procureur du peuple. Mon nom est Sara Babionicheva. J'ai été déléguée par l'association des écrivains de Moscou pour assister à ce procès en qualité de procureur du peuple. »

Son mandat fut soigneusement examiné. On montra aussi ses papiers aux avocats de la défense. Ils étaient nettement incorrects : les documents d'accompagnement obligatoires manquaient, y compris les minutes de la réunion qui l'avait déléguée. Nous aurions pu faire une objection à sa participation, mais alors la cour aurait convoqué le « procureur du peuple » original — l'institutrice, que nous ne connaissions déjà que trop bien. Et cette femme était, après tout, une intellectuelle, un écrivain. Il y avait une chance qu'elle pût être authentiquement intéressée à ce que justice fût faite, ou tout au moins qu'elle ne fût pas tout à fait aussi sanguinaire que l'autre femme. C'est pourquoi nous l'acceptâmes : « Nous n'avons pas d'objection. » Le greffier nota notre acceptation, suivie de la déclaration : « La cour décide que la citoyenne Babionicheva est admise à participer au procès de Bourov et de Kabanov en qualité de procureur du peuple. »

Là-dessus, l'audience commença. Comme précédemment, elle débuta par l'interrogatoire de Sacha, puis d'Alik.

Le juge Kareva ne criait pas après eux ; elle ne les fixait pas quand ils témoignaient, et elle ne nous réprimandait pas quand nous tournions la tête. Elle écoutait calmement, les lèvres serrées ; quand elle interrogea Sacha, elle ne l'exhorta pas à dire la vérité ni ne le menaça.

Quand nous procédâmes à l'interrogatoire des témoins, cependant, Kareva cessa d'être calme et réservée. Pour elle, tous les témoins étaient manifestement divisés en deux camps : les « bons » témoins, qui étaient contre les garçons, et les « mauvais » témoins, qui étaient pour eux. A la première catégorie, elle parlait gentiment et de façon encourageante ; aux témoins de la seconde, elle rappelait sans cesse les peines pour faux témoignage, les interrompant à tout moment. Il était clair que Ioussov n'avait pas perdu son temps quand il avait collecté tous les bavardages, ragots de cuisine et rumeurs qui circulaient tout autour du village. Nous commencions à réaliser que nous avions affaire à un juge qui avait décidé du verdict de culpabilité bien avant le début du procès et qui, maintenant, mettait constamment sa décision à exécution.

La famille Akatov passa un mauvais quart d'heure — la mère et ses deux filles, Nadia et Nina —, de même que Lena Kabanova, la sœur de Sacha, et Irotchka, la fille étrangère au village qui avait, avec sa mère, loué une chambre pour l'été chez les Akatov.

C'était facile à comprendre. Ces témoins déposaient sur l'heure à laquelle les garçons avaient atteint la maison des Akatov, et le juge n'avait aucun moyen de les réfuter. Personne, à part eux, n'avait vu les garçons ni ne savait quand ils étaient arrivés à la maison.

Kareva les garda pendant des heures à la barre des témoins, leur posant et reposant sans cesse les mêmes questions, dans le but de les amener à craquer. L'aînée des deux sœurs, Nadia, avait déjà seize ans, l'âge de la responsabilité pénale pour le faux serment. On interrompait chaque réponse qu'elle faisait pour lui rappeler ce fait. Elle fut interrogée de façon très serrée à propos de son imperméable et de l'origine de l'argent qui avait servi à le payer.

« Mais je travaille ! Je l'ai acheté avec mon premier salaire. Pourquoi ne me croyez-vous pas ? Je n'ai pas d'autre imperméable. Tout le monde en a un dans le village. »

De nouveau, on l'interrogeait sur l'heure, et de nouveau on la mettait en garde contre le faux témoignage. Pâle, Nadia ne pouvait que rester là et répéter : « Mais je vous dis la vérité. »

Et cela continua ainsi toute la matinée, jusqu'à ce qu'enfin Kareva annonçât que la cour allait suspendre la séance pour le déjeuner, ajoutant : « Nous poursuivrons votre interrogatoire après la suspension. »

Pendant tout ce temps, Tchaïkovskaïa restait assise et prenait des notes. Notre espoir que la présence d'un reporter aurait un effet modérateur sur la cour était nettement déçu.

D'après l'article 243 du Code de procédure pénale de la R.S.F.S.R., « ... si un quelconque participant à un procès a des objections à faire relativement à la manière dont le président conduit les débats, ces objections doivent être enregistrées au procès-verbal de séance ».

Nous présentâmes de fréquentes objections sur la base de cet article du Code. Kareva les écoutait en fixant sur nous ses yeux froids et brillants, les lèvres encore plus serrées que d'habitude, mais elle ne nous interrompait point. Pendant un moment, elle se comportait plus calmement avec le témoin, respectant de plus près le règlement, mais bientôt tout repartait comme avant.

Nos requêtes à la cour n'avaient guère plus de succès.

On nous refusa l'autorisation d'assigner les officiers de police sur les ordres illégaux desquels des adultes avaient été placés dans les cellules des garçons, et avec la connivence desquels les garçons avaient été détenus dans les cellules de préventive au-delà de la durée légale. Pourtant, il était vital d'établir exactement pour quelles raisons on avait permis que se produisent de telles infractions aux règlements. Par deux fois la cour rejeta notre demande non seulement de transcrire, mais même d'écouter l'enregistrement magnétique des « aveux » et de la confrontation des deux garçons. Par deux fois également, nous présentâmes une demande invitant la cour à se transporter à Izmalkovo et à inspecter la scène du crime, sachant quelle forte preuve de l'innocence de nos clients il résulterait d'une telle visite.

Au tout début de l'été, alors que le dossier était encore entre les mains du ministère public, Lev et moi y étions allés plusieurs fois. Nous avons parcouru chaque mètre de berge des étangs de Samarinsko-

Izmalkovo. Nous avons descendu la berge abrupte là où soi-disant Alik et Sacha avaient jeté dans l'eau le corps de Marina. Nous découvrîmes qu'une grande partie du chemin allant du verger à la rive était constituée par un sentier très humide et boueux. Je n'aurais pas pu le suivre avec des chaussures ordinaires. Plus important, la rive élevée d'où, prétendument, le corps avait été précipité dans l'eau surplombait directement un banc de sable qui s'avançait très loin dans le lac. Au-delà de ce banc, l'eau était si peu profonde que je pouvais y barboter avec mes caoutchoucs sans risque de me mouiller les pieds. Pour jeter le corps d'une fille de quatorze ans presque adulte suffisamment loin pour que la profondeur de l'eau permît au corps de couler, les efforts de plusieurs hommes adultes auraient été insuffisants, j'en étais convaincue. Et les garçons, à l'époque, n'avaient pas quinze ans.

Nous vîmes que les pommiers bordaient un chemin fréquenté : endroit difficile, presque impossible, pour commettre un viol. Nous découvrîmes que l'endroit où l'on avait trouvé le sweater de Marina, un bouton de son short et un bouton de caleçon masculin était totalement caché à la vue, protégé d'un observateur extérieur par des buissons et des arbres. Nous nous aperçûmes que, en suivant les dalles de pierre du sommet d'un vieux barrage en ruine, on pouvait de là, sans être vu, gagner l'extrémité du lac où l'on avait trouvé par la suite le corps de Marina flottant.

Par deux fois, Volochina souleva une objection à notre proposition de transporter la cour à Izmalkovo : « Les faits sont assez évidents. Cette proposition de la défense ne ferait qu'entraîner un allongement injustifié du procès. » Et par deux fois le juge Kareva, après l'échange rituel de hochements de tête avec les assesseurs, rejeta notre demande.

Il est vrai que la cour accéda à quelques-unes de nos requêtes. Les trois soldats, Sogrine, Zouïev et Bazarov, furent convoqués et interrogés. A mon sens, leur déposition n'aurait dû qu'accroître les soupçons dont ils avaient fait l'objet juste après la mort de Marina.

Ils avaient quitté le terrain de volley-ball en même temps que les filles Akatov (c'est-à-dire entre 22 h 30 et 22 h 40), soit avec quatre ou cinq minutes d'avance sur Marina, Alik et Sacha. Ils avaient suivi le sentier qui traverse le verger, puis longé la clôture de la propriété de Rouslanova (passant par conséquent à l'endroit où l'on avait trouvé le sweater); enfin, ils étaient retournés en direction de la datcha du maréchal Boudennyï.

Lors de leur première déposition, pendant l'enquête de 1965, ils avaient dit qu'ils étaient allés tout droit, sans s'arrêter, jusqu'au lieu où les attendait le camion. Le chauffeur du camion, Polechtchouk, avait affirmé qu'il était arrivé à 23 h pour ramasser les soldats, qu'il les avait attendus à peu près deux heures et qu'ils n'étaient arrivés au camion que sur le coup d'une heure du matin. Par la suite, les soldats avaient modifié leur déposition, et Polechtchouk avait avancé l'heure de départ, fixant une heure qui (suivant les termes du verdict du tribunal de la ville de Moscou dans le procès Bourov et Kabanov) «excluait la possibilité que les soldats aient commis le crime». Cependant, la cour enregistra de nouveaux témoignages qui détruisaient complètement la crédibilité de cette version favorable du témoignage des soldats.

Polechtchouk affirma au tribunal qu'il n'était pas resté seul en attendant les soldats. Avant d'atteindre la datcha de Boudennyï, il avait fait un détour pour aller chercher sa petite amie, Galia L., et celle-ci était restée avec lui dans la cabine du camion jusqu'à l'arrivée des trois soldats. Sur le chemin du retour à leur unité, Polechtchouk avait reconduit Galia chez elle. A la demande de la défense, cette femme fut recherchée et citée comme témoin.

Elle se rappelait bien cette soirée d'été du 17 juin, parce qu'elle avait déménagé le lendemain.

«Cette soirée fut pour moi la seule occasion de rouler dans le camion de Polechtchouk, je ne peux donc pas confondre avec un autre jour. Je me rappelle très bien qu'il est venu me chercher à 22 h et qu'il m'a proposé d'aller avec lui jeter un coup d'œil aux datchas du village des généraux. Je n'y étais encore jamais allée. Après avoir atteint l'intersection de la grandroute de Minsk, nous avons encore roulé pendant vingt ou trente minutes. Puis nous sommes allés admirer la belle datcha qui appartient au maréchal Boudennyï, ainsi que quelques autres dans le voisinage. Nous sommes retournés au camion à 22 h 50. Je m'en souviens parce que j'ai regardé ma montre. J'étais très inquiète parce que nous avions encore longtemps à attendre et qu'il était déjà tard. Polechtchouk était bouleversé, car j'aurais pu penser qu'il avait arrangé ce retard pour me faire enrager, et il s'excusa. Les soldats ne sont pas arrivés avant une heure du matin. Je le sais, car, à l'heure où j'arrivai chez moi, il était beaucoup plus tard.»

Comment Kareva procéda-t-elle au contre-interrogatoire de ce témoin? Que lui demanda-t-elle? Elle demanda à Galia pourquoi elle avait décidé de sortir si tard avec un homme, et pourquoi elle était allée avec lui jeter un coup d'œil aux datchas appartenant à autrui.

«Mais je pensais que ses amis seraient déjà là, et qu'il ne serait pas seul. Nous n'avons rien fait de mal; nous avons seulement jeté un coup d'œil, puis nous sommes partis.

— Et vous sortez souvent la nuit avec des hommes que vous ne connaissez pas?»

Suivit une conférence sur sa conduite.

Galia était pâle, ses yeux étaient pleins de larmes.

«Mais c'est vous qui m'avez recherchée et citée comme témoin. Vous m'avez dit de dire tout ce que je savais. Pourquoi m'attaquez-vous comme cela? J'ai tout décrit exactement comme cela s'est passé.

— Personne ne vous attaque, témoin. Vous êtes au tribunal. Le tribunal ne vous attaque pas — le tribunal vous explique la nature de votre conduite. »

Olga Tchaïkovskaïa inscrivit quelque chose sur son bloc, de même que notre « procureur du peuple », Sara Babionicheva.

Pendant les premiers jours du procès, Sara posa de nombreuses questions à Alik et à Sacha. Leur déposition la surprit de toute évidence. Mais elle crut Aleksandra Kostopravkina quand elle dit que les deux garçons pouvaient avoir commis le crime. Sara, après tout, était venue au tribunal convaincue de la culpabilité des garçons, avant même de rien savoir sur l'affaire. Elle venait, en ce qui la concernait, pour accuser.

Au bout de quelques jours, cependant, je vis Sara se tourner vers Volochina pendant une suspension de séance, et je l'entendis dire :

« Quelle affaire étrange et terrible que celle-ci !

— Qu'a-t-elle d'étrange ? rétorqua Volochina. C'est clair comme de l'eau de roche, ils l'ont tuée, et maintenant ils essaient de tirer leur épingle du jeu. »

Ce fut à ce moment-là qu'un changement se produisit dans l'attitude du procureur et dans celle de la cour à l'égard de Sara Babionicheva. Ils ne voyaient pas d'un bon œil que ce « procureur du peuple » prît une part inhabituellement active au procès, qu'elle n'essayât point d'intimider ou d'humilier les témoins, se contentant de poser ses questions avec calme et sur un ton neutre. Assises côte à côte à la même table, ces deux femmes — Babionicheva et Volochina — étaient un exemple vivant du contraste entre deux sortes de personnes : l'intelligentsia d'un côté, de l'autre les fonctionnaires illettrés mais pleins de morgue et d'autosatisfaction. L'incompatibilité d'humeur de Sara avec ce tribunal était évidente, et la cour s'en rendait compte. Elle cessa de la considérer comme une alliée et commença à la suspecter d'être son adversaire.

Le juge Kareva ne refusait pas ses questions, mais elle manifestait avec évidence qu'elle considérait comme superflues à ce procès non seulement les questions de Sara, mais aussi sa présence.

Une fois, à la suite de nos requêtes demandant que la cour se transportât sur la scène du crime, à laquelle le procureur avait fait son objection habituelle, Kareva dit :

« Et je suppose que le procureur du peuple appuie cette demande de la défense ?

— Oui, je l'appuie. Je pense que c'est très important. J'habite Peredelkino. J'ai été maintes fois sur les lieux en question...

— Camarade procureur du peuple, je dois vous rappeler que vous n'êtes pas un témoin. Nous avons entendu votre opinion sur la requête de la défense. Asseyez-vous. »

Deux jours plus tard, le « procureur du peuple » original apparaissait dans la salle d'audience. Le procureur et Kostopravkina avaient toutes deux demandé à la cour de l'admettre en qualité de « second procureur du peuple ». Mais le mandat de l'institutrice n'était valable que pour le tribunal de la province de Moscou, et elle n'en avait pas obtenu un nouveau. La cour fut donc obligée d'admettre notre objection.

Il est difficile de décrire à quel point Kostopravkina a pu harceler et tourmenter Sara. Son amertume était accrue par le fait que c'était à sa demande que l'association des écrivains avait délégué un « procureur du peuple ». C'était Kostopravkina elle-même qui avait littéralement imploré Sara d'accepter de prendre part au procès, ce qui impliquait pour cette dernière six grandes semaines de travail totalement impayé, et d'un travail qui lui était parfaitement étranger.

Comme nous avions honte quand nous autres avocats quittions le Palais de justice dans la voiture de Lev tandis que Sara Babionicheva et Olga Tchaïkovskaïa devaient prendre le métro (un trajet d'au moins quinze minutes à pied) et que nous n'osions pas les inviter à monter. Nous avions peur, si nous le faisions, de nuire à notre procès et de compromettre Olga et Sara.

Parmi les témoins interrogés par le tribunal de la ville de Moscou figurait Nazarov — cet homme qui, avant Alik et Sacha, avait avoué le viol et le meurtre de Marina. Son témoignage était intéressant, car il fournissait une réfutation de la thèse « s'il a avoué, il doit être coupable ».

Nazarov vint à la barre escorté de gardiens de la prison où il purgeait une peine, et sa présence même donna des arrière-pensées à ceux qui croyaient qu'un aveu constituait une preuve irréfutable.

Qu'est-ce que cela signifiait ? Il avait avoué, n'est-ce pas ? Par conséquent, s'il avait avoué, il était coupable. Dans ce cas-là, Alik et Sacha ne pouvaient pas être coupables. Mais si Alik et Sacha étaient coupables, alors Nazarov ne l'était pas. Cela voulait dire que les aveux à eux seuls n'étaient pas suffisants. D'autres preuves étaient nécessaires. La déposition de Nazarov était également importante pour nous comme réponse à la question de savoir pourquoi les gens avouent.

Les raisons de ses aveux étaient, se révéla-t-il, exactement les mêmes que celles qui avaient poussé les garçons à admettre faussement leur culpabilité. Quand Nazarov dit qu'il était innocent, on ne le crut pas ; après tout, il avait déjà été précédemment condamné pour viol. Chaque tentative qu'il faisait pour prouver son innocence était rejetée par l'enquêteur comme indigne d'une attention sérieuse. Il tint bon pendant longtemps, affirmant qu'il n'avait pas commis le crime. Puis il s'effondra. Nazarov avoua quelque chose qu'il n'avait évidemment pas fait. Dans ce cas aussi, il y avait eu promesse d'adoucissement de la sentence et menace du peloton d'exécution ; mais la principale raison, d'après ses propres termes, c'était son désespoir, la conviction que, quoi qu'il dirait, personne ne le croirait.

Il y avait une autre circonstance importante que seul pouvait mettre en lumière un contre-interrogatoire de Nazarov.

Il n'avait pas seulement avoué sa culpabilité; l'enregistrement magnétique de sa déposition abondait en détails matériels sur les circonstances de la mort de Marina. Il indiquait le jour, l'heure et l'endroit où le viol avait eu lieu. Il décrivait comment il avait violé une fille de quatorze ou quinze ans sous un petit arbre dans un ravin près de la clôture d'une datcha. En d'autres termes, il décrivait les lieux mêmes où on avait retrouvé le sweater de Marina. Il disait comment il lui avait ôté ce même sweater rouge. Il disait que, après l'avoir violée, il avait jeté son corps dans le lac.

Comment connaissait-il ces détails s'il n'était pas le meurtrier?

Nazarov confirma qu'il les avait appris de la bouche même de l'enquêteur. La seule chose que ce dernier avait été incapable de lui dire, c'était la manière dont la fille avait été tuée; à l'époque, les résultats de l'expertise médico-légale n'étaient pas encore connus. Nazarov dit qu'il l'avait poignardée, la blessant plusieurs fois, mais le rapport médical révéla que le corps ne présentait aucune trace de blessure au couteau. Ainsi, les experts réfutaient catégoriquement le témoignage de Nazarov.

La déposition que Nazarov fit devant le tribunal de la ville de Moscou correspondait étonnamment au témoignage des deux garçons, qui constataient que c'était de Ioussov même qu'ils avaient appris les détails concernant les sous-vêtements de Marina. Ioussov ne s'était pas contenté de les décrire: il leur avait montré des photographies. Mais il avait commis l'erreur de présenter ces photos aux garçons en présence des témoins officiels; c'est grâce à cette circonstance que l'histoire des garçons fut confirmée au tribunal.

Finalement, le moment vint où la cour accéda à notre demande d'avoir une transcription sténographique des enregistrements magnétiques de tous les interrogatoires et de la confrontation entre les garçons. Elle n'avait pas confiance en nous pour faire ce travail; aussi ordonna-t-elle au ministère public de la province de Moscou de le faire à notre place.

En étudiant la transcription, nous relevâmes vingt-six cas de divergence entre les deux versions des reconstitutions, et chaque cas concernait des faits imputés aux garçons, mais qui n'avaient pas été reportés au procès-verbal — ces faits mêmes et ces détails mêmes dont l'acte d'accusation constatait la gravité:

« La culpabilité de Bourov et de Kabanov est confirmée par le fait que, en s'avouant responsables du viol et du meurtre de Marina Kostopravkina, ils ont décrit à l'enquêteur des détails qu'ils ne pouvaient connaître que s'ils avaient commis le crime. Leur culpabilité est également confirmée par le fait que, ayant été questionnés séparément, ils ont mentionné à l'enquêteur des détails identiques concernant le lieu et les méthodes du viol et du meurtre.»

Il nous fallait maintenant nous assurer que les résultats de notre vérification seraient officiellement reconnus par la cour et versés au dossier. C'est seulement ainsi que nous pourrions les utiliser dans nos conclusions, et, éventuellement, dans notre pourvoi en appel. Il n'y avait qu'un moyen de le faire: contraindre — littéralement contraindre — la cour à examiner nos découvertes point par point au cours de l'audience et à enregistrer chaque point séparément au procès-verbal de la façon suivante: «La cour certifie la non-concordance suivante...» Suivait le texte complet, entre guillemets, des passages cités. Nous prévoyions que nos requêtes susciteraient une opposition acharnée de la part de la cour. Il nous fallait donc les présenter de telle manière que, au premier abord, la cour ne pût suspecter leur importance et leur but réels.

Le lendemain, Ioudovitch apporta au tribunal une grande feuille de papier divisée en trois colonnes. La première colonne contenait le texte de la transcription de chacun des vingt-six points, la deuxième colonne donnait la version du manuscrit de l'enquêteur sur ces mêmes points, la troisième colonne présentait les discordances que nous avions constatées entre les deux versions.

Lev proposa que ce fût moi qui soumettrait notre demande visant à faire certifier ces discordances par le tribunal. Nous décidâmes que je commencerais ma requête par la demande de certification de plusieurs autres documents — certificats de bonne vie et mœurs, certificats concernant la santé des parents des garçons, certains passages des déclarations des experts — dont j'avais réellement besoin pour étayer ma plaidoirie. Et c'est seulement alors, sans demander de requête séparée, que je prierais la cour de certifier les discordances textuelles.

Dès l'ouverture de la séance, je demandai que les transcriptions des enregistrements magnétiques fussent versées au dossier. Le procureur appuya ma demande, et celle-ci fut accordée sans problème. A partir de ce moment, les transcriptions devenaient «matériel du dossier» et j'avais acquis le droit de faire certifier par la cour la correction de certains de leurs passages.

On discuta ensuite quelques questions banales de procédure, après quoi la cour annonça: «Nous allons maintenant nous occuper des questions complémentaires...»

Volochina en posa une.

Ioudovitch également énuméra ses questions complémentaires, qui furent toutes entérinées par la cour.

Enfin, c'était mon tour.

Je commençai en posant la même question aux deux prévenus:

«Est-ce que l'enquêteur Ioussov vous a posé des questions supplémentaires quand vous avez eu fini d'enregistrer votre témoignage sur la bande?»

Les garçons répondirent: «Non.»

Kareva et Volochina furent bien aises d'entendre cette réponse. Elles la considéraient comme une preuve que les règles de la procédure avaient bien été observées. Tout ce qui avait été dit avait été enregistré sur la bande. Rien n'avait été omis. Et pour moi, il était important de faire spécifier ce point au procès-verbal afin d'écarter toute possibilité que les additions de Ioussov à la version manuscrite (c'est-à-dire ses falsifications) puissent être justifiées par une violation purement technique des règles qui régissent la preuve enregistrée.

Comme convenu, je commençai par demander à la cour confirmation du mot à mot de certains passages des expertises et des dates de certains documents — tout ce qui était nécessaire en vertu du principe selon lequel seul le matériel certifié par la cour peut être invoqué par l'avocat lors de sa plaidoirie.

Et puis:

«Dans la version manuscrite de l'enquêteur relative à la confrontation entre Bourov et Kabanov, volume III, page 129, il y a le passage suivant...»

JUGE KAREVA: «Camarade secrétaire, enregistrez ceci: "La cour confirme la présence du passage suivant dans le procès-verbal manuscrit de la confrontation, au volume III, page 129...".»

KAMINSKAYA: «Dans la version retranscrite de l'enregistrement magnétique de la confrontation, le même point est rédigé comme suit... (nouvelle citation).»

Délibérément, j'avais cité un passage où il n'y avait pas de variantes substantielles entre les deux versions; les deux textes correspondaient presque mot pour mot.

JUGE KAREVA: «Camarade secrétaire, enregistrez ceci: "La cour confirme...".»

Même manège avec deux autres passages qui ne présentaient que des discordances mineures.

Puis: «Je demande la confirmation d'un passage du volume III, page 86; dans l'interrogatoire de Bourov, version manuscrite, on peut lire: "Marina écarta la main gauche et je la tins plus serrée. Marina portait toujours son short de bain. Sacha le lui enleva.".»

JUGE KAREVA: «La cour confirme...»

KAMINSKAYA: «Je demande la confirmation que, dans la version enregistrée, ce passage manque. Il n'y a aucune mention d'un short de bain ni de quelqu'un qui l'enlève.»

Suivit une pause, une de ces pauses qui paraît banale et insignifiante dans un livre, mais qui, au tribunal, ressemble à une explosion.

KAREVA: «Camarade avocate, qu'est-ce que vous voulez dire par là ?»

KAMINSKAYA: «Je veux dire, camarade présidente, qu'à la page 86 du volume III, il est écrit un passage dont vous venez de confirmer le mot à mot. Je veux aussi montrer que, dans l'enregistrement retranscrit, il n'existe aucun passage semblable. Je vous prie de comparer les deux versions et de confirmer l'exactitude de mon observation, comme le requiert la loi.»

Nouvelle pause, puis Kareva prononça lentement: «Camarade secrétaire, la cour confirme que le passage en question manque dans la retranscription.»

KAMINSKAYA: «Je demande confirmation que, dans la version manuscrite de l'interrogatoire de Kabanov, il est écrit ce qui suit à la page 96 du volume III: "J'ai jeté le sweater de Marina, et il est tombé non loin de la clôture de la propriété de Rouslanova."»

J'indiquai ensuite que, dans l'enregistrement retranscrit, ce passage se lisait ainsi: «Je ne me souviens pas lequel de nous a enlevé le sweater de Marina, ni où il a été jeté.»

Je me rappelle très bien Volochina sautant sur ses pieds et criant: «C'est impossible! Il ne fait aucun doute qu'il y a une correction à la fin du manuscrit!»

Je restai calme; une telle correction n'existait nulle part dans le procès-verbal manuscrit — un document que la camarade procureur elle-même avait présenté à la cour.

De nouveau, Kareva devait dire: «Camarade secrétaire, la cour confirme...»

J'indiquai le couple suivant de passages discordants, et cette fois-ci ce fut Kareva qui hurla:

«Camarade avocate, la cour suggère que vous présentiez les raisons de cette longue demande. Expliquez-nous pourquoi vous nous faites faire tout ce travail!»

KAMINSKAYA: «Certainement, camarade présidente. Ma demande est fondée sur l'article 294 du Code de procédure de la R.S.F.S.R., qui m'oblige à demander votre certification de tout le matériel de l'affaire important pour la défense. Puisque le procès-verbal de l'interrogatoire de mon client, établi par l'enquêteur, et celui de ses confrontations avec son coaccusé sont de toute évidence des preuves fondamentales, et puisque vous avez déjà admis la retranscription des bandes magnétiques comme élément à verser au dossier, je demande que vous certifiiez le mot à mot exact de certains passages de ces documents.»

KAREVA: «Est-là tout ce que vous avez à dire pour appuyer votre demande?»

C'était la première fois que je voyais Kareva dans cet état. Sa figure était couverte de taches rouges. Elle avait peine à dominer ses émotions, qui avaient viré de l'irritation à la furie. Elle était dans une colère furieuse parce qu'elle venait de se rendre compte qu'elle était désarmée en face de ma tactique : elle ne pouvait pas rejeter ma demande. A chacun des points, elle était forcée de prononcer : « Je confirme... »

Je parlais calmement, d'une voix qui, me semblait-il, comportait même une pointe d'ennui. Mon seul symptôme de tension était un tremblement incontrôlable des genoux, heureusement caché par la tribune des avocats. Mes genoux ne tremblaient pas par peur, ou par nervosité, mais par la nécessité de réprimer mon mépris pour elle, ce juge supposé objectif et impartial, ce juge « élu par le peuple ».

Après coup, pendant la suspension de séance, Lev Ioudovitch et Olga Tchaïkovskaïa me dirent que, pendant tout le procès, ils n'avaient jamais vu une telle expression sur mon visage ; mes traits, semblait-il, étaient totalement dépourvus de toute expression.

Je poursuivis pendant environ une heure, après quoi Kareva fit une nouvelle tentative pour m'arrêter.

« Camarade avocate, d'après le programme de la cour, nous sommes supposés conclure l'audience judiciaire aujourd'hui. Nous vous avons écoutée assez longtemps. La cour n'a pas le temps de consacrer toute une journée à des questions de cette sorte.

— Vous vous trompez, camarade présidente, la cour a toujours le temps de vérifier et de confirmer la matière d'un procès comme le prescrit la loi. Vous savez que vous ne pouvez pas me priver de mes droits, comme conseiller de la défense, uniquement par manque de temps. »

Et ainsi de suite sur le même ton.

Le moment venu, la séance fut levée pour le déjeuner ; je passai ces deux heures à faire les cent pas et à fumer. A la reprise, je continuai d'une voix neutre à présenter mes requêtes à la cour. J'étais saisie d'une sorte de calme glacial, inébranlable.

Je me souviens que, environ une demi-heure après la reprise, Volochina sauta sur ses pieds et cria qu'on se moquait de la cour ; elle exigea que je m'arrête ou que j'explique à la cour les raisons de tout cela ; que je déclare quel but je poursuivais en demandant la certification de toutes ces discordances « mineures ».

De la même voix faussement ennuyée, je répliquai :

« La loi, malheureusement, m'empêche de satisfaire la curiosité de la camarade procureur. Je ne suis pas autorisée à exprimer mes vues, conclusions ou commentaires avant ma plaidoirie. »

De nouveau, Kareva fut obligée de dire : « Poursuivez. »

Ainsi en fut-il jusqu'à la fin, jusqu'à ce que les vingt-six points de notre liste eussent été enregistrés au procès-verbal de l'audience.

Ainsi se termina l'audience judiciaire au tribunal de la ville de Moscou.

Le réquisitoire et les plaidoiries constituent le dernier stade du procès. Après cela, il n'y a plus que les déclarations finales des accusés ainsi que le verdict et la sentence.

Les prévenus attendent le réquisitoire et les plaidoiries avec presque autant d'impatience que leur sentence. La plupart d'entre eux sont fermement convaincus qu'ils auront la peine requise par le procureur, avec peut-être un an ou deux de réduction accordés par la cour. Ils ont de bonnes raisons de le croire, car souvent, dans les procès particulièrement controversés, le procureur a tendance à passer un accord préalable sur la sentence avec le juge et avec ses supérieurs du ministère public.

Dans le cas d'Alik et de Sacha, il n'y avait aucune raison de suspecter une quelconque complicité entre Kareva et Volochina. Au tribunal de la ville, Volochina n'était pas seulement complètement inconnue, elle représentait en plus un parquet « extérieur » avec lequel le tribunal de la ville n'avait aucun contact professionnel.

Que Volochina demanderait à la cour de juger les garçons coupables, nul n'en doutait. Alik et Sacha le comprenaient tous deux, ainsi que leurs parents. Même ainsi, nous avions plus qu'un pressentiment — en fait, nous étions presque certains — que quelque chose d'inhabituel, de presque unique nous attendait dans la phase finale du procès, et que la surprise viendrait du parquet. Et effectivement, c'est bien ce qui arriva.

Pour la première fois ce ne fut pas nous, les avocats de la défense, qui prononçâmes les phrases « non prouvé » et « je demande à la cour d'acquitter les deux garçons ». Ce furent les paroles qui conclurent le discours du « procureur du peuple » Sara Babionicheva. Le hasard ou la providence avait ainsi arrangé les choses que le « procureur du peuple » était une personne parfaitement honnête, douée d'une rare aptitude à écarter tous les préjugés, à soupeser objectivement et sans passion le pour et le contre d'une argumentation. Lev et moi-même étions certains que la logique même de l'affaire ne pouvait que conduire une telle personne à l'inévitable conclusion : « non coupable ».

Je revois encore le visage de Sara, avec son sourire timide, quand le juge annonça :

« Le procureur du peuple, la camarade Babionicheva, va maintenant parler au nom du ministère public. »

Je me souviens comme elle se leva lentement, avec sur sa figure un mélange de perplexité et de réserve. D'une voix basse, elle commença :

« Je suis venue à ce tribunal avec un profond sentiment de sympathie pour le chagrin d'une mère qui avait subi la fin tragique de son enfant. Je suis venue remplie d'horreur pour le crime qui avait été commis et pleine d'indignation à l'égard des responsables de la mort de Marina. Je nourris toujours ces sentiments ; je suis toujours prête, comme je l'étais en arrivant, à demander à la cour de châtier ceux qui ont assassiné Marina. Mais à l'heure qu'il est, je ne sais pas qui ils sont. »

Dans le reste de son discours, Sara expliqua comment, en écoutant les dépositions d'Alik et de Sacha, elle avait peu à peu perdu cette conviction inébranlable qu'elle avait au début, après avoir accepté d'intervenir comme «procureur du peuple», et comment elle commença à avoir des doutes quant à la véracité de leur déposition initiale.

Ce qui arrivait était tout simplement unique. Je n'ai jamais entendu parler d'un cas semblable dans toute l'histoire de cette institution qu'est le «procureur du peuple». Aucun de mes nombreux collègues n'a jamais rencontré un tel conflit entre un procureur de l'État et un procureur du peuple, ni avant ni après notre procès. Je crois pouvoir dire qu'aucun autre «procureur du peuple» n'a jamais fait preuve d'autant de courage et d'indépendance.

A côté de son importance sur le plan des principes, le discours de Sara Babionicheva était également intéressant par son analyse des preuves, en particulier en ce qui concernait la déposition de Martchenkova.

Chaque fois que j'avais réfléchi à la déposition de cette vieille femme, je l'avais cataloguée comme hystérique, incapable que j'étais de trouver un qualificatif plus exact. Babionicheva la décrivit comme une «pleureuse professionnelle» (*plakalchtchitsa*). En lisant son témoignage tel que transcrit par l'enquêteur, Babionicheva avait été capable d'y discerner les caractéristiques du rituel traditionnel des paysans procédant aux lamentations funèbres. Quand elle évoqua ce témoignage, elle récita d'une voix légèrement monotone pour nous faire percevoir et sentir le phénomène. Elle était capable de démontrer que la structure verbale du témoignage de Martchenkova correspondait précisément aux règles de cette forme particulière de poésie populaire orale. Venaient d'abord le regret de la défunte, le chagrin inconsolable de la pleureuse après le décès; suivait une apologie des qualités de la morte: comme elle était intelligente, comme elle était belle, etc. Puis la pleureuse se lamentait sur la culpabilité des survivants qui ne l'avaient ni surveillée ni préservée: «Pardonne-moi, Marina, ma petite, pardonne une vieille femme. Donne-moi ton absolution. Pourquoi est-ce que je rêve de toi chaque nuit? Je n'ai pas pris soin de toi, je ne t'ai pas sauvée...», etc.

Sara expliqua que l'enquêteur avait fait de cette forme ritualisée de lamentations, où le seul fait certain était la mort de la jeune fille, la pierre angulaire de son acte d'accusation; en d'autres termes, il avait donné force probatoire à un témoignage qui n'était rien d'autre qu'une envolée de fantaisie littéraire.

Je me rappelle que, ce même jour, Ioudovitch prononça une brillante plaidoirie, encore qu'aujourd'hui, dix ans plus tard, je sois totalement incapable de me souvenir de ses caractéristiques. Je ne puis que me rappeler ma propre plaidoirie, parce que j'en ai gardé le texte sténographié.

Je me rappelle certains passages du réquisitoire de Volochina, mais seulement ceux que j'ai cités ou auxquels j'ai répondu dans ma propre plaidoirie. Pourtant, des transcriptions sténographiées de nos discours ont fait l'objet d'études spéciales et de discussions à la Société de criminologie du collège des avocats de Moscou, ainsi qu'à des réunions spécialement organisées à cette occasion dans nos bureaux juridiques respectifs.

Mais par leur individualité stylistique, par la manière dont ils ont été prononcés, ces discours restent un exemple classique d'éloquence judiciaire, ce qui est de règle dans notre profession.

Le discours de Babionicheva, par contraste, fut mémorable par son divorce complet d'avec la tradition, son auteur n'étant pas familière des cours de justice ; c'est justement là que résidait la force de son impact émotionnel.

Comme nous nous y attendions, le réquisitoire de Volochina fut la répétition mot pour mot de l'acte d'accusation. Bien qu'elle eût été forcée d'admettre que l'enquêteur Ioussov avait fait certaines entorses à la loi en menant l'enquête, elle conclut son réquisitoire par ces mots :

« Je suis obligée de reconnaître que Bourov et Kabanov étaient de bons garçons. Rien dans leur conduite antérieure ne laissait penser qu'ils avaient des tendances criminelles. S'ils n'étaient pas revenus sur leurs aveux et s'ils n'avaient pas nié leur culpabilité, ils auraient pu arriver au tribunal *la tête haute*. Mais ils sont revenus sur leurs aveux. Je considère leur culpabilité comme prouvée et je demande à la cour de les condamner, conformément à l'article 102 du Code pénal de la R.S.F.S.R., à dix ans de privation de liberté. »

Il me sembla alors, et je n'ai pas changé d'opinion depuis, que rien n'exprime mieux l'attrait psychologique des « aveux », leur pouvoir hypnotique, que les mots : « ils auraient pu arriver au tribunal la tête haute » — mots prononcés à propos de deux personnes que le procureur elle-même considérait comme coupables d'avoir commis l'un des crimes les plus graves et les plus immoraux qui soient.

Les réquisitoires et plaidoiries durèrent deux jours. Je parlai le second jour. La suspension de séance pour le déjeuner fut annoncée après ma plaidoirie.

Nous faisions la queue à la cantine du tribunal de la ville, parmi des juges, des procureurs et des avocats. Certains d'entre eux avaient écouté nos plaidoiries, celle de Lev, la veille, la mienne le jour même. Nous eûmes la chance d'entendre quelques mots flatteurs, quelques louanges de la part de ces juristes. Le fait que des juges et des procureurs nous appréciaient n'était pas seulement agréable ; cela nous donnait aussi des raisons d'espérer. Il nous semblait que si plusieurs juges avaient nettement admis que nos arguments étaient convaincants, s'ils pensaient que nous avions réfuté la crédibilité des aveux des garçons, alors sûrement Kareva, qui était un juge comme eux, aurait la même attitude. Peut-être que, en dépit de ses préjugés évidents, elle pèserait calmement le pour et le contre.

Au moment même où Lev et moi traduisions ces pensées en paroles, le juge Kareva pénétra dans la cantine, vint droit sur nous et me dit d'une voix forte :

« Camarade Kaminskaya, je me sens obligée de vous dire que vous avez prononcé une plaidoirie remarquable aujourd'hui. »

Ses paroles me brisèrent, me réduisirent au désespoir. Car je savais que Kareva ne se serait jamais permis de dire de telles choses en présence de mes collègues et des siens si elle n'avait pas déjà irrévocablement décidé de condamner les deux garçons. Il est assez intéressant de noter que le soir, quand je répétai à mon mari, sans commentaire, les compliments de Kareva, sa réaction fut exactement la même :

« Cela veut dire que tout est fini, dit-il. Tu peux considérer les garçons comme déjà condamnés. »

Trois jours plus tard — le 23 novembre 1967 —, nous étions tous au tribunal de la ville de Moscou pour entendre le verdict et la condamnation. Je n'ai jamais pu réprimer ma nervosité en un tel moment, quand le cœur semble sur le point de s'arrêter, quand on va entendre ces paroles vitales en vue desquelles on a travaillé tant de mois, pour lesquelles on a passé tant de nuits blanches, pour lesquelles on a donné non seulement ses aptitudes intellectuelles et son adresse professionnelle, mais aussi un morceau de sa propre vie.

Et les mots fatidiques furent ainsi prononcés :

« Au nom de la République soviétique fédérative socialiste de Russie. La cour de la chambre criminelle du tribunal de la ville de Moscou déclare... Bourov et Kabanov coupables conformément à l'article 102 du Code pénal et condamne chacun d'eux à dix ans d'une peine privative de liberté. »

Bien que nous fussions préparés à un tel verdict, ces mots nous frappèrent comme s'ils étaient imprévus, s'abattirent sur nous comme une chape de plomb. Il en est toujours ainsi à la fin, dans tous les procès où l'on est absolument sûr de la justesse de sa cause. Bien que l'on comprenne intellectuellement que son client sera de toute façon condamné, on continue, irrationnellement, d'espérer jusqu'à la dernière minute.

Comme tous les avocats du monde entier, sans aucun doute, j'ai toujours une crise de nerfs avant de prononcer ma plaidoirie. Comme tous mes confrères, je veux faire un bon discours ; c'est le sens du devoir professionnel qui m'y pousse, avec aussi une pointe de vanité. Tout le monde aime être encensé après avoir prononcé un discours. Mais cette forme d'excitation nerveuse ne peut se comparer en intensité avec le sentiment qui m'envahit le jour où le verdict doit être rendu. Chaque fois que mes collègues me demandent: «Quand vous sentez-vous le plus nerveuse, avant ou après une plaidoirie?», je réponds toujours: «Le moment où je me sens le plus nerveuse, c'est quand j'attends la sentence et pendant qu'elle est prononcée.»

Un procès est une affaire très fatigante. Souvent, quand je rentrais à la maison le soir, j'étais si fatiguée que j'étais incapable de parler à quiconque. Je dînais en silence, puis, sans lire ni regarder la télévision, je me retirais dans ma chambre. Après un verdict de culpabilité, ce que je ressentais, ce n'était pas simplement de la fatigue, c'était de l'épuisement: un sentiment de faiblesse si totale qu'il m'était difficile même de lever le bras ou de mettre un pied l'un devant l'autre.

Après la condamnation de Sacha et d'Alik, je ne pus fermer l'œil; je restais éveillée et je pensais: «Je hais ce travail. Je ferais mieux d'être concierge ou ménagère, n'importe quoi plutôt que de participer à cette farce dégoûtante.» A ce moment-là, je haïssais mon métier, le métier que j'avais choisi comme la vocation de ma vie.

Kareva ne se contenta pas de prononcer un verdict de culpabilité. Elle prit aussi une décision judiciaire séparée constatant que Sacha était revenu sur ses aveux sous l'influence de l'avocate Kozopolianskaïa. Kareva ne trouva rien de préjudiciable dans toutes les illégalités commises par Ioussov. Non seulement elle n'adressa aucun blâme nominalement à Ioussov, mais, dans le libellé de son verdict, elle évita toute mention des irrégularités indubitablement établies par le tribunal: les arrestations illégales, la période excessive de détention dans les cellules de préventive, le placement d'adultes dans des cellules de détenus mineurs. Pas un mot non plus dans le verdict des insertions falsifiées dans le procès-verbal de l'interrogatoire des garçons, insertions qu'elle avait elle-même confirmées.

Kareva blâma publiquement Kozopolianskaïa non parce que sa soi-disant mauvaise conduite avait été prouvée au procès (elle ne l'avait pas été), mais parce que, en condamnant les garçons, elle était obligée d'indiquer une raison de leur modification de témoignage. Le blâme de Kozopolianskaïa était nécessaire pour justifier un verdict de culpabilité. Kareva passa sous silence les actions illégales de Ioussov non parce qu'elle était inconsciente de leur sérieux, mais parce qu'un blâme de Ioussov eût invalidé un verdict de culpabilité.

Le seul résultat de tous les efforts des avocats de la défense fut que le verdict ne faisait aucune référence, comme preuve de culpabilité, au fait que Sacha avait pâli à la vue du corps flottant de Marina, ou au fait qu'Alik avait identifié avec empressement les soldats qui avaient joué au volley-ball avec lui afin de détourner les soupçons de sa propre personne.

5

LA COUR D'APPEL

Dans l'état de dépression auquel j'avais été réduite par ce verdict monstrueusement injuste, la chose la plus dure fut de ne pas sombrer dans le désespoir, de ne pas donner libre cours au sentiment d'impuissance, à la pensée que tout ce que nous avions fait l'avait été en vain. Au contraire, il nous fallait nous forcer à espérer ; il y avait encore la Cour suprême.

Le soir du jour où les garçons furent condamnés, je rencontrai les parents de Sacha, Gueorgui et Klavdia Kabanov, remplie d'un sentiment profond de culpabilité et de honte ; aucun effort de rationalisation — après tout, j'avais fait tout mon possible — ne pouvait apaiser ces sentiments.

Klavdia et Gueorgui vinrent à mon bureau avec un énorme bouquet de roses. Une fois de plus, je fus confondue par le sens inné de noblesse et de tact que possédait cette femme simple et sans instruction. Après le verdict, le lendemain du jour où son fils, dont elle était persuadée de l'innocence, avait été condamné à dix ans de prison, Klavdia vint me voir pour me dire une seule chose : « Merci. Je n'oublierai jamais tout ce que vous avez fait pour nous. »

Je ne pouvais la réconforter : c'est elle qui me dit les choses que j'avais préparées pour elle :

« Ce n'est pas la fin, Dina Izaakovna, dit-elle. La Cour suprême *ne peut pas* maintenir le verdict. Nous croyons que vous-même et Ioudovitch verrez que justice est faite. Sacha sera libre, croyez-moi. »

Le lendemain, Sacha me répéta la même chose, presque mot pour mot, dans le parloir de la prison n° 1 ; il prononça des paroles de gratitude, de conviction inébranlable que tout se terminerait bien.

Leur foi dans la justice soviétique était plus grande que la mienne. Ils en savaient moins que moi sur elle. Contrairement à eux, je ne pouvais jamais arriver à dire: «Cela ne peut être...» Je n'avais que le droit de dire: «J'espère...»

La nouvelle année — 1968 — commençait. Seize mois avaient passé depuis l'arrestation de Sacha et d'Alik. Pendant tout ce temps, ils n'avaient vu qu'une seule fois leurs parents — le lendemain de leur condamnation. Maintenant que l'affaire avait été portée devant la Cour suprême, ils n'avaient plus le droit de nous voir, nous leurs avocats. Alik et Sacha allaient languir en prison dans une totale ignorance de ce qui se passait jusqu'à ce que leur procès soit entendu devant la Cour suprême de la R.S.F.S.R. Ensuite, ce serait soit les camps de travail, si le verdict était maintenu, soit de nouveau la prison si le verdict était annulé et le dossier renvoyé pour un nouveau procès. Il était par conséquent essentiel que l'emprisonnement des garçons, dans des conditions d'isolement particulièrement strictes, soit réduit au minimum, et que l'affaire passe devant la Cour suprême le plus tôt possible. L'avocat, cependant, ne pouvait rien faire pour hâter le processus; il s'agissait d'une routine intangible.

Finalement, nous fûmes informés que l'appel passerait à la Cour suprême le 9 avril 1968 à 10 heures du matin.

Le nom des magistrats nous était connu: c'étaient les mêmes juges qui traitaient tous les appels interjetés contre les verdicts du tribunal de la ville de Moscou. Le président, ce jour-là, serait M. Romanov, l'un des meilleurs juges de la Cour suprême. Le rapporteur serait le juge Karassev. Beaucoup de monde s'était rassemblé sur les bancs du public, y compris beaucoup de nos collègues avocats de divers bureaux. Ils étaient tous au courant, par ouï-dire, du caractère intéressant et controversé de ce procès.

Karassev mit plus d'une heure à faire son rapport sur l'affaire. Il énuméra les motifs de la condamnation des garçons. Il fit un exposé très détaillé des arguments contenus dans nos appels; l'appel de Lev, très long et circonstancié, courait sur près de cinquante pages, tandis que le mien, avec ses trente pages, était sensiblement plus court, contenant cinq sections principales articulées comme suit:

1. Dans tout le dossier du procès, il n'y a aucune preuve objective de la culpabilité de Kabanov;

2. Aucun des témoins qui ont été entendus n'incrimine Kabanov du viol et du meurtre de Marina;

3. Le verdict de culpabilité est uniquement fondé sur l'auto-accusation de Bourov et de Kabanov, qu'ils ont rétractée alors que le procès en était encore au stade de l'enquête;

4. En s'avouant coupables, Bourov et Kabanov ont fourni des témoignages contradictoires;

5. Dans le dossier du procès, il y a des preuves irréfutables de l'innocence de Kabanov.

Mon pourvoi en appel se terminait ainsi :

« Sur la base des points énumérés ci-dessus, je considère que Kabanov a été condamné par le tribunal de la ville de Moscou pour un crime qu'il n'a pas commis ; que le dossier de l'affaire non seulement n'étaye pas un verdict de culpabilité, mais le contredit totalement.

« C'est pourquoi je demande aux magistrats de la Division criminelle de la Cour suprême de la R.S.F.S.R. de révoquer le verdict du tribunal de la ville de Moscou dans·l'affaire Kabanov, et de déclarer l'affaire classée. »

Conformément à une pratique bien établie, l'avocat, en cour d'appel, se contente d'argumenter sur son texte, le commentant section par section. Bien que nous eussions soumis des textes d'appel très détaillés, il y avait de nombreuses précisions à apporter.

Après que le rapporteur eut parlé, ce fut notre tour. Nous fûmes écoutés avec une attention et un intérêt qui, me sembla-t-il, ne faiblirent à aucun moment. L'intervention de Babionicheva fut entendue avec un égal intérêt.

Puis vint le tour du procureur, représentant le niveau le plus élevé du ministère public. Son intervention peut se résumer ainsi :

La cause a été suffisamment entendue. La culpabilité des accusés est prouvée d'une manière irréfutable par leurs propres aveux au cours de l'enquête préliminaire. Leur culpabilité est également prouvée par la déposition du témoin Martchenkova et de nombreux autres témoins qui ont constaté que Bourov et Kabanov se sont absentés pas moins de trente-cinq à quarante minutes. Ce temps était amplement suffisant pour commettre le viol et le meurtre de Marina.

La cour l'écouta avec autant d'attention et de courtoisie qu'elle nous avait entendus.

La cour se retira pour délibérer et prendre sa décision.

Après des heures d'attente, nous nous levâmes pour la troisième fois quand les magistrats revinrent de la salle des délibérations.

Romanov avait en main deux petites feuilles de papier. C'était trop peu pour une décision qui eût annulé le verdict. Lev et moi échangeâmes des regards désespérés. C'était presque la fin, presque sans espoir.

« La cour énumère ci-après les attendus de sa décision... »

Nous échangeâmes un coup d'œil. C'était de nouveau l'espoir. Si la cour allait rejeter notre appel, il n'était pas besoin d'une longue déclaration. Et puis :

« Conformément à l'article 339 du Code de procédure criminelle, la cour rend l'arrêt suivant :

« Le verdict rendu par le tribunal de la ville de Moscou, le 23 septembre 1967, dans l'affaire Bourov et Kabanov, est cassé ; le dossier est renvoyé à la même cour pour nouveau jugement, l'enquête devant être reprise depuis le stade préliminaire ; les mesures de détention appliquées à Bourov et Kabanov restent en vigueur. »

Sans doute réalisions-nous que les garçons devraient encore rester en prison de nombreux mois, mais au moins le verdict avait été cassé, au moins ils avaient admis que les garçons avaient été condamnés à tort.

C'était la victoire, la précieuse récompense de tous nos efforts. Je ne crains pas de manquer de modestie en affirmant que nous avions vraiment mérité cette récompense. Pourtant, Sacha et Alik ignoraient tout de cette décision et ne seraient pas mis au courant avant que l'enquêteur ne les rappelle pour un nouvel interrogatoire préalable au nouveau procès. Ni leurs parents ni nous, leurs conseillers, n'avions le droit de leur rendre visite.

Le dossier resta à la Cour suprême, sans aucune progression, pendant six semaines. Ce n'était pas dû à la négligence, mais au simple fait que ce tribunal ne possédait pas de photocopieuse. Tous les documents devaient être recopiés par des dactylos. Finalement, le 29 mai, j'appris que le dossier avait été transmis au ministère public.

Le même jour, Ioudovitch et moi-même présentâmes une requête dans les formes à Goussev, procureur général de la province de Moscou, pour obtenir la libération immédiate de Bourov et de Kabanov. Il n'y eut aucune réponse, ni à cette requête ni aux pétitions ultérieures. Un mur de silence entoura le cas des deux garçons. Nous apprîmes par leurs parents qu'aucun des témoins d'Izmalkovo n'avait été convoqué auprès du juge d'instruction. Nous avions l'impression que personne ne s'occupait de l'affaire. Trois mois passèrent sans que nous puissions découvrir la moindre chose à propos de l'affaire, qui ne faisait pas le plus léger progrès.

Le 17 août, on nous remit, à Lev et à moi, un message téléphoné : le procureur Goussev nous verrait le lendemain matin à 10 heures.

A l'heure dite, Lev et moi nous trouvions dans le bureau de Goussev, dans le vieux bâtiment élégant qui abrite le ministère public. Un homme grand et de belle prestance était assis derrière un énorme bureau ancien. En nous voyant, il resta assis, se contentant de faire un signe de tête qui pouvait signifier « bonjour » ou « asseyez-vous ». Je décidai d'interpréter ce signe de tête dans les deux sens et, sans attendre une invitation articulée, je m'assis dans un fauteuil tout contre le bureau, tandis que Lev prenait place près de moi. Goussev ne nous donna pas l'occasion de placer un mot :

« Je sais pourquoi vous êtes venus me voir. J'ai décidé d'accéder à votre demande. La nouvelle enquête, dans cette affaire, sera menée par l'enquêteur Gorbatchev, de ce parquet. J'ai également décidé de satisfaire votre requête pour la libération de Bourov et de Kabanov. Ils seront chez eux dans quelques jours. Vous pouvez annoncer la nouvelle à leurs parents.»

Quelle nouvelle merveilleuse et inattendue! Nous dégringolâmes l'escalier et traversâmes la rue en direction du boulevard Pouchkine, le préféré de tous les Moscovites, bordé de vieux tilleuls, là où les bancs sont toujours occupés par de vieilles gens et par des amoureux — et où nous nous trouvions maintenant, radieux et riant. Nous avions une bonne raison d'être joyeux : *nos* garçons allaient être libérés, *nos* garçons étaient sur le point de quitter la prison.

Il n'était pas question de travailler par une telle journée. C'était jour de fête. Il y avait, cependant, une obligation que nous ne pouvions remettre : il nous fallait voir les parents des garçons, leur porter la joyeuse nouvelle. Mais nous ne pouvions pas appeler Izmalkovo : personne n'avait le téléphone dans le village. Nous ne pouvions pas non plus nous y rendre. Si nous étions aperçus dans le village allant chez Bourov ou chez Kabanov, il y aurait un scandale. Nous ne pouvions rencontrer les parents que dans nos bureaux.

Nous décidâmes d'aller à mon appartement, d'y prendre mon fils, de le conduire sur la grand-route au plus près du village et d'attendre là pendant qu'il allait chez les Kabanov.

Deux heures plus tard, nous étions revenus à la maison. Nous étions assis autour de la table, buvions de la vodka et mangions tout ce que nous avions pu trouver dans la maison. Tout allait pour le mieux, et Lev proposa le toast traditionnel :

«A notre métier!»

Comme nous aimions notre profession, *ce jour-là!*

Le téléphone sonna. Quand j'eus décroché, le seul son que j'entendis dans l'appareil fut des sanglots. Aucune parole, seulement des sanglots incontrôlables. Et je me mis moi aussi à pleurer avec elle — la mère de Sacha.

Le 20 août 1968, après vingt-trois mois et vingt jours, les garçons retrouvaient leur maison.

A partir de ce jour, l'enquête sur leur cas redémarra. Elle dura sept mois. De nouveau, nous étions dans l'ignorance de ce qui se passait. Elle se faisait sous l'autorité d'un autre enquêteur, bien qu'appartenant au même parquet de la province de Moscou.

Un jour que j'étais assise à un petit bureau dans une salle du quatrième étage du bâtiment de la Cour suprême, je vis arriver Karassev (qui avait été le rapporteur dans notre affaire).

«Eh bien, camarade Kaminskaya, vous travaillez encore sur votre dossier, n'est-ce pas?» s'enquit-il en plaisantant à demi, voyant que j'étais en train de transcrire presque mot pour mot le texte de la décision.

«Je ne puis me priver du plaisir d'avoir le texte complet de cet arrêt.

— Je n'en suis pas satisfait» dit Karassev. En réponse à mon coup d'œil interrogateur, il poursuivit:

«L'affaire aurait dû être classée. L'enquête n'a plus d'objet. Mais nous avons décidé de donner au ministère public sa chance d'une dernière tentative. Après quoi ils pourront tranquillement laisser tomber l'affaire d'eux-mêmes. De cette manière-là, il y aura moins de plaintes et moins d'histoires.»

Ioudovitch et moi, cependant, pensions qu'il était peu probable que le ministère public laisserait tomber l'affaire. Trop d'infractions avaient été commises non seulement par Ioussov, mais aussi par le chef du service des enquêtes du ministère public et par Goussev lui-même, qui avait cautionné l'arrestation incorrecte de Sacha et d'Alik ainsi que leur maintien illégal en prison. Ce n'était pas seulement pour protéger Ioussov — ils l'auraient jeté aux loups avec joie —, mais pour sauvegarder l'honneur de tout le parquet de la province, qu'ils poursuivraient l'affaire; ils feraient tout leur possible pour assurer la condamnation des garçons, couvrant ainsi toutes les irrégularités de procédure.

En mars 1969, l'enquêteur Gorbatchev convoqua les garçons, Ioudovitch et moi-même à son bureau pour nous informer que l'affaire était complètement instruite. Nous étions maintenant autorisés à prendre connaissance du nouveau dossier, après quoi ce dernier serait envoyé à la cour. Il consistait maintenant en dix gros volumes, chacun d'eux contenant entre 300 et 500 pages.

Nous commençâmes par le volume IX, qui contenait les documents collationnés depuis l'arrêt de la Cour suprême.

Nous fûmes confrontés tout de suite à une surprise inattendue.

Pendant la période où nous avions déposé des conclusions pour la libération d'Alik et de Sacha, alors que nous attendions en vain les réponses à nos requêtes, l'affaire était réentendue à la Cour suprême de la R.S.F.S.R. — par son praesidium, dirigé par Lev Smirnov (à l'époque président de la Cour suprême de la R.S.F.S.R., plus tard président de la Cour suprême de l'U.R.S.S.). C'était seulement maintenant, en mars 1969, que nous, les avocats de la défense, étions informés qu'en juin 1968 le vice-procureur de la R.S.F.S.R., Kravtsov, avait déposé une protestation contre l'arrêt de la Cour suprême. Il avait demandé que la décision des magistrats sur l'appel fût rapportée et que le verdict du tribunal de la ville de Moscou fût rétabli et confirmé.

Conformément à la loi, les avocats ne se voient pas notifier la date de l'audience pour une protestation. Mais la protestation elle-même nous avait été cachée. C'était une monstrueuse tentative pour empêcher les avocats de parler en faveur des garçons et de soumettre des objections écrites à la protestation.

Heureusement, le praesidium de la Cour suprême de la R.S.F.S.R. avait rejeté la protestation de Kravtsov. Qui plus est, dans la décision rendue par le praesidium, les infractions du ministère public et le niveau déplorable de l'enquête étaient encore plus vivement stigmatisés qu'auparavant.

La deuxième surprise, c'était que le ministère public avait retrouvé et interrogé les adultes qui avaient été placés dans les cellules de préventive avec les deux garçons. Il se révéla qu'ils n'avaient jamais quitté la province de Moscou, mais qu'ils y avaient vécu tout le temps dans la même ville, celle d'Odintsovo. Le plus étonnant, c'était que Kouznetsov ne s'appelait pas Kouznetsov du tout, mais Skvortsov, et que c'était sous ce nom qu'il avait été arrêté par la police d'Odintsovo. Et « Iermolaïev » n'était pas Iermolaïev, mais Dementiev.

Pourquoi la police s'était-elle livrée à une telle falsification ? La véritable identité de ces hommes lui était parfaitement indifférente. Il n'était nécessaire et commode de cacher leurs véritables noms que si ces adultes avaient été placés dans les cellules de préventive avec des intentions spéciales et dans un but déterminé. Et cette dissimulation n'était nécessaire qu'à l'enquêteur Ioussov et aux fonctionnaires qui avaient travaillé sous ses ordres. Skvortsov et Dementiev eux-mêmes n'avaient que très peu de chose à dire. Ils ne savaient pas pourquoi ils avaient été arrêtés ; ils dirent que c'était pour quelque vérification de routine. Ils ne savaient pas non plus pourquoi ils avaient été détenus pendant toute une semaine. Ils avaient été tous deux libérés le même jour, le 7 septembre 1967 (le lendemain des aveux de Sacha et d'Alik). On ne leur avait fait signer aucune notification d'interdiction de séjour pour la province de Moscou. Effectivement, ils avaient été placés dans les mêmes cellules que les garçons, mais ils n'avaient gardé qu'un vague souvenir des garçons eux-mêmes et de ce dont ils avaient parlé. Personne, affirmèrent-ils, ne leur avait donné l'instruction de persuader les garçons de passer aux aveux.

Il y avait une troisième surprise.

L'enquêteur Gorbatchev avait fait des visites supplémentaires au verger, séparément avec chacun des six « témoins officiels » qui avaient précédemment accompagné Ioussov, Alik et Sacha sur la prétendue « scène du crime ». Chacun de ces témoins avait montré l'endroit du verger, sous le pommier, que Bourov et Kabanov avaient eux-mêmes montré en 1966 comme étant le lieu où Marina avait été violée, et ils avaient tous désigné le même endroit. Toutes les mesures avaient alors été relevées, et elles étaient absolument identiques dans les six cas. Les déclarations faites par Alik et Sacha, dont il résultait clairement qu'ils avaient désigné des endroits différents, étaient réfutées par ces mesures.

C'était d'autant plus étonnant que deux de ces « témoins officiels » avaient été interrogés au tribunal de la province de Moscou, et qu'à cette occasion ils avaient pleinement confirmé le témoignage des garçons sur ce point.

Je montrai à Lev les extraits que j'avais recopiés de tous les comptes rendus de ces visites sur le site du crime. Chacun d'eux mentionnait la date du voyage — la même date pour tous les six ; chacun d'eux notait également les heures auxquelles la visite avait commencé et s'était terminée — les mêmes heures pour les six comptes rendus. Il était clair, par conséquent, qu'il n'y avait pas eu six voyages séparés avec chacun des « témoins officiels » ; il n'y avait pas eu six opérations de mesure, chacune concordant au centimètre près, mais un seul voyage et une seule opération de mesure. Cela n'était pas en soi-même une garantie que, lors d'un contre-interrogatoire, nous obtiendrions des réponses véridiques ; c'était seulement le petit fil de l'écheveau sur lequel nous pourrions essayer de tirer pour extraire la vérité.

Nous tombâmes d'accord pour ne pas demander le rappel et l'interrogatoire des « témoins officiels » pour le moment. A part nous deux, personne ne soupçonnerait l'existence de cette nouvelle falsification que nous venions de découvrir. Nous comptions sur l'effet de surprise pour en tirer un maximum d'effet le moment venu, lorsque nous interrogerions ces témoins au procès.

Il y avait un autre changement d'importance considérable : questionnée par l'enquêteur Gorbatchev, le témoin Martchenkova avait affirmé qu'elle avait précédemment fourni un témoignage mensonger par peur d'une vengeance de la part des parents de Bourov. Elle disait maintenant que non seulement elle avait entendu la voix de Marina, mais qu'en plus elle avait vraiment vu Marina et les garçons. L'évidente improbabilité de cette affirmation sautait aux yeux de tous ceux qui avaient vu comment Martchenkova tâtonnait avec sa canne pour chercher son chemin, en dépit de ses lunettes à verres épais, et cela dans une salle de tribunal bien éclairée.

Comment aurait-elle pu, de la fenêtre de sa pièce éclairée, voir les visages de personnes qui se trouvaient à quinze mètres et dans l'obscurité ?

Nous serions donc obligés de répéter la demande que nous avions faite au tribunal de la province de Moscou, à savoir que la clinique où Martchenkova recevait des soins fournisse une copie de sa vraie histoire médicale.

Une fois cette formalité accomplie, Ioudovitch et moi-même, Sacha et Alik signâmes le document correspondant constatant que nous avions tous pris connaissance de la matière du dossier. Il nous fallait maintenant attendre que l'affaire fût jugée pour la troisième fois. Il était impossible de prédire combien de temps il nous faudrait attendre. Cela pouvait durer un mois ou deux, peut-être quatre mois. Cette fois-ci, heureusement, les garçons étaient sortis de prison et chez eux, de sorte que l'épreuve de l'attente ne serait pas aussi pénible et angoissante.

Exactement deux mois plus tard, le 28 avril, nous apprîmes que les garçons avaient de nouveau été arrêtés.

Le mandat était signé par Goussev, alors procureur de la province de Moscou, par la suite vice-procureur de l'U.R.S.S. et maintenant vice-président de la Cour suprême de l'U.R.S.S., le même homme qui, six mois auparavant, avait si magnanimement libéré Alik et Sacha.

Pourquoi avait-il agi ainsi ? L'enquête était déjà terminée. Il n'y avait aucun risque que les garçons filent, car, depuis six mois qu'ils étaient en liberté, ils avaient eu une conduite irréprochable. Je ne puis trouver qu'une seule explication : il s'agissait d'un chantage psychologique, et Goussev était en train de faire chanter le tribunal qui allait juger l'affaire pour la troisième fois. En arrêtant les garçons, il voulait dire : « Nous restons fermes sur nos positions et nous ne céderons pas. Nous allons nous battre sur cette affaire avec toute la force et l'autorité dont nous sommes capables. »

Sans aucun doute, il était parfaitement indifférent à Goussev qu'Alik et Sacha fussent libres ou en prison. Son action n'était pas dirigée contre eux. Leur arrestation n'était qu'une arme destinée à exercer une pression sur la cour. Et Goussev usait de cette arme sans la moindre pitié.

Les mois passèrent de nouveau, des mois au cours desquels nous n'avions pas le droit d'aller à la prison et de voir nos garçons — qui avaient maintenant grandi et qu'on ne pouvait plus appeler vraiment des garçons. C'est dans la prison n° 1 qu'ils célébrèrent leur majorité légale.

A la requête de Ioudovitch et de moi-même, la Cour suprême de la R.S.F.S.R. accepta de juger cette affaire, eu égard à son extrême complexité.

6
LE TROISIÈME PROCÈS

Le troisième procès de l'État contre Bourov et Kabanov commença en septembre 1969 devant la Cour suprême de la République de Russie.

Lev et moi-même abordâmes ce procès avec la conscience d'une profonde responsabilité personnelle. C'était notre dernière chance de plaider l'affaire en cour de justice : « Le verdict de la Cour suprême est définitif et n'est pas susceptible d'appel. »

Une fois de plus, il y avait la solide barrière en bois derrière laquelle les « garçons » se tenaient, flanqués par les soldats armés de l'escorte. J'avais vu Sacha plusieurs fois avant le début de ce procès, et j'avais remarqué comme il était devenu pâle et menu depuis sa seconde arrestation. Quand je lui avais rendu visite, il m'avait saluée avec ces mots : « Eh bien, me voici revenu en prison. J'ai l'impression que je ne sortirai pas de là. »

Sacha comprenait que tout espoir n'était pas perdu ; mais, après les délices de la liberté, cette seconde arrestation l'avait brisé. C'est la raison pour laquelle j'allai plusieurs fois lui rendre visite, alors qu'il n'y avait plus rien de nouveau à discuter sur l'affaire. Pendant les deux années et demie écoulées, tout avait été expliqué, vérifié et examiné sous tous les angles possibles.

Quand Alik pénétra dans la salle d'audience, c'était la première fois que je le voyais depuis son arrestation. Une chose en lui me frappa tout de suite : il avait perdu ses dents de devant. Lev me dit : « Ne soyez pas surprise. Ses dents tombent : il est épuisé et sous-alimenté. » Alik était, effectivement, beaucoup plus menu et pâle que Sacha.

Le président des magistrats était le juge I. Petoukhov, de la Cour suprême de la R.S.F.S.R. Quand il entra dans la salle d'audience pour ouvrir la séance, accompagné de ses deux assesseurs, je le voyais pour la première fois. C'était aussi ma première rencontre avec Kochkine, vice-procureur de la province de Moscou, qui remplaçait Volochina comme procureur dans l'affaire. En désignant Kochkine, son premier adjoint, pour diriger l'accusation, Goussev démontrait une nouvelle fois sa détermination de livrer un dur combat.

Sara Babionicheva n'était pas assise au pupitre du ministère public. Il n'y avait pas de «procureur du peuple» à ce procès. Un coup d'œil circulaire dans la salle m'apprit qu'il n'y avait pas d'autre public que les parents d'Alik et de Sacha, Aleksandra Kostopravkina, Lev Ioudovitch et moi-même.

Quand j'ai décrit l'attitude judiciaire du juge Kirilov, j'ai principalement mentionné sa grossièreté, tandis que le juge Kareva, quand elle jugeait notre procès, manifestait une partialité ouverte et irrépressible à notre égard. La caractéristique du juge Petoukhov, par contraste, était son calme imperturbable.

Il écoutait tranquillement nos nombreuses demandes, et tranquillement écoutait les objections que le procureur leur opposait. Ensuite, avec un calme égal, il annonçait d'une voix un tant soit peu trop basse: «accordé» ou «rejeté».

En fait, la plupart de nos requêtes importantes furent agréées. Le chef adjoint de la police d'Odintsovo et l'officier enquêteur en chef de ce même district furent appelés à la barre des témoins. On ordonna de produire une copie du périple médical de Martchenkova, de même qu'un extrait du registre de détention dans les cellules de préventive pour les mois d'août et de septembre 1966. Il était important pour nous d'avoir une preuve documentaire des noms sous lesquels Skvortsov (alias Kouznetsov) et Dementiev (alias Iermolaïev) avaient été détenus. Toutefois, notre demande que la cour se déplace sur la scène du crime fut rejetée comme «non opportune».

Le calme de Petoukhov, sinon son imperturbabilité absolue, se communiquait à tous les acteurs du procès. Le procureur Kochkine se conduisit avec une correction absolue. Il ne cria pas ni ne se montra indigné quand Alik et Sacha déclarèrent plaider non coupables. Il ne criait pas non plus ni ne manifestait d'indignation quand les témoins fournissaient des preuves qui allaient à l'encontre de la thèse de l'accusation.

Aleksandra Kostopravkina refréna aussi son animosité, bien que cela ne se fît pas spontanément. Au début du procès, quand Lev Ioudovitch commença son contre-interrogatoire, elle refusa de le regarder et annonça: «Je refuse de répondre à ces avocats, Ioudovitch et Kaminskaya. Ils reçoivent de l'argent pour protéger les vrais assassins. Ce ne sont pas de vrais avocats soviétiques; les avocats soviétiques n'agissent pas comme cela.»

Kostopravkina se tenait debout, les poings sur les hanches, dans l'attitude familière qui exprimait son mépris à notre égard. Le juge Petoukhov lui répondit:

«Avant tout, Aleksandra Timofeïevna, baissez les bras. Vous parlez devant la Cour suprême. Vous ne pouvez pas adopter cette attitude devant la cour. Maintenant, écoutez-moi attentivement. Si vous voulez que nous vous écoutions, si vous voulez nous dire ce que vous savez, vous devez répondre aux questions de tous les participants à ce procès. Les camarades avocats font consciencieusement leur devoir, qui est de défendre leurs clients. C'est pourquoi ils sont ici. Nous avons besoin de leur aide tout comme nous avons besoin de l'aide du camarade procureur. Nous respectons profondément votre chagrin, nous nous souvenons comment votre fille est morte. Mais nous sommes obligés de vous demander, aussi, de vous souvenir que, pour parvenir à la vérité, nous avons un travail à faire, et qu'il nous faut travailler avec calme et raison...»

Kostopravkina accepta ces règles. Elle réalisa que ce tribunal ne lui permettrait pas de les violer.

Pendant les deux mois que dura le procès, je ne notai que deux fois des signes d'irritation sur le visage du juge Petoukhov, et encore était-ce parce que je l'observais délibérément à des moments qui étaient de grande importance pour la défense. Même alors sa voix restait aussi tranquille et aussi imperturbable qu'à l'accoutumée.

La première fois, cela concernait l'interrogatoire des six «témoins officiels».

Tôt ce matin-là, avant le début de la séance quotidienne, Petoukhov me croisa dans le couloir et me dit:«Cela va être une rude journée pour vous. L'accusation considère la déposition des témoins officiels comme une preuve très importante.»

Je ne répondis rien. Ioudovitch et moi-même avions fermement décidé que la falsification que nous avions découverte serait une surprise totale pour tout le monde, y compris le juge.

Le premier de ces témoins, le «témoin officiel» qui avait le premier accompagné Alik Bourov dans la visite du site, était maintenant à la barre. Il décrivit brièvement comment l'enquêteur Gorbatchev avait suggéré qu'il l'accompagne dans un nouveau voyage à Izmalkovo. L'enquêteur lui avait demandé de désigner l'endroit — le pommier — qu'Alik avait montré le 7 septembre 1966.

«Je le reconnus tout de suite et le montrai à l'enquêteur. Nous mesurâmes la distance et la notâmes dans le procès-verbal.»

Ni la cour ni le procureur n'avaient de questions.

«Dites-moi, témoin, qui est venu avec vous à Izmalkovo? demandai-je.

— J'y suis allé avec l'enquêteur Gorbatchev.

— Comment y êtes-vous allés?

— Nous y sommes allés en voiture.

— Vous rappelez-vous le modèle de la voiture et sa couleur?

— Oui, je me rappelle. C'était un minibus bleu.

— A part vous et l'enquêteur, y avait-il quelqu'un d'autre dans la voiture?

— Seulement le conducteur et nous.

— Et sur le site d'Izmalkovo, quand vous avez montré le pommier et pris les mesures, quelqu'un d'autre était-il présent?

— Non. Uniquement moi-même et l'enquêteur.

— Pouvez-vous vous rappeler la date et l'heure de ce voyage?

— Je me souviens bien de la date. C'était le 2 mars 1969. Quant à l'heure, je l'ai dite à l'enquêteur. L'heure exacte à ma montre fut inscrite au procès-verbal.

— Je n'ai plus de questions à poser à ce témoin. Je demande à la cour de vérifier les faits. Le procès-verbal de cette visite sur le site figure à la page 52, volume X; il mentionne la date du 2 mars, l'heure d'arrivée étant 10 h 15 du matin, celle de retour à Odintsovo étant midi.»

Bien que Petoukhov me regardât de son air impassible habituel, j'étais sûre qu'il était déçu. Pourquoi est-ce que je posais toutes ces questions? Quel point avais-je clarifié? Qu'est-ce que j'avais derrière la tête?

Vint le deuxième témoin, qui avait aussi accompagné Alik. Il raconta la même histoire. Ni le juge ni le procureur n'avaient de questions. Je répétai toutes les miennes. Les réponses fournies par ce témoin correspondaient exactement à celles données par le premier.

«Pas de contradictions, observa le procureur.

— Effectivement, il n'y a pas de contradictions. Je demande à la cour de se rappeler que c'est le procureur qui a été le premier à faire ce commentaire. Je demande maintenant à la cour de vérifier la date et l'heure figurant sur le procès-verbal de cette visite — page 53, volume X.»

Petoukhov lut: «Le 2 mars. Heure d'arrivée, 10 h 15 du matin; heure de retour à Odintsovo, 12 heures.»

Quand le troisième témoin commença à déposer, je vis Petoukhov tourner spontanément la page suivante du dossier. Je remarquai que son visage, habituellement pâle, virait au rouge. Une minute plus tard, c'était lui-même, de sa voix tranquille, qui posait «mes» questions au témoin et qui écoutait calmement les réponses.

«Oui, seulement l'enquêteur et moi-même sommes allés... Il n'y avait personne d'autre avec nous... Nous avons voyagé dans un minibus bleu.»

L'interrogatoire des trois autres témoins s'effectua de la même manière. Il n'était nullement nécessaire d'expliquer à Petoukhov que les six procès-verbaux étaient des faux, et que les six témoins mentaient.

Quand l'interrogatoire du dernier témoin fut achevé, Petoukhov s'adressa à eux tous :

« Témoins, je pourrais vous rappeler que vous pouvez être tenus pour pénalement responsables de faux témoignage. Je ne vous menace pas. Je vous invite maintenant à fournir à la cour un témoignage véridique. Je vous demande de dire la vérité. »

Ils racontèrent alors ce qui s'était réellement passé.

Ils décrivirent comment ils s'étaient réunis, le 2 mars, au poste de police d'Odintsovo, où l'enquêteur Gorbatchev leur avait expliqué qu'une erreur technique s'était glissée dans le collationnement des procès-verbaux des visites précédentes du site. Il leur était donc nécessaire à tous d'y retourner et de faire un effort conjoint pour retrouver le lieu effectif que Bourov et Kabanov avaient désigné. A leur arrivée à Izmalkovo, ils avaient tous discuté et indiqué des endroits différents, si bien que l'enquêteur avait décidé de procéder à un vote et de désigner l'endroit qui recevrait la majorité des suffrages. La décision fut ainsi emportée par les quatre témoins qui avaient accompagné Bourov. Les deux témoins qui avaient visité le site avec Kabanov étaient minoritaires, mais ils avaient tous signé le procès-verbal. La veille de leur apparition au tribunal, ils avaient été rassemblés une nouvelle fois au poste de police d'Odintsovo, et on leur avait dit : « Puisque vous avez signé chacun un procès-verbal séparé de la visite, vous devrez dire, quand vous serez au tribunal, que vous étiez seul avec l'enquêteur et que personne d'autre n'était avec vous. » Et ils avaient fait comme on leur avait dit.

Ainsi, la coïncidence des heures dans les six comptes rendus avait aidé la défense à réfuter ce qui, au premier abord, semblait une pièce à conviction sérieuse pour l'accusation.

Le témoin suivant à pénétrer dans la salle d'audience fut Brodskaïa. Elle demanda l'autorisation de rester assise pour déposer, disant qu'elle ne se sentait pas bien. Exceptionnellement, la cour lui permit de s'asseoir. Une chaise fut spécialement apportée pour elle et placée à égale distance du bureau du procureur et de celui des avocats, et elle s'y installa avec détermination, reflétant l'image même de la femme forte qui ne connaît ni hésitation ni incertitude.

D'une voix forte, martelant chaque mot, Brodskaïa tint son discours familier :

« Je sais qu'ils sont des assassins. J'en suis convaincue, et personne ne peut en douter. Certaines gens malhonnêtes (coup d'œil dans notre direction) les ont poussés à revenir sur leurs aveux. En tant que vieille communiste, j'exige que vous, un tribunal soviétique, les punissiez sans indulgence ! »

Quand Brodskaïa eut terminé, Petoukhov s'adressa à elle de sa voix tranquille :

« Témoin Brodskaïa, nous vous écoutons ; nous attendons toujours votre *déposition*. Dites à la cour ce que vous savez de l'affaire.

— Mais je vous l'ai dit. Je sais que ce sont des assassins. Je sais qu'ils ont torturé et tué Marina. Ils l'ont avoué. Que voulez-vous savoir de plus ? Tout citoyen soviétique sait que, chez nous, seuls les gens coupables avouent ! »

Comme si elle oubliait soudain qu'elle était supposée être malade et qu'elle avait spécialement demandé de témoigner assise, Brodskaïa se leva et exigea, non seulement en son propre nom, mais « au nom de tous les Soviétiques convenables », que la cour condamne les garçons à une peine sévère. A ce moment, je remarquai pour la seconde fois que le visage normalement pâle de Petoukhov virait au rouge autour des pommettes, et que ses lèvres se serraient plus que d'habitude.

Après une pause imperceptible, cependant, il dit de sa voix calme et tranquille :

« La cour n'a plus de questions. Camarade Procureur, avez-vous d'autres questions à poser au témoin ? »

Peut-être était-ce mon imagination, mais j'eus l'impression que le mot « témoin » était prononcé sur un ton légèrement sarcastique.

La partie la plus sensationnelle de tout le procès fut probablement l'interrogatoire de l'adjoint au chef de la Division des enquêtes criminelles de la province de Moscou. Cet interrogatoire, depuis le début jusqu'à la fin, fut totalement mené par Lev Ioudovitch, et d'une manière telle que, après lui, plus personne n'avait besoin de poser de questions.

Bien que le témoin eût essayé d'échapper aux réponses directes et se fût réfugié derrière la nécessité de préserver le secret des méthodes de la police, il fut forcé d'admettre que deux adultes, Skvortsov et Dementiev, avaient été placés dans les cellules d'Alik et de Sacha avec instructions d'accomplir un travail particulier, que c'était la raison pour laquelle leurs véritables noms avaient été cachés et qu'il avait monté cette opération sur les ordres de l'enquêteur Ioussov.

Il est difficile d'estimer à sa juste valeur l'importance de l'information que ce témoin a fournie en réponse aux questions de Ioudovitch.

Skvortsov et Dementiev furent interrogés le même jour. Ces témoins confirmèrent que chacun avait été détenu respectivement dans la cellule d'Alik et dans celle de Sacha. Ils les reconnurent aussitôt en entrant dans la salle d'audience. Tous deux nièrent catégoriquement avoir essayé d'influencer les garçons d'aucune manière, et nièrent qu'on leur avait demandé d'agir ainsi.

Nous leur demandâmes s'ils avaient décrit aux garçons les conditions de vie dans les camps de travail ou les méthodes pratiquées au n° 38 de la rue Petrovka, la prison du Service d'enquête criminelle de la police de Moscou. Les deux témoins nièrent cela aussi, mais celui que Sacha appelait «oncle Vania» admit qu'il avait été précédemment condamné pour blessures graves causées dans une rixe, qu'il avait été détenu au n° 38 de la rue Petrovka pendant la durée de l'enquête et qu'il avait purgé sa peine dans un camp de travail au régime strict.

A notre suite, le juge Petoukhov lui dit:

«Témoin, la cour a une requête à vous adresser. Veuillez déboutonner votre chemise et relever votre tricot de corps.»

Ioudovitch et moi-même retenions notre souffle dans l'attente de ce que nous allions voir.

«Oncle Vania» regarda le juge avec épouvante, puis déboutonna sa chemise et souleva son tricot, révélant une poitrine complètement recouverte de tatouages et diagonalement lacérée, de part en part, par une énorme cicatrice pourpre.

Sacha avait précisément décrit une telle cicatrice dans sa déposition du premier procès. Elle ressemblait exactement à la cicatrice au moyen de laquelle «oncle Vania» l'avait effrayé en lui parlant des brutalités qu'il pouvait s'attendre à rencontrer dans les camps de travail.

Cette journée devint pour nous la journée de l'espoir. Et nous avions pour cela de solides raisons.

Beaucoup de gens étaient venus assister au procès ce jour-là; des gens qui étaient venus par hasard les premiers jours étaient devenus des spectateurs permanents. Parmi eux se trouvaient plusieurs journalistes, des écrivains et des acteurs.

Je considérais le contre-interrogatoire triomphalement réussi de Lev comme ma propre victoire.

Le procès touchait à sa fin. Nous avions demandé et obtenu une copie de l'histoire médicale de Martchenkova, dans laquelle nous pouvions lire pour l'année 1965, l'année de la mort de Marina:

«Œil droit: pratiquement aveugle. Œil gauche: 20 % de vision. Cataracte en évolution dans les deux yeux.

«Audition au-dessous de la normale. Oreille gauche: réduite de 60 %. Oreille droite: réduite de 85 %.»

Nous reçûmes aussi un extrait de l'emploi du temps de Martchenkova. Le 17 juin avait été un jour de travail pour elle. Cependant, elle avait affirmé que le jour où elle avait entendu la conversation et où elle avait vu Marina avait été un jour de congé, un jour sans travail.

Tous les témoins avaient été interrogés. Aucun d'entre eux n'avait incriminé les garçons. Tout s'était bien passé, mais la sensation de malaise et d'incertitude ne voulait pas disparaître. Ce procès nous avait apporté trop d'échecs et de déceptions.

Enfin arriva le jour du réquisitoire et des plaidoiries.

Une fois de plus le procureur — cette fois-ci Kochkine et non pas Volochina — demanda à la cour de déclarer les garçons coupables et de les condamner à une peine de dix ans privative de liberté. Il dit qu'ils n'étaient pas seulement coupables de la mort de Marina ; ils avaient maintenant sur la conscience la destruction d'un autre être humain : l'enquêteur Ioussov. Il révéla que, à la suite de l'annulation du verdict du tribunal de la ville de Moscou, Ioussov était tombé gravement malade. Il avait eu une attaque. Il était paralysé et avait perdu la parole. Ioussov attendait un verdict qui réhabiliterait son honneur personnel, la seule chose qui lui restait.

Je plaignais Ioussov. On aurait dû lui faire payer tout le mal qu'il avait fait aux garçons, l'obstruction qu'il avait faite à la justice par ses méchantes actions. Mais une punition de cette sorte, la perte de la parole et la paralysie, je ne l'aurais souhaitée à personne.

Mais je pensais aussi à ses victimes, les deux garçons, qui avaient passé en prison les plus belles années de la vie d'un être humain. Je pensais à Klavdia et à Gueorgui Kabanov, aux parents d'Alik, qui avaient vécu pendant trois ans dans un chagrin injuste et immérité. A l'âge où l'on accumule le plus de connaissances, où se forment les goûts et les habitudes de la vie et où l'on acquiert les principes moraux de base, Sacha et Alik avaient découvert le sens du mensonge et de la perfidie. Eux aussi avaient accumulé connaissances et expériences au cours de ces trois ans. La prison était devenue la source de leur expérience pratique, leurs amis étaient leurs camarades de cellule. Leurs principes moraux avaient été modelés par leurs gardiens. La vie n'allait pas être facile pour eux, même s'ils rentraient à la maison maintenant, après trois années «à l'ombre» ; il serait difficile pour eux de retrouver leur confiance en autrui. Et qu'en serait-il *s'ils ne rentraient pas* ? Qu'adviendrait-il s'ils étaient condamnés à dix années, qu'il leur faudrait vivre en sachant que c'était pour rien, qu'ils avaient été injustement condamnés ?

Beaucoup de gens vinrent nous écouter. A côté de nos observateurs réguliers, beaucoup de mes collègues étaient aussi présents. Des étudiants en droit et de jeunes avocats vinrent également. Plusieurs des amis de Lev étaient là. Pour la première fois de ma carrière, j'avais aussi autorisé quelques amis à venir.

Lev parla le premier et fit grande impression. Tout le monde le félicita, et c'était bien mérité. Je me souviens de l'un de mes amis lui serrant la main et lui disant : «C'était magnifique, quelle brillante plaidoirie ! »

Je m'approchai de Lev.

«Vous êtes un bandit, un voleur de grands chemins», lui dis-je.

«Pardonnez-moi, ma chère Dina, je suis désolé. Je ne l'ai pas fait exprès. Je me suis simplement laissé emporter. »

Effectivement, c'était exactement ce qui s'était passé. Lev s'était laissé emporter et avait oublié le plan que nous avions fait pour nous partager la tâche. Non seulement il s'était emparé de tous les points de mon argumentation, mais il m'avait emprunté mon propre vocabulaire, qui lui était devenu si familier qu'il se l'était assimilé.

Je n'étais pas seulement épouvantée; j'étais au désespoir. Par la suite, pourtant, je fus reconnaissante à Lev de m'avoir épargné la nécessité de me répéter. Grâce à lui, ma plaidoirie acquit cette cohérence interne essentielle qui fait que les pensées et les mots se structurent d'eux-mêmes, qui donne à un discours préparé l'impression d'avoir été improvisé. Quant à savoir *comment* j'ai parlé, je ne puis vous le dire au bout de dix ans. Je crois que c'est la meilleure plaidoirie que j'aie jamais faite.

Après les brèves « dernières paroles » prononcées par Alik et Sacha, qui exprimaient leur innocence et leur demande d'être acquittés, la cour se retira pour délibérer.

Trois jours plus tard, j'étais de nouveau assise dans la salle d'audience du tribunal de la province de Moscou, à ce même bureau où, au cours de l'hiver 1967, j'avais vu pour la première fois la grande photo du visage riant de Marina. J'étais seule, car personne encore n'était arrivé, et j'étais contente d'être seule, parce que cela me donnait le temps de maîtriser mon habituelle attaque de nerfs.

Neuf heures du matin. Alik et Sacha furent introduits, avec des soldats armés qui flanquaient la barrière de bois — mais cette fois-ci, ils étaient plus nombreux que d'habitude. L'escorte est toujours renforcée le jour où le verdict est prononcé.

Ioudovitch arriva. Le public et les parents des garçons furent alors autorisés à entrer.

Finalement : « Levez-vous. La cour siège. »

« Au nom de la République soviétique fédérative socialiste de Russie... »

C'était la voix calme et tranquille de Petoukhov.

« Après avoir examiné la matière du dossier, après avoir entendu la déposition des témoins, le réquisitoire du procureur considérant l'accusation comme fondée, la plaidoirie des avocats demandant l'acquittement des accusés, la chambre criminelle de la Cour suprême de la R.S.F.S.R. considère... »

Je pensais que je me tenais debout calmement, si ce n'est que je serrais les poings.

« ... la Cour suprême de la R.S.F.S.R. considère... »

Les mots prenaient soudain une résonance solennelle, et la voix de Petoukhov devint inhabituellement forte. Je jetai un coup d'œil rapide à Lev. Son visage était pâle et tendu.

Le juge poursuivit :

174

« ... l'accusation portée contre Bourov et Kabanov comme non prouvée... »

Suivirent quelques mots que je n'entendis pas. Pour la première fois, je jetai un coup d'œil circulaire dans la salle. La première personne que je remarquai fut l'écrivain Sergueï Smirnov ; des larmes, qu'il ne faisait aucune tentative pour cacher, coulaient sur son visage. Puis on entendit un cri et, du fond de la salle, Lenotchka, la sœur de Sacha, accourut vers les prisonniers, les bras tendus.

Je me rappelle que le chef de l'escorte lui barra le passage — il n'est pas permis d'approcher les prisonniers. Interrompant un instant sa lecture, Petoukhov dit : « Laissez-la passer. » Ils se jetèrent dans les bras l'un de l'autre et c'est dans cette position, sans se séparer, qu'ils écoutèrent le reste de ce long verdict.

Vinrent les derniers mots, des mots solennels :

« Sur la base des conclusions ci-dessus et compte tenu des articles 303, 310, 316, 317 et 319 du Code de procédure pénale de la R.S.F.S.R., la chambre criminelle de la Cour suprême de la R.S.F.S.R. prononce l'acquittement d'Oleg Bourov et d'Aleksandr Kabanov, qui ont été dûment jugés. Les mesures de détention prises contre Bourov et Kabanov sont levées, et leur libération immédiate est décidée. »

L'officier qui commandait l'escorte donna l'ordre : « Libérez les acquittés ! » Et l'on ouvrit la porte de la barrière en bois qui, pendant trois ans, avait coupé du monde Alik (Oleg) et Sacha (Aleksandr).

Sur place, devant tout le monde, criant, pleurant et riant, Lev et moi nous embrassâmes. Je sentais des larmes sur son visage et je lui dis :

« Lev, c'est indécent, vous pleurez !

— Savez-vous ce que vous avez fait en écoutant le verdict ? Voulez-vous que je vous montre ? »

Il prononça rapidement : « ... considère l'accusation portée contre Bourov et Kabanov comme non prouvée... », et soudain joignit les mains et se serra la tête. « Pensez-vous que ce soit décent, pour un avocat, de se plonger la tête dans les mains pendant la lecture du verdict ? »

Puis nous avons encore ri et nous avons été embrassés par les parents, par Lenotchka, par Sacha et Alik.

Cher Sacha, il n'était sans doute pas meilleur que bien des garçons de son âge, mais il devint mon préféré — sûrement comme on en vient à aimer désespérément un malade que l'on a longtemps soigné avec sollicitude. Même quand je quittai ma patrie et emportai avec moi mes livres et mes photos préférés, je pris une photographie de Sacha — celle qu'il m'avait envoyée longtemps après le procès. Il y figure en homme adulte, portant un uniforme de l'armée et une distinction qui n'est accordée qu'aux soldats efficaces. Il y avait inscrit une mention drôle et touchante : « Chère Dina Izaakovna, je vous souhaite beaucoup de bonheur dans votre vie personnelle, votre travail et vos études. Bien à vous, Sacha.»

Qui, après avoir vécu tout cela, peut dire que le travail d'un avocat est pénible et ingrat? Je suis sûre que c'est le métier le plus heureux du monde.

Un jour, deux ou trois mois après le verdict, je rencontrai Petoukhov dans un couloir du bâtiment de la Cour suprême. Nous étions ravis de nous voir, comme des gens qui ont pris part ensemble à quelque chose de valable et de bon et qui ont en commun de chers souvenirs. Petoukhov m'invita à entrer dans son bureau et nous nous assîmes pour évoquer des souvenirs. Je lui demandai: «Pourquoi avez-vous rejeté notre demande que la cour se transporte à Izmalkovo, que nous considérions comme si importante? Après tout, c'était essentiel, pour vous, d'avoir vu les lieux...

— Vous avez raison, c'était effectivement important. (Petoukhov sourit.) Si important, en fait, que, dès que j'eus commencé à étudier le dossier, j'en pris conscience et m'y rendis directement. J'y allai seul, alors que j'étais encore inconnu des témoins. J'ai tout visité — le verger, la rive du lac, le banc de sable qui s'enfonçait loin dans l'eau et la clairière cachée derrière les buissons là où on a retrouvé le sweater de Marina. Ainsi, j'avais mes raisons pour rejeter votre demande comme superflue.»

En l'écoutant, je pensais: «Quelle chance quand la justice est entre les mains d'un tel juge. Calme, clairvoyant et intelligent, animé d'un désir authentique de découvrir la vérité.»

Les années passèrent. Sacha termina son service militaire et se maria. Il resta à Izmalkovo et eut un fils. Bien des gens qui avaient crié «Salaud, assassin!» vinrent le voir, lui et sa famille. Ils étaient étonnés d'avoir pu croire que Sacha avait violé et tué Marina.

Les années passèrent encore. Je me retrouvai dans le bureau d'un enquêteur du parquet de Moscou, un certain Pantioukhine. Il ne m'avait pas convoquée en ma qualité d'avocate. Cette fois-ci j'étais suspecte. Il voulait savoir pourquoi j'avais donné un compte rendu de l'affaire des deux garçons à un correspondant de presse étranger, Peter Osnos, du *Washington Post*, dans quel but j'avais révélé cela à la presse d'un pays impérialiste et si, en fin de compte, j'étais consciente que de telles actions de ma part pouvaient être interprétées comme une attaque contre l'autorité de l'Union soviétique.

Je répondis sincèrement que je n'étais consciente de rien de tel. Même maintenant, après avoir tant écrit sur l'affaire, après avoir décrit la grossièreté de Kirilov (ce qui, certainement, n'est pas flatteur pour ce juge), après avoir accusé de partialité le juge Kareva, je considère toujours que je n'ai pas miné l'autorité des tribunaux soviétiques. De mauvais juges d'instruction, de mauvais procureurs et de mauvais juges, on peut en trouver dans tous les pays. Je suis certaine que mes lecteurs le comprendront. L'issue de ce procès complexe fut, en réalité, un triomphe de la justice soviétique — d'un système judiciaire qui fut capable en fin de compte de se libérer de l'influence hypnotique des aveux, de faire abstraction du lourd fardeau de l'indignation populaire et d'oublier que l'affaire était suivie avec une particulière attention par le Comité central du parti communiste de l'Union soviétique. Je dis à l'enquêteur que j'étais fière d'avoir participé à un procès où la justice avait triomphé.

Et j'en suis véritablement fière.

Troisième partie

1

LE PROCÈS DE SINIAVSKI
ET DE DANIEL

Le premier procès politique de ma carrière d'avocate fut un procès auquel je n'ai pas pris part, et ma première plaidoirie dans un tel procès fut une plaidoirie que je n'ai jamais prononcée, celle qui concernait le cas de Iouli Daniel.

Maintenant que j'écris, les seuls matériaux à ma disposition sont ma propre mémoire et un petit carré de papier jaunissant sur lequel figure le texte imprimé suivant :

Collège des avocats de la ville de Moscou

Carte n° 279   12 janvier 1966

ORDRE NUMÉRO 89

Le bureau des avocats du district de Leningrad autorise par la présente l'avocate Kaminskaya à conduire la défense dans le procès criminel du citoyen Iouli M. Daniel, à :

Le service des enquêtes du Comité de la Sûreté d'État (K.G.B.) du Conseil des ministres de l'U.R.S.S.

(Signé.)

Le chef du bureau des avocats :

Ce document signifie que j'avais signé un accord pour défendre un client et que les honoraires avaient été payés au caissier du bureau. Il constitue le seul mandat officiel, la seule autorisation légale du conseiller de la défense et établit certains droits et obligations à la fois pour l'avocat et pour le magistrat instructeur : pour moi, le droit et le devoir de défendre mon client; pour l'enquêteur, l'obligation de nous permettre, à mon client et à moi, d'étudier toute la matière du dossier.

Pour avoir accès à ce dossier, je devais remettre l'ordre ci-dessus à l'enquêteur, qui l'aurait classé parmi tous les autres documents.

L'ordre n° 89, cependant, est toujours en ma possession, parce que je fus empêchée d'exécuter l'accord concernant la défense de Iouli Daniel.

On a déjà beaucoup écrit sur le procès de Siniavski et de Daniel, ces deux écrivains condamnés à de longues peines d'emprisonnement par un tribunal soviétique. Le livre blanc sur le procès Siniavski-Daniel, établi grâce au courage et aux efforts d'Aleksandr Guinzbourg, contient non seulement des commentaires de sources soviétique et étrangères, mais aussi un compte rendu sténographique presque complet du procès. Ce livre a été traduit en plusieurs langues, et c'est pourquoi je n'ai pas l'intention de décrire ce procès; je veux seulement raconter comment il a été organisé, quelles étaient les tâches auxquelles les avocats avaient à faire face et comment les autorités entendaient que ces tâches fussent ou ne fussent pas accomplies.

Même en Union soviétique, ces faits ne sont connus que d'un nombre limité de personnes, dont je fais partie. Par conséquent, le compte rendu que je fais de ces événements est celui d'un témoin oculaire.

Je veux aussi essayer de recréer l'atmosphère de ces jours déjà anciens de la fin de 1965 et du début de 1966, de cette période comprise entre l'arrestation de Siniavski et de Daniel et leur condamnation respectivement à sept et cinq ans de camp de travail à régime sévère.

Il me semble particulièrement important de le faire, car, en passant maintenant en revue ces événements, je suis plus que jamais convaincue qu'ils ont représenté un moment critique décisif. Ils ont contraint beaucoup de gens à reconsidérer leur attitude et leur point de vue moral face à l'existence.

Tout au long des années qui suivirent la mort de Staline, et surtout après le XXe Congrès du parti (en 1956), il s'instaura en Union soviétique un processus permanent d'examen de conscience, un phénomène croissant de prise de conscience — évolution qui se révéla quelque peu douloureuse pour les gens de la vieille génération et même pour les personnes de la mienne. Il se produisit un changement dans notre façon de comprendre certains concepts tels que bravoure, courage civique et bienséance. Bien que cette émancipation spirituelle se fût accomplie assez lentement pour l'individu, elle fut rapide à l'échelle d'une nation, même d'une nation aussi jeune que l'était l'Union soviétique.

Je me souviens des jours honteux et terribles de la persécution de Pasternak, ce grand poète russe, consécutive à la publication en Occident de son roman interdit *le Docteur Jivago*. L'attribution à Pasternak du prix Nobel de littérature fut le point de départ d'une campagne orchestrée contre lui par l'État, dont le but était de l'amener à renoncer au prix et à se repentir publiquement de sa « trahison ».

A cette époque-là, la propagande officielle était tout ce qu'on pouvait entendre. Pas une voix ne s'est élevée dans mon pays pour défendre Pasternak. Non par manque de gens profondément ulcérés par cette forme grossière et dégoûtante de persécution, ni même parce que la conduite d'une majorité de Soviétiques était encore dominée par la peur : je crois plutôt qu'un grand nombre de gens — dont moi-même — étaient tout simplement incapables de concevoir la possibilité d'un engagement libre et volontaire dans la vie publique en fonction des commandements de leur conscience. Depuis ma plus tendre enfance, j'avais été conditionnée à assimiler la vie publique à une participation aux manifestations officielles, aux réunions et meetings organisés par le parti communiste ou par l'État. Une seule forme légale de protestation me paraissait envisageable : le silence. Le silence était devenu l'étalon du courage humain et de la bienséance.

C'était donc là le critère au moyen duquel nous jugions la conduite des gens pendant la période « Pasternak ». Même Olga Ivinskaïa — la compagne la plus proche et la plus aimée de Pasternak pendant les quatorze dernières années de sa vie —, dans son livre *Un prisonnier du temps* (publié en traduction anglaise en 1978), continue de mesurer le courage et la décence de ses contemporains à la même aune : le silence et la non-implication.

A ma connaissance, la première manifestation ouverte et authentique du sentiment public sur le sort tragique de Pasternak, comme homme et comme artiste, fut ses funérailles.

Pasternak mourut le 30 mai 1960. Aucun journal soviétique n'annonça sa mort. C'est seulement trois jours plus tard, le 2 juin, que la *Literatournaïa Gazeta* publia un entrefilet annonçant le décès de « Pasternak, Boris Leonidovitch, écrivain, membre de l'Union des écrivains de l'U.R.S.S. » L'annonce était même dépourvue de formules traditionnelles telles que « C'est avec un profond regret que nous annonçons... » Pas la moindre information non plus sur l'heure et le lieu de ses funérailles, bien que l'annonce eût paru le jour même de l'enterrement. Bien sûr, cela était soigneusement et délibérément organisé par l'Union des écrivains, sur les instructions du K.G.B.

Des milliers de Moscovites se rendirent au village de Peredelkino pour accompagner Pasternak à sa dernière demeure. On se téléphona pour se communiquer l'heure et le lieu des obsèques. Près des guichets, à la gare de Kiev, et dans les trains de banlieue de la ligne de Peredelkino, de braves gens avaient placé des feuilles de papier arrachées à des cahiers d'écolier sur lesquelles ils avaient écrit à la main les instructions précises pour se rendre à la maison de Pasternak, à Peredelkino.

J'avais appris de source bien informée que le conseil d'administration de l'Union des écrivains avait reçu l'ordre d'empêcher que les obsèques ne tournent à la manifestation. Un véhicule spécial, destiné à transporter le cercueil de Pasternak et les membres de sa famille, devait parcourir rapidement la distance de la maison au cimetière, où l'enterrement devait avoir lieu à la hâte sans attendre la suite du convoi. Le plan échoua néanmoins. Il échoua parce que le cercueil fut conduit jusqu'au cimetière (plus d'un kilomètre et demi) par des porteurs volontaires qui se relayèrent tacitement, empêchant ainsi le personnel officiel de s'approcher du cercueil.

C'est à juste titre qu'Olga Ivinskaïa intitula son chapitre consacré aux funérailles de Pasternak : « Ils le portèrent non pas en terre, mais vers son couronnement. »

Le renom de Pasternak était si grand que des milliers de gens vinrent présenter leurs derniers hommages à « leur » poète. Mais ce qui rendit l'événement si important, c'est que les gens qui vinrent à cet enterrement étaient mus non seulement par un sentiment de deuil, mais aussi par un sentiment de solidarité et par le désir, fût-ce en ce dernier et tragique instant, d'exprimer leur désapprobation à l'attitude officielle du parti et de l'État — et de l'exprimer, peut-être pour la première fois de leur vie, par l'action. Sans aucun doute, il y avait là plusieurs milliers de gens, pour la plupart totalement étrangers les uns aux autres. C'était une expérience nouvelle, jusque-là inconnue, du sens profond de la communauté.

Cinq ans ont passé entre l'enterrement de Pasternak et l'arrestation de Siniavski et de Daniel. Dès leur arrestation, on sut très vite — grâce aux stations de radio étrangères et au bouche à oreille — qu'ils avaient tous deux envoyé leurs romans et nouvelles à un éditeur étranger. Ces livres avaient été publiés en France sous des pseudonymes (le pseudonyme de Siniavski était « Abram Tertz », tandis que Daniel écrivait sous le nom de « Nikolaï Arjak »). On sut aussi que le contenu de ces livres était la cause de l'arrestation de leurs auteurs, et qu'ils étaient accusés de propagande antisoviétique conformément à l'article 70 du Code pénal de la R.S.F.S.R.

A chaque rencontre, en ce temps-là, la conversation roulait inévitablement sur l'affaire Siniavski-Daniel. Les avis étaient très partagés. Certains disaient que, en envoyant leurs écrits à l'étranger sans autorisation officielle et en consentant à leur publication par un éditeur étranger, Siniavski et Daniel avaient trahi les intérêts des écrivains libéraux qui s'efforçaient d'obtenir la publication légale de leurs ouvrages en U.R.S.S. ; que le résultat inévitable de leur action serait de renforcer encore la censure et de supprimer ce qui restait du « dégel ». (Il est assez intéressant de noter que ce sont exactement les mêmes accusations qui ont été formulées plus tard contre les émigrants juifs ; leur départ aurait été une trahison des intérêts des juifs qui restaient, en détruisant les derniers vestiges de la tolérance de l'État à leur égard.)

Cependant, je ne puis me rappeler une seule personne qui eût soit approuvé, soit manqué de condamner dans les termes les plus nets l'arrestation et la mise en accusation de Siniavski et de Daniel.

Mon mari et moi étions absolument d'accord sur la question. Nos opinions politiques faisaient que nous approuvions totalement l'action des deux écrivains, que nous la considérions comme une manifestation de leur liberté personnelle : nous étions tout aussi convaincus du droit qu'a l'auteur de publier son ouvrage dans le pays de son choix sans avoir à demander une autorisation spéciale que nous l'étions de l'absurdité judiciaire qui consistait à appliquer à la littérature d'imagination les concepts d'agitation et de propagande antisoviétiques. En même temps, nous étions parfaitement conscients du risque désespéré qu'avaient pris Siniavski et Daniel. Il était évident pour nous que, en les arrêtant, le K.G.B. travaillait en accord avec les plus hautes autorités politiques, et que ce seul fait rendait leur procès et leur condamnation inévitables.

Bien que nous ne connussions pas personnellement Siniavski et Daniel, nous ne doutions pas qu'ils eussent tous deux pris ce risque pour la défense de la liberté de l'écrivain et de l'expression artistique ; nous respections leur initiative et admirions grandement leur courage. Dans ses conversations avec moi et avec nos amis, mon mari disait souvent qu'il entreprendrait volontiers la défense de l'un d'eux ; bien que nous n'eussions été contactés par aucun de leurs parents ou amis en tant qu'avocats, nous discutions de l'affaire comme un exercice de tactique, et cela toujours de ce que nous considérions comme un point de vue incontestable — à savoir que les deux écrivains étaient innocents de toute accusation criminelle.

Quand cela s'est-il passé ? Quand avons-nous eu notre première rencontre avec Larissa Bogoraz, la femme de Daniel, et Maria Rozanova, la femme de Siniavski ? Bien que mon mari et moi puissions encore nous rappeler la chronologie générale des événements, et même des conversations précises, de nombreux détails se sont nécessairement échappés de notre mémoire. Le plus probable est que ce premier entretien s'est situé au début de décembre 1965.

Mais nous nous rappelons tous les deux très bien ce qui est arrivé : un certain soir, un coup de téléphone tardif d'amis à nous ; les mots de leur invitation : «Ce serait merveilleux si vous pouviez venir nous voir — tout de suite.» Il y avait quelque chose d'indéfinissable dans la manière dont ces mots étaient prononcés qui nous fit oublier notre fatigue et nos autres projets pour le reste de la soirée, et qui nous fit courir dans la rue à la recherche d'un taxi, afin d'arriver sur place aussi vite que possible et de savoir ce qui se passait.

Sans même prendre le temps de retirer nos manteaux, nous traver-sâmes l'appartement de nos amis jusqu'au balcon, qui donnait sur l'une des rues principales du centre de Moscou — moyen d'amateur pour essayer d'échapper à d'éventuels petits micros cachés dans l'appartement.

«On a besoin de votre aide, dit notre ami. Larissa et Maria veulent votre avis. Elles seront ici dans quelques minutes. » Il était manifestement nerveux devant l'arrivée imminente des deux femmes, scrutant attentivement le trottoir au-dessous de nous ainsi que celui d'en face pour vérifier s'il n'y avait pas quelques-unes de ces silhouettes inconfondables que sont les agents en civil.

Nous nous retrouvions bientôt assis dans une grande pièce, sur un divan moelleux, avec Larissa et Maria en face de nous dans des fauteuils profonds. Il se révéla que, en fait, ce qu'elles voulaient savoir, c'était si nous étions d'accord pour défendre leurs maris au procès. Nous n'étions pas les premiers avocats qu'elles avaient contactés, mais ceux auxquels elles avaient déjà parlé les avaient averties que le plus qu'ils pourraient faire, c'était de demander au tribunal d'adoucir les sentences prononcées contre leurs maris. Nous fûmes les premiers avocats à dire clairement, à ce stade préliminaire des pourparlers, que le fait de publier des œuvres à l'étranger n'était pas contraire au droit pénal soviétique, que les actes de Siniavski et de Daniel ne constituaient pas un délit ou un crime et que le meilleur moyen de défense était de demander l'acquittement.

Mon mari et moi-même avions à décider lequel de nous assumerait la défense de Siniavski et de Daniel, car, bien que nous eussions tous deux accepté de les défendre, il était impossible que nous parussions ensemble au tribunal. Le praesidium du collège des avocats considérait comme hautement indésirable qu'une équipe de deux époux plaide dans un même procès (même dans une affaire «ordinaire»), et il était évident pour nous deux que nous n'obtiendrions jamais une autorisation pour apparaître ensemble dans un procès politique. Il y avait un autre élément à prendre en considération et qui pour moi n'était pas moins important : je présumais qu'un avocat qui préparerait une défense sérieuse et consciencieuse, et qui par conséquent se heurterait de front au ministère public, se verrait en représailles rayer du barreau. Je considérais que nous ne pouvions pas courir tous les deux ce risque simultanément.

Lequel de nous devrait-ce donc être ?

Mon mari ne possédait pas l' «accès» nécessaire aux procès politiques, mais, à cette époque-là, nous ne considérions pas cela comme un obstacle insurmontable, puisque la pratique s'était instaurée d'une délivrance coup par coup des «accès». Nous étions convaincus qu'une demande de mon mari ne serait pas repoussée, eu égard à sa haute réputation professionnelle. Cela paraissait d'autant plus vraisemblable que le président du praesidium du collège des avocats était notre ami intime Vassili Samsonov, et que nous pouvions compter sur son aide. Qui plus est, nous espérions aussi que Samsonov lui-même accepterait d'assurer la défense du second accusé. Il avait déjà l'expérience des procès politiques. Étant de ses amis intimes, nous supposions que son acceptation du dossier garantirait une conduite correcte de la défense.

Ce soir-là, mon mari et moi convînmes entre nous que, si Samsonov acceptait, il défendrait Siniavski, et que mon mari défendrait Daniel.

Mais pourquoi mon mari et non pas moi?

Je pense que nous avons réalisé tous deux que, psychologiquement, il était mieux préparé à entreprendre cette défense. J'étais en ce qui me concernait prête à les défendre, et je sentais que le refus de participer à une affaire sous le prétexte qu'elle était «politique» était hors de question. Mon mari, d'un autre côté, désirait *ardemment* le dossier. Connaissant son caractère et ses convictions, j'étais consciente que, pour lui, prendre part à un procès de cette sorte signifiait courir un plus grand risque que ce n'était le cas pour moi. Je savais aussi que ses motivations, pour vouloir participer à ce procès, n'étaient pas l'ambition, mais un profond besoin de s'exprimer, et de la manière qui lui était la plus naturelle : sa propre attitude envers l'arbitraire de l'État et les violations de la loi. En outre, j'étais certaine que, dans ce cas particulier, il conduirait une meilleure défense que je n'aurais pu le faire. Non que je le considérasse comme un meilleur avocat que moi. Au contraire, je crois que je suis plus douée que lui pour le bagout. Mais la nature spécifique de ce procès, qui n'exigeait pas seulement l'expérience du droit, mais aussi une grande aptitude à l'analyse en matière de critique littéraire, faisait de Konstantine, mon mari, le meilleur candidat.

En quelques jours, le problème de l'organisation de la défense fut pleinement résolu. Vassili Samsonov accepta de défendre Siniavski. Il affirma en outre que mon mari se verrait sans aucun doute accorder par la cour un «accès» pour un procès unique. En ce qui concerne la défense d'Andreï Siniavski, Maria mena toutes les discussions ultérieures directement avec Samsonov.

Deux ou trois semaines passèrent, puis, un soir, Vassili Samsonov vint chez nous pour nous annoncer que la procédure d'attribution à mon mari d'un «accès» unique se heurtait à de sérieuses difficultés, que, quelque part au sommet, l'affaire était considérée comme extrêmement importante et que, bien que la demande d' «accès» de Konstantine n'eût pas été définitivement rejetée, il était essentiel, pour assurer la défense de Daniel, d'avoir un autre avocat en réserve. C'est moi, naturellement, qui allais être cet autre avocat. Nous avions discuté précédemment avec Larissa, la femme de Daniel, de cette possibilité, et elle m'avait donné son approbation sans réserve.

Au début de janvier 1966, on apprit que mon mari s'était vu refuser l'«accès». Je devins donc l'avocat officiel de Daniel.

J'avais déjà entendu parler d'Andreï Siniavski avant son arrestation. J'avais lu sa brillante préface à l'édition complète des poésies de Boris Pasternak, ainsi que ses articles de critique littéraire dans la revue *Novyï Mir*. Mais je ne savais rien de ses ouvrages de fiction; j'ignorais même qu'il en eût écrit. J'entendis prononcer le nom de Iouli Daniel pour la première fois quand il fut arrêté. Je suis sûre que la plupart des gens étaient à peu près aussi bien — ou aussi mal — informés que moi. Aucun de ces deux écrivains, après tout, n'avait publié d'œuvre de fiction en Union soviétique. L'explosion d'indignation qui suivit leur arrestation n'était pas provoquée par la position de Siniavski et de Daniel dans les lettres soviétiques, ni par une admiration de leurs talents respectifs (que je considère maintenant comme incontestables), mais par le fait qu'on avait retenu contre eux des chefs d'accusation criminels pour le contenu d'ouvrages de fiction, l'État jugeant les auteurs pour les remarques faites par leurs personnages dans leurs romans et leurs nouvelles. Ayant soudainement découvert que leur désaccord pouvait s'exprimer par d'autres moyens que le silence, les gens commençaient à agir et à parler.

Le 5 décembre 1965, sur la place Pouchkine à Moscou, eut lieu la première manifestation spontanée depuis l'avènement de Staline. La veille de l'ouverture du procès de Siniavski et de Daniel, les gens exigeaient que le procès fût ouvert au public et librement couvert par les journalistes; des tracts en ce sens étaient distribués.

A la mi-décembre, Larissa Bogoraz écrivit une lettre qu'elle envoya à Leonid Brejnev, secrétaire général du parti communiste de l'Union soviétique, au procureur général de l'U.R.S.S. ainsi qu'aux éditeurs de tous les journaux nationaux soviétiques (ils n'ont jamais publié cette lettre), dans laquelle elle déclarait que la répression des écrivains pour leurs œuvres de fiction était «un acte arbitraire et un acte de violence». Elle poursuivait: «... Je l'affirme et je veux défendre mon opinion dans des discussions publiques aussi fermement que je le fais dans mes conversations privées.» Simultanément, Larissa adressa une lettre au chef du K.G.B. et au procureur général dans laquelle elle faisait état des menaces que lui avait faites le juge d'instruction: «Je ne suis effrayée ni par ces menaces ni par aucune autre... Je n'ai rien à redouter ni rien à perdre; je n'ai jamais accordé de valeur aux possessions matérielles, et j'ai appris à ne pas les amasser, mais mes valeurs spirituelles resteront inchangées, quelles que soient les circonstances... Je ne demande pas de concessions, ni qu'on m'accorde des privilèges. J'exige seulement qu'on observe les normes de l'humanité et de la légalité[1].»

---

1. Le passage cité ainsi que les suivants sont extraits du livre blanc d'Aleksandr Guinzbourg.

La femme de Siniavski, Maria, écrivit également une lettre au procureur général de l'U.R.S.S. et au chef du K.G.B. : « Il est tout à fait possible que le résultat de cette lettre soit mon arrestation (je me trouve en permanence sous cette menace)... Mais même la peur humaine naturelle d'un tel acte de répression ne peut m'arrêter... J'affirme, et continuerai d'affirmer à l'avenir à chaque occasion, qu'ils [les ouvrages de Siniavski] ne contiennent rien d'antisoviétique, qu'il s'agit de *littérature* et de rien d'autre. Certaines personnes peuvent aimer la prose d'Abram Tertz, et d'autres peuvent ne pas l'aimer, mais des différences, dans les goûts littéraires et les opinions, ne sont pas des raisons pour arrêter un écrivain... »

Aujourd'hui, dix-sept ans plus tard, tant en Union soviétique que, je pense, en Occident, on a acquis une certaine familiarité avec de telles lettres, et on a perdu le réflexe de choc et d'incrédulité qu'elles évoquaient à l'époque. C'est dommage, car même maintenant chacune de ces lettres reste un acte de courage désespéré, une démonstration de la force de l'esprit humain ; quand un silence imposé par le haut est rompu pour la première fois, après des décennies, il en résulte une impression de tornade.

J'ai commencé en citant des extraits de ces deux lettres, mais je ne suis pas du tout sûre qu'elles furent les premières. D'autres aussi en écrivaient : des savants, des artistes, des écrivains. Signées du nom complet de leurs auteurs, ces lettres se multiplièrent autour de Moscou avec une incroyable rapidité, suscitant d'autres lettres, d'autres appels, d'autres exigences.

Le procès de Siniavski et de Daniel fut le point de départ du mouvement pour la légalité, l'information publique et les libertés constitutionnelles. Le cercle des gens qui s'y ralliaient était de plus en plus vaste. Ceux qui, par peur, refusaient de signer une lettre ou un appel en faveur des deux écrivains étaient condamnés. Le changement, dans le climat moral, était ressenti par tous, et cela rehaussait la dignité des gens.

Je ne puis dire que cet activisme était suscité par l'espoir que des individus pussent exercer une influence effective sur le destin de Siniavski et de Daniel. S'il y eut de tels optimistes, ils ont été peu nombreux. Le sentiment de base qui motivait cette conduite, c'était : « Je ne puis rester silencieux » — la prise de conscience que ne rien dire et ne pas protester eût été indigne. En fait, il est difficile d'apprécier à sa juste valeur le changement qualitatif qui s'opéra à cette époque.

Bien des années plus tard, quand j'eus finalement l'occasion de rencontrer Iouli Daniel à son retour des camps, il me répéta souvent combien c'eût été important pour lui, dans la période qui précéda le procès, de savoir que Siniavski et lui n'étaient ni maltraités ni condamnés par une opinion publique officieuse, et que des individus surmontaient leur peur jusqu'à rejeter toute prudence pour se lever en leur faveur. Sans aucun doute, disait-il, cela eût apporté un grand soutien moral.

Comment se fait-il qu'ils n'aient pas reçu ce soutien moral? Pourquoi les deux écrivains n'eurent-ils vent de ce mouvement que longtemps après leur procès? Pourquoi n'apprirent-ils qu'à ce moment-là que l'attention du monde entier s'était concentrée sur eux?

Il se passait rarement une journée entière sans qu'on apprît que tel ou tel avait parlé pour la défense d'Andreï Siniavski et de Iouli Daniel. Les journaux de Washington, de New York, de Paris, de Rome et de Londres, des écrivains, des artistes, des juristes et des savants de pratiquement tous les pays du monde exprimaient leur indignation après l'arrestation des deux écrivains ainsi que leur inquiétude pour leur avenir. Des appels à l'aide étaient adressés à l'Union des écrivains soviétiques, à Cholokhov, nouveau lauréat du prix Nobel, à Mme Fourtseva, ministre de la Culture, et à Kossyguine, président du Conseil des ministres de l'U.R.S.S.

Ni Siniavski ni Daniel n'en surent rien.

L'explication de ce mystère est directement liée à la manière dont leur procès a été organisé.

Le ministère public parvenait à la fin de son enquête alors que nous, les avocats de la défense, en étions encore à préparer notre premier entretien avec nos clients. J'avais à discuter avec Daniel de sujets tels que la question complexe de savoir qui appeler comme experts en matière littéraire; à quels témoins de l'accusation faire subir un contre-interrogatoire; quels documents présenter à la cour; etc. En outre, la nécessité de s'informer avec précision sur la campagne officieuse en faveur des deux accusés ne se justifiait plus seulement par le désir de leur apporter un soutien moral: elle était devenue un élément essentiel du procès, pour la défense.

J'avais de fréquentes rencontres avec Samsonov, et nous discutions des problèmes qui nous étaient communs dans le procès à venir. Samsonov savait qu'une participation à un procès politique impliquait un certain degré de risque personnel pour un avocat, mais il ne s'était pas avisé à l'époque qu'il pourrait être rayé du barreau. J'avais lu à ce moment-là les œuvres de Siniavski et de Daniel qui étaient à la base des accusations portées contre eux, et il n'y avait aucun doute dans mon esprit sur la marche à suivre: il était évident qu'il fallait demander leur acquittement. Je me rappelle que Vassili Samsonov me dit un jour: «J'ai été président du praesidium du collège pendant longtemps. Je préfère quitter le poste dans un éclat de gloire.» Il savait que, une fois qu'il aurait dit au tribunal: «Je demande à la cour d'acquitter mon client», il ne serait plus président du collège des avocats de Moscou.

Nos préparatifs du procès, officieux encore qu'intensifs, avançaient, et il n'y avait aucun signe que nous pourrions être confrontés à de sérieux obstacles. Aussi, quand un jour Vassili m'appela au téléphone, ne fus-je pas alertée.

«Il y a quelques points dont je désire discuter avec vous, me dit-il. J'ai un mauvais rhume et je suis au lit. Soyez gentille de faire un saut jusque chez moi pour que nous puissions parler.»

Vassili était effectivement au lit. Je m'assis à son chevet, et il me fit tout de suite une déclaration catégorique:

«Ni vous ni moi n'allons plaider dans ce procès. Nous devons tous deux décliner le dossier.»

Sans me donner une chance de soulever des objections ou de poser des questions, il poursuivit:

«Il n'est pas question qu'aucun de nous apparaisse dans ce procès. Ce n'est pas simplement un coup monté; cela va être, si vous voulez vraiment le savoir, un procès-spectacle soigneusement mis en scène. Nous ne serons pas autorisés à conduire une véritable défense. Aussi, comme je ne veux pas déshonorer mon nom, je me retire de l'affaire. Et c'est la seule issue pour vous également. Je vous demande, pour votre propre bien, de vous retirer.

— Nous ne pouvons pas faire cela. Vous ne le pouvez pas et je ne le puis pas. Nous savions que l'affaire impliquait un risque plus ou moins grand. Eh bien, il se révèle que le risque est plus grand que vous ne le supposiez, et c'est tout. Pouvez-vous réellement supporter d'admettre que vous êtes devenu lâche, que vous avez peur d'accomplir votre devoir professionnel tel que le commande votre conscience? Je ne vais pas refuser ce dossier.»

Ce fut une conversation longue et pénible au cours de laquelle chacun de nous deux essaya de persuader l'autre, mais sans succès. Je me souviens de la femme de Vassili, qui lui disait:

«De quoi as-tu peur? Pourquoi fais-tu tant d'histoires? Dina veut s'occuper de l'affaire; ne lui fais pas obstacle. Ensuite, quand l'affaire viendra devant le tribunal, elle tombera «malade», ou bien elle dira qu'elle est occupée par une autre affaire, et les choses se tasseront d'elles-mêmes.

— Tu n'y comprends rien! Tu ne vois pas que Dina ne ferait jamais une chose pareille?»

De nouveau, Vassili essayait de me convaincre, disant combien il était content de mon mari et de moi-même, combien il était préoccupé par notre bien-être, qu'il ne me permettrait jamais de me sacrifier pour des gens que je ne connaissais même pas.

Je suis sûre qu'il était sincère en disant cela, que Vassili avait peur pour moi et que, à ce moment-là, il était principalement motivé par des sentiments d'amitié.

Nous étions dans un même état d'indignation et de mauvaise humeur. J'étais irritée devant ce que je considérais comme une trahison professionnelle; il était fâché de mon ingratitude et de ma mauvaise volonté à écouter ce qu'il appelait « la voix de la raison ». Nous tombâmes d'accord sur notre désaccord : il était libre de faire comme il voudrait, mais je resterais l'avocat de Daniel.

Le lendemain, je reçus un coup de téléphone du secrétaire du praesidium du collège des avocats de Moscou : on me demandait de passer tout de suite pour une réunion urgente.

Samsonov m'attendait dans son bureau. Il n'essaya plus de me convaincre ; il me dit simplement :

« Nous avons été convoqués au Comité de Moscou du parti [communiste]. Vous pouvez encore vous retirer du procès Daniel... Vous préférez venir au Comité ? Très bien. Veuillez attendre à l'extérieur, dans le couloir. Je ne vous retiendrai pas longtemps ; ensuite, nous partirons ensemble. »

Au bout d'environ un quart d'heure, Samsonov ressortit de son bureau.

« Vous êtes toujours là ?

— Naturellement ! Nous sommes censés aller au Comité de Moscou du parti.

— Je vais y aller seul, vous n'avez rien à y faire. Je dois vous avertir, toutefois, que *vous ne défendrez pas* Daniel. Nous ne pouvons vous permettre de mettre en danger notre profession tout entière.

Je me revois encore disant à Vassili qu'il ne pourrait pas m'empêcher de défendre Daniel, parce qu'il n'en avait pas le droit, que seule une décision du praesidium siégeant au complet pouvait me retirer un dossier ou me priver d'un « accès ».

« Je n'ai pas le temps de discuter. Je ne puis que vous demander de faire une chose : envoyez-moi les deux épouses dès aujourd'hui. Je dois leur assigner d'autres avocats de toute urgence. Au revoir. »

Ainsi c'était la rupture — pour toujours. Quand il nous arrivait ensuite de nous rencontrer, au tribunal ou à des conférences, nous nous contentions d'échanger un signe de tête et nous passions sans nous arrêter. Il est très douloureux de perdre ses amis, et je sais que Vassili en souffrit aussi profondément. Une fois, plusieurs mois après notre dernier « au revoir », il dit à un ami commun qu'il ressentait sa rupture avec nous comme une « blessure inguérissable ». Il dit aussi que, un jour, j'apprécierais le fait qu'il m'avait épargné soit le déshonneur professionnel, soit d'être rayée du barreau. Je n'ai jamais pu l'apprécier.

Je ne condamnerais pas Vassili Samsonov si, dès le départ, il avait refusé de défendre Siniavski. Chacun a le droit de prendre sa décision en toute indépendance en de telles matières. Je le condamne parce qu'il a trahi notre métier de deux façons. Premièrement, en tant que président du collège des avocats, il a capitulé devant les exigences illégales du Comité de Moscou du parti, qui étaient :

1. Cacher complètement aux accusés l'intérêt que leur procès avait soulevé dans le public ;

2. S'abstenir, dans la plaidoirie, de critiquer l'opinion de l' « expert » littéraire cité par l'accusation ;

3. Ne pas demander directement, en plein tribunal, l'acquittement.

Deuxièmement, en accédant à ces exigences, il a affaibli les chances d'une défense légale non seulement de quelque «accusé» abstrait, mais de *son propre client*.

En aucune manière je ne veux laisser entendre que, pendant nos années d'amitié, je considérais que Vassili partageait mes opinions politiques ; mais j'étais convaincue que nous avions des vues communes en ce qui concernait notre devoir professionnel.

Quand les gens nous disaient que nous devions l'oublier, qu'il avait été forcé d'agir comme il l'avait fait, nous ne pouvions pas être d'accord. Nous n'avions rien à pardonner à Samsonov ; il ne nous avait fait aucun mal. Il s'était simplement révélé ne pas être l'homme que nous croyions qu'il était. Nous n'avions plus rien à lui dire et, en conséquence, il n'y avait plus de raisons de le rencontrer. Je ne pense pas qu'il ait aucun droit à attendre de la gratitude de ma part. La ligne inflexible qu'il a adoptée dans cette affaire n'était pas dictée par le souci qu'il avait de moi, mais par la frayeur qu'il ressentait pour sa propre position. Après tout, il avait accepté de travestir la défense suivant les instructions du Comité de Moscou du parti communiste de l'Union soviétique.

Comme pour contredire tout ce que je viens d'écrire, je continue à me souvenir des jours heureux de notre amitié : le temps où tous les quatre nous séjournions dans le calme béni de la campagne de Joukovka ; nos conversations qui se prolongeaient tard dans la nuit ; les sorties que nous faisions ensemble pendant les vacances ; et par-dessus tout cette atmosphère de bonne volonté amicale, presque d'amour familial qui, dans le passé, avait toujours caractérisé nos relations. Il eût été plus facile, pour moi, de passer complètement sous silence l'incident qui suivit.

Mais j'ai raconté cette histoire pour deux raisons. Quand j'ai entrepris d'écrire ce livre, j'ai décidé de tout consigner exactement comme je m'en souvenais ; mais surtout, je veux montrer que les plus grands maux des années poststaliniennes n'ont pas été perpétrés par des scélérats et des bandits, mais par des collaborateurs et des partisans de l'apaisement. Les psychiatres, par exemple, qui ont soumis et continuent de soumettre des personnes saines à la « torture de la psychiatrie », n'agissent probablement pas par sadisme ou par un besoin irrépressible de faire souffrir les gens. Pas du tout ; c'est plutôt qu'on les place dans une situation où ils ne peuvent qu'obéir ou être renvoyés.

Et en ce qui concerne les juges ? Ne veulent-ils pas être équitables et

impartiaux ? Et pourtant ils sont placés devant le même choix. Nous tous
— avocats, juges, médecins — avons choisi une profession qui nous
donne le droit de prendre des décisions affectant le destin de nos congé-
nères. Et si les membres de ces professions négligent leur devoir professionnel au détriment de ceux qui dépendent d'eux, alors ils feraient mieux
de changer de métier, pour devenir concierge par exemple.

C'est pourquoi j'ai jugé si sévèrement la conduite de Samsonov.

J'écris ces lignes avec un sentiment inchangé de douleur et de tris-
tesse. J'avais toujours considéré Samsonov comme l'un des meilleurs
avocats de ma génération, non seulement à cause de son éloquence, mais
aussi à cause du sens qu'il avait des responsabilités personnelles. Je suis
triste pour lui, car il est devenu la victime d'un système qui ou bien exige
une totale obéissance de l'individu, ou bien le rejette.

Il reste encore un peu à dire sur la fin de l'affaire. Quand je quittai
Samsonov, je demandai à Maria et à Larissa de venir à mon bureau,
comme il l'avait exigé, et je leur rapportai ma conversation avec lui. Je dis
à Larissa que je ne refusais pas de défendre Daniel, mais que je ne pouvais pas garantir que je serais autorisée à le faire.

Jamais, ni auparavant ni par la suite, je n'ai vu Larissa et Maria dans
un tel état de désespoir et d'épouvante. Elles n'avaient plus le temps de
se retourner, car leurs maris avaient été privés d'avocats au tout dernier
moment. Où auraient-elles pu en trouver d'autres ? Est-ce que cela valait
même le coup d'essayer d'en trouver, quand n'importe quel avocat
qu'elles eussent pu choisir serait placé dans une position où, en fait, il
n'aurait pas la possibilité de défendre son client ?

Le lendemain, je me trouvais à une réunion administrative de routine
concernant notre bureau d'avocats quand Samsonov me rappela :

« Les deux dames en question viennent de me quitter. Je prie Dieu
que vous n'ayez jamais à entendre des choses comme celles qu'elles se
sont permis de me dire. »

Et il raccrocha.

J'appris le lendemain par Larissa qu'elles avaient été obligées d'accepter deux autres avocats recommandés par Samsonov.

Ainsi se termine la longue histoire de mon rendez-vous manqué avec
la défense de Iouli Daniel — une histoire dont la conclusion est indiquée
en une ligne dans le livre blanc d'Aleksandr Guinzbourg :

« La candidature de Kaminskaya comme avocat a été rejetée sans
explication par le collège des avocats. »

2

MON PREMIER PROCÈS POLITIQUE :
VLADIMIR BOUKOVSKI

Conformément aux intérêts des travailleurs et dans le but de consolider la structure socialiste de la société, la loi garantit aux citoyens de l'U.R.S.S.

    a) la liberté de parole ;
    b) la liberté de la presse ;
    c) la liberté de réunion ;
    d) la liberté de cortège et de manifestation sur la voie publique.

Ces droits civils sont assurés par la disponibilité, pour tous les travailleurs et leurs organisations, de presses d'imprimerie, de papier, de bâtiments publics, de rues, de moyens de communication et autres matériels nécessaires à leur mise en œuvre. (*Constitution de l'U.R.S.S., 1936, article 125.*)

Nous étions en 1978. Nous avions derrière nous notre départ d'Union soviétique ; des mois d'attente d'un visa américain en Italie ; nos premières réunions avec des Américains ; notre première prise de contact avec un mode de vie complètement nouveau, à bien des égards incompréhensible et inattendu.

Ce soir-là, mon mari et moi étions les hôtes d'une famille américaine. Ce n'était pas seulement une invitation amicale à dîner. Nous, qui avions été expulsés d'Union soviétique, étions présentés à un dissident américain, un activiste des droits civils. Assis à table, chacun de nous exprimait des opinions sur des questions dont il ne savait rien. Notre ami américain ne savait rien sur la réalité de la vie en Union soviétique ; nous n'avions qu'une première idée, approximative, de l'Amérique. Il affirma, en essayant de nous convaincre, qu'il y avait une authentique liberté en Union soviétique, que l'U.R.S.S. était un pays démocratique. Le fait que

195

des gens étaient arrêtés, convaincus de crimes politiques et emprisonnés était naturellement regrettable.

« Mais cela n'arrive pas qu'en Union soviétique, dit-il. Les droits civils sont également violés en Amérique, nous avons nos procès politiques et condamnons aussi injustement les gens. »

C'était une discussion longue et stupide, sans le moindre espoir de compréhension mutuelle, car, bien que nous parlions apparemment de la même chose, chacun de nous donnait à l'expression « crime politique » un sens qui était particulier au système social de son propre pays.

Quand je décrivis les procès politiques auxquels j'avais pris part, notre contradicteur m'écouta avec une incrédulité évidente. Il ne pouvait comprendre, ou ne pouvait ajouter foi, quand je disais que les seuls motifs d'une arrestation et d'une condamnation pouvaient être l'expression ouverte et publique d'une opinion et que, quel que soit l'article du Code pénal pour lequel les activistes des droits civils soviétiques étaient condamnés, ils souffraient des années de prison, les camps de travail et l'exil intérieur simplement pour avoir fait usage de leur droit constitutionnel d'exprimer librement leurs croyances ou leurs opinions sur certaines actions du gouvernement soviétique.

J'ai souvent rencontré des attitudes semblables d'incrédulité. Les gens suggéraient : « Ils étaient sûrement accusés de quelque chose d'autre ; ils ne peuvent avoir été jugés uniquement pour cela... » Même réaction chez les jeunes étudiants américains et chez les hommes mûrs et d'expérience.

Écoutons donc les enquêteurs du ministère public et du K.G.B., les juges des hautes cours, les membres des « brigades spéciales de vigilance » constituées par le Comité moscovite du mouvement des Jeunes Communistes (le Komsomol). Écoutons les voix dures des représentants du régime et de la justice soviétiques. Laissons-les énoncer les motifs de l'accusation. Voici des extraits d'un procès criminel réel, dans lequel l'acte d'accusation portait « violation flagrante de l'ordre public ».

Article 190/3 du Code pénal de la R.S.F.S.R. :

« Les personnes qui organisent des activités de groupe (et/ou qui participent à de telles activités) violant de façon flagrante l'ordre public ; ou qui refusent d'obtempérer aux injonctions légitimes des représentants de l'autorité ; ou qui provoquent l'interruption des transports publics ou du fonctionnement des institutions de l'État ou des entreprises... sont punies d'un emprisonnement d'une durée maximale de trois ans, ou d'une peine de travail de redressement d'une durée maximale de un an, ou d'une amende ne pouvant excéder 100 roubles. »

Dépositions des témoins : membres de la brigade de vigilance du Komsomol.

Procès-verbal de l'interrogatoire du témoin Malakhov. — « Je suis membre de la brigade de vigilance du Komsomol. Le 22 janvier de cette année, nous avons été informés de la nécessité de maintenir l'ordre sur la place Pouchkine, car on s'attendait là à certains troubles. Nous sommes arrivés sur la place, ce soir-là, entre 17 h 30 et 17 h 40. Vers 18 heures, une trentaine de jeunes gens se sont rassemblés au voisinage de la statue de Pouchkine. Ils se sont réunis en groupe compact autour du monument. Bientôt, trois pancartes apparurent. Sur l'une d'entre elles, on pouvait lire : "Liberté pour Dobrovolski, Galanskov, Lachkova et Radzievski". Nous savions que c'étaient les noms d'individus récemment arrêtés par les fonctionnaires du K.G.B. Sur les deux autres pancartes était écrit : "Nous exigeons l'abrogation des articles 70 et 190 du Code pénal comme anticonstitutionnels." Avec le chef de la brigade, Dvoskine, je m'avançai vers la pancarte la plus proche, celle qui appelait à l'abrogation des lois anticonstitutionnelles. Elle était tenue par une jeune fille et un jeune homme. Je leur demandai de me remettre la pancarte. Ils la donnèrent sans résistance. Tout cela s'est passé très rapidement et tranquillement. »

Procès-verbal de l'interrogatoire du témoin Kleïmenov. — « Je suis instructeur au Comité de Moscou du Komsomol et chef d'une brigade de vigilance. Avec les membres de la brigade, le 22 janvier de cette année, j'ai dirigé une patrouille sur la place Pouchkine. On nous avait averti de nous trouver sur la place après 17 h 30. A 17 h 45 approximativement, les membres de la brigade commencèrent leur observation, stationnés en plusieurs points. Vers 18 heures, un groupe de jeunes gens se rassembla sur la place et s'approcha du monument Pouchkine. Ils étaient une trentaine. Plusieurs membres du groupe montèrent sur le piédestal et, en silence, brandirent plusieurs slogans antisoviétiques au-dessus de leurs têtes. *Voyant que le libellé des slogans était antisoviétique, nous entourâmes rapidement le groupe et ôtâmes les slogans.* L'un des participants, dont je connais maintenant le nom, Khaoustov, commença à résister et ne voulait pas remettre sa pancarte. Une lutte s'engagea. Tandis que j'empoignais Khaoustov, j'entendis une voix crier, venant du groupe qui était sur le piédestal : "Ne résiste pas, Vitka, ne résiste pas ! " Khaoustov cessa de résister, et il fut emmené au quartier général de la brigade, sur la place des Soviets. En gros, la place Pouchkine était tranquille. Quand nous eûmes emmené les personnes arrêtées, et que les citoyens eurent commencé à se disperser, un grand jeune homme cria dans la foule : "A bas la dictature." Les membres de notre brigade l'arrêtèrent immédiatement et l'emmenèrent au quartier général. Son nom était Ievgueni Kouchev. Il n'y eut pas d'autre résistance.

Des témoignages absolument identiques furent fournis par les autres membres de la brigade de vigilance et par plusieurs policiers. Cette déposition fut utilisée par les enquêteurs comme preuve de la culpabilité des quatre manifestants arrêtés.

A la fin de mars 1967, l'instruction de l'affaire relative aux autres accusés se trouvait à son stade terminal. Les témoins, les accusés, leurs parents et amis, et même leurs simples connaissances, avaient tous été interrogés. L'enquêteur n'avait plus qu'à rédiger le document final de l'affaire — l'inculpation. Mais au lieu de cela, le dossier fut transféré au K.G.B. et accepté par lui.

Lettre d'envoi de Malkov (8 avril 1967, vol. III, p. 1), procureur de la ville de Moscou, au lieutenant général Svetlitchnyï, directeur du K.G.B. pour la ville et la province de Moscou. — « Conformément à l'article 126 du Code de procédure criminelle de la R.S.F.S.R., le dossier ci-joint vous est transmis pour complément d'enquête suivant article 190/3 du Code pénal de la R.S.F.S.R. »

Déclaration d'acceptation du dossier (vol. III, p. 2) *par le capitaine Smelov*, enquêteur en chef du K.G.B. — « Ayant reçu la lettre du procureur de la ville de Moscou concernant le groupe accusé suivant article 190/3 du Code pénal de la R.S.F.S.R., et prenant en considération le fait que, conformément à l'article 126 du Code de procédure criminelle de la R.S.F.S.R., il est nécessaire de procéder à une instruction préliminaire de cette affaire, le soussigné accepte le dossier par la présente et procédera à l'enquête préliminaire. »

C'est là un exemple classique du mépris cynique de la loi, car l'article 126 du Code de procédure criminelle ne donne pas le droit au procureur de Moscou de transférer le dossier au K.G.B., et il interdit au Service d'enquête du K.G.B. de traiter les affaires qui sont du ressort du ministère public.

Le transfert du dossier du ministère public au K.G.B. était le signe incontestable que l'affaire était considérée comme étant d'une importance particulière, qui la hissait au niveau des « crimes d'État particulièrement dangereux ». Pendant ce temps, les individus arrêtés le 22 janvier sur la place Pouchkine restaient en prison, sans contacts avec leurs parents, sans le privilège de la correspondance et sans l'aide de leurs avocats. Les mois passèrent, avec de rares convocations de l'enquêteur, des mois au cours desquels ils étaient soumis au régime oppressif de la détention préventive du K.G.B.

En août, l'enquête était achevée et l'acte d'accusation dressé.

Le passage suivant émane du capitaine Smelov, enquêteur du K.G.B. (l'auteur de l'acte d'accusation), ainsi que du colonel Ivanov, chef du Service d'enquête du K.G.B. pour la ville et la province de Moscou, et du lieutenant général Svetlitchnyï, directeur du K.G.B. pour la ville et la province de Moscou, qui confirma l'acte d'accusation:

«... étant en relation avec Galanskov, Lachkova, Radzievski et Dobrovolski, il a adopté une méthode illégale pour exprimer ces exigences, et il a organisé une manifestation pour exiger leur liberté et l'abrogation des articles 70 et 190/1-3 du Code pénal de la R.S.F.S.R. La pancarte portant le solgan "Liberté pour Dobrovolski, Galanskov, Lachkova et Radzievski" a été préparée par l'accusé. Il a invité d'autres personnes à la manifestation, et lui-même y a pris une part active en brandissant la pancarte. En conséquence, il a commis un crime au sens de l'article 190/3 du Code pénal de la R.S.F.S.R. »

J'allais défendre l'homme auquel se réfère ce document, un jeune homme qui a depuis beaucoup fait parler de lui: Vladimir Boukovski.

J'admettais tout: qu'il avait organisé la manifestation, qu'il y avait pris part, qu'il avait peint les slogans sur les pancartes et que plus tard, sur la place, il avait levé silencieusement l'une d'entre elles au-dessus de sa tête. La seule chose que je n'admettais pas, c'était que ce fût un crime. La liberté de manifestation était garantie par la constitution soviétique, et il n'y avait ni lois, ni instructions, ni directives qui interdisaient de participer à des manifestations organisées au plan privé, ou qui en réglaient le déroulement. Je déposai donc une requête visant à clore le dossier auprès de l'enquêteur Smelov, sous le motif d'une «absence de contenu criminel dans les actes de mon client».

L'enquêteur Smelov rejeta ma requête.

Je défendis Boukovski au tribunal de la ville de Moscou, et je demandai son acquittement. La cour, présidée par le juge Chapovalova, le déclara coupable et le condamna au maximum prévu par l'article 190/3: trois ans de prison.

Je fis appel contre ce verdict auprès de la Cour suprême de la R.S.F.S.R. «Bien que ne contestant pas les faits matériels mentionnés dans le verdict, je considère qu'ils ne sont pas de nature à déclarer mon client coupable de crime.» Je demandais à la Cour suprême de la R.S.F.S.R. de «révoquer la sentence du tribunal de la ville de Moscou et de classer l'affaire».

L'appel passa à la Cour suprême le 16 novembre 1967. Voici le jugement rendu par les magistrats: «L'accusé lui-même n'a pas nié avoir incité un certain nombre de gens à se rassembler sur la place dans le but d'exprimer publiquement des exigences relatives à l'abrogation de certains articles de la loi pénale et à la libération de quatre de ses amis qui avaient été arrêtés pour agitation et propagande antisoviétiques, en vue de quoi il a rédigé les textes des slogans et en a peint lui-même les lettres sur une pancarte. Il n'a pas nié non plus avoir pris une part active à la manifestation qu'il avait organisée. La cour était fondée à conclure qu'une grave violation de l'ordre public avait été causée par ces actes. »

Le verdict du tribunal de la ville de Moscou fut maintenu, et l'accusé accomplit ses trois années de prison. Incapable de l'aider d'aucune manière, j'ai perdu ce combat particulier contre la justice soviétique en déclarant que les citoyens de l'U.R.S.S. avaient le droit (comme le dit la constitution) de manifester et d'exprimer publiquement leurs opinions.

Et maintenant, une digression.

J'étais assise derrière un grand bureau, faisant face à un jeune homme, presque un garçon. Il portait une chemise à carreaux et à col ouvert ; ses cheveux étaient coupés court, à la manière des prisons. Quelque chose — peut-être la lueur de ses yeux, son front haut, une sensation de force intérieure — me rappelait les portraits du jeune Lénine. Cela se passait à la fin de mai 1967, à la prison de Lefortovo, là où le K.G.B. place les prévenus pendant l'enquête. Les protagonistes étaient moi-même et mon client potentiel.

Si je le qualifie de « potentiel », ce n'est pas parce que j'avais différé ma décision de le défendre : j'avais déjà accepté. C'est lui qui ne m'avait pas encore acceptée.

« Êtes-vous membre du parti communiste ? me demanda-t-il.

— Non.

— Avez-vous l'« accès » aux procès politiques ?

— Oui, je l'ai. »

Ce n'était pas un enquêteur qui m'interrogeait ; j'étais questionnée par mon propre client, l'homme accusé d'avoir organisé une manifestation au monument Pouchkine le 22 janvier 1967. C'était lui qui avait brandi le slogan exigeant l'abrogation des lois inconstitutionnelles. Ainsi se passa ma première rencontre avec un jeune homme dont les photos devaient faire la une des journaux d'Amérique, de Grande-Bretagne, de France et d'Italie, à qui devait échoir l'honneur, pleinement mérité, d'être l'hôte de la reine d'Angleterre et de s'entretenir avec le président Carter, aux États-Unis. Il était celui que la presse soviétique qualifiait de « criminel », d' « étudiant raté », de « parasite » et de « bandit », celui que le gouvernement soviétique devait plus tard échanger contre Luis Corvalán, le secrétaire général du parti communiste chilien.

C'était Vladimir Boukovski.

A l'époque de notre rencontre, il avait vingt-quatre ans et il n'avait pas encore accédé à la célébrité. Il n'avait pas réussi grand-chose. Nanti d'un diplôme d'une école supérieure, il s'était inscrit comme étudiant au département de biologie de l'université de Moscou, qu'il avait abandonné par la suite (soit à la suite d'une expulsion, soit à sa propre demande, suivant les versions), ce qui le laissait sans profession et sans ce qu'il est convenu d'appeler « une position sociale ».

L'instruction de son procès était terminée. Notre tâche consistait à étudier ensemble le dossier, à soumettre les requêtes nécessaires, puis à attendre le procès. Nous ne nous sommes pratiquement rien dit, non que la présence de l'enquêteur nous eût inhibés, mais simplement parce que nous n'avions pas grand-chose à nous dire. De quoi aurais-je pu discuter avec quelqu'un qui, en faisant ma connaissance, manifestait déjà sa méfiance ? Et on pouvait le comprendre: il ne me connaissait pas. A ses yeux, le fait que j'eusse l' «accès» jouait manifestement en ma défaveur, et je ne fis aucun effort pour l'amener à changer d'avis. La seule chose que j'eusse pu lui offrir pour apaiser sa méfiance, c'eût été de lui dire que j'étais disposée à demander son acquittement. Mais, à ce moment-là, je ne pouvais pas le faire: après tout, je n'avais pas encore lu son dossier. Je ne savais pas ce que les témoins avaient dit, et je n'étais pas familiarisée avec les arguments qui étayaient l'acte d'accusation. Je fis donc le seul commentaire conforme à la vérité: «Pour l'instant, laissons de côté la question de ma participation. Il faut que j'étudie le dossier. C'est seulement ensuite que je pourrai vous donner mes conclusions et vous suggérer la ligne de conduite que je pourrais adopter au tribunal. Je veux que vous sachiez que je ne me laisserai guider que par des considérations d'ordre juridique. Si je pense que vos actes comportent un élément authentiquement criminel, je vous le dirai, et vous et moi pourrons en rester là. Mais si le dossier me fournit une chance d'affirmer qu'il n'y a pas eu violation de l'ordre public, que la manifestation n'a pas gêné le trafic normal des transports publics, il est bien évident que je serai obligée de demander votre acquittement. Pour un avocat, il n'y a pas d'alternative. Et je suis avocate.»

Nous nous assîmes donc face à face et nous mîmes au travail. Je recopiai soigneusement les dépositions de tous les témoins et celle de l'accusé, ainsi que les procès-verbaux des nombreuses perquisitions. Cette documentation, que j'ai emportée avec moi en quittant l'Union soviétique, me permet aujourd'hui de procéder à une reconstitution précise de l'affaire.

Procès-verbal de l'interrogatoire du suspect Vladimir Boukovski (26 janvier 1967). — «Je ne me considère pas comme coupable. Je ne puis comprendre pourquoi je suis suspect. Je ne considère pas ce qui s'est passé place Pouchkine le 22 janvier comme une violation de l'ordre public. A 18 heures, ce jour-là, je me trouvais sur le piédestal de la statue de Pouchkine. Une cinquantaine de personnes s'étaient rassemblées autour du monument; je refuse d'indiquer leurs noms. Les pancartes portant les inscriptions "Liberté pour Dobrovolski, Galanskov, Lachkova et Radzievski" et "Nous exigeons l'abrogation de l'article 70 et du nouveau décret comme inconstitutionnels" ont été levées pendant environ trois minutes. J'ai pris part à cette manifestation et je souscris entièrement à ces exigences. Il n'y a pas eu violation de l'ordre public. Nous n'avons pas fait obstruction au fonctionnement normal des transports publics. Au bout de quelques minutes, des personnes sont apparues sur la place ; elles ne portaient ni brassards ni autre signe distinctif qui aurait pu indiquer qu'elles étaient des représentants de l'autorité. Sans montrer aucune pièce d'identité, mais en proférant des cris et des menaces, elles se jetèrent sur les manifestants et se mirent à arracher les pancartes. Je portais la pancarte exigeant la révision des lois. Je refuse de répondre à toute question concernant la participation d'autres personnes à la manifestation. »

Procès-verbal de l'interrogatoire de Boukovski (6 mars 1967). — «Je ne me considère pas comme coupable. Je considère les articles 70 et 190/1-3 comme inconstitutionnels et oppressifs. Je considère qu'une manifestation n'est pas une violation de l'ordre public, mais un droit garanti par la constitution. »

Bien des fois par la suite, en paraissant dans d'autres procès politiques, j'ai pensé qu'il était infiniment plus facile d'être brave au tribunal que pendant l'enquête. Au cours de l'audience, les circonstances en elles-mêmes, la présence du public, le minimum de liberté de parole qui accompagne les procès politiques en Union soviétique constituent un stimulant puissant pour faire preuve de courage. La conscience que les gens vous écoutent, que ce que vous dites sera connu de vos amis et de vos sympathisants vous apporte un puissant appui moral et, dans les procès collectifs, quand vos compagnons sont à côté de vous dans le box, la conduite de chacun est un exemple et représente une aide pour les autres.

Boukovski était seul. Il déposait sans le moindre espoir que son témoignage serait jamais connu du monde extérieur. Il ne pouvait non plus savoir que, douze ans plus tard, moi, son avocate, aurais l'incroyable bonne fortune de me féliciter du soin scrupuleux avec lequel, à l'époque, j'avais recopié son remarquable témoignage, et de me réjouir de pouvoir enfin faire entendre sa voix en des termes jusque-là inconnus.

En ce temps-là, je n'avais pas cette perspective. Je me préparais à mener une défense très difficile (c'était le premier procès politique de ma carrière) et je recopiais tout ce qui pouvait être utile pour l'audience. Mais en lisant et en pesant chaque page du témoignage de Vladimir, j'étais de plus en plus étonnée de sa fermeté, de plus en plus consciente du prix que ce jeune homme, encore au seuil de l'existence, était disposé à payer pour avoir le droit d'être lui-même, pour avoir le droit de penser et d'exprimer ses propres pensées.

Il n'y a pas longtemps, en réponse à une question posée par un ami américain à propos de mon attitude envers Boukovski en 1967, j'ai répondu: «Oh Seigneur, je suis tombée tout de suite amoureuse de lui!» Comment aurais-je pu avoir d'autres sentiments envers une personne qui avait fait d'un concept moral la règle de sa vie? Je le respectais à cause de la fermeté avec laquelle il se dressait pour défendre ses convictions; je le respectais pour la manière dont il défendait ses compagnons. Dans toutes ses dépositions, il n'utilisait que le pronom personnel «je»: «J'ai organisé... j'ai donné des instructions... j'ai suggéré le libellé des slogans...» Il ne répondit jamais à une seule question concernant le rôle ou l'action d'autres participants à la manifestation, ni ne les mentionna jamais par leur nom. Il ne dévia jamais de sa ligne de conduite, même lorsqu'il réalisa qu'il était seul, qu'il avait contre lui non seulement l'enquêteur, mais aussi les témoignages de ses coaccusés, car le moment vint où l'un d'entre eux cessa d'utiliser le pronom de la première personne et ne parla plus que de «lui», signifiant naturellement Boukovski.

«Être seul, c'est une énorme responsabilité. Acculé au mur, l'homme réalise: "C'est moi, le peuple; c'est moi, la nation... et il n'y a rien d'autre." Il ne peut pas sacrifier une partie de lui-même, et il ne peut pas se diviser, se dissoudre et continuer à vivre malgré tout. Il n'a désormais plus où reculer et l'instinct de conservation le pousse aux extrêmes: il préfère la mort physique à la mort spirituelle.» (Boukovski, *Et le vent reprend ses tours.*)

Ce sens sublime de la responsabilité personnelle, cette inaptitude organique à sacrifier sa liberté spirituelle sont les fondements de l'héroïsme conscient. Ils créent une situation où l'héroïsme devient la forme de conduite naturelle, la seule possible. Ils n'ont pas été donnés à beaucoup, mais ils ont été donnés à Boukovski. C'était la conséquence inévitable du développement de son caractère naturellement fort, bien que l'aptitude à opposer une résistance morale inflexible ne lui soit pas venue d'un seul coup. Elle lui vint à la suite de dures leçons, les leçons sinistres du K.G.B.: persécutions, perquisitions, interrogatoires, arrestations et vie en prison.

Les autres personnes arrêtées à la manifestation étaient toutes plus jeunes que Boukovski. Leur opposition au régime soviétique tenait plus du rejet émotionnel de la pression exercée par la censure sur les artistes et les écrivains (deux d'entre eux étaient des aspirants poètes) que de convictions politiques arrêtées. Leur acceptation de prendre part à une manifestation de protestation contre l'arrestation de leurs amis avait été donnée sous le coup d'une impulsion; par la suite, ils se mirent à douter d'avoir bien agi. Aucun d'entre eux n'était allé à la manifestation pour des raisons d'engagement personnel, considérant plutôt qu'il serait «maladroit de refuser» ou «embarrassant de revenir sur sa parole». Leur arrestation leur fournit l'occasion de goûter à la prison pour la première fois : c'était leur première confrontation réelle avec la puissance de l'appareil d'oppression soviétique.

Procès-verbal de l'interrogatoire de Ievgueni Kouchev, autre manifestant. — «Je me reconnais pleinement coupable, conformément à l'article 190/3 du Code pénal de la R.S.F.S.R., d'avoir pris part à un rassemblement qui a gravement violé l'ordre public dans la ville de Moscou... Boukovski m'avait parlé de l'arrestation de Lachkova et des autres ; il m'avait dit qu'il avait l'intention d'aller le lendemain, avec d'autres amis, au monument Pouchkine. Boukovski m'avait dit qu'il y aurait des slogans appelant à "la liberté pour Dobrovolski et les autres", à l'abrogation des articles 70 et 190/3 et un slogan "à bas le gouvernement arbitraire et la dictature". Boukovski a suggéré que je participe, et je n'ai pas refusé.

«Je suis arrivé sur la place Pouchkine quand les autres avaient déjà commencé à se disperser. Il était 18 h 10. On me dit que la brigade de vigilance avait arrêté et emmené plusieurs personnes. Je me sentis embarrassé d'avoir manqué la manifestation, et c'est pourquoi j'ai décidé de crier "A bas la dictature". Quelques personnes se sont approchées et m'ont emmené. Depuis lors, je me trouve en détention. Je regrette beaucoup d'avoir accepté la proposition de Boukovski, d'autant plus que je ne partage pas ses vues. Je condamne ma propre conduite.»

Il n'y avait rien dans le témoignage de Kouchev qui pût faire tort à Boukovski aux yeux de la cour. Boukovski lui-même avait admis qu'il était l'un des organisateurs de la manifestation, et Kouchev était sans aucun doute informé de ce qu'avait dit Boukovski. Le reste de la déposition de Kouchev n'avait pas une importance particulière pour moi en tant que défenseur de Boukovski. Ce qu'il avait dit de Vladimir se référait plutôt à leurs intérêts littéraires et à leurs tentatives de créer une société littéraire de jeunes écrivains qui devait s'appeler «l'Avant-garde». Questionné sur les opinions politiques de Boukovski, Kouchev répondit : «Lui et moi n'avons jamais abordé de sujets politiques.» Son témoignage ne varia pas ; il maintint son repentir et son regret de ce qui était arrivé depuis le début jusqu'à la fin de l'enquête.

La déposition de Vadim Delaunay, cependant, brosse un tableau différent.

Procès-verbal de l'interrogatoire du détenu Delaunay (6 mars 1967). — «A mon sens, il n'y a pas eu violation de l'ordre public. Je considère les articles 70 et 190/3 comme inconstitutionnels. Je suis venu sur la place Pouchkine pour exprimer mes protestations contre ces articles et contre l'arrestation de mes amis Dobrovolski, Galanskov et les autres. En même temps que Khaoustov, j'ai brandi le slogan "Liberté pour Dobrovolski, Galanskov, Lachkova et Radzievski". Presque aussitôt, quelques personnes en civil sont accourues vers nous et nous ont arraché les pancartes. Je leur ai demandé d'agir plus poliment, et j'ai remis la pancarte sans résistance. »

Qu'est-il arrivé à Delaunay après que l'enquête eut été transférée au K.G.B. ? Pourquoi le reste de son témoignage prend-il un son tout différent ? Je ne doute pas que le moment viendra où Vadim éprouvera le besoin d'écrire à ce propos, d'expliquer ce qui a brisé sa volonté, ce qui l'a soudain amené à changer de voix, à utiliser des mots qui ne lui ressemblaient pas. De dire aussi ce qui l'a aidé à reprendre courage. Deux mois de prison avaient épuisé ses forces, de sorte qu'il était incapable de résister à la peur devant l'inévitable châtiment, incapable de résister à la tentation d'être libéré en abjurant, en exprimant sa condamnation morale de la manifestation elle-même et son repentir d'y avoir participé.

Quand je vis Delaunay pour la première fois, il n'était guère plus qu'un gamin ; de belle apparence et intelligent, il était tout rempli du rôle qu'il allait jouer au procès comme prix de sa libération. Je n'avais pas le cœur de le blâmer, bien que toutes ses déclarations ultérieures eussent créé un arrière-plan très sombre aux chefs d'accusation relevés contre Boukovski. A l'époque, l'opinion publique ne le condamna pas non plus. Mais le jugement de sa propre conscience se révéla par la suite plus sévère et plus intransigeant. Il fut capable de s'élever sur les hauteurs du véritable courage, sans aucun doute par besoin de retrouver le respect de soi-même. Il gagna ce droit par sa conduite irréprochable lors de sa deuxième arrestation pour avoir pris part à une manifestation contre l'invasion soviétique en Tchécoslovaquie. Il le gagna par le calme courage dont il fit preuve à son procès de 1968. C'est cela qui m'a incitée à le mentionner ici par son nom, comme un homme qui, à travers la prison, les camps de travail et l'émigration forcée, s'est complètement racheté de sa culpabilité passée.

Le 16 mars 1967, Delaunay remit à l'enquêteur une « déclaration de sincère repentir ». Cette déclaration contenait toutes les phrases que les gens emploient d'habitude pour déplorer leurs actions et leur conduite : regrets pour le passé, promesses pour l'avenir. Je n'étais pas non plus surprise que ces « regrets » fussent rédigés suivant la terminologie rigoureusement légale. Les enquêteurs suggèrent souvent le mot à mot de telles déclarations, souhaitant ainsi s'attirer la confiance de l'accusé. Il en est ainsi quand le but de l'enquête cesse d'être la collecte et la vérification des preuves pour viser à obtenir une déclaration de repentir.

Dans le cas de cette manifestation, les enquêteurs avaient besoin que l'un des accusés se repentisse, car les autorités voulaient organiser un procès où les inculpés seraient visiblement prostrés et défaits. C'était la raison pour laquelle, pensais-je, le dossier avait été transféré du ministère public au K.G.B. au mépris de la loi. En le remettant à ce que nous appelions la « solide entreprise », c'est-à-dire à la police secrète, les autorités avaient l'intention d'intimider les accusés en soulignant la gravité de leur crime et l'amplitude de la menace qu'ils représentaient pour la société soviétique. Quand l'intimidation ne suffit pas, cependant, elle est relayée par une promesse de libération. L'enquêteur devait faire en sorte que la déclaration de repentir de Delaunay fût si précise qu'elle ne permît aucune échappatoire, que Delaunay ne pût la désavouer, et d'autre part il devait l'habiller avec des mots qui permettraient infailliblement à la cour de ne pas prononcer de peine de prison. En effet, quand l'enquêteur dit à Delaunay que, s'il faisait une déclaration de sincère repentir, la cour le traiterait avec indulgence, il ne le trompait pas. Il savait que la cour ne pourrait faire autrement que d'accorder cette sorte de sentence si la suggestion émanait d'un corps aussi puissant que le K.G.B.

Comment expliquer autrement que par le conseil de l'enquêteur et la promesse d'une peine légère la production dans le dossier d'un document connu sous le nom de « reconnaissance volontaire de culpabilité » ? C'est là une désignation officielle. D'après la loi soviétique, un tribunal est obligé de traiter une « reconnaissance volontaire » comme une circonstance atténuante.

Il ne faudrait pas s'imaginer, cependant, que, dans le cas de la manifestation de la place Pouchkine, quelqu'un se soit effectivement adressé au ministère public ou au K.G.B. et se soit volontairement rendu à la justice, ou ait volontairement avoué un crime jusque-là inconnu des enquêteurs. Rien de semblable ne s'est passé. Ce document n'était qu'un moyen de donner une forme convenable à la déposition de Vadim Delaunay, qui avait déjà passé plus de deux mois en prison et qui pour cette seule raison était incapable de faire un rapport « volontaire » à l'enquêteur.

Reconnaissance volontaire de culpabilité de Vadim Delaunay. — « Boukovski m'a très fortement influencé. Boukovski considérait que la seule manière d'accomplir quoi que ce soit, c'était par les manifestations ; autrement, nous serions simplement écrasés par les chars. Les plans de Boukovski, qui sont à long terme, sont fondés sur son dégoût profond, pour ne pas dire sa haine, du communisme ; ils n'étaient pas du tout de mon goût. »

(Viennent maintenant les véritables raisons pour lesquelles Delaunay a fait sa déclaration.)

« J'ai écrit cela parce que, si mon affaire ne va pas jusqu'au tribunal, ou si je ne reçois pas de peine de prison, j'emploierai tous mes efforts à tenter de corriger mes erreurs et à mettre les autres en garde contre les mêmes fautes — et cela ne sera pas entièrement sans valeur. »

Ce document, qui assura à Delaunay la clémence de la cour, fut à l'origine d'un nouveau stade de l'enquête. D'une certaine façon, l'enquêteur du K.G.B. oublia qu'il avait reçu la mission d'instruire une « action de groupe » — la manifestation de la place Pouchkine. Naturellement, ce n'était pas surprenant. Tout était clair maintenant : Boukovski était le vrai coupable. Toutes les questions que l'enquêteur posa à Delaunay concernaient Vladimir : ses intentions, ses croyances, son rôle dans le « mouvement démocratique ». Les réponses à ces questions constituèrent un témoignage véritablement sérieux contre Boukovski.

Déposition du prévenu Delaunay (31 mai 1967). — « Boukovski est le leader d'un mouvement secret de jeunes gens. Boukovski est un politicien qui considère que le changement démocratique est impossible dans le cadre des structures politiques existantes. C'est à partir des considérations suivantes qu'il a tiré cette conclusion :

1. Théoriquement, il y a une grande différence entre le communisme et le fascisme ; cependant, en 1937, le communisme ne différait pas du fascisme, puisqu'il mettait en œuvre la terreur des masses. Les mêmes méthodes ont été utilisées par les communistes de Hongrie en 1956.

2. Dans notre pays, la liberté d'opinion et de parole n'existe pas. La suppression de ces libertés est la faute des communistes.

3. L'*appareil* des permanents du parti a depuis longtemps remplacé le parti dans son ensemble.

4. Le système du parti unique conduit inévitablement au "culte de la personnalité" (sur le mode stalinien). Le leadership d'un parti totalitaire et de ses administrations constitue la "nouvelle classe".

« Le rêve de Boukovski est la création, dans notre pays, d'un système de pluripartisme. J'ai réalisé que ses positions étaient proches de l'antisoviétisme, et il devint clair pour moi que je ne pouvais le suivre sur cette voie. »

Il est difficile de dire si, à ce stade, le but du K.G.B. était simplement d'exercer une pression psychologique sur Boukovski, d'obtenir quelque déclaration de compromis dans l'espoir que la simple menace d'une inculpation sur la base de l'article 70 l'induirait à faire preuve de repentir au tribunal et à condamner la manifestation ainsi que la part qu'il avait prise à son organisation, ou bien si le K.G.B. avait réellement l'intention de l'accuser d'agitation et de propagande antisoviétiques. Ce qui est certain, c'est qu'il ne réussit pas à intimider ou à démoraliser Boukovski.

Témoignage du prévenu Boukovski (5 mai 1967). — «Je ne cache pas mes convictions politiques et j'ai l'habitude d'en parler très ouvertement. Mes opinions comme opposant au communisme se sont formées dans les années soixante et n'ont pas varié depuis.

«Je considère que le rôle de monopole du parti communiste s'oppose à l'instauration des libertés démocratiques. Je considère qu'un État démocratique et la suprématie de la loi ne seront des réalités que quand nos concitoyens seront assurés de jouir des libertés démocratiques.»

C'est par cette déclaration que Boukovski termina ses entretiens avec le K.G.B. en 1967 ; on ne lui posa plus aucune question.

Avant d'avoir à défendre Boukovski, je n'avais jamais encore ressenti un désir aussi passionné d'aider un autre être humain — sentiment mitigé par la conscience que j'étais confrontée à un mur qui ne pouvait être entamé ni par des arguments logiques ni par la citation de la loi. (Plus tard, à l'occasion de procès politiques ultérieurs, ces sentiments me revenaient à chaque occasion. Le temps ne les a pas affaiblis, ni ne les a rendus moins douloureux.)

J'ai passé plusieurs journées à étudier le dossier : s'il était simple dans son contenu et dans sa forme, il était inhabituel dans les conditions soviétiques. Il était déjà tout à fait clair pour moi que je demanderais l'acquittement de Boukovski sur la base d'une absence de *corpus delicti*, et je le lui dis. Je passai ainsi du statut d'avocate «potentielle» à celui de défenseur effectif en qui il commençait à avoir confiance. Cette transformation fut aussi aidée par le fait que je n'avais pas suivi le conseil de mes collègues avocats suivant lequel j'aurais dû soumettre une requête pour que Boukovski subisse une expertise psychiatrique. En cela, mes collègues fonctionnaient comme un canal de communication : l'initiative de cette suggestion venait en fait, comme je m'en doutais, du Service d'enquête du K.G.B.

Une telle requête aurait ouvert une nouvelle voie, une voie pleine de promesses d'après mes collègues : Boukovski eût été envoyé en clinique en vue d'un diagnostic psychiatrique, et le procès eût été renvoyé. L'audience pouvait ainsi être reportée après la célébration du cinquantième anniversaire de la révolution et, en conséquence, jusqu'à l'amnistie. Quel qu'eût été le verdict des psychiatres, Boukovski était gagnant : s'il était déclaré apte à plaider, il serait concerné par le décret d'amnistie ; mais si, contre toute attente, il était déclaré malade mental, un traitement psychiatrique à l'hôpital était toujours préférable à la prison et aux camps de travail.

Telle était leur argumentation, et ils étaient parfaitement sincères en la présentant. A cette époque-là, nul d'entre nous n'avait le moindre soupçon que la psychiatrie allait devenir l'une des méthodes des autorités pour combattre la dissidence, une méthode visant à exercer la forme de vengeance la plus monstrueuse et la plus inhumaine sur ceux qui avaient été assez téméraires pour tenter de s'opposer au système.

Le procès de Boukovski fut le premier de ma carrière à éveiller le soupçon que quelque chose de semblable pouvait être en marche. Même avant de rencontrer Boukovski, je savais que, dans le passé, il avait été soumis à un examen psychiatrique, et même qu'il avait été contraint à un traitement dans un hôpital spécialisé, tout comme j'étais au courant des circonstances de son enfance et de sa vie de famille, de ses goûts, de ses inclinations, de ses centres d'intérêt et des particularités de son caractère. Sa mère, Nina Boukovskaïa, en vint rapidement à me faire confiance. Avant de rencontrer son fils, je lui avais posé ces questions intimes, et elle savait que ce n'était pas par pure curiosité, mais dans l'intérêt de la préparation de la défense. De mon côté, je fus émerveillée de constater que c'était une personne intelligente, observatrice et remarquablement objective dans ses jugements. Néanmoins, quand elle me dit que Vladimir avait été une fois déclaré légalement irresponsable, qu'il avait dû subir un traitement forcé et qu'il avait été gardé longtemps dans une maison de fous uniquement à cause de ses opinions politiques, alors qu'en fait il était parfaitement sain, je ne la crus pas.

Nina Boukovskaïa savait parfaitement bien qu'il n'y avait aucun espoir que Vladimir fût relâché après son procès et autorisé à rentrer chez lui. Elle savait qu'il resterait en prison. Je vis combien il lui en coûtait de garder son calme et de se conduire avec dignité ; quand nous en vînmes à parler du temps que Vladimir avait passé dans un hôpital psychiatrique, elle perdit complètement son contrôle. Elle ne pleura pas, mais son visage devint tout rouge. Je pouvais voir qu'elle redoutait bien plus l'hôpital psychiatrique pour Vladimir que la prison ou les camps de travail. Même ainsi je ne pouvais croire qu'une personne saine et en bonne santé eût été délibérément enfermée dans un asile. On le comprendra, je sentais qu'en cette matière je ne pouvais me laisser guider par sa seule opinion, ni me passer de l'opinion des professionnels. Mais, à la suite de ma première rencontre avec Vladimir, je me mis à réfléchir. Son esprit clair, son aptitude à penser logiquement et à s'exprimer avec concision, son absence de nervosité ou d'excitabilité étaient en contradiction flagrante avec l'idée que je me faisais d'une personne mentalement malade, même si l'opinion d'un psychiatre est fondée sur des critères plus sophistiqués que celle d'un profane moyen.

Les rapports des psychiatres renforcèrent mes doutes.

Au cours d'une période relativement brève (commençant en 1963), Vladimir avait été deux fois soumis à un examen externe à l'Institut Serbski de Moscou, et il avait été hospitalisé pendant deux ans, la première fois dans un hôpital psychiatrique de Leningrad, ensuite dans un hôpital similaire de Lioublino (ville proche de Moscou), enfin à l'hôpital psychiatrique « Stolbovaïa ». Pendant l'instruction de notre procès — le 1er mars 1967 —, il fut de nouveau soumis à un examen psychiatrique et reconnu juridiquement responsable. Plusieurs médecins l'examinèrent à ce moment-là, chacun parvenant à des conclusions différentes et qui s'excluaient mutuellement. Dans l'un des rapports, on lui accordait une « tentative de diagnostic non concluante » lui attribuant une « forme larvée de schizophrénie » ; résultat : « juridiquement irresponsable ». Une autre « tentative de diagnostic non concluante » le décrivait comme présentant un « développement psychopathique de la personnalité » ; résultat : « Ne souffre pas de maladie mentale. Juridiquement responsable de ses actes. »

Je ne pouvais pas attribuer ces contradictions à la complexité du problème diagnostique, à l'imprécision du tableau clinique ou à une évolution importante de son état, car la partie descriptive des deux rapports d'experts énumérait exactement les mêmes symptômes. Ce à quoi j'étais confrontée, c'étaient des documents médicaux où les opinions politiques indépendantes et la critique du système soviétique étaient ouvertement traitées comme des signes de maladie mentale. Je consultai deux psychiatres, des cliniciens réputés ayant de nombreuses années d'expérience hospitalière, qui confirmèrent mes soupçons quant à la nature douteuse de ces rapports sur la santé mentale de Boukovski. Les deux médecins consultés (même aujourd'hui, je ne puis mentionner leurs noms) parvinrent aux mêmes conclusions tout à fait indépendamment l'un de l'autre. Ils refusèrent d'exprimer une opinion précise sur l'état mental de quelqu'un qu'ils n'avaient pas vu, mais tous deux confirmèrent que les symptômes décrits dans les documents ne justifiaient pas le diagnostic de maladie mentale. L'un d'eux, je m'en souviens, était tout simplement incapable de croire que je lui avais montré le rapport *in extenso*. « Êtes-vous sûre, dit-il, d'avoir retranscrit le document dans son entier, sans en rien omettre ? Aucun médecin ne pourrait se permettre de diagnostiquer une maladie mentale sur la base de ces seuls symptômes. Ce serait monstrueux ! »

Quand mes collègues me suggérèrent d'introduire une requête visant à soumettre Vladimir à un nouvel examen psychiatrique, j'avais déjà parcouru tout le chemin qui va du doute à la certitude. Je considérais que, eu égard aux contradictions des rapports, je n'avais pas à insister pour obtenir un nouvel examen, et qu'il appartenait à Vladimir, non à moi, de décider s'il y avait lieu ou non d'utiliser ces contradictions pour « adoucir » son destin ultérieur. Il était le seul, à mon sens, à pouvoir décider si un traitement hospitalier imposé était une solution préférable, et s'il voulait saisir l'occasion.

Vladimir aussi rejeta cette alternative. Ce fut alors, de lui-même, qu'il reconnut que j'étais un avocat «honnête».

Nous avions fini par nous habituer l'un à l'autre au cours des longues heures passées à étudier le dossier. Mais même ainsi, nous n'atteignîmes jamais ce degré de coopération aisée que j'obtins par la suite, par exemple, avec Pavel Litvinov ou Larissa Bogoraz-Daniel. Cela peut s'expliquer en partie par une certaine divergence de nos buts respectifs dans la marche du procès. Ma tâche consistait à le défendre dans le cadre de la loi, c'est-à-dire à démontrer son innocence en fournissant une analyse juridique de l'article 190/3 du Code pénal, de l'article 125 de la constitution ainsi que des éléments du dossier en rapport direct avec la manifestation. Vladimir, de son côté, considérait le procès comme une tribune publique qui lui permettrait pour la première fois d'exprimer tout haut toutes ses opinions. Démontrer la légalité de la manifestation n'en constituait pour lui qu'une partie. Son problème était de comprimer toutes ses vues politiques dans les «dernières paroles» qu'on lui permettrait de prononcer devant la cour. Je ne blâmais pas Vladimir pour cela, ni n'essayais de l'en dissuader. Je voulais seulement l'aider en m'assurant que son discours serait succinct, pertinent et débarrassé des détails inutiles.

Aussi étrange que cela puisse paraître, le principal obstacle à notre collaboration était sa connaissance de la législation soviétique en matière criminelle. Il avait mis à profit sa détention préventive pour étudier la procédure, et il vint à moi avec le sentiment d'avoir découvert l'Amérique. Sa bonne mémoire avait apparemment absorbé les 420 articles du Code russe de procédure criminelle. Mais cela n'avait pas fait de lui un juriste; il n'avait pas acquis l'aptitude à la sélectivité. Ses connaissances étaient celles d'un amateur, convaincu qu'il était le seul à posséder tous ces trésors.

Il est intéressant de noter que, durant nos entretiens en prison, tandis qu'il me submergeait littéralement de tous ces articles du Code de procédure criminelle que l'enquêteur avait omis d'observer, il ne mentionna pas une seule fois la violation sérieuse de la loi qui eut des conséquences juridiques effectives sur l'issue de l'affaire.

Au tout début de l'enquête sur la manifestation, la totalité des documents concernant l'un de ses participants — Khaoustov — furent soustraits du dossier, et les charges relevées contre lui furent traitées par la cour dans un procès séparé. L'enquêteur du parquet qui donna l'ordre de traiter séparément le cas de Khaoustov et le juge du tribunal de la ville de Moscou qui jugea l'affaire commirent tous deux une violation grossière de la loi soviétique. L'article 26 du Code de procédure criminelle n'autorise la séparation d'une affaire que «dans les cas d'absolue nécessité, et à condition que cela ne porte pas préjudice à la compréhension, à l'exhaustivité et à l'objectivité de l'enquête et du procès». Il était clair que cette exigence de la loi n'avait pas été respectée.

Au procès de Khaoustov, aucun des autres manifestants ne fut appelé comme témoin. Khaoustov ne fut condamné que sur la base du témoignage des vigiles du Komsomol, qu'il est difficile de qualifier de «compréhensible, exhaustif et objectif». Non seulement le verdict établit que le simple fait d'une participation active à la manifestation de la place Pouchkine était une violation grossière de l'ordre public, et par conséquent un crime, mais encore il énuméra les noms des participants actifs. De la sorte, la séparation du cas Khaoustov lésa grandement les intérêts légitimes des autres accusés, parce que leur destin fut prédéterminé par le verdict concernant Khaoustov.

Si Vladimir était incapable, au stade de l'enquête, d'éprouver à mon égard une confiance totale, je ressentis en revanche, de la part de l'un des enquêteurs de l'équipe du capitaine Smelov qui assistait à nos entrevues et observait notre travail, un degré inhabituel de confiance envers moi. Souvent, après que Vladimir avait été reconduit dans sa cellule, l'enquêteur et moi-même restions seuls dans son bureau. J'étudiais le dossier tandis qu'il restait là simplement, accablé par l'ennui. Puis, peu à peu, il commença à me parler de lui, du travail qu'il faisait avant d'entrer au K.G.B., de sa femme et de son fils, qui était alors âgé de dix-sept ans.

Par la suite, toutes ces conversations finirent pas aboutir à Vladimir. Il était évident que son cas l'intéressait beaucoup et qu'il était curieux de savoir quelle ligne de défense j'allais adopter. Un jour, il m'adressa une question directe: «Qu'allez-vous demander à la cour, Dina Izaakovna?»

Je lui répondis: «Je vais demander son acquittement. L'enquête n'a pas prouvé qu'il y avait eu violation de l'ordre public.»

Me regardant durement, il dit simplement: «Vous êtes dans une position difficile, Dina Izaakovna», puis il garda le silence.

Le lendemain, il revint sur la question: «Vous dites que vous allez demander son acquittement. Mais comment peut-il être acquitté si c'est un ennemi? Aucune persuasion n'a d'effet sur lui. Il a un caractère inflexible. Naturellement, vous êtes son avocate, vous devez le défendre, mais tout de même, il faut faire quelque chose à son propos.»

Quelques jours plus tard, nous nous retrouvions de nouveau seuls ensemble.

«Vous savez, Dina Izaakovna, je n'arrête pas de penser à votre client. Je ne peux m'empêcher de penser: qu'est-ce que nous avons fait de si mal pour qu'un gars comme lui soit contre nous? C'est le genre d'homme avec qui on irait volontiers en patrouille à la guerre. Il ne vous laisserait jamais tomber. Il faut le reconnaître: il a du courage.»

Il disait cela si sincèrement, avec un désir si authentique de résoudre cette contradiction que le même homme était un «ennemi» et que «l'on irait volontiers en patrouille avec lui», que j'étais convaincue que ses remarques ne visaient pas à me prendre au piège, mais qu'il profitait simplement de l'occasion (une occasion rare pour un homme du K.G.B.) pour parler à quelqu'un dont il n'avait pas à se méfier. Dans son livre, Vladimir Boukovski évoque aussi cet enquêteur. Il rappelle une histoire que raconta cet homme et qui correspond presque mot pour mot à celle que j'ai entendue de lui. C'était une histoire de guerre. Il s'agissait d'un accrochage où ses camarades combattirent jusqu'à la mort plutôt que de se rendre, après quoi le commandant allemand donna l'ordre de les enterrer avec les honneurs militaires.

«Ainsi ils enterrèrent ces hommes qui avaient été leurs ennemis — mais des ennemis braves. C'est pareil pour votre Boukovski: il a beau être aussi un ennemi, je le respecte pour son courage.»

Il employait ce mot d' «ennemi» chaque fois qu'il parlait de Vladimir, et il l'employait comme une sorte d'incantation pour apaiser sa conscience.

Habituellement, je l'écoutais en silence, sans engager moi-même la conversation et sans présenter d'objections à ce qu'il disait. C'était lui l'enquêteur, et j'étais l'avocate. Ce n'était pas mon rôle de discuter avec lui des vertus et des vices de l'homme qu'il accusait et que je défendais. Cette fois, pourtant, je ne restai pas silencieuse.

«Eh bien, dis-je, considérons vos remarques sur le courage de Boukovski comme l'équivalent des honneurs militaires pour accompagner les funérailles que vous lui préparez.»

Cet enquêteur n'engagea plus jamais de conversations avec moi, ni ce jour-là ni les quelques jours qui me restaient pour étudier le dossier.

Le dernier jour arriva. La veille au soir, j'étais restée très tard à la prison. J'avais déjà procédé à une étude exhaustive de toute la matière du dossier. Si j'étais restée si tard, c'était parce que je voulais lire les photocopies du livre de Milovan Djilas *la Nouvelle Classe*. Je risquais de ne plus jamais en avoir l'occasion! Je me sentais embarrassée de retarder notre enquêteur: il n'avait pas le droit de partir avant moi. J'étais nerveuse, maudissant intérieurement Vladimir pour la qualité épouvantable des photocopies.

«Allez-y, lisez-les, Dina Izaakovna, dit-il soudain. Je viens de les lire moi-même. Je puis attendre. Je ne suis pas pressé.»

Quand nous nous quittâmes ce soir-là, il me donna une très cordiale poignée de main et me souhaita bonne chance.

Dehors, il faisait déjà complètement noir. Je suivais la rue étroite et déserte qui longe le grand mur de la prison de Lefortovo quand j'entendis soudain des pas rapides derrière moi.

«Je voulais encore vous dire quelques mots, Dina Izaakovna. Je crois que vous avez accepté une très lourde tâche. Je ne puis vous souhaiter le succès — nous savons tous les deux que le sort de Boukovski a déjà été décidé. Nous sommes forcés de l'isoler. Je vous ai parlé de mon fils. Je l'aime énormément. Je veux qu'il soit heureux, qu'il ait une bonne vie. Mais j'aimerais qu'il ait les mêmes qualités humaines que Boukovski.

— Je crains qu'une vie heureuse soit incompatible avec ces qualités humaines particulières. Au revoir. Bonne chance aussi. »

Je n'ai plus jamais revu cet homme. Je ne sais pas s'il a effectivement quitté le K.G.B., comme le dit Boukovski dans son livre. J'aime à croire qu'il l'a quitté. Il avait un très beau métier avant d'entrer au K.G.B. : il était instituteur.

3

LE PROCÈS

« C'est que j'attendais ce procès comme une fête : qu'au moins une fois dans sa vie on puisse exprimer son opinion à haute voix [...]. Rien de solennel, de tragique, l'ordinaire grisaille administrative, l'ennui de la paperasserie et l'indifférence. » (V. Boukovski, *Et le vent reprend ses tours*.)

Je ne puis me rappeler un seul procès que j'eusse trouvé routinier ou ordinaire, encore moins ennuyeux. Pour moi, le procès de Vladimir Boukovski sortit même encore plus de l'ordinaire que d'habitude.

L'étrangeté et la particularité de l'occasion me devinrent de plus en plus évidentes au fur et à mesure que j'approchais du tribunal de la ville de Moscou : les « silhouettes en civil » étaient faciles à repérer dans la foule pressée qui circulait autour de la gare de Leningrad, et le nombre des voitures garées autour du tribunal était inhabituel. Au lieu du « Bonjour, camarade avocate » avec lequel le policier m'accueillait depuis des années à la porte du tribunal, je fus confrontée à un brusque « Où allez-vous ? » prononcé par un inconnu en civil qui me barrait le chemin. Il examina attentivement ma carte d'avocat.

« Vous êtes l'avocate de Boukovski ? D'accord, vous pouvez entrer. »

La sonnette retentit à 9 h 50 pour nous avertir que la journée de travail allait commencer. Dans un instant, la foule quotidienne des visiteurs attendant dans la rue allait se déverser dans le bâtiment, emplissant les cages d'escalier, les couloirs et les salles du tribunal. Je pouvais déjà percevoir le bruit des voix en contrebas...

Le couloir où je me tenais, à l'extérieur de la salle d'audience du tribunal de la ville de Moscou, restait vide. Je ne l'avais jamais vu ainsi : aucun public, pas d'avocats, pas de fonctionnaires du tribunal. Je découvris plus tard que, pour notre procès, tout l'étage avait été complètement libéré. Les autres procès avaient été transférés ailleurs, les greffiers et le bureau de renseignements avaient été déménagés dans d'autres pièces. Tout cela pour être sûr qu'aucun étranger ne pénétrerait dans le couloir, de peur qu'un profane pût découvrir qu'un procès politique se tenait là, que des gens étaient jugés pour avoir organisé une manifestation pacifique.

Vladimir était assis derrière moi. Chaque fois que je me retournais, je pouvais voir son visage pâle et calme, et son sourire. Il était en pleine possession de lui-même, mais je savais que c'était le calme d'un homme déterminé, qu'il n'attendait que le moment où le juge dirait : « Accusé Boukovski, la cour vous invite à déposer en réponse à l'accusation. » Il dirait alors tout ce qu'il pensait de la « démocratie » soviétique, du communisme et du totalitarisme. C'était son but, la tâche qu'il s'était assignée, et personne ne l'arrêterait. Vladimir escomptait que le juge et le procureur l'interrompraient, cela faisait partie de son plan ; il pourrait alors exposer les manières dont ils avaient violé la loi et exiger que ces violations fussent enregistrées dans la minute. De mon côté, je voulais que l'audience se déroulât calmement, de crainte que la cour ne limitât mes prérogatives visant à tirer des témoins tous les points de droit que je considérais comme nécessaires.

L'objectif de Vladimir était de prouver que l'article 190/3 du Code pénal était inconstitutionnel, donc illégal. J'allais insister sur le fait que cet article n'entrait pas en conflit avec la constitution. C'était là une tactique démagogique, mais c'était pour moi le seul moyen de m'opposer à l'accusation.

Aucun tribunal d'Union soviétique n'a le pouvoir de déclarer une loi inconstitutionnelle. Les tribunaux n'ont pas le droit de critiquer la loi ; leur seule obligation est de l'administrer. Par conséquent, aucun avocat ne peut demander à un tribunal de faire ce que la loi ne l'autorise pas à faire ; je pouvais et devais affirmer, cependant, que, même après l'enregistrement de la nouvelle loi — article 190/3 —, les citoyens de l'Union soviétique avaient le droit d'exercer les libertés politiques que leur garantissait la constitution. Que l'assimilation automatique d'une manifestation de protestation à une violation grossière de l'ordre public était absolument inadmissible.

Cette affirmation était entièrement fondée sur la loi. Le mot « manifestation » n'est utilisé ni dans l'article 190 du Code pénal ni dans les commentaires qui le concernent. En ce qui me regardait, par conséquent, ce n'était pas seulement l'adoption d'une position de défense bien fondée dans une affaire considérée comme désespérée : c'était partie intégrante de ma lutte contre l'arbitraire et l'illégalité, ma contribution à la cause de la justice et au combat visant à contraindre l'État soviétique à observer ses propres lois.

Anticipant légèrement, je voudrais raconter ici un petit incident qui s'est passé quand Boukovski déposait à son procès.

Vladimir expliquait à la cour que, en organisant la manifestation, il était absolument certain qu'elle serait dispersée et que les manifestants n'auraient pas plus de quelques minutes à leur disposition. A ce moment-là, le juge lui demanda:

« Dans ce cas, pourquoi avez-vous entrepris tout ce travail inutile?

— Je ne pensais pas que notre manifestation fût inutile, et maintenant je suis sûr du contraire. Les gens de la rue se souviendront qu'ils ont été témoins d'une libre manifestation. Ils se souviendront que cette méthode oubliée, pour exprimer une protestation, existe toujours. Et vous, citoyenne juge, vous n'oublierez pas non plus ce procès, et vous ne nous oublierez pas. Plus tard, vous aussi vous réfléchirez sur les gens qui sont sortis dans la rue pour donner une expression publique à leurs opinions, et que vous avez jugés pour avoir agi ainsi. Par conséquent, notre manifestation ne fut en aucune façon inutile. »

Je me rappelle l'attention avec laquelle le juge écouta Vladimir, le regard dur et prolongé qu'elle lui adressa. Une pause... et puis: «Poursuivez, Boukovski, nous vous écoutons...»

Ainsi, bien que je susse que l'affaire était décidée d'avance, je ne considérais pas non plus ma position comme désespérée; de la même manière, je n'avais jamais considéré comme désespérée la lutte pour la légalité, bien que j'eusse essuyé plus d'une défaite dans cette bataille. Je n'eus plus jamais l'occasion de plaider dans un procès présidé par ce même juge: la citoyenne Chapovalova. Elle devint membre de la Cour suprême de la R.S.F.S.R. et cessa de juger des procès dans des instances inférieures, mais il nous arriva souvent de nous rencontrer dans les couloirs: quand elle m'apercevait de loin, elle ralentissait l'allure et me saluait avec des marques de cordialité. Chapovalova interrompit Vladimir quand il traçait un parallèle entre l'Espagne (alors encore sous gouvernement fasciste) et l'Union soviétique. Elle l'interrompait chaque fois qu'il parlait du comportement arbitraire des autorités soviétiques. Je ne connais aucun juge, cependant, qui lui aurait permis de dire la moitié de ce qu'il a dit. Ce juge le condamna en pleine conscience de l'absurdité juridique de la condamnation, et j'ai apporté ma contribution à cette prise de conscience. Je suis certaine qu'elle n'a pas oublié ce procès, non plus que Boukovski, ni ma plaidoirie finale pour la défense.

Le début du procès fut retardé pour permettre l'arrivée du fameux psychiatre Daniel Lounts, appelé pour témoigner sur l'état mental de Vladimir Boukovski.

Il arriva enfin: de petite taille, vêtu avec soin, lunettes à monture d'écaille, cheveux noirs brossés en arrière et légèrement grisonnants sur les tempes. Par la suite, on l'a souvent qualifié de «colonel du K.G.B. en blouse blanche », mais il avait l'apparence d'un civil intellectuel : en fait, il est issu d'une famille d'intellectuels en vue. Par la suite, Lounts s'acquit une vaste mais triste notoriété, une réputation honteuse. Lui — un homme de science, un médecin ayant des années d'expérience professionnelle — devint l'instrument grâce auquel le K.G.B. punissait les dissidents au moyen de la « torture psychiatrique ».

Le procès pouvait maintenant commencer.

L'huissier autorisa le public à entrer. Immédiatement, la salle d'audience, une petite salle, fut remplie à craquer par un « public » très inhabituel. Ils se connaissaient tous, parlaient et riaient bruyamment : une sorte de congrès K.G.B.-Komsomol. Ils avaient été envoyés spécialement pour empêcher le vrai public d'entrer : des gens qui, pendant trois jours, restèrent debout dans la rue du matin au soir dans l'espoir d'obtenir la moindre bribe de nouvelle concernant leurs amis, les accusés. Par la suite, cette situation devint normale et se répéta à l'occasion de tous les procès de dissidents. Avec le temps, je pus même les reconnaître et distinguer entre ceux qui étaient des habitués et ceux qui faisaient leurs premières armes comme « extras ». Ils devaient représenter un public « sûr », reflétant les attitudes officielles. Par ce moyen, les autorités s'efforçaient de transformer un procès public en huis clos, afin d'empêcher toute fuite d'information à l'extérieur. (Même ainsi, il y avait toujours quelqu'un qui s'arrangeait pour cacher un magnétophone dans un sac ou dans une poche, ou pour sténographier en cachette, de sorte que, après chaque procès, on pouvait publier un compte rendu presque intégral des débats.)

Mes camarades avocats et moi-même étions assis derrière le bureau de la défense. Bien que nous fussions collègues, nos positions étaient antagonistes dans ce procès. Delaunay était défendu par l'avocat Melamed, Kouchev par l'avocat Alski. Pour eux comme pour moi, c'était le premier procès politique.

Tout avocat soviétique, d'une façon générale toute personne qui connaît la réalité soviétique, est bien conscient de la différence qu'il y a, dans un procès politique, entre ces deux manières de s'exprimer : « Mon client n'a pas fait cela ; sa culpabilité n'a pas été prouvée, c'est pourquoi il devrait être acquitté », d'une part, et d'autre part : « Oui, il a fait cela, et il a été prouvé qu'il l'a fait — mais ce n'était pas un crime. »

La première assertion est totalement apolitique, un avocat peut donc l'exprimer en toute sûreté. La seconde, en revanche, même si elle est strictement fondée sur la loi, est toujours en opposition avec les buts idéologiques du parti ; pour cette raison, elle sort du cadre d'une plaidoirie *légale* et acquiert des caractéristiques politiques.

Si mes collègues avaient été capables de contester le fait que Delaunay et Kouchev avaient participé à la manifestation, ils auraient demandé leur acquittement sans hésitations ni réserves. Ils auraient prononcé les paroles magiques: «Je demande l'acquittement à la cour», et ils se seraient acquis une réputation internationale comme de braves et honnêtes avocats. Malheureusement, une telle plaidoirie était exclue dans notre procès. La participation de tous les accusés à la manifestation était prouvée sans le moindre doute; mais les avocats décidèrent qu'ils ne pouvaient pas défendre cette action elle-même — par conséquent, ils ne pouvaient pas défendre le droit des individus à participer à une manifestation pacifique de protestation. Tous deux étaient membres du parti communiste, et il était plus difficile pour eux de construire une argumentation idéologique devant la cour que ce n'était pour moi. Il leur fallait prendre sérieusement en considération le concept de «discipline du parti», et en particulier celui de «responsabilité de membre du parti».

La tactique de défense adoptée par mes collègues détermina leur façon de procéder lors de l'interrogatoire des témoins, aussi bien ceux de l'accusation que ceux de la défense. La tâche qu'ils avaient à assumer était grandement facilitée par le fait que le procureur de l'État admettait que Delaunay et Kouchev avaient joué un rôle secondaire. Il était constaté dans l'acte d'accusation qu'ils n'étaient ni les initiateurs ni les organisateurs de la manifestation; qui plus est, le K.G.B. considérait leur participation comme moins active que celle de Boukovski et de Khaoustov, déjà condamné. Par conséquent, pour Melamed et Alski, l'interrogatoire des témoins sur les faits matériels devait être subordonné à leur but de minimiser encore leur rôle secondaire, de manière à prouver à la cour que l'activité de Delaunay et de Kouchev s'était à peine distinguée de celle des autres manifestants, lesquels n'avaient pas été accusés ni jugés, bien que leurs noms fussent connus des enquêteurs. Tout en concédant que le fait d'avoir pris part à la manifestation était en soi criminel, les deux avocats avaient à convaincre la cour qu'il était injuste de punir leurs clients par une peine de prison. Une requête de cette nature était d'autant plus justifiée que les sanctions envisagées par l'article 190/3 incluaient, à côté de la prison, des amendes et des condamnations au travail correctif (sans emprisonnement).

Mes collègues avaient-ils raison d'accepter l'acte d'accusation, se justifiant par le fait que Delaunay et Kouchev plaidaient coupables? Avaient-ils une quelconque obligation, dans leur défense, de suivre la ligne choisie par leurs clients en plaidant coupables? Cela servait-il le but spécifique — la défense du client — que poursuit chaque avocat, qu'il intervienne dans un procès criminel ou dans un procès politique?

La loi soviétique ne donne pas une réponse claire à ces questions. Si l'on se réfère aux dispositions générales de la loi soviétique et à une pratique bien établie, la position du client n'est obligatoire pour son avocat que dans un cas: quand le client affirme qu'il n'a pas commis les actes dont il est accusé. Au tribunal, un avocat n'est pas tenu d'admettre comme prouvés des faits que nie son client. Dans les procès où l'accusé plaide coupable, dans certaines circonstances, un avocat peut s'écarter de son client quant à la ligne de défense à adopter. Si un avocat se rend compte que le dossier du ministère public est fondé sur des aveux non étayés par d'autres preuves incontestables, et que ces aveux vont à l'encontre des faits objectifs, il a non seulement le droit mais l'obligation de demander l'acquittement à la cour «sur la base de preuves insuffisantes».

L'exposé ci-dessus n'est pas purement académique. La pratique judiciaire soviétique connaît des cas (bien que rares, naturellement) où la cour, acceptant cette forme de défense, acquitte l'accusé.

A mon sens, il est incontestable que, dans les cas où la défense ne conteste pas les faits, où les objections au dossier de l'accusation sont limitées à une interprétation de la loi et à une analyse juridique de l'acte d'accusation, l'avocat est absolument libre de choisir ses moyens de défense et ne devrait pas se sentir lié par le fait que son client puisse avoir plaidé coupable. Manquant de connaissances juridiques, l'accusé peut, par erreur, considérer ses actes comme criminels même quand la loi ne le fait pas.

Notre procès était précisément un exemple de cette dernière situation.

Il est beaucoup plus difficile de répondre à la question de savoir si la ligne de défense de mes collègues était tactiquement plus efficace. Avait-elle, par exemple, plus de chance de succès, à cause de son réalisme, que n'était vouée par avance à l'échec une demande d'acquittement? Si la question avait concerné un procès criminel ordinaire, j'aurais répondu: «Oui et non.»

Un avocat a beaucoup plus de chances que la cour accède à sa requête s'il demande la clémence plutôt que l'acquittement (l'acquittement total est un verdict relativement rare pour la justice soviétique). Je suis cependant certaine que, même si un avocat n'obtient pas l'acquittement, il atteindra à un degré égal d'indulgence dans la sentence de son client. En effet, réalisant la faiblesse de l'accusation mais n'osant pas acquitter, le juge prononcera toujours, en compensation, la sentence la plus douce possible.

C'était cette dernière considération qui, en plus de mon droit légal, me donnait aussi le droit moral de ne jamais adopter au tribunal une position de compromis. Et, précisément pour cette même raison, je considérais que la position de compromis adoptée par mes collègues dans ce procès n'était pas justifiée par un désir authentique d'améliorer le sort de leurs clients Delaunay et Kouchev. Car, dans un procès politique, l'avocat ne devrait pas choisir une ligne de défense moins fermement fondée sur des considérations éthiques que dans un procès criminel ordinaire. Il ne peut pas se laisser guider par le fait que le verdict a été décidé d'avance ; il doit assurer la défense en fonction de la loi et des éléments du dossier. Sinon, il devient inévitablement le complice de la manipulation arbitraire du pouvoir judiciaire par l'État.

Par conséquent, je dressai mon plan de défense de la façon suivante :

1. Le droit du citoyen à manifester est garanti par la constitution soviétique ;

2. En tant qu'organisateur de la manifestation de la place Pouchkine, Boukovski a pris toutes les précautions possibles pour s'assurer qu'aucun de ses participants ne violerait l'ordre public ;

3. En tant que participant à la manifestation, Boukovski lui-même n'a pas violé l'ordre public ;

4. L'intervention de la brigade de vigilance du Komsomol et la dispersion de la manifestation pacifique qui en est résultée furent provoquées uniquement par le contenu des slogans ;

5. Une telle intervention ne peut pas être considérée comme légale, puisque le contenu des slogans n'était pas criminel au sens de l'article 190/3 du Code pénal de la R.S.F.S.R. ;

6. Conclusion : demander l'acquittement de Boukovski.

Cette argumentation déterminait aussi la nature des questions que je me proposais de poser aux témoins. Il était important pour moi de faire avouer aux témoins du Komsomol que la manifestation n'avait pas été marquée par une conduite bruyante ou indécente, que l'intervention de la brigade de vigilance avait été motivée uniquement par les slogans que les membres de la brigade considéraient comme «antisoviétiques» et «illégaux». Ce dernier point était particulièrement important, parce que l'article 190/3 envisage trois sortes différentes d'activité criminelle. La première d'entre elles est la diffusion, par la parole, par l'écrit ou par tout autre moyen, de propos calomnieux diffamant l'État soviétique et le système social. Dans notre procès, aucune charge n'était relevée sous ce chef d'accusation.

Je mentionne le fait comme un exemple de l'inconséquence et de l'inconsistance interne de l'accusation. C'était une sérieuse erreur, de la part de l'enquêteur, que de ne pas relever cette charge, une omission dans son argumentation qui fournissait à la défense la chance de pouvoir contester la substance même de l'acte d'accusation et le droit formel d'affirmer que ce n'étaient pas les actes des manifestants qui étaient illégaux, mais ceux des vigiles qui avaient dispersé la manifestation sans motifs légaux de le faire.

Comme dans toute affaire criminelle, le procès débuta par la lecture de l'acte d'accusation et par les questions obligatoires subséquentes que le juge pose séparément à chaque accusé :

«Comprenez-vous les termes de l'accusation ?»

« Plaidez-vous coupable ou non coupable pour les chefs d'accusations relevés contre vous ? »

Vadim Delaunay et Vladimir Boukovski répondirent à ces questions exactement dans les mêmes termes que ceux qu'ils avaient utilisés pour répondre à l'enquêteur.

VADIM : Je comprends l'accusation et je plaide coupable. »

VLADIMIR : « Je ne comprends pas l'accusation. Je plaide non coupable. »

Seule la réponse de Kouchev fut inattendue : « Je comprends l'accusation. Tous les actes dont je suis accusé sont correctement décrits dans l'acte d'accusation. Mais je ne pense pas avoir violé l'ordre public, je n'ai pas troublé la paix ni interrompu la marche normale des transports publics. »

A ce moment, son avocat lui jeta un regard implorant et plein de reproches. Car la réponse de Kouchev impliquait une modification de la tactique de défense. Kouchev ne disait pas à la cour : « Je plaide non coupable », mais il ne disait pas non plus : « Je suis coupable ». Sa réponse plaçait son avocat dans la position d'avoir à répondre à la question lui-même et le privait de la « couverture » naturelle qu'une reconnaissance de culpabilité lui aurait fournie.

Le premier à déposer fut Vadim Delaunay. Il parla très calmement, avec une sincérité séduisante, je dirais même artistique. La cour l'écouta attentivement, sans l'interrompre, lui permettant de dire tout ce qu'il voulait sur les événements du 22 janvier 1967, sur les raisons qui l'avaient poussé à prendre part à la manifestation et sur ses doutes ultérieurs quant au bien-fondé de ses actes. A cette occasion, il ne dit point que sa participation était imputable à l'influence de Boukovski ni ne prononça un seul mot sur les opinions et croyances politiques de Vladimir. En témoignant ainsi, Delaunay devait savoir qu'il courait le risque de voir échapper l'adoucissement de la sentence qu'on lui avait promis. Il réalisait que ce changement fondamental dans son témoignage pouvait avoir de sérieuses conséquences pour lui-même, mais à ce moment-là il avait acquis courage et confiance en lui-même. Voici des extraits du témoignage de Vadim :

« Je considère que la manifestation en elle-même n'était pas une violation de l'ordre public. »

« En aucune manière Vladimir ne m'a forcé à participer à la manifestation. »

« Quand Vladimir m'a demandé si j'étais d'accord avec le libellé des slogans, j'ai répondu que j'étais d'accord. Je savais que l'Union soviétique avait signé la Déclaration des droits de l'homme des Nations unies et que la constitution soviétique accorde le droit de manifester. »

« Boukovski n'a cessé de nous parler de la conduite en bon ordre de la manifestation. Il nous demanda de ne pas résister. Sur la place, c'est lui qui cria à Khaoustov de cesser de résister et de remettre sa pancarte. »

Voici la déposition de Ievgueni Kouchev :

« J'étais très bouleversé par l'arrestation de Galanskov et de Dobrovolski. Je ne pense pas que leurs idées étaient antisoviétiques. D'ailleurs, je crois que les idées devraient être combattues par des idées, et non par l'emprisonnement. »

« Vladimir avait averti chacun de ne pas résister, de remettre les pancartes à la première demande et de se disperser. Il n'y a pas eu violation de l'ordre public pendant la manifestation. »

Kouchev affirma à la cour qu'il s'était senti forcé de participer à la manifestation, eu égard à la force de l'amitié qui le liait à Galanskov et à Dobrovolski.

« Le principal facteur de ma décision a été notre amitié. A l'époque, je ne me préoccupais pas des questions juridiques. Je ne croyais pas que mes amis soient capables de faire quelque chose de déshonorant, et encore moins de criminel ; c'est pourquoi je ne pouvais pas rester à l'écart, considérer la situation en spectateur. »

Quand le procureur Mironov demanda à Ievgueni s'il était conscient que la manifestation en elle-même était illégale, Kouchev répondit :

« Je ne puis accepter cela. Je ne considère pas la manifestation comme illégale. Notre constitution autorise les manifestations. Une manifestation est un moyen naturel et légitime d'exprimer ses sentiments en tant que citoyen. »

Le juge Chapovalova — une femme belle et richement douée — ne posa pas une seule question à Vadim ni à Ievgueni ; elle ne les interrompit jamais ni ne signala que, au cours de l'enquête préliminaire, ils avaient exprimé des idées toutes différentes à l'endroit de leur participation à la manifestation. Il ne s'agissait pas de l'indifférence de quelqu'un qui s'est déjà formé une opinion. Son comportement témoignait du sens qu'elle avait de la convenance judiciaire et de l'authenticité de sa profession. Elle avait une réputation solide de juge raisonnable et expérimenté, et elle s'efforçait de ne pas modifier la manière calme qu'elle avait de conduire le procès, même quand elle écoutait le témoignage du principal accusé, Vladimir Boukovski.

Vladimir commença ainsi : « J'ai déjà dit à la cour que je plaidais non coupable. Qui plus est, je ne comprends pas ce dont on m'accuse. Je suis jugé pour quelque chose qui ne peut être considéré comme un crime dans un seul État démocratique, et qui ne devrait pas être traité de crime dans un pays tel que l'Union soviétique... »

Boukovski poursuivit en disant que la liberté de parole n'existait pas en Union soviétique, qu'encore en 1961 ses amis Ossipov, Kouznetsov et Bockstein avaient été condamnés simplement pour avoir publié un journal manuscrit, et que le cas Ossipov-Kouznetsov n'était pas unique : il y avait eu beaucoup de procès semblables en Union soviétique, par exemple le procès récent des écrivains Siniavski et Daniel.

Jusqu'à cette dernière phrase, le juge Chapovalova avait écouté la déposition de Boukovski avec une expression calme et impénétrable, comme si rien d'inhabituel ne se produisait, comme si ce n'était pas la première fois que l'on entendait au tribunal des remarques telles que «... absence de liberté en Union soviétique... droits constitutionnellement garantis aux citoyens et non observés...» Mais quand les noms de Siniavski et de Daniel furent prononcés, le juge interrompit Vladimir pour la première et la dernière fois de ce témoignage prolongé et aux résonances agressives :

« Boukovski, le tribunal juge les événements du 22 janvier. Je vous prierais de limiter vos remarques aux charges qui sont relevées contre vous. Nous ne sommes pas autorisés à discuter ici du procès de Siniavski et de Daniel. »

C'est avec un calme égal, avec la même expression impénétrable qu'elle écouta les protestations de Boukovski contre ses remarques, contre son interruption et le fait qu'elle l'avait empêché d'expliquer les motivations de ses actes.

« Secrétaire, veuillez enregistrer la déclaration de Boukovski sur la minute. Boukovski, vous pouvez poursuivre votre déposition relativement aux charges relevées contre vous. »

Tout le reste de la déposition de Boukovski fut prononcé sur un ton également vif, plein des mêmes références intransigeantes à son attitude envers «toute forme de totalitarisme», de son refus de favoriser toute suppression des droits démocratiques. Toutes ces remarques, cependant, étaient logiquement reliées soit à l'objectif de la manifestation, soit avec la manière dont la manifestation avait été dispersée, et le juge Chapovalova ne l'interrompit pas.

Les dépositions de tous les témoins appelés par la défense confirmèrent pleinement que les manifestants avaient levé leurs pancartes en silence et que leurs actes n'avaient provoqué aucune violation de l'ordre public. Ce fut aussi confirmé par les membres de la brigade de vigilance qui avaient dispersé la manifestation. Tous dirent à la cour que leur intervention avait été uniquement provoquée par le libellé des slogans.

L'expert psychiatre Daniel Lounts déposa aussi ses conclusions :

« Boukovski n'est pas un malade mental et doit être considéré comme juridiquement responsable de ses actes. Le diagnostic selon lequel Boukovski souffrait de schizophrénie larvée était erroné. »

Le procès touchait à sa fin.

Une fois de plus, les avocats se réunirent pour discuter de la tactique de défense. Dans le contexte de l'audience, mes deux collègues avaient fini par réaliser qu'il n'était pas opportun d'adhérer totalement à la thèse de l'accusation en admettant que les actes de leurs clients avaient constitué une violation grossière de l'ordre public. Nous en vînmes à une décision conjointe selon laquelle ils consacreraient la majeure partie de leur plaidoirie à des études de caractère de leurs clients et à des analyses des circonstances qui les avaient conduits à prendre part à la manifestation. Tous deux affirmeraient que l'accusation n'avait pas établi un seul fait prouvant que Delaunay et Kouchev étaient coupables d'une violation grossière de l'ordre public, et ils annonceraient qu'une analyse juridique détaillée de tout ce qui s'était passé sur la place Pouchkine serait fournie, au nom de la défense dans son ensemble, par l'avocate Kaminskaya en tant que conseillère de l'accusé principal, Boukovski. Ainsi se trouvait réglé le conflit qui avait éclaté entre nous dès avant le procès, quand nous en étions à l'étude du dossier.

Le 1ᵉʳ septembre 1967, troisième jour du procès, l'audience fut ouverte par le réquisitoire du procureur Mironov. Les notes que j'en ai gardées et la transcription faite par Pavel Litvinov me permettent de présenter les arguments sur lesquels l'État a fondé sa demande de condamner Boukovski à trois années d'emprisonnement. Voici les points principaux de ce réquisitoire :

« L'analyse des éléments du dossier me permet d'affirmer que les accusés ont commis un crime qui représente un grand péril pour l'État soviétique. Le crime qu'ils ont commis est très rare dans notre pays, et c'est en cela que réside son danger particulier.

« Ayant appris l'arrestation de leurs amis, Boukovski et Khaoustov ont organisé une manifestation protestant à la fois contre l'arrestation et contre les lois au nom desquelles elle a été opérée. Ils ont exprimé leur désaccord en transgressant les lois existantes, et c'est dans cela que je vois leur violation de l'ordre public.

« Leurs slogans exigeaient la libération des personnes arrêtées et l'abrogation de certaines lois soviétiques. Je considère qu'on peut qualifier leur violation de l'ordre public de « grossière », eu égard à l'audace de ces slogans. Les accusés se sont permis d'attaquer publiquement nos lois et les forces de sûreté de l'État. Leurs actes visaient à miner l'autorité de nos lois et celle du K.G.B. C'est en cela que réside le grand danger social et politique des actes des accusés.

« Tous trois ont participé activement à un crime, et je demande à cette cour soviétique de tous les déclarer coupables. »

En conclusion, le procureur demanda à la cour de condamner tous les accusés à diverses peines d'emprisonnement.

Le suivant à prendre la parole fut Melamed, conseiller de Vadim Delaunay. Il consacra toute sa plaidoirie, comme nous en étions convenus, à une description du caractère de Vadim, de son éducation, et à l'analyse des motivations qui l'avaient incité à se joindre à la manifestation. Melamed insista aussi sur le fait que Delaunay n'avait pas violé l'ordre public et que par conséquent, étant accusé sur la base de l'article 190/3 du Code pénal, il devait être acquitté. Même ainsi, je considère qu'il a violé notre accord — de même que, après lui, Alski, l'avocat de Kouchev — et qu'il a détruit l'unité entre les avocats, une unité pourtant réalisée au prix de tant d'efforts.

Je ne puis comprendre, par exemple, comment ni pourquoi Melamed inventa la formule qu'il utilisa tout au long de sa plaidoirie, depuis le début : «Non pas un acte criminel, mais un acte illégal...» et «Non pas un acte criminel, mais un acte socialement dangereux...» Comment un avocat peut-il qualifier de «socialement dangereux» l'exercice par un citoyen de ses droits constitutionnels ? Comment un avocat peut-il parler de l'«illégalité» d'une manifestation quand aucune loi, aucun règlement, pénal, administratif au autre, n'a été violé ?

L'avocat Alski ne mentionna ni danger social ni illégalité. Il se contenta d'indiquer qu'il était d'accord avec l'interprétation juridique qui venait d'être fournie à la cour par son collègue.

Melamed et Alski conclurent leurs plaidoiries dans des termes exactement similaires :

«Les preuves rapportées n'ont pas permis d'établir que mon client a violé l'ordre public. C'est pourquoi je demande qu'il soit acquitté des charges relevées contre lui en vertu de l'article 190/3. Si, cependant, la cour ne se déclare pas d'accord avec moi et maintient qu'il y a eu violation de l'ordre public, je demande alors que la cour veuille bien choisir une sentence qui n'implique pas une peine de prison.»

La seule différence fut que Melamed demanda à la cour «... de ne pas détruire le potentiel de ce jeune homme créatif, Delaunay...», tandis que Alski la pria «... de sauver les signes naissants de repentir et de changement dont Kouchev avait commencé à faire preuve durant les mois qu'il avait passés en prison».

Je ne puis dire que leur refus de partager la position que j'avais proposée, et de la soutenir, fut seulement motivé par la peur des conséquences désagréables qui pouvaient en résulter pour eux-mêmes. Ma position était également inacceptable pour eux, intérieurement, à cause d'une sorte de barrière psychologique. A notre époque (Melamed, le plus vieux d'entre nous, avait cinquante-cinq ans au moment du procès), il n'y avait pas eu une seule manifestation spontanée, pas un seul meeting ou cortège qui n'eût été sanctionné par les autorités compétentes du parti. La manifestation organisée par Boukovski sortait tout simplement du cadre de ce que leur esprit pouvait admettre comme admissible. Ils considéraient sincèrement comme impossible d'admettre la légalité de la manifestation : des années de pensée stéréotypée avaient créé une barrière trop puissante à cette idée. En outre, il ne fait aucun doute que c'est une caractéristique bien humaine, même si elle est subconsciente, que de mettre en balance le degré de risque personnel et le niveau d'engagement dans la cause pour laquelle on prend ce risque. Mes collègues considéraient la manifestation du 22 janvier comme inutile, et ils n'étaient pas prêts à risquer leur position pour une idée qui leur était étrangère.

Alski se sentit aussi obligé de consacrer une partie de sa plaidoirie aux croyances chrétiennes de Kouchev et à l'influence que l'un des témoins, Anatoli Levitine-Krasnov, avait exercée sur ses opinions religieuses. Il faisait peu de doute que c'était à la suite des fréquents entretiens avec Levitine-Krasnov que Kouchev avait accepté de se convertir à l'orthodoxie russe.

Alski, en tant qu'athée et membre du parti communiste, ne pouvait se faire à cette idée et, trahissant son intolérance et son étroitesse d'esprit, demanda que «Levitine-Krasnov fût isolé de témoins comme Lioudmila Kats, Voskresenski et autres jeunes gens et jeunes filles». Il dit qu'il était inhumain d'attirer la jeunesse instable vers la religion.

Melamed aussi, pour on ne sait quelle raison, ressentit le besoin de se référer au fait que Kouchev avait été baptisé, que Levitine-Krasnov était son parrain, et assura à la cour que «ce que Levitine-Krasnov avait fait à Kouchev était réellement terrible ».

Avoir admis l'illégalité de la manifestation du 22 janvier était un compromis, mais un compromis qui ne mettait aucunement en danger Delaunay et Kouchev. Maintenant comme alors, je ne blâme pas Melamed et Alski d'avoir adopté ce point de vue dans leur tactique de défense ; mais ils me mirent dans la situation d'avoir à argumenter non seulement contre l'accusation, mais aussi contre mes camarades de la défense.

J'ai gardé des notes assez détaillées de ma plaidoirie, qui me permettent, avec l'aide complémentaire de la transcription de Pavel Litvinov, de la reproduire ici avec une certaine précision.

Je dis à la cour que j'étais très consciente de la complexité de la tâche qui m'attendait. J'annonçai que je m'abstiendrais consciemment de suivre l'exemple de mes collègues, que je n'insisterais pas sur les difficultés que Boukovski avait connues dans sa vie et qui m'eussent autorisée à demander un adoucissement de sa sentence.

« Un avocat ne peut demander l'indulgence pour quelqu'un qui est innocent, et la seule requête que j'ai à formuler devant la cour est que Boukovski soit acquitté. »

Je poursuivis en disant que je ne pouvais adhérer à l'opinion exprimée à la fois par le procureur et par mes camarades avocats selon laquelle le droit constitutionnel de manifester pouvait être limité sans qu'une loi spéciale ait été votée à cet effet. Une telle loi n'existait pas. Par conséquent, on ne pouvait pas qualifier une manifestation d' «illégale» ou de «socialement dangereuse». Les dépositions de tous les témoins interrogés au tribunal me permettaient d'affirmer que la manifestation n'avait été accompagnée ni de bruit ni d'inconvenances, que les manifestants n'avaient pas gêne le travail des institutions ou organisations ni interrompu le libre trafic des transports publics. Les vigiles ne s'étaient approchés des manifestants que quand ceux-ci avaient levé leurs pancartes. Le libellé des slogans était la cause de leur intervention; c'était dans le contenu des slogans que le procureur, également, voyait la violation de l'ordre public.

Les pancartes brandies à cette occasion sur la place Pouchkine ne diffamaient personne et ne contenaient aucune incitation à commettre un crime. Quant à critiquer le K.G.B., comme de critiquer n'importe quel corps gouvernemental, c'était là un droit de tout citoyen en vertu de la constitution. Le fait d'exiger l'abrogation de certaines lois et la libération de prisonniers ne constituait pas un acte criminel.

Je contestai l'affirmation du procureur selon laquelle, bien que les manifestations spontanées ne fussent pas interdites dans notre pays, celle-ci avait été organisée «en transgressant les règlements établis».

«De quels règlements s'agit-il? demandai-je. S'ils ne sont pas consignés dans le Code pénal, leur violation ne devrait pas être punie en vertu de la loi pénale. Mais je n'ai pas connaissance de tels règlements. Et le procureur ne les a pas nommés non plus.»

Sur la base de cette analyse, je ne pouvais que tirer la conclusion naturelle: demander l'acquittement de Boukovski du fait de l'absence d'un *corpus delicti*.

Par la suite, quand je fus plus expérimentée dans la défense des cas politiques, j'ai continué de considérer que j'avais adopté la bonne attitude dans ce procès. Je ne me suis jamais reproché de ne pas avoir défendu les opinions politiques de Boukovski ni de ne pas avoir adopté son attitude à l'égard du régime soviétique, bien que j'eusse été d'accord avec certaines de ses idées. C'est là la limite qu'aucun avocat ne doit franchir s'il ne veut pas échanger sa place contre celle de l'accusé.

Sur le moment, cependant, j'avais une vue différente de ma première plaidoirie «politique». La défense de Boukovski contre l'accusation de violation grossière de l'ordre public n'obligeait en aucune façon son avocat à analyser ses convictions politiques. Ayant à juste titre refusé de défendre ses opinions, j'aurais dû également refuser de les discuter ou d'émettre un jugement de valeur à leur égard. Après coup, je me suis blâmée de les avoir décrites comme «non sérieuses»; j'avais honte parce que, ayant émis un jugement sur elles, je donnais à penser à la cour que je ne partageais pas ses vues.

J'essayai bien ultérieurement de rationaliser cela et de me justifier, mais j'essuyai une défaite en discutant avec ma conscience. Si la bataille que je livrais à ma conscience n'avait concerné que moi seule, j'aurais été capable de tirer un trait et d'en rester là; mais c'était un péché largement répandu, commis non seulement par moi mais par d'autres avocats dont le courage n'a jamais été mis en doute. C'est pourquoi je considère comme nécessaire d'expliquer la raison réelle d'une conduite aussi immorale.

Dans le barreau soviétique, il y a longtemps eu une règle non écrite selon laquelle un avocat paraissant dans un procès à implications politiques devait non seulement condamner les opinions politiques soutenues par son client et considérées par l'État comme pernicieuses, mais encore annoncer ses propres «positions civiques», c'est-à-dire faire acte d'allégeance à l'égard de la doctrine politique officielle. En me dissociant implicitement des opinions de Boukovski, je n'étais pas seulement motivée par l'instinct de conservation (lequel, je l'admets, a joué un rôle), j'adhérais aussi (et principalement) sans y penser à un modèle de conduite familier et bien établi. Il a fallu du temps pour que mon attitude subisse un processus d'évolution considérable et que j'en vienne à me demander pourquoi je devrais «annoncer mes positions civiques» dans ma plaidoirie. Pourquoi devais-je faire acte d'allégeance? Ce n'était pas moi, mais quelqu'un d'autre, qui était en procès. Mes vues politiques, par conséquent, ne devaient pas intéresser la cour. Pourquoi les avocats devaient-ils prononcer ces paroles rituelles pour condamner les opinions de leurs clients?

Je puis seulement répondre que c'était pour des raisons qui tenaient à l'instinct de conservation.

Dans les procès politiques ultérieurs, je n'ai pas non plus franchi cette limite: je n'ai pas exprimé ma solidarité avec l'attitude de mes clients envers le système soviétique. En certaines occasions, cela n'a pas troublé ma conscience, parce que, sincèrement, je ne partageais pas leurs vues. D'autres fois, pourtant, ce fut le résultat d'un compromis conscient, adopté par manque de courage. Plus tard, au cours du procès de la manifestation de la place Rouge, dans lequel j'ai défendu Larissa Bogoraz-Daniel et Pavel Litvinov, et aussi quand j'ai défendu Anatoli Martchenko, Moustafa Djamilev et Ilia Gabaï, j'ai rompu avec cette tradition en ne procédant pas à l'acte conventionnel d'allégeance. (En 1971, j'ai reçu le premier blâme de ma carrière. Le praesidium du collège des avocats me réprimanda pour avoir omis de déclarer mes «positions civiques» lors de ma plaidoirie dans l'affaire Gabaï; mais j'en reparlerai plus loin.)

Les «dernières déclarations» de l'accusé représentent son ultime occasion de s'adresser à la cour. En règle générale, dans un procès criminel ordinaire, les dernières déclarations sont très brèves — quelques expressions de repentir et une demande de clémence si l'accusé a plaidé coupable; ou bien une affirmation d'innocence et une demande d'acquittement s'il a plaidé non coupable.

Pour les personnes accusées d'un crime politique, tout particulièrement quand elles contestent l'acte d'accusation, les «dernières déclarations» constituent la phase la plus importante du procès. Elles ont alors le droit de dire tout ce qu'elles considèrent comme important ou en rapport avec leur défense, y compris des déclarations sur leurs motivations. A ce stade, aucun des participants au procès ne peut plus leur poser de questions, ni les interrompre ou leur mesurer le temps. Il n'existe qu'un seul motif pour lequel le président de séance peut arrêter l'accusé pendant ses dernières déclarations, à savoir quand il «aborde des sujets non en rapport avec l'affaire» (article 297 du Code de procédure pénale de la R.S.F.S.R.).

J'ai beaucoup admiré les «dernières déclarations» prononcées par Vadim Delaunay. En l'écoutant, je fus de nouveau frappée par son sens inné de l'art oratoire et par son aptitude à parler avec une sincérité si séduisante que chacune de ses paroles produit son effet sur l'esprit et le cœur de l'auditeur. Ce fut une excellente plaidoirie, prononcée avec tact, retenue et dignité. Dans son discours, Vadim jamais ne reconnut sa culpabilité:

«Je ne fournirai pas une évaluation juridique de mes actes. Ce n'est pas à moi, mais à vous, de décider si j'ai ou non transgressé la loi. Il y a une chose, pourtant, que je puis dire: en participant à la manifestation, il ne m'est jamais venu à l'idée que je commettais un crime.» (Citation d'après la transcription de Pavel Litvinov.)

Delaunay fit un usage très adroit de la partie du réquisitoire du procureur Mironov où ce dernier avait parlé de manifestations spontanées:

«Le procureur a cité l'exemple de gens qui, enthousiasmés par le dernier lancement de cosmonautes soviétiques dans l'espace, étaient sortis dans la rue pour partager avec d'autres leur ravissement, agitant une pancarte qu'ils avaient fabriquée et portant le slogan «Hourra! Nos garçons sont dans l'espace!» Eh bien, nous voulions partager notre chagrin: nos amis avaient été arrêtés et nous voulions partager notre inquiétude sur leur sort.»

Delaunay dit qu'il considérait sa participation à la manifestation comme une erreur, non pas qu'il la considérait comme illégale, mais parce qu'il pensait qu'une manifestation n'était pas la meilleure méthode pour exprimer son point de vue.

«Quand je me suis rendu sur la place Pouchkine, je ne pensais pas que je faisais quelque chose d'illégal, et je crois toujours que nous n'avons pas enfreint la loi.» C'est ainsi que Ievgueni Kouchev commença ses «dernières déclarations». «Ma principale motivation, poursuivit-il, fut l'amitié, et c'est pour cette raison que je me suis rendu sur la place.»

Tous les assistants — le public, les avocats, le juge et les assesseurs — écoutaient attentivement Vadim et Ievgueni, mais chacun réalisait que la «principale» intervention était encore à venir, que le «point culminant» serait les dernières déclarations de Boukovski. Et il en fut bien ainsi : ce fut l'intervention « principale » dans toute la force du terme — choix intrépide des mots, refus catégorique de tenir compte des effets limitatifs de ce que les prisonniers étaient normalement autorisés à dire. Par toutes leurs entraves aux conventions et leur caractère inattendu dans un tribunal soviétique, les « dernières déclarations » de Boukovski se situent parfaitement dans la tradition des procès politiques de la Russie prérévolutionnaire, où il était commun de mettre le prétoire à profit comme tribune pour proclamer et défendre ses croyances. Contester l'acte d'accusation ne fut pour Vladimir qu'un prétexte, et il y eut des moments où il me sembla qu'il l'avait tout simplement oublié, qu'il avait oublié aussi la perspective qui l'attendait ainsi que les conséquences qui pouvaient résulter pour lui de son discours.

« Pourquoi la constitution soviétique contient-elle une garantie de liberté pour les cortèges et manifestations de rue ? Pourquoi cet article a-t-il été inclus ? Pour le Premier Mai et l'anniversaire de la révolution d'Octobre ? Mais il n'était nul besoin d'un article de la constitution pour légitimer les manifestations organisées par l'État — il est bien évident que personne ne va disperser ces manifestations-là. Nous n'avons nul besoin de la liberté d'être « pour » quelque chose s'il n'y a pas de liberté d'être « contre ». Nous savons que la manifestation de protestation est une arme puissante entre les mains des travailleurs ; c'est leur droit inaliénable dans tous les pays démocratiques. Où ce droit est-il dénié ? J'ai en face de moi un exemplaire de la *Pravda* du 19 août 1967. On a jugé à Madrid les participants à une manifestation du Premier Mai. Ils étaient accusés en vertu d'une nouvelle loi, promulguée récemment en Espagne, qui prescrit des sentences de prison — entre dix-huit mois et trois ans — pour les manifestants du Premier Mai. Je note la touchante unanimité entre la législation de l'Espagne fasciste et celle de l'Union soviétique...

« La liberté de parole et la liberté de la presse sont avant tout la liberté de critiquer ; personne ne se voit jamais interdire de louer le gouvernement. Si vous incluez des articles sur la liberté de parole et la liberté de la presse dans la constitution, alors vous devez tolérer la critique. Comment appelle-t-on les pays où il est interdit de critiquer le gouvernement et de protester contre ses actes ? On les appelle capitalistes, peut-être ? Non ; nous savons que, dans les pays bourgeois, il y a des partis communistes légaux dont le but est la subversion du système capitaliste... »

Boukovski termina ainsi son intervention :

« Il existe des concepts comme ceux du courage civique et d'honneur. Vous êtes des juges et vous êtes censés posséder ces qualités. Si vous êtes vraiment des personnes d'honneur et si vous avez du courage civique, vous prononcerez le seul verdict possible dans ce procès : un verdict d'acquittement...

« Je rejette absolument tout repentir d'avoir organisé cette manifestation. Je pense qu'elle a atteint son objectif, et quand je serai libre j'en organiserai davantage. »

J'ai cité ces longs extraits des « dernières déclarations » de Vladimir non pas pour souligner leur ressemblance évidente avec un discours de meeting politique, mais pour montrer que, ce 1er septembre 1967, au tribunal de la ville de Moscou, il s'est passé un événement dont il serait difficile de surestimer l'importance. Je pense que c'était la première fois, depuis le début du règne de la terreur stalinienne, qu'une critique aussi impitoyable du système soviétique était exprimée en pleine audience devant un tribunal d'U.R.S.S. Pour la première fois parlait un homme que le juge ne pouvait arrêter, qui n'était pas dompté par la remarque du procureur : « Un nouveau crime est en train de se commettre ici. »

Tard dans la soirée du 1er septembre, la sentence fut prononcée : Delaunay et Kouchev furent relaxés, ayant été jugés coupables, mais ayant vu leur sentence suspendue. Vladimir, en tant qu'organisateur de la manifestation et en tant qu'homme qui refusait de se repentir, fut condamné au maximum en vertu de l'article 190/3 du Code pénal de la R.S.F.S.R. : trois années de prison.

Cette sentence, prononcée au nom de la République soviétique fédérative socialiste de Russie, fut dictée à la cour par les plus hautes autorités du parti et également approuvée, naturellement, par le K.G.B. Mais ce fut le juge Chapovalova qui signa le verdict, en pleine conscience de son illégalité. Si nous admettons que la responsabilité personnelle existe, que, dans le cas où l'État opprime l'individu, le conformisme n'est pas une excuse adéquate, alors la responsabilité de cet injuste verdict, de ces années de prison auxquelles Vladimir Boukovski fut soumis, lui incombe.

Après le procès, les entrevues furent plus nombreuses à la prison de Lefortovo : il fallait traiter des questions qui surgissent inévitablement après un procès et avant un appel.

Quand on en arriva à l'appel, entendu par la Cour suprême de la R.S.F.S.R., je fus seule à parler (mes collègues, satisfaits du verdict, ne s'étaient pas pourvus en appel).

Dans mes remarques à la cour, j'exprimais les mêmes pensées que dans ma plaidoirie, mais le plan de leur exposition était différent. Le discours était moins émotionnel, plus structuré. Je me souviens de mes mots de conclusion :

« Je considère que Boukovski a été condamné à tort : il n'a pas commis de crime et il n'a pas transgressé une seule loi soviétique. Votre arrêt décidera non seulement du sort de l'appelant, mais aussi de la réponse à la question suivante : la liberté de manifestation, garantie par notre constitution, existe-t-elle réellement en Union soviétique ? »

Aucun des membres de cette haute cour ne me blâma, et le procureur ne fit pas non plus usage de son droit de réponse. La réponse à ma question, cependant, fut négative : le verdict du tribunal de la ville de Moscou fut maintenu.

Entre cet événement et mon départ d'Union soviétique, je ne revis Vladimir qu'une seule fois. Ce fut après sa libération du camp à régime sévère et avant qu'il ne soit arrêté et jugé de nouveau.

J'avais déjà été privée de l' « accès » aux procès politiques. Vladimir vint me demander si j'accepterais de le défendre de nouveau au cas où il réussirait à obtenir la permission que je le fasse, et il voulait savoir si je m'en tiendrais à cet accord même si des pressions étaient exercées sur moi pour que je refuse.

Rappelant cette conversation dans son livre, Vladimir écrivit qu'il était sûr de mon consentement, étant certain que je ne refuserais pas même sur mon lit de mort.

Il m'est difficile de juger comment j'aurais agi « sur mon lit de mort », mais je puis dire fermement que, dans des circonstances plus normales, rien n'aurait pu me persuader de refuser de le défendre. Même ainsi, je ne l'ai pas défendu. Ni son opiniâtreté phénoménale ni sa longue grève de la faim n'eurent d'effet.

Nina Boukovskaïa, la mère de Vladimir, adressa une requête au président du collège des avocats de Moscou pour que je fusse autorisée à défendre son fils. En réponse, Apraskine écrivit : « Votre requête ne peut être satisfaite. L'avocate Kaminskaya n'a pas accès aux cas de cette nature, d'après la liste confirmée par le K.G.B. »

Vladimir et moi ne nous revîmes plus en Union soviétique. A peine était-il libéré qu'il fut arrêté de nouveau et condamné à une plus longue peine encore de prison et de camp de travail. Mais je ne l'ai pas oublié. Après chaque visite qu'elle lui rendait à la prison, sa mère me rapportait toujours ses salutations, et même ses bons souhaits aux fêtes et aux anniversaires. Lui non plus n'avait pas oublié sa « première » avocate. Je n'ai jamais manqué de fournir à Nina Boukovskaïa toute l'aide juridique dont j'étais capable. C'est par elle que j'ai appris que l'Union soviétique menait de longues négociations pour l'échange de Vladimir.

Chaque week-end, nous avions l'habitude de nous rendre, avec quelques amis, dans une datcha située à trente kilomètres de Moscou, où nous étions complètement coupés de la vie moscovite courante : pas de journaux, pas de radio. A la place, nous avions seulement les somptueuses forêts d'hiver, les longues randonnées à ski, les longues conversations après le déjeuner, un repas qui se prolongeait imperceptiblement jusqu'au dîner. Ce jour-là, nos amis avaient apporté leurs transistors. Nous étions tous assis autour de la table de notre petite salle à manger, écoutant la Voix de l'Amérique. A travers les parasites et une vague musique arriva la voix du speaker : « L'avion transportant Vladimir Boukovski a atterri à... » Le reste fut gommé par une recrudescence de parasites. C'est seulement alors — nous interrompant mutuellement avec excitation, rassemblant les fragments que nous avions pu entendre — que nous réalisâmes que l'échange tant attendu avait eu lieu et que Vladimir était libre.

Pour la première fois, le nom de Boukovski fut omis dans le toast que les intellectuels moscovites portent habituellement à « ceux de l'intérieur ». Quant à nous, ce soir-là, nous portâmes *tous* les toasts à Vladimir — à sa liberté, à son avenir, à l'espoir que sa gloire ne le gâterait pas.

Puis l'un d'entre nous — je pense que c'était moi — dit:

« Encore un qui s'en est allé. Encore un que nous ne reverrons plus. »

C'était l'hiver, il pleuvait à verse. Mon mari et moi, avec trois autres compagnons, nous étions entassés, comme par miracle, dans ma minuscule voiture, et nous suivions une route dans l'obscurité.

L'homme assis près de moi se tourna et dit:

« Dina Izaakovna, c'est véritablement incroyable que vous et moi, précisément, roulions ensemble dans cette voiture sans autre raison que d'aller en visite. D'habitude, nous ne nous voyions qu'à la prison de Lefortovo. »

C'était en décembre 1977.

Sur la route, entre Londres et Brighton.

Les protagonistes: Vladimir Boukovski et moi-même.

4

LA MANIFESTATION DE LA PLACE ROUGE
DOSSIER Nº 41074-56-685

« Ne nous maudissez pas, comme tous les autres nous maudissent maintenant. Chacun d'entre nous a pris sa décision de façon indépendante, parce qu'il était devenu impossible de vivre et de respirer... Je ne puis penser aux Tchèques ou entendre leurs appels à la radio sans faire quelque chose, sans crier. »

Larissa BOGORAZ
25 août 1968

C'était juste après la fin du procès d'Anatoli Martchenko, fameux dissident et auteur du livre *Mon témoignage*, dans lequel, en tant qu'ancien prisonnier politique, il décrit les prisons et les camps de travail de l'ère khrouchtchévienne. Il avait été jugé pour violation de la réglementation interne sur les cartes d'identité, mais cela n'était qu'un prétexte. La véritable raison de sa mise en accusation criminelle, c'était qu'il avait écrit et publié en Occident des lettres ouvertes pour appuyer la nouvelle tendance de démocratisation en Tchécoslovaquie, et pour protester contre la campagne de presse soviétique qui s'attaquait à cette évolution.

Beaucoup de gens étaient venus au tribunal populaire du district moscovite d'Octobre, là où avait lieu l'audience ; j'avais aperçu Pavel Litvinov, Anatoli Iakobson et bien d'autres dont les noms m'étaient connus parce qu'ils avaient participé à la campagne en faveur des droits de l'homme en Union soviétique. Parmi l'assistance, il y avait la personne qui était la plus proche d'Anatoli, qui lui était la plus chère et qui est maintenant sa femme, Larissa Bogoraz-Daniel.

Par une ironie du sort, le procès d'Anatoli Martchenko eut lieu le 21 août 1968, le jour où les troupes soviétiques envahirent le territoire de la Tchécoslovaquie et occupèrent le pays afin de «servir la cause de la paix et du progrès». Nous tous, rassemblés dans le prétoire, étions déjà au courant de l'occupation de la Tchécoslovaquie; nous tous, à l'exception d'Anatoli. On avait particulièrement insisté pour que je ne lui dise rien, car les gens avaient peur de sa réaction.

Après le verdict (Martchenko fut condamné à un an de prison), le juge du tribunal populaire annonça que je pourrais lire la transcription du procès le 26 août, et que j'aurais alors la permission d'avoir une entrevue avec Anatoli en prison. Je promis à Larissa et à Pavel Litvinov de les voir auparavant, et nous arrangeâmes une rencontre le 25 août à 18 heures.

Larissa Bogoraz-Daniel et moi-même avions continué de nous fréquenter à la suite de ma tentative infructueuse de défendre son ancien mari, l'écrivain Iouli Daniel. Notre relation s'était poursuivie parce que Larissa et ses amis avaient souvent eu besoin de me voir pour des consultations juridiques et pour des conseils. Mais parallèlement, cependant, nous éprouvions une sincère sympathie mutuelle qui se transforma bientôt en amitié.

Je ne rencontrai Pavel Litvinov que plus tard, probablement en 1967, quand je commençai à apparaître dans les procès politiques. J'aimais bien Pavel pour sa gentillesse, sa tolérance et son courage, qualités que j'eus l'occasion de constater au cours du procès de Iouri Galanskov et d'Aleksandr Guinzbourg.

Le 11 janvier 1968, juste avant la fin de ce procès, Pavel et Larissa écrivirent et envoyèrent, en vue de sa publication en Occident, un appel adressé à «l'opinion publique mondiale». A l'époque, à Moscou et dans d'autres villes d'Union soviétique, beaucoup de gens écrivaient et signaient toutes sortes de lettres de protestation qui critiquaient vivement les violations de la «légalité socialiste» et exigeaient que les autorités observassent les «normes démocratiques».

Par son intensité, son implication morale et civique, l'appel de Pavel et de Larissa différait notablement de la majorité des lettres que j'eus l'occasion d'avoir entre les mains. Ils ne s'adressaient pas aux autorités, au gouvernement ou au parti communiste, mais à chacun d'entre nous: «A tous ceux dont la conscience est vivante.» Ils mettaient chaque individu en face de la nécessité de faire un choix moral.

Je me revois encore écoutant son appel à la radio, en même temps que quelques amis qui nous avaient rejoints:

«Citoyens de notre pays!

«Ce procès est une tache sur l'honneur de notre État et sur la conscience de chacun d'entre nous... Aujourd'hui, ce n'est pas seulement le destin de trois accusés qui est en jeu: ce procès ne diffère en rien de ceux des années trente, des purges notoires qui se terminèrent pour nous dans la honte et dans le sang, au point que nous ne nous en sommes pas encore remis jusqu'à ce jour... »

Nous écoutions intensément, de crainte de laisser échapper un seul mot : après tout, c'était la première fois que la voix de la speakerine s'adressait directement à nous, en appelant à notre honneur et à notre conscience.

Cela peut paraître étrange, peut-être même naïf, que j'insiste sur ces mots et sur ces idées, qui, pour un lecteur occidental, doivent sembler naturels et normaux ; je sais bien que la force exercée sur nous par l'impact émotionnel de l'appel doit sembler exagérée et injustifiée. C'était pourtant bien le cas. Car une génération entière était née, avait grandi et même vieilli, une génération à laquelle on ne s'était jamais adressé en ces termes et pour laquelle des mots tels que « conscience » et « honneur » avaient une résonance particulièrement solennelle et émouvante.

Le mot « dissident », aujourd'hui familier, commençait alors tout juste à avoir cours. C'est à cette époque que je commençai à rencontrer ces individus qui, par la suite, devaient s'acquérir une célébrité mondiale comme dissidents. Ils avaient en commun une attitude de non-conformisme, un courage et une promptitude à sacrifier non seulement leur bien-être, mais leur liberté, qui commandaient le respect. Et cependant, ils étaient tous très différents les uns des autres.

Il me semblait parfois que certains dissidents étaient plutôt attirés par les risques de la lutte politique. Quand je leur parlais, j'avais le sentiment que, bien que combattant pour la liberté d'exprimer leurs propres opinions, ils étaient insuffisamment tolérants envers les opinions et convictions des autres, et qu'ils traitaient le destin de leurs sympathisants avec insouciance et sans montrer trop de scrupules. Une fois, rentrant à la maison avec mon mari après une telle conversation, je lui dis : « Tu sais, ce sont naturellement des gens très valables et très courageux, mais, quand je me demande ce qui arriverait si, d'aventure, ils parvenaient au pouvoir, je ne crois pas que j'aimerais ça. »

Mes relations avec Pavel et Larissa, cependant, et avec bien d'autres dissidents n'étaient pas seulement fondées sur le fait que nous partagions les mêmes vues sur le système soviétique ; j'étais attirée par le fondement moral de leurs convictions et par les méthodes qu'eux-mêmes et le mouvement (dit plus tard « de défense de la légalité ») mettaient en œuvre pour diffuser leurs croyances. Par la force des circonstances, plusieurs des participants à ce mouvement devinrent mes clients ; ils devinrent mes amis par choix personnel.

C'est pourquoi, étant donné que je les considérais déjà comme mes amis, j'acceptai une rencontre avec Pavel et Larissa et leur demandai de venir, le 25 août 1968, à mon appartement plutôt qu'à mon bureau.

Dimanche 25 août : je me rappelle bien ce jour, la rencontre arrangée

237

d'avance avec Pavel et Larissa et mon retour rapide de promenade dans la campagne moscovite pour ne pas manquer l'heure du rendez-vous. Je me rappelle à quel point je fus ennuyée en ne les voyant pas arriver à l'heure, en s'abstenant de téléphoner, en ne prévenant pas que notre rendez-vous était remis.

Puis, à travers les parasites qui accompagnent toujours les émissions des radios occidentales, nous entendîmes la nouvelle : « Aujourd'hui, sur la place Rouge à Moscou, un petit groupe de gens ont essayé d'organiser une manifestation pour protester contre l'occupation soviétique en Tchécoslovaquie. »

Je dis immédiatement : « Ce sont eux ! »

Rien, dans nos conversations précédentes, ne m'avait donné des motifs de faire cette supposition. Qui plus est, j'avais acquis l'impression que Pavel et Larissa eux-mêmes ne considéraient pas les manifestations publiques comme le meilleur moyen d'exprimer son désaccord ou ses protestations ; ils pensaient plutôt que les lettres individuelles ou les appels écrits à l'opinion publique, qui leur permettaient non seulement de protester mais d'argumenter sur leur affaire de façon détaillée, étaient mieux appropriés à leurs desseins. J'étais toutefois consciente qu'ils étaient profondément choqués par l'occupation de la Tchécoslovaquie et, les connaissant, je réalisais qu'ils ne resteraient pas silencieux. La nature unique de l'événement détermina le choix d'une forme unique, atypique de protestation.

Le lendemain, 26 août, je tenais dans ma main la note que j'ai placée en épigraphe au présent chapitre. C'était une courte note, à moi adressée, que Larissa, par miracle, s'était arrangée pour écrire et pour envoyer pendant que les agents du K.G.B. perquisitionnaient dans son appartement.

« Ma chère, ne nous maudissez pas, comme tous les autres nous maudissent maintenant. Chacun d'entre nous a pris sa décision de façon indépendante, parce qu'il était devenu impossible de vivre et de respirer... »

Venaient ensuite quelques mots pour Anatoli Martchenko :

« ... S'il vous plaît, pardonnez-moi, et pardonnez à nous tous, ce qui est arrivé aujourd'hui — j'étais tout simplement incapable d'agir autrement. Vous savez le sentiment qu'on éprouve quand on ne peut pas respirer. »

Ce même jour, je découvris aussi les noms de tous les manifestants : Konstantine Babitski, Larissa Bogoraz-Daniel, Natalia Gorbanevskaïa, Vadim Delaunay, Vladimir Dremliouga, Pavel Litvinov et Viktor Feinberg.

Je pense que ce fut ce jour-là, ou à la rigueur un ou deux jours après la manifestation, que j'appris le désir de Larissa de me prendre pour défenseur. Peu après, Litvinova, la mère de Pavel, m'envoya une requête similaire pour défendre son fils. Après avoir vérifié avec l'enquêteur chargé de l'enquête — une femme, conseiller de justice — qu'il n'y avait pas de contradictions dans les dépositions de Larissa et de Pavel, j'acceptai d'être leur avocate à tous deux. J'appris aussi que tous les prévenus étaient accusés d'avoir grossièrement violé l'ordre public et d'avoir diffamé le système politique et social soviétique (articles 190/1 et 190/3 du Code pénal de la R.S.F.S.R.).

L'instruction de l'affaire fut achevée dans le temps incroyablement court de deux semaines et, le 14 septembre, les avocats de la défense étaient en mesure de commencer l'étude du dossier. En plus de moi, l'équipe assurant la défense était constituée de Sofia Kallistratova, avocate de Vadim Delaunay, de Nikolaï Monakhov, avocat de Vladimir Dremliouga, et de Iouri Pozdeïev, avocat de Konstantine Babitski. Les deux autres manifestants, Feinberg et Gorbanevskaïa, ne furent pas poursuivis. Ils furent envoyés à l'Institut Serbski pour examen psychiatrique et déclarés irresponsables de leurs actes.

C'est aussi le 14 septembre que j'eus mon premier entretien avec mes clients dans la prison spéciale où le K.G.B. garde les prévenus pendant l'enquête : la prison de Lefortovo. Larissa et Pavel attendaient mon arrivée avec impatience : ils me considéraient non seulement comme une avocate en qui ils pouvaient avoir confiance dans les circonstances où ils se trouvaient, mais encore comme une amie. Ma simple vue leur faisait du bien. L'occasion de les voir et de leur parler fut pour moi aussi un plaisir doux et amer. Pour la première fois de ma carrière, j'entrais dans une prison pour rencontrer des gens qui m'étaient chers, que j'aimais et dont j'étais très fière.

Je fis connaissance avec l'enquêteur Galakhov dès mon arrivée à la prison de Lefortovo. Il m'avertit que notre travail devrait être effectué dans les plus courts délais.

« Les autorités ont décidé de porter l'affaire devant le tribunal d'ici un mois. Vous êtes priée d'organiser votre travail de manière à ne nous causer aucun retard. Vous pouvez travailler aussi tard qu'il le faut : c'est arrangé avec l'administration de la prison. »

Suivant la loi soviétique, la durée habituelle de l'enquête préalable, pour une affaire criminelle simple, est censée ne pas dépasser deux mois ; dans la pratique, cependant, les enquêteurs obtiennent invariablement ce qu'on appelle une « extension ». Dans le cas de la manifestation de la place Rouge, il avait suffi de deux semaines aux enquêteurs non seulement pour achever l'interrogatoire des sept manifestants arrêtés et d'une trentaine de témoins, mais aussi pour arranger six examens psychiatriques en prison, un examen psychiatrique à l'Institut Serbski (celui de Natalia Gorbanevskaïa) et plusieurs expertises dans un institut spécial de recherches criminologiques.

Pour moi comme pour les autres avocats, il était évident que tout cela, et en particulier l'achèvement rapide des rapports et des expertises, était orchestré par les autorités les plus puissantes, à savoir le K.G.B.

Afin de s'assurer commodément un droit de regard direct et permanent sur la manière dont le ministère public menait l'enquête, le K.G.B. s'était arrangé pour que tous les prévenus de l'affaire fussent gardés dans une prison qui était hors de la juridiction du parquet et où normalement aucun prisonnier n'eût été admis en vertu d'un ordre signé du procureur : Lefortovo, la propre prison du K.G.B.

La demande — ou plutôt l'exigence — d'en terminer avec l'étude du dossier avant la fin de septembre était bien dans les limites du possible. Il était évident que, si j'y travaillais tous les jours, je pourrais m'arranger non seulement pour lire toute la matière du dossier et recopier les extraits nécessaires, mais aussi pour avoir des discussions détaillées avec mes clients et mettre au point la tactique de défense en vue de préparer leur procès.

L'enquêteur, naturellement, ne nous permettrait pas de conférer tous les trois dans une même pièce, ce qui aurait enfreint la règle rigide selon laquelle les prisonniers doivent toujours être gardés isolément les uns des autres. Je demandai que nos rencontres fussent organisées de manière que je pusse voir mes clients chaque jour, car, outre les considérations d'ordre pratique, je voulais être en mesure de les approvisionner constamment en nouvelles de leur famille et de leurs amis et je voulais être sûre également de leur apporter de la nourriture quotidiennement. Je savais pertinemment que Pavel et Larissa avaient été sous-alimentés depuis le moment de leur arrestation sur la place Rouge.

L'expérience que j'avais acquise des enquêteurs au cours des procès politiques précédents m'avait convaincue que, si certains acceptaient d'emblée et sans histoires, d'autres se faisaient un peu tirer l'oreille, mais qu'en définitive tous fermaient les yeux et permettaient à l'avocat de donner de la nourriture aux prisonniers en leur présence. La seule condition était que tout fût consommé dans la salle de consultation et que rien ne fût remmené dans les cellules ; cette condition, nous l'observions scrupuleusement.

On ne fit aucune objection au programme que je proposai : voir l'un de mes clients avant le déjeuner et l'autre après. Je pus conclure un arrangement avec Galakhov selon lequel mes clients ne seraient pas emmenés à l'heure des repas, mais que j'assurerais moi-même leur alimentation : cela nous économisait beaucoup de temps, pendant lequel nous pouvions continuer à travailler.

J'apportais chaque jour deux repas copieux préparés par la mère de Pavel. Chaque matin, quand j'arrivais à la prison ployée sous le poids d'une énorme serviette que mon mari utilisait habituellement pour faire les courses, Galakhov hochait la tête avec reproche et disait : « Vous avez vraiment envie de coltiner toute cette charge, Dina Izaakovna ? Pourquoi ne vous contentez-vous pas de leur apporter quelques sandwiches et des pommes ? Mais leur apporter de vrais repas chauds, et pour deux personnes ! » Chaque après-midi et chaque soir, quand je disais au revoir à Pavel et à Larissa, je leur demandais ce qu'ils voulaient pour le déjeuner du lendemain. Je connaissais si bien leurs goûts que, aujourd'hui encore, si on me réveillait en pleine nuit et si on m'interrogeait, je répondrais sans hésiter :

« Pavel préfère le steak, et Larissa la halva. »

Le 14 septembre, je décidai que je verrais Larissa pendant la première partie de la journée. J'étais nerveuse et j'appréhendais les premiers instants quand les gardes l'introduisirent, mais Larissa entra dans la pièce avec l'air détendu, sans manifester de signes d'anxiété ou de dépression, et elle demanda immédiatement : « Comment va San'ka ? » San'ka Daniel est son fils, qui avait seize ans à l'époque. Son père, le premier mari de Larissa, l'écrivain Iouli Daniel, avait été condamné à cinq ans de prison et se trouvait dans un camp à internement. Maintenant, un destin semblable attendait sa mère. Le jour de la manifestation, San'ka se trouvait hors de Moscou, et il était rentré ce soir-là pour tomber sur le K.G.B. qui perquisitionnait dans l'appartement de ses parents. Ainsi, il avait pu voir sa mère et lui dire au revoir avant leur séparation.

A ce stade, préparer la défense signifiait faire une étude minutieuse de tous les documents que les enquêteurs avaient rassemblés et enregistrés au cours des deux précédentes semaines. Mon travail était considérablement facilité par le fait que c'était le second procès de ma carrière se rapportant à une manifestation (à ma connaissance, ce furent les deux seuls). J'étais donc capable de m'imaginer d'avance à quoi ressemblerait l'acte d'accusation. Même dans ces circonstances, j'entrepris de retranscrire soigneusement le texte des charges qui avaient été relevées contre mes clients.

Le libellé de l'acte d'accusation de tous les prévenus — excepté Larissa — coïncidait mot pour mot. Comme il leur était commun à tous, il était dépourvu de toute tentative de traitement individuel, bien que la loi exigeât clairement que tout acte d'accusation fût dirigé *ad hominem* :

« L'instruction de l'affaire a établi ce qui suit :

« Pavel Litvinov (ou Vadim Delaunay, ou Konstantine Babitski), étant en désaccord avec la politique du parti communiste de l'Union soviétique et du gouvernement soviétique visant à étendre l'aide fraternelle du pays au peuple tchécoslovaque pour la défense de ses réalisations socialistes — politique approuvée par tout le peuple travailleur de l'Union soviétique —, est entré dans une conspiration criminelle avec les autres accusés du présent procès (suit ici une liste des noms des autres prévenus) dans le but d'organiser une protestation de groupe contre l'entrée temporaire des forces de cinq pays socialistes sur le territoire de la république socialiste de Tchécoslovaquie.

« Ayant préparé d'avance des banderoles qui portaient des slogans contenant des assertions sciemment fausses et calomnieuses diffamant l'État soviétique et sa structure sociale, à savoir : "Bas les pattes de la Tchécoslovaquie", "Dehors les occupants", "Pour votre liberté et la nôtre", "Libérez Dubček", "Vive la Tchécoslovaquie libre et indépendante" (écrit en tchèque), il s'est rendu au Lobnoïe Mesto ("lieu des exécutions") sur la place Rouge, le 25 août de cette année, où, en même temps que (de nouveau la liste des noms), il a pris part à un groupe d'action qui a grossièrement violé l'ordre public et perturbé le fonctionnement normal des transports publics en déployant les banderoles mentionnées ci-dessus et en criant des slogans de contenu similaire au texte des banderoles, commettant ainsi des crimes au sens des articles 190/1 et 190/3 du Code pénal de la R.S.F.S.R. »

Pour être conforme aux stipulations de la loi soviétique, le libellé de cette accusation aurait dû indiquer, outre une description générale des événements, ce que l'enquêteur considérait exactement dans chaque slogan particulier comme une « assertion fausse et calomnieuse », quels accusés avaient préparé quelles banderoles — car l'expression de déclarations calomnieuses constitue un crime séparé (d'après l'article 190/1) — ainsi que les textes précis des slogans et les noms des accusés qui les avaient criés.

Sachant comment travaillent les fonctionnaires enquêteurs de Moscou, je puis dire avec certitude que le libellé des charges n'était pas le fruit de l'inexpérience ou de la négligence.

Je ne crois pas non plus que la conseillère Akimova, enquêtrice en chef du parquet de la ville de Moscou, aurait permis une violation aussi évidente de la procédure dans un autre procès criminel normal (c'est-à-dire non politique) qu'elle aurait eu à instruire. La rédaction de l'acte d'accusation dans ces termes particuliers s'explique, selon moi, par deux raisons : premièrement, l'impossibilité de rédiger les chefs d'accusation en conformité précise avec la loi quand les actions en question ne constituent pas un crime aux termes de cette même loi ; deuxièmement, la nécessité de satisfaire aux exigences du parti communiste et du K.G.B. selon lesquelles tous les manifestants sans exception devaient être poursuivis.

Le dossier de l'enquêteur comportait trois épais volumes de documents. Dès le début, cependant, il m'apparut clair que, pour la défense, le plus important était le volume I, la déposition des témoins, ainsi que les pages des autres volumes contenant les confrontations entre les témoins et les accusés. La raison en était que les accusés avaient refusé de répondre à la plupart des questions posées par l'enquêteur. Le témoignage le plus détaillé que Larissa Bogoraz fournit au cours de l'interrogatoire ne dépassait pas quelques lignes :

« Le 25 août, je me suis rendue sur la place Rouge. J'ai brandi une banderole protestant contre l'entrée des forces soviétiques en Tchécoslovaquie. Je refuse de répondre à la question de savoir quelle banderole je tenais et quelles banderoles étaient tenues par mes compagnons.

« Mes actes n'ont pas violé l'ordre public ni entravé la circulation ; ils n'ont pas gêné non plus les promeneurs du dimanche.

« Le fait d'exprimer une protestation, en soi, ne viole pas l'ordre public. Les slogans ne contenaient pas d'affirmations calomnieuses, mais exprimaient une attitude critique à l'égard d'une question particulière. Je considère comme non fondées les charges relevées contre nous.

« Je refuse de collaborer à la suite de l'enquête et je ne répondrai plus à aucune question. »

Les déclarations de Litvinov furent également brèves, depuis ses premières réponses fournies le jour de son arrestation jusqu'à ses remarques finales faites le 12 septembre :

« Sur la place Rouge, j'ai brandi le slogan " Pour votre liberté et pour la nôtre ". Personnellement, je n'ai rien crié. Je refuse de dire comment et par qui les slogans écrits ont été préparés. Je suis venu sur la place Rouge avec l'intention de manifester mon attitude négative à l'encontre de l'entrée des forces soviétiques en Tchécoslovaquie, ce que j'ai fait en brandissant un slogan.

« L'une des raisons pour lesquelles nous avons choisi la place Rouge comme lieu de manifestation était son absence de circulation.

« Je refuse de répondre à d'autres questions. »

En lisant les dépositions de Larissa et de Pavel, je notai avec plaisir non seulement leur courage — qui n'était pas une surprise pour moi —, mais aussi le ton calme et réservé de leurs remarques. La même retenue tranquille était également évidente dans les dépositions plus détaillées de deux autres manifestants, Konstantine Babitski et Vadim Delaunay.

Le lendemain de la manifestation, quand j'appris que Vadim était l'un des participants, ma première réaction fut un sentiment de grande pitié à son égard, car je réalisais qu'il était plus exposé que les autres à être lourdement condamné. Ayant déjà été condamné pour avoir pris part à la manifestation de la place Pouchkine, s'il était de nouveau condamné pour un crime semblable, non seulement il serait passible du maximum (trois ans de prison), mais, conformément à la loi soviétique, il aurait à effectuer la partie non purgée de sa précédente condamnation. Pourquoi ses amis n'avaient-ils pas pris plus grand soin de lui ? Je me le demandais. Comment avaient-ils pu le laisser participer à une nouvelle manifestation ?

Mais il se révéla que l'apparition de Vadim sur la place Rouge avait été une complète surprise pour Pavel et pour Larissa. Aucun des autres manifestants n'avait averti Vadim de leur intention, précisément parce qu'ils voulaient le protéger des conséquences inévitables qui en résulte- raient pour lui. A mon avis, en plus des motivations que Vadim partageait avec tous les autres manifestants, il en avait une autre, profondément per- sonnelle, de se rendre sur la place Rouge ce jour-là. Pour lui, prendre part à la manifestation était une forme d'autoréhabilitation. J'utilise le terme d' « auto-réhabilitation », car il n'avait nullement besoin de se réhabiliter aux yeux d'autrui. Personne ne l'avait blâmé pour le témoignage précé- dent qu'il avait fourni au K.G.B. (au procès Boukovski). Tout le monde était d'accord pour dire que la conduite de Vadim au tribunal, à cette occasion, n'avait pas été sujette à caution et le libérait de tout reproche possible. Je respecte profondément sa seconde motivation, celle de quel- qu'un qui s'est fixé les normes morales les plus élevées.

Comment Vadim Delaunay avait-il pu découvrir les plans de la mani- festation ? La réponse se trouve dans sa déposition :

« Quelqu'un me dit, mais je ne dirai pas qui, de téléphoner à une rela- tion le matin du 25 août. J'allai voir la personne ce matin-là, et je fus mis au courant par elle de la manifestation. La personne en question n'avait pas l'intention d'aller sur la place Rouge.

« Après mon arrestation, au poste de police, mes compagnons me dirent que c'était exprès qu'ils ne m'avaient pas informé de la manifesta- tion. Ils avaient voulu m'empêcher d'y prendre part pour me protéger, sachant que j'avais déjà été condamné avec sursis (dans un cas semblable). »

En relisant les extraits que j'ai recopiés dans le dossier de l'enquê- teur et en sélectionnant les exemples de témoignages qui pourraient inté- resser mes lecteurs, je remarque qu'ils sont beaucoup moins frappants que la déposition étonnamment intransigeante et politiquement plus dure de Vladimir Boukovski. Non que les manifestants de la place Rouge eus- sent été moins courageux ou moins fermes dans leurs convictions. Ils étaient simplement différents.

Le ton réservé de leur témoignage était typique à la fois de leur caractère individuel et de l'attitude que chacun d'entre eux adopta tout à fait indépendamment envers l'enquête, même si, ce faisant, ils manifes- tèrent tous un degré remarquable d'unanimité.

Tandis que Vladimir Boukovski avait dit à l'enquêteur : « Je ne dissi- mule pas mes opinions politiques, et j'ai l'habitude d'en parler ouverte- ment », les manifestants de la place Rouge refusèrent de discuter de leurs conceptions générales avec l'enquêteur, se limitant à exposer les motifs qui les avaient poussés à participer à la manifestation. La seule personne dont le caractère ait pu trancher sur le ton général de retenue fut peut-être Vladimir Dremliouga, encore que celui-ci eût refusé de faire toute déposition durant l'enquête. Il ne fournit son premier témoignage que devant le tribunal, refrénant à cette occasion son tempérament combatif. Leur solidarité et leur inflexibilité à maintenir la ligne de conduite qu'ils avaient choisie, au cours de l'enquête, furent les premiers traits notables qui me frappèrent quand je lus les dépositions des accusés.

Le jour de leur arrestation, l'un des manifestants — Konstantine Babitski, jeune savant et auteur de plusieurs ouvrages de linguistique mathématique — dit à l'interrogatoire :

« Je suis allé aujourd'hui sur la place Rouge pour protester contre l'erreur tragique du gouvernement — l'intervention armée dans les affaires tchécoslovaques. »

Dans ses déclarations ultérieures, il dit qu'il n'hésitait pas à qualifier les buts de la manifestation de « sublimes ». La conscience de la valeur morale de leurs actes était le facteur commun, unificateur des dépositions des accusés ainsi que de leurs amis et parents qui furent témoins de la manifestation.

Déposition du témoin Tatiana Velikanova :

L'ENQUÊTEUR : Dites-moi ce que vous savez de cette affaire.

LE TÉMOIN : Le dimanche matin, mon mari, Konstantine Babitski, me dit qu'il devait se rendre au "Lobnoïe Mesto" sur la place Rouge, à midi, pour y prendre part à une protestation contre l'envoi de forces soviétiques en Tchécoslovaquie. Quand je le questionnai, il me répondit que, à part lui-même, d'autres personnes participeraient, mais je ne lui ai pas demandé qui.

L'ENQUÊTEUR : N'avez-vous pas essayé d'influencer votre mari, de le dissuader ? Vous avez trois jeunes enfants, et vous devez être consciente des conséquences.

LE TÉMOIN : Je n'ai pas essayé de le dissuader. Si mon mari sentait que sa conscience l'obligeait à entreprendre cette action, essayer de l'en dissuader eût été simplement déshonorant.

Au moment où j'écris ces lignes, j'apprends que Tatiana Velikanova a été arrêtée, cette même Tatiana qui, il y a onze ans, avait rappelé à l'enquêteur la nécessité d'agir en accord avec sa conscience. A la suite de l'arrestation et de la condamnation de Konstantine, Tatiana était devenue un membre actif du mouvement de Défense de la légalité. Elle fut l'un des fondateurs du groupe initiateur pour la Défense des droits de l'homme en U.R.S.S. et, en 1974, elle annonça publiquement qu'elle assumait la responsabilité de la distribution de la revue samizdat *Chronique des événements en cours*, bien qu'elle sût que le K.G.B. poursuivait avec une férocité particulière quiconque touchait de près ou de loin à l'édition ou à la distribution de ce magazine. Elle fut conduite à cette activité par sa conscience, son sens du devoir civique et de la dignité humaine. Elle possède cette sorte d'intrépidité morale qui permet de mépriser son propre bien-être au bénéfice d'une cause élevée. Avoir essayé de la dissuader d'emprunter ce chemin eût été non seulement inutile, mais déshonorant.

Je voudrais revenir ici aux paroles de la note que m'avait écrite Larissa Bogoraz : « Ne nous maudissez pas, comme tous les autres nous maudissent maintenant... » et « S'il vous plaît, pardonnez-moi et pardonnez à nous tous ce qui est arrivé aujourd'hui... »

Quelques jours après la manifestation, un ami de Larissa et de Iouli Daniel, Anatoli Iakobson, vint nous voir. Au cours de nos longues années d'amitié, je n'ai vu Anatoli dans un tel état de désespoir qu'en une seule autre occasion : le jour où nous lui avons dit au revoir à la veille de son expulsion d'Union soviétique. Je me souviendrai toujours de son visage ravagé par les larmes et de la manière dont il essaya, à travers ses sanglots, de réciter quelques lignes du poème « Bon voyage à Leningrad » d'Anna Akhmatova, poème qu'il aimait jusqu'à la morbidité :

Notre séparation n'est pas réelle,
Car toi et moi ne pouvons être séparés.
Mon ombre est sur vos murs...

Après cette séparation, je n'ai jamais revu Anatoli. Il ne pouvait vraiment pas être séparé de son pays : il se suicida en exil.

En ce jour d'août 1968, Anatoli était assis dans mon salon, le visage couvert de ses mains solides de boxeur, et, à travers les sanglots qui secouaient sa puissante charpente, il ne cessait de répéter : « J'aurais dû être avec eux. J'aurais dû être avec eux. J'aurais dû être avec eux... »

Anatoli était absent de Moscou le 25 août. Il ne fut mis au courant que le lendemain de la manifestation et de l'arrestation de ses plus proches amis. Il écrivit alors une lettre tout à fait remarquable par la force et la précision de son expression. Depuis lors, je garde dans mon dossier de l'affaire le manuscrit original de cette lettre, qui est devenu l'un de mes plus tristes souvenirs. Anatoli y écrivait :

« Beaucoup de gens de tempérament humain et libéral, tout en admettant que la manifestation a été un acte de bravoure et de noblesse, croient en même temps qu'un geste public qui conduit inévitablement en prison ceux qui y ont pris part est déraisonnable et inopportun... »

J'appris par Anatoli, et cela me fut confirmé plus tard par d'autres amis des manifestants, que le projet d'organiser une manifestation ne fut pas appuyé par beaucoup de ceux qui par ailleurs partageaient leurs vues. Des tentatives désespérées furent faites pour les en dissuader, pour annuler la manifestation, précisément parce que beaucoup la considéraient comme « déraisonnable » et « inopportune ».

D'où l'explication des mots répétés par Larissa dans ses notes, que je n'avais pas compris au premier abord : « Ne nous maudissez pas... » et « Pardonnez-nous... »

Il y a peu de temps, ici en Amérique, je parlais à l'un de mes bons amis, également émigré, qui avait été expulsé de Moscou. Il était l'un de ceux qui, le 24 août, avaient fait le tour des appartements — il était passé chez Babitski, chez Larissa, chez Pavel Litvinov — dans le seul but de faire annuler la manifestation. Son motif était d'ordre purement humain : épargner les conséquences. Comme les autres, il était parfaitement conscient de la seule issue possible d'une protestation ouverte dans les conditions soviétiques.

« Je réalise maintenant que j'ai eu tort, me dit-il. Je n'aurais pas dû essayer de les faire changer d'avis. J'aurais dû être avec eux... C'est dur à admettre, mais je me rends compte maintenant que j'ai simplement été lâche. C'est pourquoi je me suis si facilement laissé convaincre que leur projet était insensé. »

La lettre d'Anatoli Iakobson était une réponse à tous ces sympathisants qui condamnaient la manifestation :

« Il est impossible de mesurer un acte public de cette sorte à l'aune de la politique conventionnelle, où chaque action doit produire un résultat quantifiable immédiat, un avantage matériel.

« La manifestation du 25 août n'a pas été un événement dans une lutte politique, mais une manifestation de la lutte morale...

« Nous devons partir de l'hypothèse que la vérité est nécessaire en elle-même, et non comme moyen pour obtenir quelque chose d'autre ; que notre dignité humaine ne nous permet pas de nous réconcilier avec le mal, même si nous sommes impuissants à écarter le mal...

« Incontestablement, les sept manifestants ont sauvé l'honneur du peuple soviétique tout entier. On ne peut surestimer l'importance de la manifestation de la place Rouge. »

C'est à juste titre qu'Anatoli appela tous les manifestants « les héros du 25 août ».

Et maintenant, j'étais assise avec l'un de ces héros dans une salle de la prison de Lefortovo. Larissa et moi-même étions seules — l'enquêteur était sorti pour un moment — et elle me dit : « Dina, ma chère, dites-lui que nous avons besoin de travailler ensemble toute la journée. S'il vous plaît, faites-le pour moi. Ne me laissez pas partir. »

Larissa me tenait la main et me regardait de ses yeux magnifiques et si pleins d'une authentique souffrance que j'étais sur le point de lui céder.

Sa douleur était absolument réelle : cette nuit-là, Larissa avait eu une crise de périostite de la mâchoire, et elle souffrait d'un atroce mal de dents. Elle pressait ma main et répétait sa demande, dans l'espoir que je la sauverais : elle avait peur d'aller chez le dentiste.

L'enquêteur Galakhov revint et, patiemment, essaya de la persuader. «Eh bien, Larissa Iosifovna, dit-il, vous êtes une femme si brave ! » Larissa secoua la tête en signe de dénégation.

«Vraiment, reprit-il, je considère que vous êtes la femme la plus courageuse que j'aie rencontrée — et vous avez peur d'aller chez le dentiste ! Vous devriez avoir honte. »

Hypocritement (parce que, moi aussi, j'ai été terrifiée toute ma vie par le dentiste), je dis :

«Cela ne vous fera pas mal du tout. Il faudra faire un effort pendant un moment, puis vous vous sentirez beaucoup mieux. »

Larissa me regarda comme si j'étais une traîtresse, et je ne pus m'empêcher de me sentir coupable.

Nous n'avons jamais pu la persuader d'aller chez le dentiste.

Plus j'avançais dans l'étude de ce dossier, plus j'étais convaincue que je n'étais pas la seule à avoir acquis de l'expérience dans le procès Boukovski. Les autorités aussi, à leur manière, avaient tiré parti de cette expérience, et elles avaient fait un effort pour écarter les défauts évidents de l'acte d'accusation qui s'étaient glissés dans le cas précédent.

En élaborant l'acte d'accusation dans l'affaire Boukovski, le K.G.B. était parti de l'idée que le contenu des slogans pouvait être traité en luimême comme une violation de l'ordre public. Le fonctionnaire qui avait rédigé l'acte d'accusation n'avait même pas essayé de prouver que l'accusé avait commis d'autres actes criminels. C'est pourquoi il avait été tout à fait satisfait de la déposition des témoins — les vigiles du Komsomol — affirmant que leur intervention, c'est-à-dire la dispersion de la manifestation et l'arrestation des participants, était entièrement justifiée par le caractère «antisoviétique» et «diffamatoire» des slogans. Formellement, la cour accepta l'interprétation de l'enquêteur en condamnant Boukovski et consorts en vertu de l'article 190/3 du Code pénal. Après le procès, cependant, l'absurdité juridique de l'acte d'accusation devint évidente pour tous, même pour le K.G.B.

Puisque le régime soviétique refusait la dissidence sous quelque forme qu'elle pût s'exprimer, il n'était pas probable que les autorités tireraient les conséquences juridiques et naturelles de leur précédente erreur — c'est-à-dire reconnaîtraient que manifester était un droit garanti aux citoyens soviétiques par la constitution. C'est pourquoi l'ancienne violation de la loi fut corrigée et rattachée à une nouvelle violation : celle d'avoir préparé et diffusé des affirmations calomnieuses selon les termes de l'article 190/1 du Code pénal.

J'ai déjà mentionné que, en préparant cet acte d'accusation, le ministère public, au mépris de la loi, avait totalement négligé son obligation de le prouver ou de le fonder sur une argumentation raisonnée, se limitant à une pure répétition du texte des banderoles. En ce qui concerne la seconde partie de l'acte d'accusation, le ministère public essaya de la prouver par tous les moyens imaginables, et de la prouver de manière à contrecarrer les objections de la défense selon lesquelles la manifestation elle-même était considérée comme une violation de l'ordre public. Le ministère public ne se satisferait pas de témoignages selon lesquels le libellé des banderoles était considéré comme une violation de l'ordre public ; il lui faudrait une preuve que la manifestation avait été accompagnée de désordre et qu'elle avait entravé l'écoulement normal du trafic.

Sur ce point, les enquêteurs avaient à leur disposition les dépositions des témoins et des prévenus.

Déposition de l'accusé Konstantine Babitski. — « Ni mes compagnons ni moi-même n'avons violé l'ordre public, ni gêné la circulation. Nous étions assis sur le trottoir dans la partie de la place Rouge où il n'y a aucun trafic. Nous n'avons opposé aucune résistance à notre arrestation. Si l'ordre public a été violé, ce fut par les gens en civil qui nous arrachèrent les banderoles et nous arrêtèrent. Ce sont eux qui se sont réellement conduits comme des brigands.

« [...] Les personnes en civil — celles qui nous ont appréhendés et conduits au 50e poste de police de la périphérie — se sont comportées honteusement. Elles nous ont crié des insultes, et l'une d'entre elles a donné un coup de poing à quelqu'un qui était près de moi. Après avoir été conduit dans la voiture, je dis en m'adressant aux spectateurs : "Mes amis, c'est une grave erreur, nous sommes en train de perdre les meilleurs d'entre nous." Ensuite, je n'ai plus prononcé une seule parole sur la place Rouge. »

En droit soviétique, le témoignage des accusés est considéré comme une preuve. Quand la même preuve est fournie d'une manière conséquente et inchangée tout au long de l'instruction par tous les accusés, leur déposition acquiert la force d'une preuve convaincante. Comme tous les avocats soviétiques, cependant, j'étais bien conscient que ni le ministère public ni la cour ne seraient guidés par ce témoignage ; la préférence serait donnée à la déposition des témoins.

La déposition des témoins lors de l'enquête préliminaire. — Le premier groupe de témoins était constitué par les amis et parents des accusés. Le deuxième groupe était composé des témoins Iastreba et Leman, deux témoins objectifs qui confirmèrent les comptes rendus fournis par les accusés et leurs amis. Le troisième groupe incluait les témoins effectifs de l'accusation, c'est-à-dire ceux dont le témoignage était mis à profit par l'accusation comme preuve de culpabilité.

Les dépositions des témoins du premier groupe.

TATIANA VELIKANOVA, femme de Konstantine Babitski : « J'ai vu mon mari, en même temps que les autres manifestants, assis autour de "Lobnoïe Mesto" et dépoyant les banderoles... Environ deux minutes plus tard, deux groupes d'hommes sont accourus et ont commencé à saisir ces banderoles. L'un d'entre eux — je me rappelle très bien sa figure — frappa Feinberg au visage. La bouche de Feinberg saignait abondamment. Aucun des compagnons de mon mari ne se releva ni ne réagit à cette provocation. Au bout de la rangée de manifestants où se trouvait Litvinov, quelqu'un d'autre fut frappé — je n'ai pas pu voir qui c'était. Un homme donna un coup de pied à mon mari au niveau de la hanche. La violence n'est pas venue de la foule des assistants, mais du groupe de gens qui se trouvait là manifestement à dessein, bien qu'ils ne portassent aucun brassard permettant de les distinguer. »

TÉMOIN PANOVA : « Quand je traversai la place Rouge pour rejoindre Tatiana Velikanova, je vis des gens assis en cercle à la base de "Lobnoïe Mesto" et déployant des bandes de tissu blanc sur lesquelles étaient écrits des slogans. Il était midi. Presque aussitôt, des hommes en civil convergèrent vers eux en courant et se mirent à battre les personnes qui tenaient les banderoles et à les leur prendre. Tout s'est passé très rapidement. Babitski était assis près d'un homme à la figure amochée et ensanglantée. Aucun des manifestants ne bougea ni ne parla quand leurs assaillants se mirent à les battre. »

Des témoignages exactement semblables furent fournis par les autres amis et connaissances des manifestants.

Les dépositions du deuxième groupe de témoins.

Le dossier de l'enquêteur comportait aussi la déposition d'autres témoins de la manifestation qui avait eu lieu sur la place Rouge le 25 août.

TÉMOIN IASTREBA : « Mon domicile permanent se trouve à Tcheliabinsk. J'étais venue à Moscou en vacances. Le 25 août, je me rendis sur la place Rouge à 11 h 50 du matin. Je voulais simplement visiter la place et le mausolée de Lénine. Je vis ce groupe approcher de "Lobnoïe Mesto" et s'asseoir sur les marches. Littéralement en une seconde, ils brandirent des banderoles sur lesquelles étaient peints des slogans... Presque aussitôt, plusieurs hommes accoururent et leur prirent les banderoles. Les manifestants ne se sont même pas levés. Ils restèrent assis. Dans la chaleur du moment, l'un des assaillants frappa un manifestant sur la tête avec une serviette assez lourde. Des gens de la foule essayèrent de l'arrêter, et je vis un autre assaillant menacer la foule d'un geste du bras.

Quand les manifestants eurent été arrêtés, ils s'en allèrent tranquillement... »

TÉMOIN LEMAN: « Le 25 août, j'étais sur la place Rouge. J'aperçus une foule près de " Lobnoïe Mesto " et je m'approchai. Un homme assis, portant une chemise verte, fut frappé dans les dents. A ce moment, des hommes se mirent à maltraiter les manifestants et à les faire monter dans des voitures. Soudain, plusieurs hommes accoururent vers moi et me tirèrent par les bras. L'un d'entre eux dit : "Est-ce que c'est celui-là ? " Un autre répliqua : "Non, ce n'est pas lui ". Ils me tordirent les bras derrière le dos, me frappèrent sur le cou et me poussèrent dans une voiture, au moyen de laquelle je fus conduit au 50e poste de police de la périphérie. Je ne connais aucune des personnes qui furent arrêtées. »

Le parquet de Moscou vérifia soigneusement les circonstances de la présence de Leman sur la place Rouge ainsi que de son arrestation. Il fut établi de la façon la plus formelle qu'aucun des manifestants ne le connaissait, qu'il n'avait été témoin de la manifestation que par pur hasard et que son arrestation avait été une erreur.

Les dépositions du troisième groupe : les témoins de l'accusation.

Parmi celles-ci, je ne citerai que celles qui furent les plus dommageables aux accusés et sur lesquelles le verdict de culpabilité fut finalement fondé.

TÉMOIN BOGATYROV: « Le 25 août, j'allai sur la place Rouge vers midi pour m'y promener. J'aperçus une foule autour de " Lobnoïe Mesto ". Quelqu'un criait là-bas : " Libérez Dubček ". Je m'approchai en courant. On faisait déjà monter des citoyens dans des voitures. C'était un spectacle écœurant. Les personnes arrêtées se débattaient. Elles insultaient les assistants, criaient des slogans ; en d'autres termes, elles se comportaient comme de fieffés voyous. L'une des femmes traita la foule de " cochons ", cria qu'on était en train de la battre, bien que personne ne la battît, et se lamentait. Quelqu'un me donna les banderoles qui avaient été prises aux manifestants. Je ne les ai pas lues, mais les ai remises à la police. Dans les voitures, les manifestants continuaient à crier. Au poste de police, j'ai donné mes nom et adresse et je suis parti. »

TÉMOIN DAVIDOVITCH: « Je traversais Moscou. Mon domicile est en Azerbaïdjan. Le 25 août, je sortais des magasins du Goum et traversais la place Rouge vers midi. Je vis un groupe de personnes traversant la place en direction de " Lobnoïe Mesto ". Elles s'assirent autour de la place Rouge du côté de " Lobnoïe Mesto " et déployèrent immédiatement des banderoles portant l'inscription " Bas les pattes de la Tchécoslovaquie " ainsi qu'une autre inscription en langue tchèque. Un attroupement commença à se former. Quelques manifestants commencèrent à faire des discours. Les citoyens qui s'étaient rassemblés exigèrent leur arrestation. Des hommes en civil se mirent à pousser les membres de ce groupe dans des voitures qui arrivaient. Je les aidai. Personne ne les a battus. »

Pour finir, je vais reproduire *in extenso* un document dans la marge duquel, dans mon dossier, j'ai mis un point d'exclamation.

Rapport de l'inspecteur Koukline, du Service de surveillance de la circulation à Moscou.

« Le 25 août, tandis que je patrouillais, je remarquai un groupe d'individus sur la voie de passage qui entoure " Lobnoïe Mesto". Ils étaient debout sur le trottoir et criaient en brandissant des banderoles. Ce groupe gênait la libre circulation entre la porte Spaski d'une part, le Kremlin et la rue Kouïbychev de l'autre, ainsi qu'en sens inverse. Ces citoyens n'ont pas obtempéré à ma demande d'évacuer la voie de passage, mais sont restés là à crier. »

Lors de mes entrevues avec chacun de mes clients, j'ai discuté de ce rapport. Pavel Litvinov me dit : «Dina Izaakovna, tout cela n'est qu'un tissu de mensonges. La manifestation a eu lieu en position assise. Nous étions assis sur le trottoir, et nous ne nous sommes pas levés avant qu'on nous fît monter dans des voitures. Pas un seul véhicule n'a traversé la place pendant le temps que nous étions là. »

« Ma chère, me dit Larissa, il est clair pour tout le monde que rien de cela n'est vrai. Aucun de nous ne s'est levé une seconde. Nous avions décidé par avance de rester assis sur le trottoir et de ne pas réagir aux provocations. Même quand on nous donna des coups de poing et des coups de pied, personne n'a crié ni ne s'est battu. »

Je crus Pavel et Larissa sans réserve, parce que c'étaient *eux* qui le disaient. Mais en plus de cela, cependant, tandis que je lisais les documents du dossier, par habitude professionnelle mon attention s'arrêta à certains détails qui me parurent d'abord douteux et qui par la suite me permirent d'affirmer sans la moindre hésitation : «Tout ce groupe de témoins a fourni un faux témoignage sur toute une série de points qui sont essentiels pour l'accusation. Le rapport de l'inspecteur du Service de surveillance de la circulation moscovite est un faux témoignage. »

Des doutes m'étaient venus à l'esprit quant à la sincérité de ces témoins parce que leur histoire était réfutée par les dépositions des accusés — que je croyais, je le répète — et par tous les autres témoins oculaires de la manifestation, parmi lesquels se trouvaient plusieurs personnes complètement désintéressées, dont l'objectivité ne faisait aucun doute. Pourtant, ces témoins vedettes de l'accusation — Vessiolov, Ivanov, Bogatyrov et autres — n'étaient eux aussi que de simples spectateurs, supposés désintéressés et objectifs. Alors, tandis que je collationnais mes notes dans un but de vérification, je remarquai quelque chose en face du nom de ces quatre témoins :

Témoin Vessiolov — fonctionnaire de l'unité militaire n° 1164 ;

Témoin Bogatyrov — fonctionnaire de l'unité militaire n° 1164 ;

Témoin Ivanov — fonctionnaire de l'unité militaire n° 1164 ;

Témoin Vassiliev — fonctionnaire de l'unité militaire n° 1164.

Comment cela se faisait-il qu'ils se trouvaient tous les quatre au même endroit, à la même heure, le même jour ? Pourquoi aucun d'entre eux, quand il était interrogé, n'avait-il dit qu'il avait donné rendez-vous à ses collègues, ou bien qu'il venait juste de les rencontrer par hasard sur la place Rouge ? Comment se faisait-il que l'enquêteur, qui avait demandé à tous les autres témoins d'expliquer en détail tout ce qui était en relation avec leur arrivée sur la place Rouge, n'avait pas posé à *ces* témoins la question la plus immédiate : leur rencontre était-elle pure coïncidence, ou bien était-elle arrangée d'avance ? Avaient-ils jamais passé leur dimanche ensemble auparavant ? L'enquêteur ne leur avait même pas demandé s'ils se connaissaient mutuellement. On aurait dit qu'il espérait qu'aucun des membres du tribunal ne remarquerait que tous ces témoins, qui fournissaient une déposition si bien coordonnée contre les accusés, étaient en fait des camarades de la même unité militaire.

Un autre détail m'avait arrêtée. Quand il remplit la fiche signalétique de chaque témoin, l'enquêteur n'est pas censé se limiter à la simple indication du numéro de l'unité. Il doit mentionner le grade du témoin ainsi que le ministère auquel son unité militaire est subordonnée (ministère de la Défense, ministère de l'Intérieur, K.G.B.). Sur la fiche de ces témoins, cependant, seul figurait le mot énigmatique « fonctionnaire » dans la case réservée au grade, ce qui est dépourvu de signification en termes militaires et ne peut s'expliquer que par la terminologie employée par le K.G.B. La subordination ministérielle de « l'unité militaire n° 1164 » n'était pas indiquée non plus.

En me référant à la fiche signalétique du témoin Davidovitch, j'appris que ce dernier avait un diplôme de droit, qu'il n'avait pas présenté à l'enquêteur une carte d'identité, mais une carte du ministère de l'Intérieur, et que son lieu de travail était l'unité militaire n° 6592. Si l'on ajoute à ce fait que son lieu permanent de résidence et de travail était l'Azerbaïdjan (une république où sont concentrés la plupart des prisons et des camps de travail à régime sévère), j'avais toutes les raisons de supposer que Davidovitch (particulièrement avec son diplôme de droit) était un fonctionnaire supérieur du Service des prisons. Cette situation en elle-même, naturellement, ne signifiait pas qu'il racontait des histoires à l'enquêteur, mais je ne pouvais plus traiter son témoignage comme celui d'un témoin objectif. Il y avait en outre un détail dans sa déposition qui était censé ne pas être en relation directe avec les actes des accusés, mais qui indiquait clairement soit que Davidovitch ne disait pas la vérité, soit qu'il cachait sciemment les raisons de sa présence sur la place Rouge.

Davidovitch avait déclaré qu'il était arrivé sur la place Rouge en sortant du Goum (le grand magasin le plus important de Moscou). Mais tous les Moscovites savent que le Goum est fermé le dimanche ; par conséquent, si Davidovitch, comme il le prétendait, était venu sur la place Rouge simplement pour y effectuer une promenade dominicale, il n'avait pas pu pénétrer dans les bâtiments du Goum.

C'était une autre affaire s'il s'était trouvé « en opération ». Toute la façade principale du Goum donne sur la place Rouge, mais son entrée latérale donne sur la rue Kouïbychev, c'est-à-dire sur la « voie rapide du gouvernement », nom que l'on donne à la route empruntée par les voitures officielles qui circulent entre le Kremlin et la place Staraïa, où se trouve le Comité central du parti communiste de l'Union soviétique. Pour cette raison, un poste d'observation permanent de la police est installé de ce côté du bâtiment du Goum. Si Davidovitch disait la vérité en affirmant qu'il sortait du Goum en entrant sur la place Rouge, il n'avait pu le faire qu'en tant que membre d'une équipe « en opération » suivant un plan préparé d'avance. Mon expérience d'avocate ne me laissait aucun doute sur le fait que les « fonctionnaires » — les membres de cette équipe opérationnelle — étaient préparés à fournir n'importe quel témoignage que leur prescrirait le K.G.B. Des notions telles que le respect de la justice ou le devoir du citoyen de ne dire que la vérité devant un tribunal ne sont pas très répandues en Union soviétique.

Les témoins dont nous parlons n'avaient pas lieu de s'inquiéter de leur faux témoignage. Ils savaient que ni l'enquêteur ni le juge ne feraient la moindre tentative de les prendre en défaut, aussi évidente que leur falsification pût être. Ils savaient que, au tribunal, chaque mot qu'ils prononceraient sur les instructions du K.G.B. ou du ministère public serait protégé de toute critique venant de la défense ou des accusés. Je réalisais aussi, cependant, que cette analyse, si importante qu'elle fût pour notre propre évaluation de la nature de la preuve, ne pourrait être utilisée au tribunal si l'on ne pouvait prouver avec certitude que ces témoins avaient été influencés. J'étais convaincue, par ailleurs, qu'un mensonge finit toujours par apparaître, quels que soient les efforts que l'on fasse pour le déguiser.

Interrogatoire de l'inspecteur Koukline, témoin (27 août). — « Le 25 août, j'étais de service au coin de la rue Kouïbychev. Je remarquai un groupe de huit à dix personnes qui se dirigeait vers "Lobnoïe Mesto". Je ne sais pourquoi, mais ils attirèrent mon attention et je courus immédiatement dans cette direction. En atteignant le milieu de la place, je remarquai que les citoyens, assis sur le trottoir qui entoure "Lobnoïe Mesto", tenaient quelque chose dans leurs mains levées... Je ne me suis pas approché très près de "Lobnoïe Mesto", et c'est pourquoi je n'ai pas vu les slogans ni entendu les cris... Le jour même, à la fin de ma tournée, j'ai rédigé un rapport sur cet incident.»

Les contradictions entre la déposition de Koukline et son propre rapport étaient évidentes.

Dans sa déposition, il disait: «Je n'ai pas entendu de cris...»

Dans son rapport, il écrivait: «Ils étaient debout sur le trottoir et brandissaient des banderoles *en criant*...» et «Les citoyens n'ont pas obtempéré à ma demande d'évacuer le passage, mais sont restés là en criant». Comment, par ailleurs, le témoin aurait-il pu «demander» aux manifestants s'il «ne s'était pas approché très près de "Lobnoïe Mesto"», comme il le dit dans sa déposition?

Koukline n'était pas un témoin ordinaire; il était inspecteur à la police de la circulation, chargé de l'un des postes de contrôle les plus névralgiques de Moscou: le secteur de la «voie rapide du gouvernement» reliant le Kremlin au bâtiment du Comité central. Toute son attention était concentrée pour assurer une bonne circulation dans le secteur sous son contrôle, lequel incluait la place Rouge. Son témoignage revêtait la plus grande importance sur le point de savoir si la manifestation avait réellement gêné le mouvement normal de la circulation.

Dans son rapport, il écrivait: «Ce groupe gênait la libre circulation entre la porte Spaski d'une part, le Kremlin et la rue Kouïbychev de l'autre, ainsi qu'en sens inverse.» Dans le procès-verbal de son interrogatoire par l'enquêteur, il n'y avait pas mention de cela et, plus étrange, l'enquêteur n'avait même pas posé de questions à ce propos: non seulement au cours du premier interrogatoire, mais même ultérieurement, il avait omis de demander à Koukline si la circulation avait été gênée et, dans l'affirmative, pendant combien de temps.

Tout cela aurait pu provoquer une sérieuse perplexité et de la suspicion chez les avocats de la défense, mais ils en seraient restés à la suspicion, n'eût été la négligence ou les omissions de l'enquêteur — ces omissions mêmes qui aident toujours à révéler les mensonges et les falsifications.

En interrogeant l'inspecteur Koukline le 27 août, l'enquêteur nota, d'après les propres mots de Koukline: «Le jour même (25 août), à la fin de ma tournée, j'ai rédigé un rapport sur cet incident.»

Au dos du rapport qui était joint au dossier, on pouvait lire dans la case de la date, de la main de Koukline: «*3 septembre 1968*».

De toute évidence, un second rapport avait été écrit pour remplacer le premier, et cela parce que le contenu du premier rapport ne convenait pas aux enquêteurs — et il ne convenait pas au point qu'un fonctionnaire du parquet de la ville de Moscou l'avait retiré du dossier, ce qui était un acte criminel. Naturellement, après avoir opéré cette substitution illégale, il eût été facile à l'enquêteur d'obtenir du témoin qu'il date son nouveau rapport de la date précédente : le 25 août. Mais l'enquêteur avait oublié que la déposition de Koukline contenait la phrase qui le trahissait : «*Le jour même...* j'ai rédigé un rapport sur cet incident» et, par négligence, il avait laissé subsister la véritable date sur le rapport substitué.

Beaucoup de gens à qui j'ai parlé depuis mon arrivée en Amérique m'ont demandé : «Pourquoi vous autres avocats vous souciez-vous de déceler toutes ces contradictions dans le dossier de l'accusation et d'échafauder des plans pour le contre-interrogatoire des témoins s'il est vrai que l'issue de tous ces procès politiques est fixée d'avance, et si vous savez qu'aucun des arguments avancés par la défense n'influencera le verdict de la cour ? »

La même question, encore que formulée de façon légèrement différente, m'était aussi posée quand j'étais en Union soviétique. Là-bas, tout le monde réalisait que ces procès étaient déjà tranchés avant même que la cour ne se réunisse. Les gens disaient simplement : «Eh bien, tout le monde sait qu'ils seront condamnés, et qu'ils écoperont de la peine décidée par le K.G.B. et les autorités du parti. Pourquoi gaspiller tant de force et d'énergie nerveuse pour une défense qui, vous le savez, est vouée à l'échec ? »

C'est pendant cette période que l'un des poètes «souterrains» les plus fameux de Moscou écrivit une chanson intitulée *la Valse juridique*. Il la dédia aux avocats qui défendaient dans les procès politiques :

> *Le juge et le procureur*
> *Se soucient des faits comme d'une guigne ;*
> *Le procès n'est qu'un écran de fumée :*
> *Le verdict est déjà préparé.*

Les deux dernières strophes s'adressaient directement aux avocats :

> *Quand votre client est jugé pour subversion,*
> *Votre devoir est tout à fait clair :*
> *Demandez à la cour une sentence plus légère*
> *Que celle qu'elle prononcera certainement.*

> *Pourquoi alors les avocats le font-ils ?*
> *Pour l'excitation, le frisson du combat ?*
> *Pourquoi se soucier de parler à un mur de brique,*
> *De redresser ce qui ne peut être droit ?*

Pourquoi donc le faisions-nous ? Si ce n'était pas pour l'excitation (ce mot me paraît aujourd'hui bien mal venu), était-ce pour le frisson du combat ? Pour certains avocats, la motivation principale était l'impérieuse nécessité de faire tomber les masques, de montrer à tous quelles farces tragiques étaient ces procès politiques. Pour moi, cependant, «démasquer» n'était qu'une conséquence de mon travail, le résultat du soin que je mettais à préparer mon dossier, mais non pas sa motivation. Ce n'était jamais un but en soi. Je n'ai jamais nourri l'idée que, si un procès était destiné à se retourner contre moi, cela m'autorisait à réduire l'effort dans le travail que j'y consacrais.

Mes clients aussi étudiaient le cas avec le plus grand soin. Avec chacun d'eux, je discutais en détail la déposition des témoins, je leur expliquais la ligne de conduite que je me proposais d'adopter dans ma défense, et je leur enseignais la manière correcte de poser des questions. Je consacrai une attention particulière à la préparation de Larissa au procès qui s'annonçait, car elle avait l'intention d'assurer elle-même sa défense devant la cour. De ce fait, elle allait acquérir tous les droits procéduraux que la loi accorde aux avocats professionnels, y compris le droit de prononcer une plaidoirie en plus des «dernières déclarations» qui sont accordées à tout accusé.

Comme je l'ai dit, un avocat, dans un procès politique, a l'obligation coutumière de condamner toute opinion politique non orthodoxe que son client peut soutenir, et d'évaluer celle-ci du point de vue «correct» de la ligne du parti. Aller plus loin, déclarer sa sympathie pour les vues politiques avec lesquelles on pourrait être d'accord, était une chose impossible si l'on voulait rester dans la profession. Nous étions obligés de limiter sciemment nos remarques aux aspects purement légaux et juridiques de la défense. Ni alors ni plus tard, les dissidents ne nous condamnaient pour cela, même les plus intransigeants. Pourtant, je me souviens du vif sentiment de honte que j'éprouvai quand Larissa me dit: «Il faut que je fasse ma plaidoirie moi-même. Quelqu'un doit parler publiquement contre l'occupation de la Tchécoslovaquie au nom de tous les accusés, et je pense que je puis le faire mieux que les autres.»

Je savais que Larissa serait à la hauteur de cette tâche qu'elle avait choisie. Elle est très douée pour exprimer ses pensées avec concision. Le fil de son argumentation est toujours rigoureusement logique. Même ainsi, je mis un soin tout particulier à soumettre à une analyse tatillonne chaque mot qu'elle se proposait de prononcer devant la cour. Je ne cessais de lui répéter: «Rappelez-vous qu'ils peuvent vous interdire de parler de vos opinions et de vos convictions, mais que personne ne peut vous priver de votre droit de donner les raisons pour lesquelles vous vous êtes rendue sur la place Rouge. Conformément à la loi, la cour est tenue d'établir les motifs de toutes les actions dont les prévenus sont accusés.»

Larissa et moi-même étions tombées d'accord pour que, mis à part un ou deux intimes, personne ne sût d'avance qu'elle avait l'intention de se défendre elle-même devant le tribunal. Il était important pour elle de conserver le droit de me voir jusqu'au début du procès. Nous avions aussi convenu que, après le procès, je deviendrais de nouveau son avocat officiel et que je représenterais ses intérêts quand son appel viendrait en audience devant la Cour suprême de la R.S.F.S.R.

La courte période de préparation au procès se passa ainsi. Chaque matin je me rendais à Lefortovo avec le sentiment qu'on attendait ma visite avec impatience, qu'on avait besoin de moi. (J'ai eu du mal à me défaire de ce sentiment dans ma vie actuellement calme et sans histoire d'émigrée.)

L'enquêteur Galakhov «fermait les yeux» avec assez d'indulgence. Ennuyé par l'inactivité forcée, il avait l'habitude de quitter le bureau pour aller bavarder avec l'un de ses amis enquêteurs. Souvent, pendant ces minutes de liberté à deux, nous cessions de parler du procès. Avec Larissa, nous parlions le plus souvent de son fils et d'Anatoli Martchenko. Entre autres choses, je lui racontai l'extraordinaire conversation que j'avais eue une fois avec le juge de la cour populaire qui s'était occupé du procès de Martchenko, et qui avait fait des remarques extrêmement désagréables à propos de Larissa (elle avait été témoin dans cette affaire), de Pavel et de quelques autres amis d'Anatoli que le juge avait vus au tribunal. A son avis, tous ces intellectuels avaient simplement peur de signer une «lettre ouverte» sur la situation en Tchécoslovaquie, et ils utilisaient simplement Anatoli — «un garçon russe ordinaire de la classe ouvrière» — comme écran : ils étaient les seuls responsables de son emprisonnement, tandis qu'eux-mêmes restaient en liberté et en sécurité.

Après l'arrestation de Pavel et de Larissa, je dus me rendre au tribunal pour interjeter appel dans le procès d'Anatoli Martchenko. Le greffier me dit que le juge désirait me voir de toute urgence. J'entrai dans la salle d'audience tandis que le juge présidait à un procès criminel. Les deux femmes qui tenaient les rôles d'assesseurs profanes étaient les mêmes que dans l'affaire Martchenko ; l'une d'entre elles me remarqua, se pencha vers le juge et chuchota quelque chose. Le juge interrompit brusquement un témoin qui déposait, annonça une suspension de cinq minutes et me demanda d'entrer dans son bureau. Après une courte pause, il dit :

«Nous tous» — il hocha de la tête en direction des assesseurs, lesquels acquiescèrent à leur tour de la tête — «nous voulions vous voir pour vous dire que nous avions été injustes. Nous avions tort à propos de ces gens (les amis de Martchenko), et nous avons eu tort de parler d'eux comme nous l'avons fait. Si vous avez l'occasion de revoir ces gens, je vous prie de leur dire.»

J'acceptai et, bien que le juge n'eût indiqué aucun nom, je pense que j'ai tenu ma promesse en transmettant ses remarques à Pavel et à Larissa. (Peu de temps après, ce juge démissionna de son poste et ne se représenta pas à la réélection des magistrats.)

Le 20 septembre, avocats et accusés avaient achevé leur étude du dossier. Le même jour, je soumis une requête demandant que la séparation du cas de Feinberg fût révoquée, et une autre requête demandant que l'annonce faite par Larissa qu'elle allait faire grève fût rayée de l'acte d'accusation. Les deux requêtes furent écartées ce même jour. Une requête similaire concernant Feinberg fut soumise par les autres avocats, et elle fut également déclinée. Il était évident pour nous que le K.G.B. ne permettrait à aucun prix que Feinberg apparût au tribunal avec ses dents manquantes et ses dents cassées.

Beaucoup plus tard, Pavel et Larissa évoquèrent ces longues conversations de la prison de Lefortovo dans les lettres qu'ils m'envoyaient de leur lointain exil.

« Ces mois de septembre et d'octobre, après tout, n'ont pas été si mauvais que ça, n'est-ce pas ? La halva n'est plus qu'un souvenir, hélas ! Je ne peux plus en manger : toutes ces déportations m'ont rendue malade... »

« Ma chère, juste une courte note pour aujourd'hui, écrivait Larissa. Je voulais seulement vous parler, sans raison vraiment. Comme alors, en septembre. »

« Chère Madame l'avocate ! (Mon voisin, à Lefortovo, avait l'habitude de dire : "Voilà encore Madame votre avocate qui vient vous rendre visite.") Merci pour le procès, merci pour les conversations de Lefortovo. Vous vous souvenez ? » Telle est la façon dont Pavel Litvinov commençait les lettres qu'il m'écrivait.

Oui, je me souviens. Le drôle et le triste. L'important et l'inopportun. Je me rappelle tout, même les détails les plus absurdes, superflus et inutiles pour tout le monde, excepté pour moi, qui sont emmagasinés dans mon esprit pour toujours. Je me rappelle mes entretiens prolongés dans les endroits les plus inattendus avec Maïa Roussakovskaïa, qui se terminaient inévitablement par la demande qu'elle me faisait de remettre une lettre à Pavel. Je plaçais ces lettres à l'intérieur de mon classeur et, quand on me laissait seule avec lui, je les lui faisais lire subrepticement. Encore aujourd'hui, je les garde dans mon dossier. Des lettres de plus de douze ans qui commençaient toutes par les mêmes mots : « Mon petit Paul, Mon chéri... » Je puis me permettre d'en parler, car Maïa Roussakovskaïa est devenue aujourd'hui Maïa Litvinova, la femme de Pavel. Après sa condamnation, elle le suivit en exil. C'est là qu'ils se marièrent, c'est là que leur fille est née : ils l'ont appelée Larissa, en l'honneur de Larissa Bogoraz. (Par la suite, quand Larissa et Anatoli Martchenko eurent un fils, ils l'appelèrent Pavel, en l'honneur de Pavel Litvinov.)

Date : 20 septembre 1968   Exemplaire n° 8

Confirmé le 23 septembre 1968

V. Koloskov
vice-procureur de la ville de Moscou ....
....
....

Dactylographié en 15 exemplaires
Ordre n° 333.531
23 septembre 1968

Le document dont les premières et les dernières lignes sont reproduites ci-dessus, et dont le secret est signalé par la classification spéciale dans le coin en haut et à droite, ainsi que par le nombre limité d'exemplaires, est l'acte d'accusation dans le procès criminel de la manifestation de la place Rouge : l'affaire n° 41074-68s. La lettre « s », à la fin du numéro, est une autre façon d'indiquer le caractère secret. Cette seule lettre, écrite sur la couverture de chaque volume du dossier, détermine l'itinéraire spécial qui permet à l'affaire de court-circuiter tous les canaux réguliers, de parvenir directement au « Département spécial » du tribunal de la ville de Moscou et d'être enregistrée sous un numéro spécial à la « cour spéciale de la chancellerie ». Toute la progression ultérieure de l'affaire suivra aussi cette route spéciale, jusqu'à la Cour suprême : « cour spéciale de la chancellerie », « registre spécial » et magistrats « spécialement » convoqués pour entendre le procès.

Toutes les personnes concernées par l'affaire savaient qu'il n'y avait absolument rien de secret dans aucun document du dossier. La classification « secret », dans ce procès, révèle ce qu'on appelle les « oreilles » — les oreilles toujours soigneusement cachées, mais importunes, du K.G.B. La classification, la cour « spéciale » de la chancellerie, les magistrats « spécialement » convoqués sont les signes révélateurs du K.G.B. Par conséquent, quand les autorités soviétiques déclaraient à l'intention du monde occidental que le procès de la manifestation de la place Rouge n'était qu'un simple procès criminel normal, elles s'efforçaient de cacher l'importance réelle qu'elles accordaient elles-mêmes à l'affaire en plaçant les manifestants sous la tendre surveillance du corps responsable de la sécurité de l'État soviétique.

Tous les signes de l'implication du K.G.B. étaient confirmés par le marquage de ce document. C'est pourquoi je ne fus pas surprise par la vitesse avec laquelle le dossier parvint au tribunal. Neuf jours ouvrables seulement s'écoulèrent entre l'enregistrement du dossier au tribunal de la ville de Moscou et la date fixée pour le procès. Pendant ces neuf jours, il avait fallu nommer un juge, donner un exemplaire de l'acte d'accusation à chacun des prévenus (au moins trois jours avant le début du procès) et convoquer tous les témoins, dont certains habitaient loin de Moscou. Enfin, il fallait accorder du temps aux avocats pour mettre la dernière main à leur dossier et pour voir encore une fois leurs clients.

Le problème crucial était le suivant : se retrouver en face d'un juge qui n'avait pas encore pris connaissance du dossier, qui devait étudier les trois forts volumes des documents de l'enquête, décider si les preuves réunies étaient suffisantes pour conduire les accusés au tribunal et se préparer à l'interrogatoire de plus de trente témoins. Je puis dire avec certitude que le délai de neuf jours était plus qu'une exception : c'était une brièveté unique, qui exigeait un degré également unique d'efficacité de la part de tous les acteurs du système judiciaire.

Tout avait été subordonné à un but unique — obtenir que le procès soit ouvert dans un très bref délai, selon les ordres de quelqu'un placé très haut (on m'a dit plus tard qu'il s'agissait du Comité central du parti communiste de l'Union soviétique).

J'avais quitté Pavel Litvinov et Larissa Bogoraz le 20 septembre. Maintenant, une semaine tout juste avait passé et je me retrouvais de nouveau sur le chemin familier qui mène à la prison de Lefortovo, mais cette fois sans la grosse serviette, et par conséquent sans déjeuners pour mes clients.

« Qu'est-il arrivé, Dina Izaakovna ? Je ne m'attendais pas à vous voir si tôt. » C'est par ces mots que Pavel me souhaita la bienvenue. Et alors seulement : « Excusez-moi, je ne vous ai même pas dit bonjour ! »

Notre petit bureau était complètement silencieux. De temps en temps nous échangions une remarque anodine ; tout le reste du temps, nous écrivions. Pavel comprenait fort bien que des micros étaient cachés et c'est pourquoi, du début à la fin, nous communiquâmes par échanges de notes.

Ce matin-là, j'étais arrivée de très bonne heure à la prison. Je m'étais dépêchée pour ne pas avoir à faire la queue, comme c'est l'habitude, et pour recevoir aussitôt un bureau. Et de fait, j'étais seule à la réception, là où les avocats écrivent leurs demandes de visite à leurs clients.

L'attente commença. L'agent de service, à qui je demandais de temps en temps quand je pourrais obtenir un bureau, me répondait invariablement : « Il faut attendre, tous les bureaux sont occupés. » Plus tard, il me conduisit le long d'un grand couloir étroit jusqu'à un bureau qui était enfin vide. Sur la droite, il y avait des fenêtres. Sur la gauche, une série de portes donnaient sur les bureaux réservés aux entretiens. Toutes les portes étaient grandes ouvertes : tous les bureaux étaient vides. J'étais la seule visiteuse à cette heure matinale. On m'alloua le dernier bureau de la série, le plus petit et le plus inconfortable de tous : il était même dépourvu de sonnette pour appeler l'agent de service. Quand l'entretien était terminé, il vous fallait sortir dans le couloir, crier à travers un vieux haut-parleur : « Agent de service ! Agent de service ! » et continuer à crier tout en vous demandant s'il avait entendu. Je demandai la permission d'utiliser l'un des autres bureaux : ils avaient des pupitres commodes et des sonnettes pour appeler l'agent de service. Mon garde me répondit catégoriquement : « Je n'y peux rien. Mes ordres sont de vous donner ce bureau et pas un autre. » Je ne pouvais imaginer qu'une seule explication à ce refus, ainsi qu'à l'attente apparemment injustifiée à laquelle j'avais été soumise. J'étais venue trop tôt, et on n'avait pas encore eu le temps d'installer les micros spéciaux au moyen desquels le K.G.B. avait l'intention d'écouter la conversation que j'aurais avec mes clients.

Autrefois, ces entrevues avaient été positivement idylliques : nous travaillions dans ces bureaux à l'ancienne mode qui ressemblaient à des cellules et qui étaient habituellement utilisés pour les visites que les prisonniers recevaient de leurs parents en présence d'un garde, de sorte que les mouchards installés en permanence n'étaient pas nécessaires. Par la suite, on nous donna l'usage de bureaux plus grands et bien éclairés au deuxième étage, avec de bons pupitres et les inévitables écrans de télévision, un instrument grâce auquel on pouvait nous observer. Là, même l'échange de notes avec le client devenait dangereux.

Pourquoi cela devait-il être dangereux ? Même d'après le strict règlement des prisons, qu'y a-t-il de criminel dans les entretiens légitimes entre un avocat et son client ? Est-ce que, par exemple, j'introduisais des choses interdites dans la prison, ou bien est-ce que j'en emportais ?

Oui, je le faisais. Nerveuse, terrifiée par la perspective d'être découverte, j'apportais des choses avec moi. A ceux qui fumaient, j'apportais des cigarettes, qu'ils fumaient pendant l'entretien, puis je plaçais celles qui restaient, une par une, dans un paquet vide de la même marque que j'avais mis spécialement dans mon sac, de manière qu'ils pussent les emmener dans leurs cellules. Aux non-fumeurs, j'apportais du chocolat, qu'ils mangeaient en ma présence, après quoi je fourrais le papier d'emballage dans ma serviette.

Je racontais à Pavel et à Larissa tout ce que disaient les radios occidentales à propos de leur imminent procès.

C'était interdit.

Je leur donnais des nouvelles de leurs familles et de leurs amis, les informant notamment du fait que la condamnation d'Anatoli Martchenko avait été confirmée en appel et qu'Anatoli lui-même avait été transféré à la prison de la ville de Solikamsk.

Cela aussi, c'était interdit.

Quelquefois, je paraphrasais, et quelquefois j'apportais des lettres de leurs parents, de leurs femmes, de leurs fiancées et de leurs amis — des lettres pleines de tendresse, d'inquiétude à leur sujet, exprimant leur fierté pour leurs actions et leur admiration pour leur courage. Si vous lisiez soigneusement mon dossier, vous tomberiez sur des lettres comme celle-ci :

Déposition du témoin Vessiolov :
« Le 25 août, je suis allé...
« Mon très cher ami,
« Je n'ai pas encore pu me pardonner d'avoir été absent de Moscou pour le grand jour. On parle beaucoup de vous et on écrit beaucoup sur vous. Tout le monde vous fait grand honneur. » Après cela venaient de nombreux mots de salutations et des vœux pour de prochaines retrouvailles «... où que le sort vous conduise ».

Je ne pouvais communiquer cela à Pavel : c'était interdit. Ainsi, j'étais obligée de forcer mon naturel discipliné et respectueux de la loi pour employer ce camouflage grossier mais efficace : je glissais ces lettres entre les documents officiels que j'étais autorisée à montrer à mon client. Je le faisais parce que j'étais convaincue que la justice n'en souffrirait pas, pour que les accusés sachent qu'ils n'étaient pas oubliés, que les gens pensaient à eux et que la manifestation n'était pas restée sans effet.

Du point de vue de n'importe quel avocat, Pavel et Larissa étaient des clients modèles. Hautement intelligents, de bonne éducation, éminemment adroits à mettre leurs pensées en paroles, ils n'avaient qu'un objectif, mais de grande ambition : dire avec vérité *pourquoi* ils étaient allés sur la place Rouge, et quelles avaient été leurs motivations. Chacun d'entre eux, de façon tout à fait indépendante, avait décidé de sa ligne de conduite devant le tribunal : tout en refusant de répondre à une seule question concernant les autres, il ou elle dirait toute la vérité sur soi-même. Je n'eus pas à leur enseigner que dire : je n'eus qu'à ajuster l'expression de leur témoignage aux exigences de la procédure.

Ce n'était pas une tâche très difficile. Même ainsi, j'ai couvert des pages entières de notes au moyen desquelles j'ai instruit Pavel de la manière dont il devait répondre aux questions de la cour, et dont il devait lui-même poser ses propres questions. C'était là un sujet de conversation parfaitement légitime entre un avocat et son client, mais nous utilisions cette méthode compliquée pour que le ministère public et le K.G.B. ne sussent pas à l'avance quels étaient nos arguments et notre tactique. Il fallait aussi que tout fût ignoré des témoins dont nous nous proposions de révéler les faux témoignages à la cour.

Je n'étais pas la seule à agir ainsi. Beaucoup d'avocats avaient utilisé cette méthode. Je me souviens de Sofia Kallistratova, qui m'a dit un jour après un entretien avec son client Vadim Delaunay : « Heureusement que je suis une vieille dame, Dina ; sinon, je ne sais pas ce que les gardes de la prison auraient pensé de moi. J'ai passé trois heures en entretien avec Vadim et pendant ce temps nous ne nous sommes rien dit, excepté "bonjour" et "au revoir". »

Il faut dire que le fait d'être espionné n'était pour moi ni nouveau ni inhabituel. L'écoute électronique était devenue une réalité quotidienne pour ma famille et pour moi-même. Je savais que l'on écoutait tout dans notre appartement : non seulement les conversations téléphoniques, mais le moindre bruissement. Je savais même avec précision quand notre appartement avait été « raccordé ».

Cela s'est passé vers la fin d'octobre 1967, après le procès de Vladimir Boukovski. Un soir, alors que je me trouvais avec quelques amis, notre conversation fut interrompue par l'arrivée de mon fils Dmitri. Il entra dans le salon et paraissait bizarre ; arborant un sourire inquiet, il dit à mon mari : « Papa, il faut que je te parle un instant, veux-tu venir dans ma chambre s'il te plaît. »

Mon mari revint bientôt, paraissant non moins inquiet et perplexe que mon fils : « Il faut que je vous avertisse, dit-il, que toute la conversation, chaque mot que vous prononcez dans cette pièce peuvent être entendus dans la chambre de Dmitri. Il suffit pour cela de soulever le combiné du téléphone. »

Nous habitions un appartement de trois pièces avec deux couloirs. La chambre de mon fils était la plus proche de la porte d'entrée, notre chambre en était la plus éloignée. Nous étions séparés par les deux couloirs et la pièce commune. Il n'y avait pas de poste téléphonique dans ma chambre : elle n'était même pas équipée pour cela.

Ma première réaction fut : « C'est impossible ! » J'allai dans la chambre de mon fils, soulevai le combiné et écoutai. J'eus la tonalité et... en même temps... Jamais auparavant je n'avais entendu des sons reproduits avec une telle clarté : pas seulement les voix humaines, mais tous les sons — le bruit du vin que l'on verse, le faible tintement du verre... Chaque chose, amplifiée, me parvenait à travers le combiné.

Mes hôtes, chacun leur tour, firent le voyage de la table du dîner à la chambre de mon fils. Chacun voulait être personnellement convaincu. Nous discutâmes du phénomène. Mes hôtes furent unanimement d'accord pour dire que des mouchards avaient dû être installés non seulement à l'intérieur du téléphone, mais aussi dans ma chambre. Si c'était le cas, j'avais une idée précise de la date où cela avait été fait, et par qui. Je mis immédiatement le fait en relation avec une visite que nous avions eue au cours des jours précédents.

Parmi nos connaissances se trouvait un homme que, pendant des années, nous avions régulièrement rencontré aux premières des pièces de théâtre, au lancement des films et au Café national. Toutefois, il n'était jamais venu chez nous, et nous n'étions jamais allés chez lui. Plusieurs jours avant la soirée en question, cet homme appela et dit qu'il avait un urgent besoin de conseils juridiques. Je suggérai qu'il vînt à mon bureau, mais il insista tellement sur le fait qu'il voulait nous parler à tous les deux, à mon mari et à moi, que je l'invitai à venir à notre appartement. Il était passé la veille de notre dîner. Après son départ, mon mari et moi nous demandâmes pourquoi il était venu, parce que les questions à propos desquelles il avait sollicité notre avis étaient particulièrement triviales, presque frivoles. Pendant des années, cet homme avait eu la désagréable réputation d'être un informateur secret du K.G.B. Mon mari et moi n'avions jamais cru ces bruits, tout comme nous refusions de croire les rumeurs écrasantes, mais non fondées, concernant d'autres personnes. En cette occurrence, pourtant, il semblait être le seul suspect possible.

Nous n'étions ni effrayés ni bouleversés par le bricolage du téléphone. Nous l'acceptions comme une conséquence de mon travail d'avocat et nous décidâmes que, en ce qui nous concernait, nous ferions comme si les mouchards n'existaient pas. Nous devions être capables de vivre, de parler et d'agir librement dans notre maison, sinon l'existence deviendrait intolérable. (Nous réalisâmes par la suite qu'il nous était impossible de nous en tenir à cette décision et nous commençâmes à nous trimbaler avec ces petits blocs de papier connus à Moscou sous le nom de « copain des dissidents » et sur lesquels on écrit tout ce qui n'est pas destiné aux oreilles électroniques du K.G.B.)

Le lendemain, à un moment où j'étais seule à la maison, on sonna à la porte. Un inconnu se présenta, qui portait un pardessus foncé et un bonnet de fourrure.

« J'appartiens au central téléphonique local. Je suis venu vérifier votre installation.

— Comme c'est gentil, dis-je. Nous n'avons pas appelé de réparateur. Qui vous a dit de venir ici ?

— C'est un nouveau moyen d'assurer le service des clients : nous faisons le tour pour vérifier tous les postes téléphoniques du secteur. Avez-vous des réclamations en ce qui concerne votre installation ? »

Je ne pouvais pas croire que j'étais en train de parler à un réparateur régulier du téléphone, ni que le service d'entretien soviétique avait atteint un tel degré d'efficacité ; pourtant, je décidai de ne pas cacher le défaut que nous avions constaté dans le dispositif d'espionnage. Après avoir écouté mon histoire sur l'heureuse et soudaine possibilité de rester en contact avec ce qui se passait dans les autres pièces de l'appartement, le « réparateur » dit avec hâte : « C'est l'induction. » Se rendant compte de ma perplexité, il répéta d'une voix confiante : « C'est le résultat de l'induction. »

Il avait pris la précaution d'apporter un appareil téléphonique neuf, au moyen duquel il remplaça notre vieil appareil. Quand il repartit, j'offris au «réparateur» un pourboire, ce qui est habituel en Union soviétique pour quelqu'un qui effectue un travail officiellement gratuit. Mon «réparateur» le refusa fermement, rejetant l'argent avec indignation — au premier abord. Puis mes remarques l'ayant sans doute amené à changer d'avis, il le prit. Qu'aurait-il pu faire quand je lui dis : « Si vous êtes réellement un réparateur du central téléphonique, vous devez vous conduire en conséquence. Ils ne refusent jamais un pourboire. »

Après son départ, j'appelai le service de dépannage de notre central téléphonique local pour essayer de découvrir qui était cet homme. Je dis au responsable que je voulais exprimer ma gratitude au réparateur pour son travail rapide et excellent. On mit du temps à vérifier les registres, puis on me rappela : « Il doit y avoir un malentendu. Nous ne vous avons jamais envoyé de réparateur. »

Après cela, parmi mes amis, le mot « induction » remplaça complètement les expressions absconses d'«espionnage électronique» et d'«écoute téléphonique». Quand quelqu'un disait : « Mon téléphone a de l'induction », tout le monde savait ce que cela voulait dire.

Bien que notre procès fût jugé, en première instance, par le tribunal de la ville de Moscou, le local choisi pour l'audience fut celui de la Cour populaire du district Proletarski de Moscou. Ce tribunal est un vieux bâtiment dont un côté donne sur la rivière Iaouza (affluent de la Moskova) et dont la façade tout entière donne sur une petite rue. Le calme y règne en permanence — il n'y a pas de grands ensembles de constructions dans le voisinage, et la rue est si étroite qu'elle ne constitue pas un axe de circulation. Le début du procès était fixé au 9 octobre 1968, 9 heures du matin — soit une heure plus tôt que l'heure réglementaire pour le début de la journée de travail de la Cour populaire et du tribunal de la ville. Le lieu et l'heure avaient été choisis pour tenir éloignées autant que possible les personnes « indésirables » du public, dans l'espoir que tous ces gens — qualifiés en bloc d'«intelligentsia libérale» —, et surtout les correspondants de presse étrangers, ratent le début du procès.

Dès que je fus à l'extrémité de la rue, je fus entourée d'une foule dense : visages familiers et inconnus, jeunes et vieux. Certaines de ces personnes étaient préoccupées par l'issue du procès, certaines étaient venues parce que les accusés leur étaient chers, d'autres enfin espéraient, par leur seule présence, exprimer leur solidarité avec les manifestants. Tous devraient rester dehors ; personne ne serait autorisé à pénétrer dans le tribunal. Le bâtiment, en effet, était en état de siège : non seulement les éventuels passants et ces « indésirables » dont je parlais, mais même les fonctionnaires du tribunal se voyaient refuser l'entrée. Tout le personnel de la Cour populaire du district Proletarski était tenu de suspendre son travail pendant toute la durée du procès. Je me frayai avec peine un chemin dans la foule; les gens criaient des remarques indignées telles que: «Pourquoi ne nous laissent-ils pas entrer? Pourquoi des gens triés sur le volet sont-ils autorisés à entrer par la porte latérale? Nous exigeons qu'on nous laisse entrer! Introduisez une requête devant la cour pour qu'on laisse entrer le public!»

Puis quelqu'un cria: «Laissez passer l'avocate!» Mes papiers d'avocat furent vérifiés et je me retrouvai à l'intérieur du bâtiment.

Le troisième étage, où devait avoir lieu notre procès, était vide. Sur tout un côté du couloir, les portes donnant sur les salles d'audience étaient fermées. En face d'elles se trouvait la porte conduisant au greffe des affaires criminelles, d'où se faisaient entendre des bruits de voix. J'entrai.

Là, groupés en un cercle dense autour de la femme qui allait juger notre procès — le juge Loubentsova —, se trouvaient le juge Ossetrov, président des magistrats du tribunal de la ville de Moscou, Fountov, substitut du procureur de Moscou, et plusieurs officiers supérieurs du K.G.B. que je ne connaissais pas. Un peu à l'écart se trouvait le président du collège des avocats de Moscou, Konstantine Apraskine. En d'autres termes, les grosses têtes des organisations concernées — la cour, le ministère public, le K.G.B. et les avocats — s'étaient toutes rassemblées ici pour contribuer à mettre en scène le travail de ce tribunal «indépendant». De toute évidence, je n'avais rien à faire dans ce «quartier général»: je ressortis donc dans le couloir.

Quelques instants plus tard, nous nous retrouvions dans la salle d'audience pleine à craquer. Le juge Loubentsova appelait les noms des accusés, tandis que le greffier les consignait un à un sur son registre:

«Accusée Bogoraz — présente;
Accusé Litvinov — présent;
Accusé Delaunay — présent;
Accusé Babitski — présent;
Accusé Dremliouga — présent...»

Valentina Loubentsova, juge au tribunal de la ville de Moscou, avait été désignée pour entendre notre procès. Je la connaissais depuis des années, et fort bien... dans la mesure où l'on peut dire qu'un avocat, en Union soviétique, connaît un juge. Bien que je ne l'eusse rencontrée qu'au tribunal, dans un contexte professionnel, elle et moi étions en bons termes. Loubentsova était toujours cordiale avec moi, et ses démarches au tribunal étaient invariablement courtoises. Bien qu'elle ne se distinguât point par son intelligence ou par son éducation, elle était un juge d'expérience, manifestant tour à tour une sévérité et un libéralisme raisonnables. Elle et moi avions souvent travaillé dans les mêmes procès criminels, et je n'avais jamais eu l'occasion de considérer ses verdicts comme grossièrement injustes. Psychologiquement, Loubentsova était une personne soviétique totale qui acceptait le régime et en était fondamentalement satisfaite. Elle était mariée à un colonel de l'armée soviétique qui travaillait à Moscou au ministère de la Défense. Ils habitaient un appartement confortable.

Je crois qu'elle aimait beaucoup son travail, ou tout au moins qu'elle s'en faisait une haute idée. Elle ajoutait foi à tout ce que le parti lui disait : quels que fussent les méandres de sa ligne politique, elle acceptait chaque revirement comme le seul correct.

En 1968, le processus de démocratisation en Tchécoslovaquie était le sujet de conversations vives et assez franches à tous les niveaux. (La seule couche de la société soviétique à laquelle je ne me sois jamais mêlée et dont par conséquent je ne puisse juger les opinions étant celle de l'*appareil* du parti : le corps de fonctionnaires permanents qui font carrière dans le parti.) Beaucoup de ceux à qui je parlai à cette époque soutenaient sincèrement la politique du gouvernement soviétique. Ils croyaient que la Tchécoslovaquie amorçait un processus de restauration du capitalisme et qu'il existait un réel danger que les forces ouest-allemandes envahissent la Tchécoslovaquie. A côté de cela, j'ai souvent entendu aussi des arguments de cette eau : « Nous avons versé notre sang pour eux, ils nous doivent leur libération du fascisme, et maintenant ils nous trahissent. »

Bien qu'il y eût beaucoup de gens qui crussent cela, je ne suis nullement certaine qu'ils étaient la majorité. Avec une égale fréquence, j'ai rencontré des gens qui percevaient le printemps de Prague comme un exemple offrant la possibilité d'une vie plus libre dans notre pays également. Bien des gens enviaient les Tchèques et étaient émus à la pensée de ce qu'ils faisaient.

L'intelligentsia libérale considérait l'irruption des forces soviétiques en Tchécoslovaquie comme une tragédie nationale et un déshonneur pour le pays.

Le juge Loubentsova était l'une de ces personnes qui croyaient à la propagande soviétique et justifiaient l'invasion soviétique en considérant que la décision du gouvernement avait été raisonnable et même nécessaire. A ses yeux, la manifestation de la place Rouge était criminelle, même si formellement elle ne tombait sous le coup d'aucun article du Code pénal. C'était là un exemple classique du fonctionnement de cette « approche socialiste de la justice » par laquelle tout juge soviétique est tenu de se laisser guider (article 16 du Code de procédure pénale de la R.S.F.S.R.). Et l'approche de la justice des juges soviétiques consiste essentiellement à refléter dans leurs esprits l'idéologie du parti et de l'État (commentaire de l'article 16 du Code). Loubentsova considérait donc qu'il était juste que ces gens fussent jugés, et elle pensait qu'ils méritaient d'être punis. En même temps, sa conviction était de nature quelque peu générale et ne se reflétait pas dans son attitude personnelle à l'égard des accusés.

Quelques jours avant le début de notre procès, je me trouvais par hasard dans l'un des tribunaux populaires de Moscou. Décrivant la femme juge à qui j'allais avoir affaire, d'autres avocats avaient dit : « Elle est si compatissante ! Bien qu'elle n'aime pas prononcer un acquittement, ses sentences ne sont jamais lourdes. » Ce juge « compatissant » me dit ensuite : « Si je m'étais trouvée sur la place Rouge à ce moment-là, je leur aurais arraché les yeux de mes propres mains, et je l'aurais fait avec plaisir ! » Au moment où elle disait cela, son visage exprimait une telle haine non feinte et une telle cruauté qu'il était impossible de douter de sa sincérité. Je ne lui répondis pas, et je restai également silencieuse quand un jeune employé du tribunal, qui était présent à notre conversation, lui dit : « Comment pouvez-vous parler ainsi ? J'ai honte rien que de vous écouter ! »

Si j'ai gardé mon calme en cette occasion, c'est parce que j'avais senti que, si j'ouvrais la bouche, je serais incapable de me contrôler et de rester dans les limites de la politesse. Et de fait, qu'aurais-je pu lui dire ? Quels arguments employer ? Nous ne pouvions avoir aucun langage commun : il n'y avait nul espoir de compréhension mutuelle.

Je me souviens aussi que, après le procès, quand Larissa, Pavel et Konstantine Babitski eurent été condamnés à de longues années d'exil intérieur, certains juges exprimèrent leur contrariété devant ce qu'ils considéraient comme une « douceur » injustifiée de la peine : « On n'aurait pas dû les envoyer en exil, mais dans un camp de travail avec internement et régime sévère, parmi des criminels endurcis. L'exil, ce n'est pas une punition pour de tels scélérats ! »

Je suis convaincue que Loubentsova ne nourrissait pas de tels sentiments. En tout cas, jamais, ni dans les conversations que nous eûmes avant le procès, ni dans sa conduite au tribunal, ni au cours des entrevues assez franches que nous eûmes après le procès, je n'ai décelé chez elle la moindre trace de mépris ou de dédain à l'égard des accusés, ni aucun regret d'avoir prononcé une sentence insuffisamment sévère.

Pour autant que je le sache, le procès de la manifestation de la place Rouge était le premier procès politique dans la carrière judiciaire de Loubentsova. Placée dans une situation où il lui était interdit de décider quoi que ce fût par elle-même, où on lui avait ordonné par avance de condamner tous les accusés, en vertu exactement de quels articles et en lui indiquant la longueur de la peine pour chacun d'eux, elle accepta ces conditions comme naturelles pour un procès aussi inhabituel, et nullement comme une dérogation à sa dignité judiciaire.

Toujours vêtue d'un modeste costume, elle était assise au banc des juges sans manifester de signes d'agitation, de désagrément ou d'irritation. Loubentsova joua le rôle qui lui était imparti, comme directrice de cette représentation judiciaire, avec toute l'adresse professionnelle requise, mais aussi sans véritable intérêt. Toujours intéressée par la question «pourquoi?», elle évitait non seulement de la poser, mais aussi d'entendre la réponse: elle n'écoutait qu'avec réticence quand les accusés expliquaient les motivations et les raisons de leurs actes. A toutes les requêtes importantes introduites par les avocats, elle opposait le refus bref mais catégorique: «La cour n'en voit pas la nécessité.»

Et, dans un sens, elle avait raison. Réellement, ce n'était pas nécessaire. Quels que fussent les documents que la défense demandait de présenter à la cour, quelles que fussent les dépositions fournies par de nouveaux témoins cités par la défense, cela ne ferait aucune différence: tous les accusés seraient condamnés conformément à l'acte d'accusation, déjà approuvé et confirmé avant que le procès ne commence. N'importe quel avocat soviétique peut citer des exemples aussi criants d'un juge qui rejette comme accessoires toutes les preuves qui pourraient potentiellement favoriser les accusés, et cela sans même se donner la peine de vérifier le bien-fondé de la thèse correspondante de l'accusation. Toutefois, Loubentsova n'était pas cette sorte de juge; chez elle, cette manière faussée de conduire un procès, dans laquelle tout est subordonné à une décision prédéterminée, était une exception.

Pour parachever ce portrait psychologique du juge Loubentsova, il me faut ajouter quelques lignes supplémentaires. A la suite du procès de la manifestation de la place Rouge, elle fut souvent nommée dans des procès politiques, alors même que je n'y prenais plus part. Mais on m'a rapporté que Loubentsova continuait conséquemment d'ignorer toute preuve litigieuse favorisant les accusés. Au début, cette attitude ne se refléta pas dans sa façon de traiter les affaires criminelles ordinaires, mais l'habitude de railler la loi, qu'elle acquit dans les procès politiques, se généralisa d'elle-même peu à peu. On vit que se précisaient chez elle les traits de la bureaucrate sans âme. Non seulement les avocats et les procureurs, mais même les greffiers commençaient à dire: «Loubentsova n'est plus la femme qu'elle était!» Au bout de quelques années, tout le monde avait oublié le temps où voir son dossier jugé par Loubentsova était considéré comme un avantage positif, où un avocat pouvait dire à son client: «Vous avez de la chance, votre affaire va être jugée par un bon juge!»

Dans les premières minutes de ce procès, j'étais encore plus nerveuse que d'habitude. Pour l'instant, je défendais Larissa Bogoraz et Pavel Lit-

270

vinov, mais bientôt je n'aurais plus qu'un seul client : Larissa allait annoncer à la cour qu'elle avait l'intention de conduire sa propre défense. Pour la première fois de ma carrière, un client allait décliner mes services et, bien que je susse que Larissa ferait cette demande avec la plus grande courtoisie, je ne pouvais m'empêcher de ressentir une blessure d'amour-propre.

Plusieurs requêtes furent introduites conjointement par tous les accusés et leurs avocats. Nous demandions à la cour :

1. D'inscrire six témoins supplémentaires sur la liste de ceux qui étaient cités pour déposer devant la cour.

La loi soviétique ne reconnaît pas les concepts de « témoins de l'accusation » et de « témoins de la défense ». L'enquêteur détermine par avance quels témoins seront appelés à déposer. La loi oblige à entendre tous les témoignages : aussi bien ceux qui sont contre l'accusé que ceux qui sont en sa faveur. Les témoins Leman, Velikanova, Medvedovskaïa, Baïeva, Roussakovskaïa et Panova avaient été interrogés lors de l'enquête préliminaire, et ils avaient tous déposé en faveur des accusés. Cependant, l'enquêteur n'avait pas cru bon de les inscrire sur la liste.

2. De renvoyer l'affaire pour complément d'information afin d'y inclure le cas de Viktor Feinberg. C'était une réitération de la requête que nous avions introduite avant le procès.

3. De renvoyer l'affaire pour complément d'information afin d'identifier les individus qui avaient arrêté les accusés et d'enquêter sur la légalité de leurs actions.

La cour accéda à la demande de Larissa et la laissa conduire elle-même sa défense. Notre demande de citer des témoins supplémentaires fut partiellement satisfaite : sur les six personnes dont nous demandions la présence, trois furent citées — Leman, Velikanova et Medvedovskaïa. Toutes nos autres requêtes furent rejetées.

On lut l'acte d'accusation, après quoi la cour procéda à l'interrogatoire des accusés et des témoins. Voici une brève esquisse de chacun des accusés, tirée des informations fournies par l'enquêteur et de ce qu'ils dirent eux-mêmes à la cour.

VLADIMIR DREMLIOUGA, 28 ans.
En 1958, il avait été expulsé du Komsomol « pour avoir détruit une famille soviétique, pour défaut de cotisations et pour sa moustache ». (A l'époque, la moustache d'un jeune homme pouvait facilement être considérée comme criminelle, car la moustache était une manifestation de l'influence corruptrice de l'Occident.) Il avait également été expulsé de l'université de Leningrad, officiellement sous le motif de « conduite indigne d'un étudiant soviétique ». La véritable raison de son expulsion résidait dans l'histoire suivante.

Dremliouga vivait dans un appartement communautaire, c'est-à-dire partagé. L'un de ses voisins était un ancien fonctionnaire du K.G.B., qu'il n'aimait pas beaucoup, à en juger par les apparences. Dremliouga passa un accord avec l'un de ses amis, qui, à la suggestion de Dremliouga, lui envoya une lettre en passant par son voisin ex-K.G.B., lettre dont l'enveloppe portait la suscription : «Au capitaine Vladimir Dremliouga, K.G.B. » Ce qui, à mes yeux, n'était qu'une plaisanterie stupide fut considéré comme «insultant pour les forces de la Sûreté d'État», et il en résulta pour l'intéressé son expulsion de l'université.

La description officielle du caractère de Dremliouga constatait aussi qu'il avait été condamné pour la revente illégale de pneus d'automobile et que, au cours d'une perquisition dans sa chambre, la police avait confisqué une liste impressionnante de ses conquêtes amoureuses.

Tout cela était consigné au dossier. Dans mon souvenir, cependant, je revois encore le visage de Vladimir, rempli d'un vif intérêt pour tout ce qui l'entourait. Je me souviens du flot incessant de ses plaisanteries pendant les suspensions de séance, et de son absence totale d'abattement ou de perplexité. J'ai un autre souvenir frappant de Vladimir; le deuxième jour du procès, il me dit en montrant deux filles réellement jolies assises dans la salle : «Ne pensez-vous pas que celle-ci est mignonne ? Mais vous vous rendez compte que celle-là est plus jolie, n'est-ce pas ? Vous savez, je suis amoureux ! Ne riez pas, Dina Izaakovna ! Je suis réellement amoureux d'elle ! »

KONSTANTINE BABITSKI, 39 ans.

Il avait deux diplômes universitaires, ayant étudié à la fois les mathématiques et la linguistique. Érudit consacré à la recherche, il avait publié douze articles dans des revues savantes. Au moment de son arrestation, trois de ses nouveaux travaux venaient juste d'être acceptés à la publication. Babitski était marié avec trois enfants, dont l'aîné avait quinze ans et le plus jeune dix.

Ces faits aussi étaient consignés dans les rapports officiels. Quels sont les souvenirs que je conserve de lui ? Une expression de concentration tendue et d'absorption dans ses propres pensées; la façon réfléchie et respectueuse dont il répondait aux questions et fournissait son témoignage, en même temps qu'une profonde conviction qui résonnait dans sa voix quand il disait à la cour : «Vous avez devant vous des gens dont les vues peuvent différer quelque peu des attitudes généralement admises, mais qui aiment leur pays et leur peuple et qui par conséquent ont droit à la tolérance et au respect. »

VLADIMIR DELAUNAY, 21 ans.

«Célibataire, instruction secondaire; pas d'occupations fixes; une condamnation antérieure. »

A la suite de sa première arrestation et de son procès, Vadim avait quitté Moscou pour aller étudier à l'université de Novossibirsk. Il y écrivit des poèmes, pour lesquels il fut deux fois primé.

Au cours de l'été de 1968, Vadim décida de rentrer à Moscou. Le 12 août, il reçut un permis de séjour temporaire qui l'autorisait à vivre et à travailler dans la capitale pour une période limitée. On l'arrêta le 25 août, alors qu'il lui restait encore huit jours ouvrables pour trouver un emploi. De fait, il en avait déjà trouvé un, mais ce nouvel emploi n'avait pas encore eu le temps d'être enregistré officiellement. En dépit de cela, l'enquêteur, en remplissant sa fiche signalétique, avait noté qu'il était «sans occupations fixes» — mention qui devait plus tard influencer défavorablement le tribunal dans la détermination de la nature et de la longueur de la peine.

Je n'avais pas vu Vadim depuis le 1ᵉʳ septembre 1967, quand il fut relaxé dans la salle d'audience du tribunal de la ville de Moscou. Il n'était alors qu'un jeune garçon dont j'avais eu pitié. Il était maintenant un homme calme et responsable, certain de la justesse de ce qu'il avait fait. Son style de témoignage avait également changé. La structure même de sa déposition, les mots qu'il utilisait étaient devenus plus austères ; un certain raffinement de langage et une légère théâtralité avaient disparu, faisant place à la retenue et à la confiance. Ce qu'il disait n'en paraissait pas moins sincère qu'auparavant. Il n'avait rien perdu : au contraire, il s'était amélioré. Et ce qu'il avait gagné, c'était le sens du respect de soi-même.

PAVEL LITVINOV, 28 ans.

«Instruction supérieure ; profession : physicien. Pas d'occupations fixes. Personnes à charge : un fils de huit ans.»

Le nom de Litvinov est largement connu en Union soviétique. Litvinov fut l'un des membres les plus actifs du vieux parti bolchevique prérévolutionnaire. Par la suite, il devint l'un des diplomates soviétiques les plus fameux. Pendant de longues années, il fut commissaire du peuple (ministre) des Affaires étrangères de l'U.R.S.S. Il représenta l'Union soviétique à la Société des Nations et fut ambassadeur d'Union soviétique aux États-Unis. C'était le fameux Maksim Litvinov. Pavel est son petit-fils.

La vie de Pavel avait été pleine de sécurité et de bonheur. Après avoir obtenu ses diplômes, il avait travaillé comme assistant d'enseignement à la faculté de physique de l'université de Moscou. Il aimait ses étudiants, et ses étudiants l'aimaient. Cela dura jusqu'au moment où il devint un militant actif du mouvement pour la Défense de la légalité. Il fut renvoyé de l'Institut où il travaillait, première conséquence de son activité. Il fut incapable de trouver un autre emploi, résultat de la notoriété que s'était acquise l'«Appel à l'opinion publique mondiale», rédigé par lui et Larissa, et de la pression directe exercée par le K.G.B. Même dans ces conditions, il était totalement injuste de le qualifier d'homme « sans occupations fixes ». Travaillant comme précepteur privé en physique, il recevait un salaire fixe qui lui garantissait une vie modeste, mais indépendante.

Pendant toute l'année qui venait de s'écouler, Pavel avait vécu sous la surveillance permanente du K.G.B., dont les agents le suivaient comme son ombre. Ils ne le quittaient pas des yeux une seconde. Ils montaient la garde autour de sa maison, attendaient qu'il sorte pour le filer à travers les rues, dans l'autobus, dans le métro. Ils le suivaient dans une voiture spécialement équipée s'il prenait un taxi. Je ne décris pas la situation par ouï-dire : j'ai moi-même constaté la surveillance dont il était l'objet quand il venait me voir au bureau des avocats.

LARISSA BOGORAZ, 39 ans.

La plus âgée de tous les accusés. Titulaire d'un diplôme de professeur, elle travaille dans la recherche.

Larissa est mon amie. Je la connais infiniment mieux que n'importe quel autre accusé. Je l'aime pour sa gentillesse, son amitié dévouée, son empressement à apporter son aide à quiconque peut en avoir besoin. Un jour, une personne mal disposée à l'égard de Larissa me dit en parlant d'elle : « J'admets qu'elle soit une brave femme, mais c'est une mauvaise mère et une mauvaise fille. Est-ce qu'elle n'aurait pas dû penser à son fils et à ses parents ? »

Je suis convaincue que ce reproche était cruel et injustifié, ce qui est prouvé par ses propres paroles :

« Je pense beaucoup à Saniouchka (son fils), et je ne me contente pas de penser à lui : je me le rappelle tout le temps et je le peins avec les yeux de l'esprit, exactement comme lorsque nous étions ensemble. Vous savez comment c'est : on ne se rappelle que les bonnes choses avec lui. Je l'aime beaucoup, et maintenant je l'aime avec un mélange particulier de tendresse et de douleur... »

« Il faut que je vous demande une faveur extraprofessionnelle, Dina, ma chère. Soyez gentille de téléphoner à mes parents de temps en temps — simplement pour les réconforter, les distraire un peu, leur donner une occasion de parler un peu de moi. Je suis obsédée par la pensée des moments difficiles qu'ils doivent traverser. »

Larissa elle-même, souvent malade et toujours terriblement seule, m'écrivait de son lointain exil. Au cours des entretiens que nous avons eus avant et après le procès, j'ai entendu bien des mots de tendresse dans sa bouche, concernant « Saniouchka » et ses parents ; et pas seulement des expressions d'amour à leur égard, mais aussi l'expression de son inquiétude perpétuelle pour eux, de son anxiété et de sa douleur authentique pour la peine qu'elle leur causait.

Pendant les premières heures du procès, tandis que j'écoutais les maigres fragments d'information que chacun des accusés donnait à propos de soi-même, je ne cessais de penser : « Comme ils sont différents les uns des autres ; ils ne se ressemblent d'aucune manière. » Je vais donner maintenant des extraits de leurs témoignages, dans le même ordre que ci-dessus, quand je les ai présentés.

VLADIMIR DREMLIOUGA : « Il y a longtemps que j'ai décidé de prendre part à la manifestation, dès le début du mois d'août. J'avais décidé que, si les forces soviétiques entraient en Tchécoslovaquie, je protesterais. Tout au long de ma vie consciente, j'ai voulu être un homme capable d'exprimer ses pensées avec calme et fierté. Je sais que ma voix va rendre un son dissonant sur le fond de silence général, officiellement décrit comme "un soutien populaire total au parti et au gouvernement". Je suis heureux que d'autres personnes m'aient rejoint dans l'expression de leurs protestations. Si cela n'avait pas été le cas, je serais allé seul sur la place Rouge. »

KONSTANTINE BABITSKI : « Croyant que l'entrée des forces soviétiques en Tchécoslovaquie nuirait essentiellement au prestige de l'Union soviétique, j'ai jugé nécessaire de faire connaître mes convictions au gouvernement et à mes concitoyens. C'est pour cette raison que je me suis rendu sur la place Rouge le 25 août à midi... Je suis allé sur la place Rouge pleinement conscient de ce que je faisais ainsi que des conséquences possibles. »

VADIM DELAUNAY : « Le 21 août, j'ai appris l'entrée des forces soviétiques en Tchécoslovaquie, et j'ai été indigné par ce coup du gouvernement... Il m'a semblé que, si j'omettais d'exprimer ma protestation, j'apporterais ainsi mon soutien tacite à cette action... Je n'avais pas honte, et je n'ai pas honte maintenant de mes actes, ni d'avoir participé à la protestation contre l'irruption des forces soviétiques en Tchécoslovaquie. »

PAVEL LITVINOV : « Le 21 août, les forces soviétiques ont traversé la frontière tchécoslovaque. Je considère que, en agissant ainsi, le gouvernement soviétique a grossièrement violé les lois internationales. Le verdict de culpabilité qui m'attend est évident. Il y a longtemps que j'ai conscience de ce que sera le verdict : je le savais même avant de me rendre sur la place Rouge. Pour moi, la question de savoir si je devais ou non y aller ne s'est pas posée. »

LARISSA BOGORAZ : « Je n'ai pas agi sous le coup d'une impulsion. J'ai agi après mûre réflexion, en pleine conscience des conséquences qui m'attendaient... Ce sont les meetings, les bulletins de la radio et les articles de presse sur le soutien populaire universel qui m'ont conduite à dire : "Je suis contre, je ne suis pas d'accord." Si je n'avais pas fait cela, je me serais sentie responsable des actes du gouvernement. »

Après avoir cité ces extraits de leurs témoignages en une suite ininterrompue, il me semble — en fait je suis convaincue — que personne ne saurait restituer à chacun ses paroles : à Dremliouga, l'ancien membre du Komsomol, à Konstantine Babitski, le savant sérieux, à Vadim Delaunay, le jeune étudiant, à Larissa Daniel, la femme mûre et instruite. Le fondement moral commun de leur exploit avait en quelque sorte mis au même niveau des gens très différents en leur donnant une unité de point de vue et en leur conférant un style apparenté devant le tribunal.

L'affaire de la manifestation de la place Rouge était mon troisième procès politique. Dans les deux premiers, le K.G.B. avait réussi à monter les accusés les uns contre les autres. Dans le cas que je suis en train de décrire, en dépit des niveaux différents de maturité et d'instruction, je ne puis faire aucune distinction entre les participants du point de vue du courage, de la constance ou de la qualité morale de leurs attitudes. Parmi les accusés, il n'y avait ni vedettes ni seconds rôles, ni leaders ni suiveurs. Aucun d'eux ne manifesta de doute ou de repentir. Chacun était préparé à partager le sort des autres. C'est en cela, sans aucun doute, que résidait la nature spéciale du procès des manifestants de la place Rouge. C'est cela qui le distinguait non seulement du procès de Boukovski, Delaunay et Kouchev, mais aussi de tous les autres procès politiques dont j'ai eu connaissance.

Le premier jour du procès, la cour siégea de 9 heures à 19 h 30. Le deuxième jour ne fut pas plus facile : l'audience commença à 10 heures pour se terminer à 22 h 15 — près de treize heures d'un travail intense dans une salle d'audience surchargée et dépourvue d'aération. Toutes les deux heures, ou toutes les deux heures et demie, il y avait une suspension de dix minutes. Pour Sofia Kallistratova et pour moi, les suspensions étaient l'occasion d'une cigarette longtemps attendue ; mais souvent, nous n'avions même pas le temps de la fumer. Pendant les suspensions, la cour nous autorisait à conférer avec nos clients, et c'était aussi le moment où les parents des accusés nous entouraient et nous posaient d'innombrables questions identiques.

« Comment ça a marché ? »

« Quelle impression le témoin vous a-t-il faite ? », etc.

Après des journées comme celles-là, je rentrais chez moi fatiguée et affamée. Dès que j'arrivais, les coups de téléphone commençaient. Ils furent innombrables le premier jour du procès. Mes amis intimes me disaient :

« Dina, ma chère, je sais que vous êtes très fatiguée, mais dites-moi seulement en quelques mots : comment ça se passe ? »

Mes relations : « Dina Izaakovna, pardonnez-moi de vous déranger, je sais combien vous devez être fatiguée. Mais en quelques mots seulement : comment ça se passe ? »

276

Et les amis de mes amis, et les amis de mes clients téléphonaient tous avec la même question :

« Comment cela marche-t-il ? Comment s'est passée la première journée du procès ? »

Plus tard, quand tout le monde était endormi, je restais assise dans la cuisine, buvant du café noir, fumant et, naturellement, jouant au solitaire. Mentalement, j'étais retournée dans la salle d'audience, scrutant les visages des témoins et même entendant leur voix, comme si quelqu'un avait organisé à mon intention une nouvelle projection des séquences qui m'avaient particulièrement marquée au cours de la journée...

« Témoin dites à la cour où vous travaillez et quelles sont vos fonctions.

— Je refuse cette question. Le témoin n'a pas besoin d'y répondre. »

C'était le juge Loubentsova, qui refusait la question au moyen de laquelle, dans tous les procès normaux, les juges entament l'interrogatoire des témoins. Et de nouveau...

« Témoin, dites à la cour quel est votre lieu de travail, et quelles sont vos obligations.

— Question refusée. Vous n'avez pas besoin de répondre. »

La même question fut posée à tour de rôle aux témoins Dolgov et Ivanov, les fonctionnaires de l'unité militaire n° 1164.

« Témoin Dolgov, quand vous étiez sur la place Rouge, le 25 août, avez-vous vu des connaissances ou des collègues ?

— Non.

— Y a-t-il des personnes de votre connaissance parmi les témoins appelés à déposer devant cette cour ?

— Non.

— Connaissez-vous Ivanov ?

— Non.

— Connaissez-vous Vessiolov, Bogatyriov ou Vassiliev ?

— Non. »

Il se tenait devant la cour avec la tête légèrement tournée dans notre direction. Il savait que nous tous — le juge, le procureur et les avocats — étions parfaitement conscients qu'il était en train de mentir, mais il était imperturbable, sûr qu'il était de ne pas être inquiété pour faux témoignage. Chaque fois qu'il donnait son invariable réponse — non —, il nous regardait avec un sourire qui était presque désarmant par sa grossière effronterie. C'était comme s'il nous disait : « Vous n'avez pas besoin de me croire, si vous ne le voulez pas. Mais vous n'y pouvez rien ! » Et le juge Loubentsova ne disait rien.

Le procureur ne disait rien non plus ; et nous, les avocats, nous devions réprimer les sentiments qui nous envahissaient : sentiments de haine et de répulsion pour ces mensonges éhontés et pour ceux qui couvraient les menteurs.

« Témoin Ivanov, connaissez-vous le témoin Dolgov ?

— Naturellement. Nous travaillons ensemble.

— Et le témoin Dolgov vous connaît-il ?

— Mais naturellement ! Je le connais et il me connaît.

— Connaissez-vous aussi le témoin Vassiliev ?

— Oui.

— Et le témoin Bogatyriov ?

— Oui, je le connais également.

— Avez-vous vu ces personnes de votre connaissance sur la place Rouge le 25 août ?

— Non, je n'ai vu aucune d'entre elles. »

Dans mon for intérieur, je pouvais voir encore le visage du témoin Dolgov et son sourire, qui semblait dire : « Même sans avoir interrogé Ivanov, vous savez que je mens. Mais lui non plus ne dit pas la vérité — il a dit qu'il ne m'avait pas vu sur la place, et il ne le dira jamais. Les autres ne l'admettront pas non plus. Par conséquent, il n'y a pas lieu de s'inquiéter. »

Loubentsova était un juge très adroit quand elle menait un contre-interrogatoire. Elle aimait l'odeur dramatique des situations tendues dans lesquelles, par une série de questions, elle forçait un témoin à renoncer à ses mensonges et à dire la vérité. Mais là...

Elle écouta calmement ces séries de réponses qui s'excluaient mutuellement, mais ne se tourna pas vers le témoin avec ses habituelles questions : « Comment allons-nous concilier votre déposition avec celle qui a été fournie par le témoin Ivanov ? » Ou bien : « Lequel de vous deux dit la vérité à la cour, témoin ? Lequel de vous allons-nous croire ? »

Pour les avocats et les accusés, il était important de prouver que les témoins Dolgov et Ivanov mentaient, au moins dans cette partie de leur déposition, afin de miner la confiance que l'on pouvait avoir dans le reste de leur témoignage. Il nous fallait être en mesure de dire à la cour qu'ils étaient des témoins indignes de confiance et qu'il était impossible de fonder l'accusation sur leur déposition. Mais le combat que nous devions mener pour y parvenir avait des motifs plus profonds et d'une plus grande portée qu'un simple avantage tactique.

Pour apprécier cela, il faut essentiellement savoir pourquoi la défense s'efforçait de prouver que Dolgov, Vessiolov, Ianov et les autres étaient des fonctionnaires du K.G.B. ou du ministère de l'Intérieur (c'est-à-dire de la police) et pourquoi, en violation de la loi, le ministère public et le juge essayaient de cacher cela avec tant de zèle.

Le fait qu'un témoin travaille pour le K.G.B. ou pour la police ne discrédite en aucune manière son témoignage. Dans la plupart des procès criminels, les verdicts reposent totalement ou principalement sur les preuves fournies par des policiers en uniforme ou par des fonctionnaires en civil du Département d'investigation criminelle. Rien, apparemment, n'empêchait les témoins de dire à la cour : « Oui, nous sommes des fonctionnaires du K.G.B. (ou des officiers de police). Nous avons vu que l'ordre public était violé sur la place Rouge et nous avons arrêté les contrevenants. » Ou bien, d'une manière encore plus vraisemblable, ils auraient pu dire : « Nous avons effectué les arrestations sur les ordres directs de nos officiers supérieurs du K.G.B... », et ils auraient pu nommer ces officiers — ces gens dont les avocats de la défense avaient essayé d'élucider l'identité dans une requête préalable au procès, requête que nous avions sans succès introduite une nouvelle fois devant la cour.

Admettre cela, cependant, c'eût été admettre que l'État soviétique, en tant que représenté par ses forces de sécurité, considérait une manifestation pacifique, faite par des gens assis et silencieux, comme un crime. L'État ne veut pas reconnaître cela ouvertement ; il préfère rejeter la responsabilité apparente, avec les méthodes violentes mises en œuvre pour disperser les manifestants, sur des « citoyens soviétiques ordinaires ». Les autorités essayaient de se protéger contre les accusations fatigantes venues de l'Occident selon lesquelles l'État soviétique violait les droits constitutionnels de ses citoyens et, en même temps, d'être en mesure d'exploiter la dispersion de la manifestation par des « citoyens ordinaires » comme un exemple évident de « l'approbation unanime par le peuple soviétique de la politique du parti communiste et du gouvernement soviétique ». L'État exigeait du tribunal qu'il condamne les manifestants, mais il exigeait aussi que cela fût fait de telle manière que personne ne pût dire : « Ils ont été condamnés pour avoir manifesté. »

Tout le dossier de l'accusation était subordonné à cette tâche, et la conduite du procès était arrangée de manière à atteindre cet objectif.

Les contradictions dans les dépositions fournies par les témoins Dolgov et Ivanov se produisirent parce que les deux hommes étaient insuffisamment préparés. Les organisateurs du procès ne pouvaient tolérer que cela se reproduise, et l'on trouva sans délai une issue à cette situation inconfortable — une solution grossière, mais absolument radicale.

Conformément au programme d'audience qui avait été adopté par la cour, l'interrogatoire des témoins restants du K.G.B. était fixé au 10 octobre. En attendant, nous interrogions d'autres témoins, dans la perspective d'avoir encore à interroger Vessiolov, Vassiliev et Bogatyriov. Nous nous y étions préparés, discutant de la tactique pour poser nos questions.

Vint le moment où il ne resta plus que ces trois-là. Avec un beau mouvement d'ensemble, nous autres avocats tournâmes les pages de nos dossiers pour trouver les procès-verbaux des interrogatoires de ces témoins. Nous entendîmes alors la voix calme du juge Loubentsova qui disait : « La cour informe le ministère public et la défense que les témoins Vessiolov, Bogatyriov et Vassiliev ont été inopinément appelés hors de Moscou dans le cadre de leurs fonctions. La cour propose de discuter avec les deux parties la question de savoir comment achever le procès en l'absence de ces témoins. »

Aucun fonctionnaire de quelque organisation soviétique que ce soit n'a le droit d'empêcher un témoin de paraître devant un tribunal. Personne n'aurait pris la responsabilité d'éloigner trois témoins en mission officielle sans avoir reçu préalablement l'autorisation de le faire. Je devais supposer que cette « solution » avait été concoctée par ces officiers du K.G.B. que j'avais vus précédemment quand j'étais tombée sur une « conférence d'état-major » des gens chargés d'organiser notre procès. On pouvait aussi supposer que cette décision avait été agréée par les fonctionnaires du tribunal, car sinon le juge Loubentsova aurait agi en accord avec la loi ; étant habilitée à ordonner la comparution immédiate des témoins, elle aurait déclaré impossible la conclusion du procès en leur absence.

Unanimement, la défense introduisit une requête pour que ces témoins fussent appelés. Si cela avait été un procès ordinaire, la cour, sans aucun doute, eût accédé à cette requête, car la présentation incomplète des preuves est motif à annulation du verdict et à renvoi de l'affaire pour un nouveau jugement. Dans le cas du procès de la place Rouge, Loubentsova ne craignait pas que cela arrive ; elle savait que la Cour suprême de la R.S.F.S.R. confirmerait dans tous les cas le verdict de culpabilité et qu'elle rejetterait toutes les objections présentées par la défense.

D'autres questions litigieuses, soulevées pendant le procès, furent résolues avec la même simplicité et la même rapidité.

L'officier de police Strebkov commandait une voiture de patrouille et, le 25 août, il était de service sur la place Rouge, dans sa voiture. Pour cette raison, il était inscrit sur la liste des témoins à interroger. Quand les avocats de la défense avaient discuté de la matière du dossier, avant le début du procès, nous ne nous étions pas avisés que Strebkov serait un témoin potentiellement favorable à la défense, étant donné que le procès-verbal de son interrogatoire par l'enquêteur ne faisait nullement mention d'une quelconque circulation sur la place.

Que la déposition fournie par ce témoin serait une preuve irréfutable que la manifestation n'avait causé aucune perturbation à la circulation, personne ne s'y attendait : ni le juge, ni le procureur, ni la défense. Je cite ci-dessous la déposition de Strebkov d'après la transcription officielle des débats :

« Le 25 août, j'effectuais une patrouille de service sur la place Rouge dans une voiture Volga. A midi, j'ai reçu l'ordre de me diriger vers "Lobnoïe Mesto". Ce jour était l'un de ceux où le public est autorisé à accéder au mausolée de Lénine, et par conséquent la place était totalement fermée au trafic normal des véhicules.

« Les voitures officielles sont autorisées à traverser la place Rouge, mais c'est dans une tout autre partie de la place. Les citoyens qui ont été arrêtés et la foule qui s'était rassemblée autour d'eux en étaient fort éloignés. Si des véhicules étaient sortis du Kremlin, ils auraient eu la voie libre. La foule n'aurait pas fait obstruction. »

L'importance de la déposition de Strebkov pour la défense ne résidait pas seulement dans le fait qu'elle réfutait les allégations selon lesquelles la circulation avait été gênée. De nombreux autres témoins avaient déposé dans le même sens avant le procès. Mais Strebkov n'était pas un témoin ordinaire: c'était un spécialiste qui, de par la nature de son travail, était pleinement familiarisé avec la régulation du trafic sur la place Rouge. Le passage le plus précieux de son témoignage, qui avait l'autorité d'une expertise, était le suivant: «Non seulement il n'y a eu aucune perturbation de la circulation, mais il n'aurait pas pu y en avoir. »

Maintenant, la seule chose que nous avions à faire était d'attendre le lendemain, 10 octobre, afin de réfuter totalement le rapport de Koukline grâce au contre-interrogatoire des deux témoins Koukline et Strebkov, le rapport du premier étant la seule preuve que les accusés étaient coupables d'avoir gêné la circulation.

Mais une fois encore, les « grosses têtes » et le juge trouvèrent le moyen le plus simple pour sortir de cette situation dangereuse. En dépit des objections énergiques de la défense, la cour libéra Strebkov de toute apparition ultérieure devant le tribunal à la suite de son interrogatoire du 9 octobre.

Au cours de la séance du 10 octobre, le témoin Koukline fut interrogé par les avocats et par les accusés.

Question: Quand avez-vous écrit et remis votre rapport sur les événements qui se sont déroulés le 25 août sur la place Rouge?

Réponse: Le même jour, le 25 août.

Q: Veuillez préciser l'heure à laquelle il a été rédigé.

R: Dans la soirée, après la fin de ma tournée.

Q: Comment expliquez-vous le fait que le rapport soit daté du 3 septembre, et non du 25 août?

R: C'est la date du second rapport.

Q: Pourquoi avez-vous rédigé deux rapports sur le même événement?

R: Le premier rapport était incomplet.

Q: Où est le premier rapport?

R : Je ne sais pas. Je l'ai donné à mon supérieur. On m'a dit par la suite que celui-ci l'avait donné à l'enquêteur.

Q : Avez-vous rédigé le second rapport de votre propre initiative, ou bien quelqu'un vous a-t-il suggéré de le faire ?

R : Mon supérieur m'a dit que je devais ajouter quelque chose au premier rapport pour le compléter.

Q : Qu'est-ce qu'on vous a demandé d'ajouter au premier rapport ?

R : Que le facteur le plus important de l'affaire était l'obstruction du trafic.

Q : Quand vous a-t-on parlé de la nécessité de compléter votre premier rapport ?

R : J'ai rédigé le second rapport dès qu'on m'a demandé de le faire, c'est-à-dire le 3 septembre. »

La minute comporte en outre la note suivante :

« A la requête de la défense, la cour confirme que l'interrogatoire du témoin Koukline, lors de l'enquête préliminaire, est daté du 27 septembre 1968. »

Même quelqu'un de complètement étranger au fonctionnement de la justice doit réaliser que les paroles prononcées par Koukline devant la cour discréditent totalement la déclaration faite par lui dans son second rapport et signée de sa main, selon laquelle « ce groupe a gêné le mouvement de la circulation ». Dans ces circonstances, afin d'éliminer toute espèce de doute et pour empêcher une possible erreur judiciaire, la défense aussi bien que le juge (si celui-ci avait été objectif) auraient dû exiger le document original — le rapport que Koukline écrivit de sa propre initiative, d'après ses propres observations et le jour même des événements. D'après la loi soviétique, tout document primitif relatif à un crime supposé doit être inclus dans les pièces du dossier. Cela garantit à la cour et aux deux parties la possibilité de procéder à une analyse indépendante du contenu de tels documents. Dans les procès « économiques », par exemple les fraudes, les détournements, le commerce illégal, etc., ces documents comportent les factures, les quittances, les commandes, les devis, etc. Dans les procès pour meurtre ou pour dommages corporels, ils incluent les expertises médicales, les résultats de tests, les rapports d'autopsie, etc. Dans notre procès, le rapport écrit par l'inspecteur Koukline le 25 août constituait un tel document primitif. C'est pourquoi la défense introduisit une requête pour que le rapport fût présenté à la cour — une requête qui aurait dû être accordée sans question.

De nouveau, pourtant, la cour décida : « ... La requête visant à produire le rapport de l'inspecteur Koukline en date du 25 août est rejetée, la cour n'en voyant pas la nécessité. »

De propos délibéré, la cour favorisait constamment l'accusation. Il ne restait plus aux avocats qu'une seule méthode de défense à adopter :

soumettre les preuves de l'accusation à examen minutieux et à critique.

L'élément le plus important de ma technique personnelle, dans l'analyse de la déposition d'un témoin, consiste à « oublier » : oublier l'apparence extérieure du témoin, le son de sa voix au moment où il ou elle déposait ; oublier tout ce qui constitue l'impact émotionnel d'une déposition, tout ce qui provoque la sympathie ou l'antipathie — afin aussi bien de me garder d'ajouter foi trop hâtivement aux déclarations d'un témoin favorable que de m'empêcher de rejeter avec trop de promptitude les preuves de « l'ennemi ».

Il en fut ainsi dans cette affaire. Je dus me contraindre à renoncer à mon dégoût pour les témoins de l'accusation — Dolgov, Ivanov, Davidovitch et les autres ; à oublier le ton ouvertement moqueur avec lequel Dolgov avait répondu à mes questions (« Non je n'ai vu aucune de mes connaissances sur la place Rouge... Non, je ne connais pas Ivanov... Je ne connais pas Vessiolov. ») ; à oublier les traits du témoin Davidovitch, dont le visage, balafré de part en part par une cicatrice, le faisait ressembler à un gangster sadique. Cela me permit de me rendre compte qu'il n'y avait rien de réellement dommageable dans les dépositions fournies par ces piliers de l'accusation.

La force accusatrice de leurs témoignages résidait non pas dans les faits qu'ils contenaient, mais dans les opinions qu'ils exprimaient : « La conduite de ces individus était ignoble » ; « Ils se comportaient d'une manière provocante » ; « Comme tous les autres citoyens présents, j'étais indigné devant leur conduite grossière et insolente... » Pourtant, un tribunal n'est pas autorisé à prendre connaissance des *opinions* d'un témoin. Le devoir de la cour est d'évaluer une déposition comme preuve de culpabilité ou d'innocence sur la base des *faits* livrés par le témoin. Et je devais — comme le devait la cour — débarrasser mentalement les témoignages de tout ce qui était étranger à l'affaire ou d'importance secondaire, pour ne retenir que ce qui apportait directement une réponse à des questions telles que celles-ci : « Les accusés ont-ils violé l'ordre public ? » ou bien : « Le mouvement normal de la circulation a-t-il été gêné ? »

Déposition du témoin Dolgov devant la cour :

« J'ai vu tous les membres de ce groupe. Ils tenaient des banderoles dans leurs mains. Une foule se rassemblait. Les gens qui étaient autour étaient de plus en plus indignés et leur criaient des insultes. Quand je les ai arrêtés, je n'ai pas eu conscience que quelqu'un ait résisté. Quelques voitures se sont approchées de "Lobnoïe Mesto", dans lesquelles on a fait monter les personnes arrêtées. »

Déposition du témoin Ivanov devant la cour :

« J'ai aperçu une foule sur la place Rouge. J'ai couru vers "Lobnoïe Mesto". Une foule d'environ trente personnes s'était rassemblée autour d'eux. Les gens étaient en colère et indignés. J'ai aidé à faire monter Dremliouga en voiture. Il a résisté en refusant de bouger.»

Déposition du témoin Davidovitch devant la cour

« Ils étaient assis autour de "Lobnoïe Mesto", brandissant des slogans de caractère provocant. Pendant deux ou trois minutes, ils ont adressé des discours à la foule, comme s'ils se trouvaient à un meeting politique. L'une des personnes assises dit qu'elle avait honte de notre gouvernement. J'ai aidé à mettre quelqu'un en voiture, et il a résisté.»

La déposition suivante est celle d'un autre témoin de l'accusation, dont le procureur pouvait à coup sûr affirmer l'objectivité : ce n'était pas un «fonctionnaire de l'unité militaire n° 1164», et il n'était pas non plus policier ; il était un simple passant, l'un de ceux qui étaient sincèrement indignés par la manifestation.

Déposition du témoin Fedosseïev devant la cour

« Ils étaient assis autour de "Lobnoïe Mesto", agitant des slogans provocants. Des voitures s'approchèrent, et on les obligea à y prendre place. L'un des hommes arrêtés (Feinberg) avait le visage ensanglanté. Au moment où on le faisait monter en voiture, il cria : "A bas le gouvernement de tyrans !" A part cela, une autre personne dit qu'elle avait honte de notre gouvernement. Je n'ai rien entendu d'autre. Les gens assis ne dirent rien en réponse aux remarques indignées de la foule.»

C'était la déposition du plus hostile des témoins de l'accusation, dans sa forme la pire possible pour les accusés, la forme sous laquelle elle se trouvait devant les magistrats au moment où ils prononçaient la sentence. Beaucoup de ce que dirent ces témoins en réponse aux questions des avocats ne fut pas consigné dans la minute. Ces omissions n'étaient pas le fruit du hasard. Lorsque les feuilles de la minute sont collationnées, le juge non seulement supervise le texte des dépositions rédigé par le greffier, mais vérifie aussi l'ensemble du procès-verbal, donnant des instructions sur ce qu'il convient d'ajouter et, inversement, sur ce qu'il faut supprimer. Quelquefois, sur les ordres du juge, le greffier réécrit des pages entières de la minute, procédant à des additions et à des soustractions.

Dans notre procès, toute mention des fonctionnaires du K.G.B. aidant à l'arrestation des manifestants fut supprimée de la minute.

Comme tous les avocats, j'ai conservé mon propre procès-verbal, officieux, des débats du procès, dans lequel j'ai noté les points saillants des témoignages. Dans mon procès-verbal personnel, j'ai noté ce qui suit.

TÉMOIN STREBKOV : «Au poste de police où j'ai conduit le citoyen Babitski, j'ai vu le citoyen qui apportait la banderole portant les mots

"Bas les pattes de la Tchécoslovaquie". Il s'est présenté comme un fonctionnaire du K.G.B. Je l'ai vu sur la place Rouge le 25 août. »

TÉMOIN DAVIDOVITCH : « Des fonctionnaires d'un groupe opérationnel du K.G.B. ont participé en procédant aux arrestations. Ils étaient tous en civil. L'un d'entre eux a montré sa carte d'identité. »

Ni l'un ni l'autre de ces deux extraits ne furent consignés dans la minute. Et ce n'est pas tout : le libellé de la transcription contenait aussi des distorsions intentionnelles des dépositions faites par les témoins. Chaque fois qu'un témoin constatait avec confiance qu'aucune voiture ni autre véhicule ne traversait la place Rouge au moment de la manifestation, ses paroles apparaissaient comme suit dans le procès-verbal :

« Je n'ai vu passer aucune voiture, mais il y avait une grande foule et j'aurais pu ne pas remarquer la circulation. » Ou encore : « Je ne les ai pas entendus parler, mais il y avait du bruit et ils auraient pu parler sans que je les entende... » Cette dernière phrase était mise à la place de : « Les accusés n'ont rien dit. »

La falsification de la minute par cette méthode mina considérablement la valeur, pour la défense, de témoins tels que Leman et Iastreba. En dépit de cela cependant, et sans parler de toutes les dépositions favorables aux accusés, je parvins à la conclusion que les dépositions de tous les témoins de l'accusation — même sous la forme dans laquelle elles étaient enregistrées dans la minute — ne parvenaient pas, en fait, à prouver que les accusés avaient commis un crime.

La méthode que je mettais en œuvre pour me préparer à la défense, celle de la «distanciation», n'était sans doute pas originale. Je suppose qu'elle est utilisée à des degrés divers par toute personne, et pas seulement par les avocats au tribunal, dont l'objectif principal est de convaincre ses auditeurs par le moyen d'une argumentation rationnelle sans recourir à des effets émotionnels. J'ai toujours employé cette méthode, mais elle ne m'a pas transformée en un robot insensible : à chaque nouveau procès, j'ai toujours écouté avec confiance et sympathie les témoignages favorables à mon client, j'ai toujours été intérieurement indignée en écoutant les témoins de l'accusation. Après coup, cependant, par un effort de volonté, je me forçais à oublier qui était «ami» et qui était «ennemi», et à extraire des témoignages, goutte par goutte, les faits, rien que les faits.

Le difficile processus de séparation en catégories significatives de ce qui est perçu comme un tout uniforme ne donne que des résultats de courte durée de vie. Puis tout s'amalgame de nouveau et reste ainsi en mémoire pendant des années, parfois pour toujours. Je ne crois pas que viendra le jour où j'aurai oublié *ce qu'a dit* à ce procès Tatiana Velikanova, et *comment* elle l'a dit :

« Ils n'ont pas réagi, même quand on s'est mis à les battre. Ils se contentaient de rester assis sans lever la tête. Ils ne résistèrent pas quand on leur donna des coups de pied. C'était comme s'ils n'étaient pas là, comme s'ils se trouvaient dans un autre monde... J'étais stupéfiée de voir comment mon mari et ses compagnons étaient capables de se dominer et de ne pas opposer de résistance. »

Je me souviens d'avoir baissé la tête pour dissimuler mon émotion en écoutant son histoire: l'histoire d'une femme dont le mari était battu devant ses yeux et qui était cependant capable de se retenir d'intervenir pour le défendre. Elle jouait consciemment le rôle qu'elle s'était imposé de témoin oculaire impartial, de manière que plus tard, au procès — qui, elle le savait, était inévitable —, elle pût dire la vérité sur la manifestation. Je me souviens aussi comment le « public » placé là tout exprès avait peu à peu mis fin à son brouhaha hostile pour faire silence, un silence dans lequel résonnèrent clairement ses paroles pleines de dignité:

« J'ai pensé que je n'avais pas le droit d'essayer de le dissuader. Il a agi conformément à sa conscience et à ses croyances. »

Même maintenant, quand j'arrive au bout de mes réminiscences de cet inhabituel procès, je ne puis pratiquement rien dire du procureur — sinon peut-être qu'il avait une voix déplaisante et grinçante et qu'il répondait au nom peu courant de « Drel », forme russifiée du mot anglais « drill » signifiant « chignole » ou « vilebrequin ». Plus tard, après le procès, quand mes collègues me questionnèrent au bureau pour que je leur raconte les débats, je fus capable de trouver toute sorte de choses à leur dire sur les accusés, sur les magistrats et sur les avocats, mais je ne trouvai rien à dire sur le procureur. Pendant tout le procès, il ne posa pas une seule question opportune, se contentant de répéter les questions que l'enquêteur avait précédemment posées. Son réquisitoire...

Mais d'abord, il faut que je décrive les conditions dans lesquelles plaidoiries et réquisitoires furent faits.

Le 10 octobre, à la fin de la pause du déjeuner, mais avant que le public n'eût été autorisé à rentrer, je me trouvais seule dans le couloir vide. A ce moment, Nikolaï Ossetrov, président des magistrats de la ville de Moscou, sortit du bureau où l' « état-major » était en session et se dirigea vers la petite salle de consultation utilisée par le juge et les assesseurs profanes. En m'apercevant, il s'arrêta, hésita, puis vint vers moi.

« C'est une bonne chose que l'audience n'ait pas encore recommencé, dit-il. Je veux vous informer, et vous prier de communiquer l'information aux autres avocats, qu'il a été décidé d'entendre dès aujourd'hui les plaidoiries et réquisitoires. » Puis, comme pour répondre par avance à mes objections, il ajouta : « Nous ne pouvons remettre à demain ces discours. »

Les débats étaient loin d'être terminés; il restait à interroger toute une série de témoins. A la suite de quoi la défense avait l'intention d'introduire plusieurs requêtes supplémentaires. En outre, nous avions tous besoin de temps pour préparer nos interventions...

« Les débats seront terminés aujourd'hui ; la cour va déclarer une courte suspension et vous accordera un laps de temps raisonnable pour préparer vos plaidoiries. Je pense qu'une heure, pour les avocats, devrait être tout à fait suffisante... Pas d'objections, camarade avocate », ajouta Ossetrov, voyant que j'étais sur le point de discuter.

Puis, sans manifester le moindre embarras du fait que je le voyais entrer dans la salle de consultation (exclusivement réservée au juge et aux assesseurs pendant le procès), Ossetrov s'éloigna lentement pour donner ces nouveaux ordres au juge.

La personne suivante à m'annoncer cette nouvelle fut Konstantine Apraskine, président du praesidium du collège des avocats de Moscou. Il émergea du même bureau juste après qu'Ossetrov fut entré dans la salle de consultation du juge Loubentsova, ignorant ainsi que la « nouvelle » qu'il m'annonçait n'en était déjà plus une pour moi.

En l'écoutant, je pensais : « Est-ce qu'ils ne réalisent pas tous les deux que cela est positivement indécent ? L'habitude d'excuser l'interférence du parti dans les travaux de la justice est-elle devenue à ce point invétérée qu'ils ne se donnent même plus la peine de cacher le fait que toutes les questions qui, de par la loi, devraient être tranchées par la cour le sont en réalité au sommet ? » J'appris également par Apraskine qu'il avait été décidé de prendre en sténographie les plaidoiries de la défense, et que des sténographes avaient déjà été désignés pour ce travail.

« Soyez donc prudente, m'avertit Konstantine. Réfléchissez soigneusement à chaque mot, à chaque phrase. Vous portez la responsabilité pour le collège tout entier. »

Quand étais-je censée « réfléchir soigneusement » ?

Pour moi et pour tous les collègues à qui je passai les consignes d'Apraskine, il était évident que la décision d'accélérer le procès était une surprise aussi pour Loubentsova, Ossetrov et Apraskine lui-même. Quand je lui fis le reproche de ne pas nous avoir avertis plus tôt, il admit franchement qu'il venait tout juste d'être informé lui-même, et qu'il ne servait à rien d'émettre des objections.

L'audience reprit ; elle consista essentiellement dans le rapide processus du refus de toutes les requêtes, après quoi la première phase du procès fut déclarée close. Après une suspension de deux heures, on entendrait les discours des deux parties, en commençant par le réquisitoire du procureur.

Les avocats s'installèrent alors dans divers coins de la salle d'audience ; l'un écrivait à une table, un autre perché sur un banc, empilant ses papiers sur le rebord d'une fenêtre. Je me contentai de faire les cent pas dans le couloir. Ossetrov avait raison ; mentalement, nous avions déjà préparé depuis longtemps les grandes lignes de nos plaidoiries. La veille au soir — peut-être à la table de cuisine, comme c'était mon cas, ou couché au lit sans dormir — chacun d'entre nous avait testé silencieusement ses arguments et réfléchi à leur formulation, de manière à ne pas se laisser emporter par son discours, mais à rester dans les limites autorisées par la censure politique.

La tâche du procureur, dans un procès comme le nôtre, était extrêmement simple s'il choisissait de prononcer une plaidoirie démagogique et propagandiste ; en revanche, elle serait extrêmement difficile, pour ne pas dire impossible, si le procureur essayait de se livrer à une analyse juridique sérieuse des éléments de preuve. Notre procureur ne fit aucune tentative pour prendre la seconde voie.

En accusant les prévenus, au nom de l'État, d'avoir violé l'ordre public et diffamé le système social, le procureur parla des «activités subversives de l'impérialisme international, et avant tout des États-Unis » ; du fait que « l'impérialisme international avait orchestré une campagne de propagande antisoviétique en liaison avec l'aide fraternelle apportée par l'Union soviétique à la Tchécoslovaquie ». Il affirma que « la propagande bourgeoise se répandait en calomnies directement dirigées contre l'Union soviétique ».

Le procureur consacra une partie importante de son réquisitoire à souligner que, durant la Seconde Guerre mondiale, l'armée soviétique avait libéré la Tchécoslovaquie de l'envahisseur fasciste, et que des slogans comme «Vive la Tchécoslovaquie libre et indépendante » ou «Pour votre liberté et pour la nôtre » étaient un outrage à la mémoire des soldats soviétiques tombés dans ces batailles.

Le procureur accomplit son devoir de prouver les charges relevées contre les accusés au moyen des deux phrases suivantes :

« Il n'est nul besoin de prouver que les slogans de ces banderoles étaient d'une nature évidemment diffamatoire... » et : « La presse soviétique a expliqué à tous les citoyens le caractère progressiste des actes du gouvernement soviétique, et il est impossible de ne pas en être conscient... »

Le procureur s'éleva vivement contre l'utilisation du terme de « manifestation » en liaison avec notre procès. Il admit que la constitution garantissait aux citoyens soviétiques la liberté de manifestation, mais il insista (et en cela il avait tout à fait raison) sur le fait que le parti et le gouvernement soviétique ne reconnaissaient comme «manifestations» que celles qui étaient organisées et sanctionnées par les autorités.

Tout ce méli-mélo de phrases démagogiques et de slogans politiques eût été parfaitement normal dans un meeting politique. Au tribunal, de la part d'un procureur, on attend quelque chose de plus, même dans un procès politique. Loubentsova était visiblement déçue. Elle écouta la partie

«juridique» du réquisitoire avec une expression de sarcasme non dissi-
mulée, sans doute ennuyée de devoir rectifier elle-même les scandaleuses
erreurs que commettait le procureur en rapportant les actes des accusés à
des articles fantaisistes du Code pénal.

Pour finir vint le moment où le procureur fit ses propositions à la
cour concernant les sentences qui seraient prononcées. Tous les assistants
se figèrent, réalisant que le destin des accusés était sur le point de se décider, puisque l'État allait parler maintenant par la bouche obéissante du
procureur «Drel».

Après avoir dressé la liste des «défauts moraux» des accusés — à
qui l'État soviétique avait «tout» donné et qui, au lieu de faire confiance à
la presse et à la radio soviétiques, avaient «tiré leurs informations mensongères de sources étrangères obscures» —, il poursuivit: «Considérant
que Litvinov, Babitski et Bogoraz n'ont pas été précédemment condamnés
à une peine criminelle..., je demande à la cour, en application de
l'article 43 du Code pénal de la R.S.F.S.R...»

Tournant légèrement la tête, je vis Larissa écarquiller les yeux
d'étonnement, et j'entendis quelqu'un dans la salle pousser un profond
soupir.

Les avocats, également, échangèrent un regard de perplexité. Pendant une fraction de seconde, chacun d'entre nous pensa: «Qu'est-ce que
cela veut dire? Pourquoi l'article 43, qui autorise la cour à prononcer une
peine moins sévère que celle qui est prévue par l'article 190? Quelle peine
pourrait-on prononcer qui soit inférieure au minimum prévu par
l'article 190, c'est-à-dire une amende de moins de 100 roubles?»

Mais le procureur continuait: «... Litvinov, Pavel Mikhaïlovitch,
5 ans; Bogoraz, Larissa Iossifovna, 4 ans; Babitski, Konstantine Iossifo-
vitch, 3 ans... d'exil intérieur... Considérant leurs condamnations
préalables, je demande à la cour de condamner Dremliouga, Vladimir
Aleksandrovitch, et Delaunay, Vadim Nikolaïevitch, à chacun trois ans
d'une peine privative de liberté.»

J'étais incapable de donner un sens à cette proposition extraordinaire, inconnue jusque-là de la loi soviétique, par laquelle une demande
d'adoucissement de la sentence était accompagnée d'une augmentation du
maximum prévu par l'article concerné. Cependant, même en entendant
Loubentsova dire: «La cour donne la parole à l'avocate Kaminskaya pour
parler en faveur de l'accusé Litvinov», et tandis que je me levais en
repoussant les notes dont je n'ai jamais vraiment besoin en prononçant
une plaidoirie, je ne pouvais m'empêcher de penser: «L'exil intérieur
pour Larissa, Pavel et Konstantine... mais c'est presque le bonheur...»

En relisant les plaidoiries, je constate une fois de plus qu'il est
impossible de les paraphraser. Quel dommage! Il y eut pourtant des
exemples véritablement excellents d'art oratoire.

Dans notre procès, les avocats aussi bien que les accusés étaient unis par un sens magnifique de la solidarité, par un grand empressement à l'entraide et par un respect sans bornes des convictions qui avaient motivé les prévenus. Tous mes camarades avocats trouvèrent des arguments convaincants pour réfuter l'acte d'accusation et je crois pouvoir dire que, grâce aux efforts combinés de la défense, l'insoutenabilité du dossier de l'accusation fut prouvée haut la main dans ce procès.

Décrire ma propre plaidoirie est la tâche la plus difficile entre toutes. Se louer soi-même manque de modestie; s'adresser des reproches est désagréable. Il ne fait aucun doute que ma plaidoirie avait des qualités et des défauts. Sa plus grande partie fut consacrée à une analyse juridique du dossier de l'accusation. Je parlai la première, et ce seul fait me mit dans l'obligation de m'exprimer au nom de la défense dans son ensemble.

Je partageais pleinement les vues des accusés. Comme eux, je considérais l'irruption en Tchécoslovaquie comme un acte d'agression par une force occupante. Quand j'appris l'entrée des forces soviétiques en Tchécoslovaquie, moi aussi je sentis que l'on devait crier: «Honte!» Ils avaient été capables de le faire; moi, non. Ainsi, tandis que je prononçais ma plaidoirie, j'étais envahie par le besoin d'exprimer ma propre attitude (besoin que je réprimai cependant). Jamais auparavant je n'avais ressenti ce besoin, ou du moins avec une telle force. Tandis que je préparais mon discours, j'avais totalement exclu la possibilité de permettre à ces sentiments de se faire jour, même sous une forme cachée ou camouflée. L'impulsion de le faire me fut fournie par le réquisitoire du procureur.

Son incessante répétition d'un thème que je trouvais particulièrement détestable: «Nous avons versé notre sang pour eux, tandis qu'ils...»; «Nous leur avons apporté la liberté, mais ils...», me poussa à protester. Comme si la récompense de la liberté était l'esclavage! Comme si le moyen de montrer sa gratitude était d'accepter volontairement l'oppression!

Dans ma plaidoirie, je répondis de la façon suivante aux remarques du procureur (je cite d'après ma propre transcription):

«Je m'associe pleinement à la partie du réquisitoire du procureur dans laquelle il a parlé du grand service rendu par le peuple soviétique et par son armée. Pendant ces années difficiles de la Grande Guerre patriotique, notre peuple et nos soldats étaient parfaitement fondés à brandir le slogan "Pour votre liberté et pour la nôtre"... Je considère personnellement que le slogan "Pour votre liberté et pour la nôtre" ne peut jamais, en aucune circonstance, être considéré comme diffamatoire. Je continuerai toujours à dire "Pour votre liberté et pour la nôtre", parce que je pense que le plus grand bonheur humain est la bonne fortune de vivre dans un pays libre...»

Ce bref passage de ma plaidoirie fut apprécié par ceux qui m'écoutaient dans ce prétoire d'une manière qu'il est impossible de rendre par écrit. Le fait que j'aie laissé une phrase inachevée produisit une longue pause après les mots : « Pendant les années difficiles de la Grande Guerre patriotique, notre peuple et nos soldats étaient parfaitement fondés à brandir le slogan "Pour votre liberté et pour la nôtre" ... » — pause que je n'avais ni prévue ni anticipée. Ma voix se cassa soudain, si grande était la tension intérieure que j'éprouvais à ce moment. L'impact émotionnel de ces paroles était dû au fait que mes auditeurs me comprenaient à demi-mot. C'est du moins ce que me dirent à l'époque mes camarades avocats et les accusés. Même un membre du « public » (installé là, comme les autres, par le K.G.B.) m'exprima la même opinion après le procès.

Une fois prononcées toutes les plaidoiries, l'audience fut levée jusqu'au lendemain matin.

Je restai là, appuyée contre la barrière qui sépare les accusés du reste de la salle, observant les gens qui sortaient. Il y avait parmi eux un homme que j'avais déjà remarqué de loin. Il me fixait avec une haine qui était, sans aucun doute, aussi irrépressible que les émotions que je venais d'éprouver. Lorsqu'il arriva à ma hauteur, il s'arrêta et me dit très clairement : « Ah, vous... merde ! »

J'entendis Larissa crier : « Comment osez-vous ! Comment pouvez-vous insulter un avocat comme elle ! »

L'un des autres accusés appela le chef des gardes pour qu'il arrête cet homme. Quelqu'un d'autre exigea la délivrance immédiate d'un mandat d'arrêt. Je n'étais ni ennuyée ni offensée : je ressentais même une certaine satisfaction. De toute évidence, cet homme avait compris ce que je voulais dire.

Mais il y avait les autres. Ce soir-là — ou plutôt cette nuit-là, car il était 11 heures du soir quand la séance fut levée —, deux hommes s'approchèrent de moi. C'étaient des correspondants de journaux moscovites, spécialement désignés pour faire le reportage de ce procès. Ils m'indiquèrent leurs noms, dont je me souviens, tout comme je me souviens de ce qu'ils m'ont dit, parce que c'était vraiment étrange d'entendre cela dans la bouche de journalistes soviétiques :

« Ce n'est pas le premier procès politique dont nous faisons le reportage. Nous avons été à tous les autres procès où vous étiez comme défenseur. Nul doute que vous nous condamniez pour ce que nous avons écrit à propos de ces procès. C'est pourquoi nous voulions vous dire que nous n'écrirons pas à propos de celui-ci. Vous ne verrez dans les journaux aucun article signé de nos noms. Nous réalisons quelle sorte de gens sont les accusés. »

Bien des années plus tard, quand mon mari et moi étions sur le point de quitter l'Union soviétique, l'un de ces journalistes me fit transmettre quelques paroles inattendues. Il advint que, souffrant d'une grave crise cardiaque, il avait été hospitalisé dans la même salle qu'un avocat qui me connaissait bien; il apprit ainsi que j'avais déjà été radiée du barreau, et que j'étais sur le point de quitter le pays. De retour de l'hôpital, mon collègue m'appela aussitôt: «Il a tant insisté pour que je vous transmette l'expression de sa gratitude et de son respect que je m'acquitte de ma mission dès le premier jour de mon retour à la maison.»

Le troisième jour du procès fut pris par les «dernières déclarations» des accusés, après quoi la cour se retira pour délibérer.

Les seules personnes qui restaient dans la salle d'audience étaient les accusés, les gardes et les avocats. Les gardes nous traitaient maintenant beaucoup plus libéralement qu'auparavant, et nous fûmes autorisés à bavarder avec nos clients presque sans restrictions. Nos conversations ne traitaient plus de sujets juridiques, car les questions professionnelles avaient été épuisées. Plus tard, quand le moment serait venu d'interjeter appel, nous discuterions de nouveau (ou plutôt nous échangerions des notes écrites) sur des questions professionnelles; de nouveau, il y aurait les trajets à Lefortovo, l'attente pour se voir attribuer un bureau évidemment vide, l'occasion pour Pavel de lire de nouveau entre les lignes de mes documents d'appel: «Paul, mon chéri, nous t'aimons tous, et nous t'envoyons nos meilleurs souhaits et nos salutations.»

Mais tout cela restait encore à venir et, en ce dernier jour du procès, nous étions tous agglomérés autour de la barrière en bois et nous riions avec les gens qui, au cours de ces trois jours, étaient devenus nos plus proches amis. Je souriais maintenant avec tendresse non seulement à Larissa et à Pavel, mais aussi à Konstantine Babitski, que je n'avais jamais vu avant le procès et avec qui je ne réussis pas à garder le contact par la suite. Je me rappelle particulièrement une vive discussion à propos d'une certaine sorte de gâteau, inconnue de moi, que je devais une fois essayer, sur l'insistance de Delaunay. Je me souviens aussi que — négligeant la remarque peu empressée du garde: «Camarade avocate, vous ne devez pas lui parler, il n'est pas votre client» — je félicitai Vadim pour ses magnifiques «dernières déclarations», et je me rappelle avec quelle élegance il me répondit, radieux:

«Je sais bien que je puis avoir à payer de plusieurs années d'emprisonnement cinq minutes de liberté sur la place Rouge.»

Tous les accusés furent splendides dans leurs «dernières déclarations». C'est à cette occasion, plus que dans les dépositions que j'ai citées plus haut, que chacun d'eux exprima le mieux son individualité. Maintenant comme alors, je ne saurais dire qui fut le meilleur. Sans aucun doute, chaque auditeur retint dans ces «dernières déclarations» les éléments qui correspondaient le mieux à ses propres vues, à son caractère et à ses opinions.

En ce qui me concerne, j'éprouvai la plus grande sympathie pour les paroles que Babitski adressa à la cour :

« Je respecte la loi et je crois en le rôle exemplaire des décisions judiciaires. J'en appelle à vous pour réfléchir à l'effet exemplaire qu'aura un verdict de culpabilité, et à l'effet que produira un acquittement. Quelles leçons morales voulez-vous inspirer ? Le respect et la tolérance pour les vues des autres — ou bien la haine et la détermination de supprimer et d'humilier toute personne qui pense différemment ? »

Au cours de cette même suspension de séance, j'eus avec Apraskine une conversation qui peut servir d'illustration amusante à la diversité des problèmes qu'avait à résoudre notre état-major des coulisses. Il se trouva que, quand Apraskine pénétra dans la salle d'audience, aucun des autres avocats ne se trouvait là. Il me prit à part et me dit, d'une voix basse que les accusés ne pouvaient entendre :

« Tout a bien marché. Les gens, là-haut (il montrait le plafond), n'ont pas été trop satisfaits de vos plaidoiries, mais il n'y aura pas de conséquences désagréables. Ainsi, vous pouvez vous considérer comme quittes. »

(Incidemment, d'après cette réaction extrêmement rapide du parti à nos plaidoiries, il semblait évident que celles-ci n'avaient pas seulement été sténographiées, mais qu'elles avaient été directement retransmises au bâtiment du Comité central par des microphones cachés.)

Puis Apraskine poursuivit d'une voix plus haute :

« Ne quittez pas le tribunal aussitôt après le verdict. On vous reconduira en voiture : nous savons comme vous devez être fatigués.

— Pourquoi aujourd'hui et non pas hier, quand la séance s'est prolongée jusqu'à près de minuit ? demandai-je. Et dans quelles voitures exactement se propose-t-on de nous reconduire à la maison ?

— Des voitures ont déjà été commandées pour chacun d'entre vous, ainsi, vous n'aurez pas à attendre. »

Il perdait son temps ; j'avais déjà pris ma décision.

« Je ne vais pas rentrer dans l'une de *leurs* voitures. » En réponse au coup d'œil étonné d'Apraskine, j'ajoutai : « Nous sommes des conseillers de la défense. Nous sommes indépendants d'*eux*, et il serait positivement indécent de partir dans les voitures du K.G.B. »

Mes collègues, qui rentraient dans la salle d'audience à ce moment, refusèrent également d'accepter cette sorte d'offre du K.G.B. Apraskine sortit, mais revint quelques minutes plus tard :

« Vous avez peut-être raison, dit-il. Il est peut-être préférable que vous ne rentriez pas dans ces voitures. Mais, quoi qu'il arrive, il vous faut attendre un moment au tribunal avant de partir. » De nouveau, il baissa la voix. « Quittez le tribunal un par un, et non pas en groupe, et sortez par la porte de derrière pour que les journalistes étrangers ne vous voient pas. Et pas d'interviews, rappelez-vous, pas d'interviews ! »

« Au nom de la République soviétique fédérative socialiste de Russie. Le 11 octobre 1968... »

Comme il était stupide que ces paroles aient encore une résonance solennelle à mes oreilles ; comme il était stupide que j'attende encore quelque chose de cette cour de justice qui n'avait pas rendu de jugement indépendant, et qui ne pouvait pas le faire. Et j'attendais assise, tendue, comme mes collègues, comme si c'était un vrai tribunal, comme s'il pouvait y avoir quelque espoir — sachant cependant que, dans quelques minutes, je souffrirais l'amertume de la déception.

Après le verdict, les peines furent prononcées : « ... Litvinov, cinq ans ; Bogoraz, quatre ans ; Babitski, trois ans ; Dremliouga et Delaunay, emprisonnement... » Tout exactement comme prévu.

Le verdict prononcé par le juge Loubentsova obéissait exactement aux instructions données à la cour par les autorités du parti : le mot « manifestation » ne fut jamais prononcé. Toute bribe de preuve favorisant les accusés, tout argument invoqué par la défense furent impitoyablement ignorés par la cour ; et bien que Loubentsova eût usé de toute son adresse pour éliminer la confusion maladroite introduite par le procureur relativement à l'attribution des charges aux articles appropriés du Code, ses efforts n'en rendirent pas pour autant le verdict plus convaincant, ou mieux fondé que ne l'avait été l'acte d'accusation initial.

Cette tentative manquée de donner au verdict au moins une apparence superficielle de respectabilité légale était simplement fonction du professionnalisme caractéristique de Loubentsova, tout comme l'était également son attitude envers les avocats et envers la tactique de défense que nous avions adoptée. Grâce à son « sens socialiste » invétéré de la justice, elle considérait la dissidence comme un crime, mais elle réalisait aussi que c'est le travail des avocats que de défendre, et c'est pourquoi elle regardait notre travail comme le fruit légitime de notre devoir professionnel. La manière dont elle traitait les avocats ne trahissait ni irritation ni hostilité. De fait, après le procès, elle invita dans son bureau tous les conseillers de la défense pour nous remercier de notre « participation consciencieuse et professionnellement irréprochable à cette affaire difficile ».

En sortant par la porte principale, nous fûmes entourés par cette même foule qui attendait dans la rue du matin au soir depuis trois jours et qui n'avait jamais obtenu l'autorisation d'entrer dans le tribunal. Il y avait parmi eux les journalistes étrangers, qui avaient également été exclus et qui avaient monté cette même garde de trois jours dans la rue. De gros bouquets de fleurs nous furent remis par des gens qui s'excusaient de ce qu'ils n'étaient ni assez gros ni assez beaux, expliquant que les bouquets beaucoup plus beaux qu'ils avaient initialement achetés leur avaient été volés.

Seul mon premier procès politique (celui de Boukovski) n'avait pas été accompagné d'un grand rassemblement de gens à l'extérieur du tribunal, mais, à partir de la deuxième affaire, celle de Guinzbourg et de Galanskov, venir au tribunal était devenu une tradition observée non seulement par les amis et parents des accusés, mais aussi par un très large cercle de sympathisants. Les fleurs offertes aux avocats étaient également devenues un signe traditionnel de gratitude. Mais à l'occasion du «procès de la place Rouge», cependant, la foule rassemblée autour du tribunal tout au long des débats fut plus nombreuse qu'elle ne le fut jamais dans un cas semblable.

J'appris ensuite par des témoins oculaires ce qui s'était passé dans la rue pendant les heures de session du tribunal. Mis à part les hommes du K.G.B. en civil et autres fonctionnaires de sécurité, dont beaucoup étaient déjà connus de vue, de nombreux ouvriers de l'une des usines voisines étaient également présents. On leur avait assigné le rôle du «public indigné» et, pour les aider à jouer ce rôle avec le plus de succès possible, on les avait approvisionnés gratuitement en nourriture et en vodka, le tout étant spécialement préparé à leur intention sur des tables dressées dans une cour voisine.

Ces voyous ivrognes et turbulents — hommes et femmes — se relayaient par équipes, mais il n'y avait aucune différence entre eux quant au degré d'insolence et d'agressivité dont ils faisaient preuve à l'égard de ceux qu'ils reconnaissaient infailliblement comme étant des partisans des accusés. Pendant ce temps-là, policiers et agents du K.G.B. écoutaient imperturbablement des injures qu'il est impossible d'imprimer, des menaces de vengeance et des remarques antisémites, sans faire la moindre tentative d'intervention pour faire entendre raison à ces «membres du public» ou pour faire cesser le désordre. Les fleurs destinées aux avocats, achetées par les gens sur leurs propres deniers, furent également volées par quelques membres de cette populace. Ils n'hésitèrent même pas à casser la porte de la voiture (sous les yeux de la police) dans laquelle étaient conservées les fleurs en attendant notre apparition. J'ai gardé un souvenir particulièrement vif de la scène telle qu'elle m'a été décrite : avec quelle brutale satisfaction ils écrasèrent les bouquets sur l'asphalte de manière que pas un seul pétale ne restât intact. Les bouquets que nous reçûmes avaient été achetés au dernier moment grâce à l'argent quêté dans un chapeau pour la seconde fois. Nous fûmes photographiés ces bouquets à la main par ces mêmes journalistes étrangers que nos «maîtres» avaient essayé de nous empêcher de rencontrer.

Quelques jours plus tard, Apraskine me convoqua spécialement pour m'exprimer son déplaisir : «Je vous ai demandé de ne pas sortir par la porte principale, et vous auriez dû tenir compte de ma demande. Maintenant, des photos de vous tenant les bouquets vont paraître dans la presse bourgeoise, et il va de nouveau y avoir des ennuis.

— Et vous pensez, n'est-ce pas, qu'il eût été plus convenable qu'ils publient des photos d'avocats fuyant par une porte dérobée ? demandai-je.

— Personnellement, je ne me soucie guère de photos me montrant vu de derrière. »

Les jours passaient rapidement tandis que nous avions nos derniers entretiens à la prison de Lefortovo. Nous avions interjeté appel. Le verdict fut confirmé par la Cour suprême.

Nous commençâmes alors à recevoir des lettres du lointain Oussougli, où Pavel vivait en exil, et de la lointaine Tchouna, où Larissa était exilée. Je pense que le lien qui s'est tissé entre nous ne sera jamais rompu.

Les gens qui sont sortis sur la place Rouge le 25 août 1968 sont maintenant dispersés dans le monde. Natalia Gorbanevskaïa et Vadim Delaunay sont en France, Viktor Feinberg est en Angleterre, Pavel Litvinov et Vladimir Dremliouga sont en Amérique. Larissa Bogoraz vit à Moscou (son mari, Anatoli Martchenko, accusé de propagande antisoviétique, a été condamné à dix ans de camp et à cinq ans d'exil intérieur). Konstantine Babitski vit dans un village de la province de Kostroma.

A chaque fois qu'il m'arriva de les rencontrer par la suite, après leur exil ou leur libération des camps, certains à Moscou, d'autres à Paris ou à New York, j'ai pu constater de nouveau à quel point ils sont différents, combien différemment ils réagissent devant les circonstances de la vie. Une fois de plus, certains se sont rapprochés de moi, me sont devenus plus chers ; d'autres, au contraire, se sont inévitablement éloignés. Nous avons discuté de bien des sujets et sommes souvent tombés en désaccord ; mais même dans les moments les plus tristes des divergences d'opinion les plus sérieuses, je me suis toujours rappelé : « Souviens-toi que c'est un homme qui a manifesté sur la place Rouge... »

IL NE RECHERCHAIT
NI LA RICHESSE NI LA GLOIRE

Tard dans la soirée du 27 mars 1979, je reçus un coup de téléphone d'une vieille amie à moi (une amitié qui datait du temps où nous vivions à Moscou). Elle avait émigré plusieurs années auparavant, quittant l'Union soviétique pour l'Amérique, où elle résidait maintenant en permanence. Ce jour-là, j'attendais son arrivée à Washington.

« As-tu entendu la nouvelle? lui criai-je, interrompant ses explications et ses excuses de m'appeler à une heure si tardive. N'as-tu pas entendu la nouvelle? Alik est à New York! Tu m'entends? Alik est à New York! »

Vingt minutes plus tard, j'embrassais son visage mouillé de larmes et je lui racontais l'échange qui avait eu lieu ce même jour et dont le caractère inattendu nous avait abasourdis: deux espions soviétiques contre cinq prisonniers de conscience.

Lioudmila Alekseïeva (car c'était elle), représentante à l'étranger du groupe moscovite d'Helsinki, était probablement la seule personne en Amérique à ne pas avoir entendu la nouvelle. Pendant les heures qui avaient suivi la première annonce de l'échange, tandis que mon téléphone ne cessait de sonner, Lioudmila se trouvait bloquée dans un aéroport américain éloigné, attendant un vol sans cesse reculé. Pour elle, Aleksandr Guinzbourg était un camarade dans la lutte partagée pour les droits de l'homme en Union soviétique. Pour moi...

Pour moi, le nom d'Alik est lié aux souvenirs les plus pénibles de tous les procès politiques auxquels il m'a été donné de prendre part. Tandis que je me réjouissais pour Alik et pour tous les autres qui avaient retrouvé leur liberté ce jour-là, je ne pouvais m'empêcher d'évoquer cette année déjà lointaine de 1967; le bureau de la prison de Lefortovo; la silhouette de mon client, tordue en un attitude extraordinaire, les genoux serrés dans ses mains et pressés contre son menton, de sorte que l'homme semblait plié en deux ; l'expression étonnamment gentille et douce de ses yeux ; et le sourire grâce auquel il tentait de cacher sa souffrance.

C'est ainsi — au milieu d'une crise aiguë de douleur provoquée par son ulcère du duodénum — que je vis pour la première fois mon client Iouri Galanskov, l'ami et le « complice » d'Aleksandr Guinzbourg, et c'est dans cette position que je me suis souvenue de lui pendant de longues années.

J'ai entendu parler pour la première fois de Iouri Galanskov au tout début des années soixante, quand un groupe de jeunes poètes, de leur propre initiative et sans autorisation officielle, se mirent à organiser des séances de lecture de poésie sur la place Maïakovski, autour de la statue du poète. Tout de suite, les Moscovites parlèrent de ces séances de lecture comme de quelque chose d'absolument inhabituel et, pour cette seule raison, de dangereux. Iouri était l'un des organisateurs de ces lectures, et il en était un participant indispensable. A cette époque, il n'y avait aucune trace perceptible d'anticonformisme dans la vie culturelle et sociale soviétique. Des expressions telles que « artiste non conformiste », « poète non conformiste » ne circulèrent que beaucoup plus tard.

Même alors, cependant, il y avait des écrivains, des artistes et des compositeurs dont les méthodes et les approches de leur art différaient des formules du « réalisme socialiste » conventionnel, imposé par l'État pour les philistins. Dans les pays authentiquement démocratiques et de traditions pluralistes, le non-conformisme artistique ne saurait amener les artistes en conflit avec l'État. En Union soviétique, de tels conflits sont inévitables, encore qu'ils n'apparaissent pas toujours, tant s'en faut, en surface. Beaucoup plus fréquemment, je crois, les artistes (consciemment ou inconsciemment) exercent une autocensure sur leurs œuvres publiques, limitant la zone de conflit à leur travail privé, le plus créatif.

Je dirais que Galanskov était un non-conformiste dont la sphère d'évolution n'était pas tant la poésie que la vie elle-même. Tout ce qui se passait dans le monde l'affectait de la manière la plus immédiate. Il percevait toute injustice comme le signal d'un désastre nécessitant son aide instantanée. Iouri avait le don inné — en quoi sa raison n'avait aucun contrôle sur ses sentiments — de n'agir qu'en conformité avec sa conscience. La combinaison de ces traits de caractère avec une grande indépendance de jugement fit que, précocement, Galanskov fut conscient de la structure antidémocratique du régime soviétique ainsi que de l'atmosphère de mensonge et d'injustice sociale, ce qui fit de lui un opposant actif à ce régime.

Iouri était né en 1939 dans une famille très humble. Sa mère était femme de ménage, son père ouvrier tourneur. Dès l'enfance, il vécut dans la pauvreté, sans toutefois la trouver opprimante. Il semblait capable de s'en sortir même avec les sommes d'argent, les objets les plus modestes. Il trouvait toujours quelqu'un qui avait encore plus besoin que lui de l'argent ou des choses dont il disposait. Les mots de «bonté» et d'«altruisme», appliqués à Iouri Galanskov, ne peuvent s'entendre que dans leur sens le plus extrême, et même exagéré. L'expression «il est si généreux qu'il donnerait sa chemise» s'appliquait à Iouri dans son sens le plus littéral. Je ne sais pas si c'était un homme religieux, mais sa pureté spirituelle, sa gentillesse et son amour des gens (particulièrement des enfants) correspondent dans mon esprit à l'image morale que je me suis toujours faite d'un véritable chrétien.

Après la condamnation de Iouri et son emprisonnement, je ne l'ai plus jamais revu. Le 4 novembre 1972, cinq ans et dix mois après son arrestation, il mourut dans l'un des camps à régime sévère de la région des Mordves. Pendant toutes ces années, au cours desquelles il endura le martyre, tandis qu'il expirait lentement de son ulcère chronique au duodénum, du travail pénible et de la faim légalisée, il écrivit du camp de travail lettre sur lettre dans lesquelles il exprimait ses préoccupations pour les autres, son amour et sa tendresse.

«Bonjour tout le monde! Embrassements, baisers et poignées de main pour tous! Chère mère, cher père, Timofeï Sergueïevitch, mes deux petites Aline[1], dont l'une est Lena, je pense constamment à vous, à tous mes amis et connaissances. Quand je vais au lit, je dis: "Bonne nuit, mère, bonne nuit, Lenotchka" et je dis bonne nuit à tous ceux que j'aime et que je respecte. Beaucoup ne soupçonnent même pas que je les porte dans mon cœur toute la journée.»

«Chère maman, je n'ai pas froid, je suis chaudement habillé, mon estomac ne me fait pas trop mal, juste un peu. Ne te fais pas de soucis et pense à ta santé. Ecris-moi plus souvent. J'aime tes lettres. Ma chère maman, je t'en prie, ne te fais pas de soucis...»

«En ce moment, je travaille, je couds des mitaines. Par hasard, vers 10 heures, j'ai regardé par la fenêtre. Grand Dieu! J'ai mis un chapeau, une écharpe autour de mon cou et je suis sorti en courant. Des toits roses, couverts de neige, sous un ciel d'or et de soleil. Je me sentais heureux. Je voyais de la fumée violette s'élever des cheminées. Vers l'ouest, le ciel avait une teinte lilas. Quels couchers de soleil nous avons eus en ce début de janvier! Le ciel était couleur framboise. Le soir de Noël, j'ai pensé à tous nos amis et parents, à tous ceux qui nous sont chers.»

«Maman, s'il te plaît, fais des tartes (aux pommes, si tu peux) et porte-les à Katia et à Mitia[2]. Fais-en autant que tu peux, une pleine marmite. Porte-leur des bonbons, mais achètes-en de bons, ainsi que des man-

---

1. Alena, la femme de Iouri, Olga Timofeïeva, et Lena, sa sœur.
2. Petits enfants d'amis de Iouri.

darines. Maman, quand Katia et Mitia viennent te voir, il faut les nourrir. Tout va bien ? »

« Bonjour maman, papa et Lenotchka... J'ai été à l'infirmerie pendant trois ou quatre jours et, au début de septembre, on m'a emmené d'urgence à l'hôpital. Maintenant que je suis à l'hôpital, ma santé s'est un peu améliorée. Si elle reste comme ça au camp, je pourrai vivre... Et voici la dernière : je quitte l'hôpital demain, 25 septembre... Ainsi soit-il ! Si au camp la douleur n'augmente pas trop, je pourrai y vivre aussi. »

« Mère, il faut que tu arranges un petit sapin de Noël pour le petit Ioura[1]. Naturellement, il ne comprend rien encore, mais il en aura tout autant de plaisir. Il va sourire, agiter ses petits bras... »

Puis à nouveau de l'hôpital :

« C'est la nuit, il fait noir. Je peux à peine distinguer les mots. J'écris à la lueur d'un lampadaire qui m'éclaire par la fenêtre, utilisant comme support un livre de Leopold Stokovski, *Musique pour tous*. C'est un beau livre. J'ai aussi un livre de poèmes de Baudelaire... Je n'ai pu me procurer que ces deux-là. La vie est si ennuyeuse sans livres. Je m'ennuie tant d'être seul, sans les enfants. Seul Micha Sado vient me voir la nuit. Je voudrais lui faire un peu de café, mais je n'en ai pas. J'ai donné ma ration à Iourka Ivanov, il va avoir des moments difficiles sans café à Saransk[2]. »

Pour lui-même, Iouri ne demandait que des livres (poésies, livres de psychologie, de biologie, de génétique, de démographie, de logique) et ... davantage de comprimés vitaminés : « Achetez-les-moi aussi souvent que vous pouvez. Ils sont bon marché. » A lire toutes ces lettres, on pourrait facilement avoir l'impression que sa souffrance était supportable, que la vie, comme il le dit, « suit son cours ordinaire en dépit des circonstances, comme il se doit ».

Destinataire :
Croix-Rouge Internationale
Commission des Droits de l'homme

APPEL

J'ai été arrêté le 19 janvier 1967. Je suis dans ma sixième année de prison. Je souffre d'un ulcère du duodénum. Je ne puis manger qu'une petite partie de la nourriture de la prison, de sorte que je suis sous-alimenté en permanence. En même temps, par suite du règlement du camp avec emprisonnement « à régime sévère », je suis dans l'incapacité de

---

1. Le fils de Lena, sœur de Iouri, né après que ce dernier eut été condamné et dont le prénom fut choisi en son honneur.

2. Les lettres sont citées d'après le livre *Iouri Galanskov, Poet i Tchelovek*, éd. Possev, Francfort-sur-le-Main, 1973.

recevoir de ma famille la nourriture dont j'ai besoin. Comme je souffre en permanence de douleurs extrêmes, je ne dors pas assez. Je manque de nourriture et de sommeil depuis plus de cinq ans, et en plus je dois assurer un travail physiquement dur pendant huit heures par jour. Chaque jour est une agonie, chaque jour est une lutte contre la douleur et la maladie. Je lutte pour ma vie depuis cinq ans... »

Il n'y eut qu'un décalage de quelques semaines, peut-être même de quelques jours seulement, entre cet appel tragique et les lettres pleines d'amour et de sollicitude, totalement dépourvues de plaintes, que Iouri envoyait à sa famille; et les gens qui lisaient ces lettres en 1972 étaient rassurés — il ne restait plus, après tout, que deux années jusqu'à sa libération. Iouri savait qu'il n'y avait pas d'espoir; et il le signifia dans les dernières lignes de son appel:

« Les deux années qui me restent à faire pour purger ma peine vont me tuer. Je ne puis rester silencieux, car non seulement ma santé est menacée, mais ma vie aussi.

Iouri GALANSKOV
Février 1972.

Quelques semaines, quelques jours peut-être, s'écoulèrent entre ces paroles tragiques et la lettre qui évoquait la fumée violette s'échappant des cheminées et la neige rose recouvrant les toits. Et les gens qui lisaient ces lettres étaient rassurés: il ne restait plus que deux ans jusqu'à sa libération.

Le 4 novembre 1972, Iouri fut tué. Les gens qui tenaient entre leurs mains la vie de Galanskov n'ont pas le droit de dire qu'il est mort de maladie.

Le vice-président des magistrats du tribunal de la ville de Moscou, Lev Mironov, qui, sur les ordres des autorités supérieures, condamna Iouri à sept années de camp avec emprisonnement à régime sévère, savait que cet homme malade ne pourrait survivre à ce châtiment. Il savait qu'il condamnait Iouri à mort dans les camps. Les administrateurs des camps qui ordonnaient à Galanskov d'accomplir la tâche normale de travaux forcés savaient qu'ils exigeaient l'impossible. Les médecins des camps qui refusèrent de le déclarer inapte au travail et de lui prescrire une alimentation spéciale et des médicaments savaient qu'ils lui refusaient les moyens de rester en vie.

En juin 1971, les parents de Galanskov adressèrent un appel à la clémence au praesidium du Soviet suprême de la R.S.F.S.R.

Ils décrivirent la brusque détérioration de sa santé: « ... Quand nous allons lui rendre visite au camp, nous assistons à l'agonie qu'il endure. Il ne peut pas manger, il ne peut même pas nous parler. S'il n'est pas libéré immédiatement, nous craignons qu'il ne puisse survivre pendant les deux années qu'il lui reste à faire, et il mourra au camp. »

Le praesidium du Soviet suprême refusa de prendre en considération l'appel de Iekaterina et de Timofeï Galanskov.

Sept des prisonniers politiques qui purgeaient leur peine dans le même camp que Galanskov adressèrent un appel à Roman Roudenko, procureur général de l'U.R.S.S., huit mois avant la mort de Iouri. Ils écrivirent que Galanskov ne recevait pas d'assistance médicale compétente et qu'il n'était pas dispensé des durs travaux physiques même pendant les crises aiguës de sa maladie.

« Fréquemment, écrivaient-ils, il est incapable de dormir pendant plusieurs nuits d'affilée à cause de ses terribles douleurs, et il ne peut manger pendant des journées entières. Qui plus est, il ne reçoit pas les médicaments nécessaires. » Ils concluaient en disant que l'issue serait probablement la mort prématurée de Galanskov, qui était en train de dépérir lentement sous leurs yeux.

A ce moment-là, en mars 1972, quand le procureur général reçut cette lettre, il aurait encore été possible de sauver Iouri. Cela ne fut pas fait. Il a été tué lentement, méthodiquement et tout à fait délibérément. Galanskov a été tué alors qu'il n'avait que trente-trois ans.

Dans l'affaire que je me propose de décrire, quatre personnes étaient inculpées de charges criminelles : Aleksandr Guinzbourg, Alekseï Dobrovolski, Vera Lachkova et mon client Iouri Galanskov. Ils étaient accusés d'activités antisoviétiques (article 70 du Code pénal de la R.S.F.S.R.). Contrairement aux cas précédemment décrits, toutefois, chaque inculpé était ici accusé d'un crime séparé, pas toujours en liaison avec les activités des autres accusés.

Aleksandr Guinzbourg était accusé d'avoir rassemblé et envoyé en vue de sa publication en Occident une collection de documents relatifs au procès des deux écrivains soviétiques Siniavski et Daniel, collection connue sous le nom de *livre blanc.*

Le crime d'Alekseï Dobrovolski était d'avoir gardé à son domicile et d'avoir distribué parmi ses amis des brochures antisoviétiques ainsi que d'avoir tenté de reproduire en nombre une série d'œuvres en *samizdat.*

Iouri Galanskov était accusé d'éditer un magazine littéraire échappant à la censure et intitulé *Phénix-66,* incluant des articles de nature antisoviétique.

Vera Lachkova était accusée d'avoir dactylographié pour Guinzbourg et pour Galanskov les documents destinés au *livre blanc* et à *Phénix-66.*

En outre — et cela constituait le chef d'accusation principal contre Guinzbourg et Galanskov —, il était prétendu qu'ils entretenaient des relations illégales avec une organisation politique émigrée appelée

« N.T.S.[1] », laquelle appelait ouvertement au renversement du régime soviétique et à son remplacement par un nouveau système politique et économique fondé sur les principes d'une doctrine politique connue sous le nom de « solidarisme ».

Galanskov, comme mes autres clients des procès politiques, était un adversaire convaincu de la violence. Ses armes, dans la lutte pour la démocratisation de la société soviétique, étaient toujours des mots; sa méthode de combat, l'expression ouverte de ses idées. Ses cibles étaient l'absence de liberté et l'injustice sociale. Aucun des chefs d'inculpation relevés contre lui ne l'accusait d'avoir commis des actes qui fussent immoraux ou déshonorants. Je puis affirmer cela, même si Iouri fut reconnu coupable non seulement d'avoir commis « un crime particulièrement grave contre l'État » — les activités antisoviétiques —, mais encore d'avoir vendu illégalement des devises étrangères, acte criminel au sens commun du terme généralement motivé par la pure cupidité. En outre, je me permets cette affirmation en dépit du fait que l'affaire Galanskov ait été le seul procès politique dans lequel je n'ai pas demandé à la cour l'acquittement complet de mon client.

Quand je me réfère à cette affaire comme à l'un des plus douloureux de tous mes procès politiques, je ne fais pas allusion à un problème professionnel qu'un avocat rencontre tout à fait fréquemment. Même maintenant, douze ans plus tard, je ressens encore du désespoir devant la contradiction entre « il n'a rien fait de mal, de nuisible ou d'immoral » et « il a transgressé la loi ».

Tandis que j'étudiais le dossier, j'enviais grandement mon ami et collègue Boris Zolotoukhine, qui défendait Aleksandr Guinzbourg. Toute la conduite de Guinzbourg, pendant l'enquête et au tribunal, la consistance et la logique de sa déposition fournissaient un matériel inestimable pour argumenter sur les chefs d'accusation où Guinzbourg déniait toute participation. En particulier, l'avantage principal de la défense résidait dans l'épisode central des charges relevées contre Guinzbourg : la compilation d'un jeu de documents relatifs au procès Siniavski-Daniel, dont il était l'auteur reconnu. Tout comme, quand je défendais Boukovski, je pouvais dire à la cour : « Oui, il a fait cela, mais ce n'était pas un crime », l'avocat de Guinzbourg pouvait dire avec une égale justification : « Dans ce procès, c'est mon privilège que de défendre un homme innocent. »

En tant que défenseur de Galanskov, je n'avais pas ce privilège. Je pouvais prononcer le mot d' « acquittement », et sans risque sérieux pour

---

1. N.T.S. (Natsionalnyï Troudovoï Soïouz), Union nationale du Travail, organisation politique antisoviétique d'émigrés, basée en Allemagne occidentale.

moi-même, en liaison avec le chef d'accusation le plus grave relevé contre Galanskov — la question de ses liens avec l'organisation antisoviétique d'émigrés N.T.S., le matériel de codage qu'il avait prétendument reçu d'elle ainsi que la duplication et la diffusion de littérature antisoviétique. J'étais en mesure d'affirmer que ce chef d'inculpation n'était pas prouvé, mais je ne pouvais pas faire écho aux propres paroles de Galanskov, qui disait : « Oui, j'ai vendu des dollars, mais ce n'était pas un crime, parce que la loi interdisant la vente de devises étrangères est une loi injuste. »

Je pouvais dire au tribunal que le fait *en lui-même* de composer le magazine littéraire non censuré *Phénix-66*, dont Galanskov était le rédacteur en chef, n'enfreignait pas la loi soviétique ; je pouvais aussi, dans une certaine mesure, discuter l'affirmation de l'accusation relative au contenu antisoviétique des articles qui y paraissaient. Mais je n'avais pas le droit de contester le caractère antisoviétique de l'essai de Siniavski *Qu'est-ce que le réalisme socialiste?*, et en conséquence je ne pouvais maintenir que sa publication dans la revue de Galanskov n'enfreignait pas la loi.

J'étais incapable de dire cela pour des raisons purement formelles, obligatoires pour moi en tant qu'avocate professionnelle. En effet, un précédent verdict de la Cour suprême de la R.S.F.S.R., dans le procès de Siniavski, avait déclaré cet essai «antisoviétique». Pour le tribunal de la ville de Moscou, un verdict de la Cour suprême a automatiquement force de loi.

Je me mis à la recherche d'une issue à cette situation tandis que je me préparais au procès, et j'y réfléchis en testant mentalement mes positions sur cette question. Pendant des années, par la suite, je ne pus m'empêcher de revenir sur ce problème qui ne me laissait pas en paix. Mes collègues, également, considéraient qu'un avocat ne peut ignorer la loi, et qu'en conséquence je n'étais pas fondée à demander un acquittement complet pour Galanskov.

La majorité de mes collègues pensaient que je devais placer Galanskov devant un choix : ou bien il plaiderait coupable sur les points indéfendables, ou bien il se dispenserait des services d'un avocat et il assurerait lui-même sa défense. Mes collègues avançaient, fort justement, que, quand un accusé ne plaide pas coupable, le point de vue de son avocat qui refuse de plaider pour l'acquittement de son client est toujours perçu comme une trahison.

«Ne voyez-vous pas qu'un profane ne tiendra jamais compte des limitations imposées à quelqu'un qui est un avocat professionnel et non pas un orateur dans un meeting politique? Personne n'a le droit d'exiger que nous nous soumettions volontairement à une humiliation aussi imméritée. Vous devez bien montrer à Galanskov que, s'il a accepté de faire ces choses, il doit logiquement accepter de plaider coupable. Vous n'agirez pas contre votre conscience si vous le persuadez de plaider coupable, exactement comme l'ont fait deux autres accusés, Dobrovolski et Lachkova. »

Il serait faux de dire que je n'étais pas inquiétée par cet aspect du conflit, qui affectait ma réputation. J'étais loin d'être indifférente à la manière dont ma position serait jugée par le grand nombre de personnes qui suivraient le procès avec une attention minutieuse. Je me serais sentie beaucoup plus heureuse si Galanskov avait plaidé coupable tout en reconnaissant le statut juridique convenable des actes qu'il ne niait pas avoir commis. J'admettais que la conclusion naturelle et logique du conflit qui oppose, dans un procès, un accusé qui nie sa culpabilité à un avocat qui ne peut contester la culpabilité de son client était le retrait des services de cet avocat en tant que conseiller de la défense. Je ressentais comme une impossibilité, cependant, de placer Galanskov devant le choix de plaider coupable ou d'assurer sa propre défense. Je considérais aussi comme impossible d'essayer de le persuader de modifier ses positions. Iouri m'avait demandé de le défendre et, parfaitement au fait de la situation, il avait acquiescé sans objections à la ligne de défense que j'avais proposée.

Qu'est-ce qui fait l'intérêt d'un procès ? Pour les spectateurs ou pour les lecteurs, l'intérêt d'un procès est déterminé, en règle générale, par l'histoire ou par l'intrigue. Pour un avocat, il réside dans les problèmes que pose une affaire — problèmes qui peuvent être sociaux ou profondément personnels, mais qui sont toujours, en dernière analyse, d'ordre psychologique ou moral.

Les procès politiques confrontent l'avocat à un large éventail de problèmes — sociaux, moraux, psychologiques et juridiques. L'argumentation relative aux faits, cependant, et par conséquent l'analyse des preuves étaient en revanche, dans de tels procès, d'une importance secondaire. Cela était déterminé par la nature de l'activité de nos clients, son caractère délibérément franc et légal. Ainsi, quand je défendais Vladimir Boukovski et Pavel Litvinov, et en fait tous les autres accusés dans ces procès-là, qu'ils plaident ou non coupables, ils avaient reconnu avoir pris part aux manifestations.

Le procès de Galanskov, de Guinzbourg, de Dobrovolski et de Lachkova confrontait la défense aux problèmes qui sont communs à tous les procès politiques. Toutefois, il impliquait en plus un combat acharné entre accusation et défense sur les faits eux-mêmes. Cette contestation était rendue d'autant plus complexe qu'il était établi que l'un des accusés — sinon totalement, du moins partiellement — avait indubitablement commis les actes que le K.G.B. considérait comme criminels. Toute la question était de savoir qui. Etait-ce Galanskov, comme l'assurait le

K.G.B., ou bien était-ce Dobrovolski, comme l'indiquaient toutes les preuves objectives?

En commençant à écrire sur le procès de Galanskov, j'avais l'intention d'en discuter à la lumière de ce que j'en sais aujourd'hui, maintenant que le temps m'a distancée des événements et a mis au jour de nouveaux faits qui m'ont inévitablement conduite à reconsidérer l'affaire. Mais à chaque nouvelle page que j'écris, je sens toutes les émotions et toutes les anxiétés d'alors qui m'envahissent de nouveau. Comme il s'est révélé de plus en plus difficile de faire abstraction de ces sentiments, j'ai décidé d'écrire comme si le temps n'avait pas passé, négligeant les modifications qui sont intervenues dans l'entre-temps dans ma manière de voir les choses. C'est pourquoi je me replace mentalement en septembre 1967, quand Iouri et moi étudiions le dossier dans la prison de Lefortovo, alors que Dobrovolski était, pour moi, l'ennemi numéro un.

Mes sentiments de pitié pour la vie ruinée et anéantie de Dobrovolski ne vinrent que plus tard. A l'époque, je le considérais avec un mépris dégoûté, voyant en lui un menteur et un traître. Incapable de dissocier mes sentiments du mal qu'il causait à Iouri Galanskov, je percevais Dobrovolski comme un ennemi personnel.

A la mi-janvier 1967, le K.G.B. reçut les visites séparées de deux citoyens, Tsvetkov et Golovanov, qui tous deux travaillaient dans des ateliers de dessin moscovites. Leur travail comportait la photocopie de documents, de plans, de dessins, etc., sur une photocopieuse spéciale. Dans leurs déclarations au K.G.B., Golovanov et Tsvetkov dirent — séparément — que, à la demande de leur ami Radzievski, ils avaient accepté, contre une modeste somme, d'accomplir quelques «méfaits nocturnes» sur la photocopieuse officielle appartenant à leur institution. Radzievski leur avait apporté un classeur contenant un certain nombre de feuilles dactylographiées. Ayant lu les documents, cependant, et réalisant qu'ils étaient de nature antisoviétique, chacun d'eux avait décidé indépendamment de porter les feuilles dactylographiées au K.G.B. Le résultat, c'est que Radzievski fut arrêté et interrogé. Il confirma le témoignage de Tsvetkov et de Golovanov, et indiqua que le matériel lui avait été donné par son ami Alekseï Dobrovolski. Quant à lui, il ne l'avait pas lu et, en satisfaisant à la demande de Dobrovolski, il ne savait pas qu'il manipulait des textes antisoviétiques.

Le jour même, 17 janvier, et à la même heure, des brigades du K.G.B. perquisitionnaient aux domiciles de Dobrovolski, de Galanskov, de Guinzbourg et de Lachkova.

Chez Guinzbourg et Galanskov, elles trouvèrent et confisquèrent diverses lettres dactylographiées et appels au public, ainsi qu'un exemplaire dactylographié de la collection d'articles et autres documents connue sous le nom de *Phénix-66*. Lachkova fut arrêtée le jour même, Galanskov et Dobrovolski le surlendemain.

Dobrovolski, naturellement, avait été mentionné par Radzievski; Galanskov fut cueilli parce que sa signature figurait sur l'un des documents que les employés de la photocopie avaient remis au K.G.B. La véritable raison des perquisitions, cependant, était que le K.G.B. filait tout le monde depuis longtemps, et qu'il ne cherchait qu'une occasion pour bondir. Le K.G.B. savait qu'Aleksandr Guinzbourg avait réuni toute une série de documents sur le procès Siniavski-Daniel. Guinzbourg n'en avait pas fait mystère; il en avait même envoyé une copie complète, avec nom et adresse, au K.G.B., comme moyen de souligner la légalité de ce qu'il faisait. Le K.G.B. savait aussi que Galanskov éditait *Phénix-66*, et que l'amie des deux hommes, Vera Lachkova, avait dactylographié les documents aussi bien du procès que de la revue.

Il est difficile de dire avec certitude pourquoi, devant l'abondance des informations, le K.G.B. ne les avait pas arrêtés plus tôt. On peut supposer qu'il en était empêché par le risque très réel que de nouveaux procès ne fassent qu'amplifier les réactions férocement critiques déjà suscitées à l'étranger par le procès Siniavski-Daniel. Juger Guinzbourg sous le seul motif qu'il avait composé le *livre blanc* démontrerait au monde entier, plus vigoureusement peut-être encore que le procès Siniavski-Daniel, l'absence de liberté en Union soviétique. Le *livre blanc* est une compilation pratiquement dépourvue de commentaires rédactionnels. Il contient la transcription sténographique du procès Siniavski-Daniel, des commentaires de la presse soviétique et étrangère sur le procès ainsi que des lettres émanant d'individus ou d'organisations et adressées aux leaders soviétiques, à des écrivains, aux autorités judiciaires et au ministère public de l'U.R.S.S. Ses objectifs sont indiqués en quelques mots dans la très brève préface rédigée par son éditeur: « Il faut espérer que la voix de l'opinion publique ne faiblira pas jusqu'à ce que nous reviennent ceux qui crurent au sort de leur patrie plus qu'à leur propre sort: Andreï Siniavski et Iouli Daniel. »

Juger quelqu'un pour cette seule phrase était impossible, même dans les conditions « flexibles » de la justice soviétique. Si Guinzbourg n'avait mis dans son recueil que des protestations et des lettres condamnant le procès, il aurait été possible de prétendre avec le K.G.B. qu'il s'agissait de propagande (bien que, même dans ce cas, il n'y aurait rien eu de criminel dans les actes de Guinzbourg). Mais, avec une objectivité et une conscience déconcertantes, Guinzbourg incluait les attaques les plus vicieuses contre Siniavski et Daniel publiées dans les journaux soviétiques, les lettres des écrivains indignés, des savants et des « simples citoyens soviétiques » qui proliféraient à l'époque dans les pages de la presse soviétique.

Ce recueil ne fournissait aucun motif pour accuser son compilateur de propagande antisoviétique ou de diffamation du système politique et social soviétique.

C'est pourquoi le K.G.B. rechercha d'autres voies pour inculper Guinzbourg. Il était à l'affût du moindre prétexte. Ce dernier se présenta sous la forme d'un exemplaire du *Phénix-66* de Galanskov, découvert dans l'appartement de Guinzbourg. Comme première étape visant à attirer Guinzbourg dans le filet, l'enquête s'était fixé pour objectif d'établir que *Phénix-66* n'était pas entre les mains de Guinzbourg par accident, mais que celui-ci avait pris une part active à l'élaboration de cette revue. Cela pouvait rendre son inculpation beaucoup plus grave que d'avoir compilé le *livre blanc*.

Guinzbourg fut arrêté le 23 janvier.

Le premier interrogatoire des prisonniers n'ajouta que fort peu aux informations que le K.G.B. avait déjà. Galanskov reconnut tout de suite qu'il était l'organisateur et l'éditeur de *Phénix-66*, mais il maintint que Guinzbourg n'avait pas été mêlé au travail de la revue et que lui-même, Galanskov, n'avait pris aucune part à la compilation du *livre blanc*. Galanskov déclara aussi qu'il avait laissé un exemplaire de *Phénix-66* dans l'appartement de Guinzbourg la dernière fois qu'il y était allé avant la perquisition. Galanskov passait fréquemment chez Guinzbourg à l'improviste, laissant parfois des choses à son intention quand il n'était pas chez lui. Guinzbourg n'avait pas été chez lui cette fois-là, et il n'avait pas pu savoir qu'un exemplaire de *Phénix-66* avait été laissé. Guinzbourg nia aussi tout rapport avec la revue. Lachkova affirma que les documents qu'elle avait dactylographiés pour Galanskov et pour Guinzbourg l'avaient été d'une manière tout à fait séparée, et qu'elle n'avait jamais entendu dire ni à l'un ni à l'autre qu'ils eussent collaboré aux deux ouvrages.

Il est difficile de dire ce qu'eût été l'issue de ce procès si tous les accusés étaient restés sur leurs positions, si personne n'avait fourni aux enquêteurs le matériel dont ils avaient besoin pour mettre en scène un procès à sensation. Même sans ce matériel, bien sûr, les enquêteurs n'auraient pas simplement classé l'affaire. Ayant échoué à dissuader les intéressés par des avertissements et des menaces, les autorités ne les auraient pas laissés partir impunis. S'ils n'avaient eu que les preuves recueillies dans les premières perquisitions, en plus de la déposition initiale des accusés, les enquêteurs auraient pu, cependant, limiter l'acte d'accusation aux charges de diffamation du système soviétique, et ils auraient pu se contenter d'un maximum de trois années de prison (ce qui est prévu pour la «diffamation») — au lieu d'un maximum de sept années de prison (ce qui est prévu pour le crime plus sérieux de «propagande antisoviétique») — purgées en «régime général» au lieu des camps à «régime sévère».

La principale source d'informations — source inestimable et qui fut d'abord la seule — fut Alekseï Dobrovolski. Dans la déposition qu'il fit au cours de l'enquête préalable, il raconta beaucoup de choses sur lui-même, sur son enfance, sur la formation de sa philosophie personnelle et sur son attitude à l'égard du régime soviétique. Alekseï avait perdu son père à un âge très précoce et avait été élevé par sa mère, ingénieur de profession et stalinienne de conviction. Il avait grandi dans une atmosphère d'admiration pour Staline et pour tout ce qui se rattachait à lui. Pour Alekseï, comme pour beaucoup d'autres, la dénonciation de Staline par Khrouchtchev en 1956 fut un choc personnel profond, et telles étaient la force et la sincérité de sa foi antérieure qu'il éprouva les plus extrêmes difficultés à surmonter ce traumatisme. Pour avoir prononcé un discours à la défense de Staline et contre la campagne dénonçant son « culte de la personnalité », Dobrovolski fut expulsé du Komsomol. Telle fut la première conséquence de son désaccord avec la « ligne générale » du parti. Pendant l'enquête, et plus tard au procès, Dobrovolski lui-même dit qu'il avait médité longuement et douloureusement sur les problèmes politiques qui l'intéressaient.

« Evidemment, dit-il, la tâche était au-dessus de mes forces. J'ai tiré de fausses conclusions de la dénonciation de Staline, et peu à peu je suis devenu un opposant au régime soviétique. »

A l'âge de dix-neuf ans, Dobrovolski fut arrêté et condamné pour activité antisoviétique : « Je n'ai pas plaidé coupable. Je crus à l'époque que j'avais été condamné à tort. Les années que j'ai passées au camp avec emprisonnement n'ont pas modifié mes vues sur le système soviétique, mais y ont ajouté du ressentiment personnel. »

Après sa libération, Dobrovolski fut encore arrêté deux fois pour activité antisoviétique. La première, il bénéficia d'un non-lieu ; la seconde, il fut déclaré juridiquement irresponsable et hospitalisé en vue d'un traitement psychiatrique obligatoire.

Dans le comportement de Dobrovolski, il y avait beaucoup de choses que je ne comprenais pas. Il n'était pas mon client, et je n'avais donc aucun contact personnel avec lui ; cependant, je ne puis considérer comme absolument dignes de foi la déposition qu'il fit à l'enquêteur ou les histoires qu'il raconta sur lui-même, telles qu'elles ont été enregistrées par le K.G.B. Je suis convaincue que ces éléments de son témoignage, qui ont impressionné certaines personnes par leur sincérité, étaient en réalité motivés par son instinct de conservation très aigu. La coloration qu'il donna à ses actions était dictée, à mon avis, non par le repentir, mais par la peur. Beaucoup de gens pensaient que le trait dominant de son caractère et de sa conception de l'existence était son instabilité psychologique, que ses revirements violents, allant du stalinisme fanatique à l'activisme antisoviétique en passant par un détour qui le conduisit même au monarchisme, étaient le résultat d'aberrations pathologiques. On disait aussi la même chose pour expliquer un changement encore plus profond qui l'avait conduit de la déification de Staline à sa conversion à l'Église orthodoxe russe.

Dobrovolski fut examiné par plusieurs psychiatres, qui tous tombèrent d'accord pour dire qu'il manifestait certaines déviations par rapport à la normale. Le diagnostic oscillait entre la psychopathie et la schizophrénie. Malgré les réserves avec lesquelles je considère les conclusions des psychiatres médico-légaux soviétiques, je pense que Dobrovolski était vraiment atteint d'une certaine forme de maladie mentale. Je crois aussi que cela affectait tout autant son caractère que sa conduite, caricaturant et intensifiant certains traits de son caractère. Le sens hypertrophié qu'il avait de son propre ego allait au-delà de la vanité fréquemment manifestée par les gens normaux. Sa méfiance était devenue de la suspicion, son sens naturel de l'économie s'était transformé en cupidité. Il est possible qu'un désir morbide de s'affirmer l'ait poussé vers une intensification de son activisme politique, ou tout au moins qu'il ait constitué un stimulus complémentaire.

Les gens qui avaient détecté la maladie mentale dans les fluctuations politiques de Dobrovolski, je le savais, n'avaient pas fondé leur opinion sur son premier changement, le plus important, qui l'avait conduit du stalinisme à l'antisoviétisme. Ce qui les avait frappés comme si anormal, c'était son adhésion à l'idéal monarchiste. Fut-il réellement monarchiste ? C'est un point litigieux. Lui-même n'a jamais dit qu'il l'était. Les seules preuves allant dans ce sens étaient un portrait du dernier tsar russe, Nicolas II, accroché dans sa chambre, et les déclarations de certains témoins. Dans les années quatre-vingt, le terme de « monarchiste », appliqué à un certain groupe de dissidents, est devenu plus familier, et personne ne prétendrait plus qu'être monarchiste est un signe d'anomalie mentale. Mais à l'époque du procès, chaque fois que je mentionnais le monarchisme supposé de Dobrovolski, les gens disaient : « Quoi ? Est-il complètement fou ? » Je crois néanmoins que son passage du stalinisme au monarchisme tout comme sa conversion au christianisme s'expliquent parfaitement par la sorte d'endoctrinement à laquelle Dobrovolski fut soumis depuis l'enfance et qui lui avait pénétré jusque dans la moelle des os.

Pour Dobrovolski, Staline était une idole, presque une divinité. Il le considérait comme une incarnation de la sagesse et de la force pour son aptitude à gouverner tout seul un immense pays. En perdant ses illusions sur Staline, cependant, Dobrovolski n'en devint pas pour autant un adversaire de l'autocratie. L'idée d'une transformation du pays en une monarchie absolue n'était certainement pas en contradiction avec les théories politiques qu'on lui avait inculquées, à telle enseigne qu'elles faisaient partie de sa façon d'envisager les choses. En un mot, il n'avait jamais été sevré du principe préconisant la concentration du pouvoir entre les mains d'un seul homme. Je pense aussi que Dobrovolski a toujours été essentiellement un homme religieux. Ses premières croyances l'avaient d'abord tourné vers une pseudo-religion, mais, quand il perdit ses illusions sur elle, il n'en perdit pas pour autant son besoin de croire, et l'intérêt qu'il porta à la foi et à la philosophie chrétiennes venait d'un besoin intime de croire en quelque chose d'authentique et de sublime.

Son arrestation dans notre affaire fut une rude épreuve, un événement intolérable pour Dobrovolski. Il avait déjà subi trop de traumatismes. La première fois que je le vis, brièvement et par hasard — c'était à Lefortovo en septembre 1967 —, c'était un homme anéanti et démoralisé, mais en même temps rempli d'une détermination fanatique. Le prix qu'il pourrait avoir à payer pour s'en sortir ne le préoccupait nullement. Son « repentir », la condamnation de ses propres opinions étaient une partie de ce prix. Mais la partie principale du prix, grâce à laquelle il espérait acheter son salut, était sa déposition contre Galanskov et Guinzbourg. Il était prêt à fournir toutes les preuves que les enquêteurs voudraient. Une partie de ce qu'il dit était peut-être vraie, mais, pour la plus grande part, il inventa et mentit avec une sorte d'extase passionnée. Une note de passion, d'ailleurs, caractérisait tout son témoignage, qu'il se reconnût coupable ou bien qu'il se repentît et niât sa culpabilité.

Sa première réaction à son arrestation fut de tout nier en bloc : « Radzievski me calomnie. Il ment effrontément ; je ne lui ai jamais rien donné. » Le lendemain, 20 janvier : « Radzievski cache l'identité de la personne qui lui a réellement donné ces documents. Il me calomnie honteusement. Galanskov ne me les a pas donnés, et je ne les ai pas donnés à Radzievski. »

Les interrogatoires succédaient aux interrogatoires, et chaque fois il répétait : « Il me calomnie... il ment effrontément... il essaie d'incriminer un innocent. »

Entre les interrogatoires, Dobrovolski écrivait de longues déclarations adressées à l'enquêteur. Tout en suppliant l'enquêteur de le croire, il suggérait des moyens variés permettant de vérifier sa non-implication dans le maniement des documents. Par exemple : « Vous pouvez facilement vous convaincre de mon innocence en vérifiant les empreintes digitales qui ont sans aucun doute été laissées sur le classeur et sur les feuilles dactylographiées qu'il contient. »

A l'époque où je lus les procès-verbaux des interrogatoires de Dobrovolski ainsi que ses déclarations manuscrites, je savais qu'il avait en fait donné le matériel à Radzievski. Dobrovolski lui-même avait fini par l'admettre. Je ne le blâmais pas pour ces mensonges. Bien qu'intellectuellement consciente que tout mensonge est immoral, j'en rejetais la responsabilité sur ceux qui mettent les gens en prison pour une simple tentative de photocopier un article critiquant la politique officielle.

Le dernier interrogatoire de Dobrovolski consigné dans la phase initiale de l'enquête eut lieu le 28 janvier. Il y eut ensuite une longue interruption, au cours de laquelle lui et Galanskov furent envoyés à l'Institut Serbski pour examen psychiatrique. Le lien avec l'enquêteur, cependant, ne fut pas rompu. Le 15 février, Dobrovolski lui écrivit:

« Réfléchissant à notre conversation d'hier, je suis prêt à remettre aux autorités enquêtrices les exemplaires manquants de la revue *Phénix-66*... Il n'y a pas de temps à perdre, car il est toujours possible qu'un exemplaire soit envoyé à l'étranger... Si vous acceptez de me libérer, fût-ce pour quelques jours, je serai en mesure de rendre ce service à l'enquête. »

Cette déclaration marque le commencement de ce que l'on ne peut pas appeler autrement que la collaboration de Dobrovolski avec le K.G.B. Dans toutes ses déclarations ultérieures et dans toutes ses réponses à des questions, le centre de gravité s'est déplacé vers d'autres personnes; Dobrovolski ne se contentait plus de dire « je suis innocent ». Il disait: « D'autres sont coupables. » Déclaration manuscrite du 13 mars:

« J'ai essayé de vous convaincre que je n'avais rien donné à Radzievski, même pas la lettre ouverte à Cholokhov. J'ai suggéré que vous vérifiiez les empreintes digitales sur cette lettre. J'ai aussi suggéré d'autres méthodes. Vous avez refusé de les mettre en pratique. Vous continuez à me maintenir en détention sur le témoignage d'une seule personne — Radzievski. Ce témoignage est faux. Galanskov lui a donné la lettre adressée à Mikhaïl Cholokhov et tous les autres documents. Radzievski a essayé de m'incriminer parce qu'il savait qu'on avait une fois porté sur moi le diagnostic de schizophrénie, et il pensait que par conséquent je ne serais pas arrêté. Je suis absolument innocent, et je n'ai jamais eu affaire avec ce matériel.

22 mars:

« Dans ma confession du 13 mars, je n'ai pas été suffisamment franc envers vous. J'ai caché le fait que Galanskov avait remis les documents en ma présence. Je les ai vus. Cela s'est passé en janvier 1967, un soir, près du monument de Lermontov. Le témoignage que je vous apporte maintenant est véridique... »

Ces déclarations furent précédées de plusieurs lettres écrites à l'hôpital et que Dobrovolski essaya vainement de faire parvenir en cachette à Galanskov et à des membres de sa propre famille.

« Iouri, écrivit-il, je vous implore de prendre toute la faute sur vous-même. Je ne puis vraiment pas aller en prison maintenant, vous le savez... »

« Iouri, je ne puis le supporter, vous devez écoper... Je vous supplie de le faire... »

Et dans chaque lettre, c'était « je vous demande », « je vous supplie », mais pas une seule fois « vous devez » ou « vous devriez ». Pas une seule fois il n'employa des arguments propres à persuader une personne authentiquement coupable de sauver un innocent. Jamais il n'utilisa des phrases telles que celle-ci : « Vous êtes coupable, et non pas moi, et c'est pourquoi vous devez en supporter les conséquences. »

Dobrovolski ne clamait son innocence que quand il écrivait aux autres. A sa femme et à sa mère, il jura qu'il était une « innocente victime », et il en appela au témoignage de ce qu'il tenait pour « le plus sacré » — Dieu. Cette lettre se distinguait des autres par son style élevé et sa phraséologie de haut vol, dans laquelle l'auteur semblait être transporté presque jusqu'au point de l'extase, de l'incantation religieuse. Jurait-il devant Dieu pour susciter la pitié de ceux qui, de toute façon, avaient déjà pitié de lui, et pour persuader sa propre mère et sa femme dévouée que son mensonge était une vérité, ou bien s'attendait-il à ce que la lettre fût interceptée, ce qui fut le cas, et espérait-il convaincre l'enquêteur, vis-à-vis de qui il eût été fondé à dissimuler et qu'il aurait eu des raisons de craindre ?

Si Dobrovolski n'avait pas admis ultérieurement que c'était lui, en fait, qui avait remis tous les documents, cette lettre, apparemment non destinée à l'enquêteur, aurait constitué un sérieux argument psychologique en sa faveur. Il n'est pas non plus impossible que, au moment où il écrivit cette lettre, Dobrovolski ait eu précisément cette idée en tête. On pourrait le penser non seulement d'après le style de la lettre, mais aussi par le fait que Dobrovolski ne pouvait ignorer que celle-ci n'avait pratiquement aucune chance d'atteindre son destinataire. L'Institut Serbski n'est pas un hôpital ; seules les personnes accusées de crime y sont envoyées pour examen, et elles sont maintenues sous bonne garde. L'hôpital est organisé comme une véritable prison, employés et médecins y sont passés au peigne fin avec un soin tout particulier.

Le but de Dobrovolski, en écrivant à Galanskov, était évident. Il n'y avait pas d'autre interprétation possible. Ces lettres étaient laconiques, la demande était exprimée avec concision et clarté : prenez sur vous toute la faute. Iouri reçut ces lettres et les transmit à son enquêteur. Au moment où elles commencèrent, l'enjeu avait dépassé la simple remise des documents à Radzievski en vue de leur photocopie. L'appartement de Dobrovolski avait été perquisitionné une deuxième fois, et le K.G.B. y avait découvert un appareil de codage, du papier carbone spécial pour écriture codée, de la littérature antisoviétique émanant d'un éditeur contrôlé par le N.T.S. — Possev — ainsi qu'une assez belle somme d'argent. Dobrovolski fut interrogé à propos de ces découvertes. Voici ce qu'il dit le 24 mars :

« En juillet ou en août 1966, j'ai reçu un paquet de l'étranger. Il y avait dedans une carte de codage, des textes antisoviétiques et du papier carbone étranger spécialement conçu pour l'écriture codée. Plus tard, avant les vacances de novembre, j'ai reçu un deuxième paquet. Il contenait des livres. A la fin de décembre, j'ai reçu un troisième colis, dans lequel il y avait de nouveaux livres publiés par l'éditeur Possev ainsi qu'une lettre du N.T.S.

« Entre le deuxième et le troisième paquet, Vera Lachkova, à ma demande, écrivit une lettre au N.T.S. en utilisant le matériel cryptographique qui m'avait déjà été envoyé. Dans la lettre, j'accusais réception des paquets... »

Quatre jours plus tard, il dit :

« Galanskov était lié au N.T.S. Il me l'a dit lui-même franchement. Au mois d'août, il m'a apporté un appareil à coder et quelques feuillets qu'il m'a demandé de faire copier et envoyer à certaines adresses, tant en Union soviétique qu'à l'étranger. Au premier abord, j'acceptai, puis je changeai d'avis et je refusai. C'est ainsi que la codeuse et les feuillets se retrouvèrent dans mon appartement. Galanskov disait qu'il maintenait un contact permanent avec l'Occident. Il m'a donné, pour moi et pour mes amis, des livres antisoviétiques publiés par le N.T.S. C'est sur les instructions de Galanskov que j'ai donné à Lachkova la lettre codée destinée au N.T.S. C'est par lui aussi que j'ai obtenu le papier cryptographique spécial.

« En décembre 1966, j'ai aperçu quelques dollars dans l'appartement de Galanskov. Il m'a dit qu'il recevait une aide financière de l'étranger. En octobre 1966, Galanskov rencontra un étranger. C'est par cet étranger qu'il fit passer en Occident un exemplaire du *livre blanc*. »

Le reste du témoignage de Dobrovolski (et il était très long) n'apportait pas de changement, seulement quelques additions à la déclaration fondamentale du 28 mars ; dans l'ensemble, ce témoignage non seulement fournissait les preuves nécessaires contre Galanskov, mais il impliquait aussi Guinzbourg, que Dobrovolski connaissait à peine : « J'ai entendu dire que c'était Aleksandr Guinzbourg qui avait mis Galanskov en contact avec les étrangers... J'ai entendu dire que Guinzbourg éditait *Phénix-66* conjointement avec Galanskov... » Pour étayer ses dires, il ne put produire aucun fait, aucun témoin corroborant.

Guinzbourg n'a jamais prononcé un seul mot qui pût être utilisé, même indirectement, contre Iouri Galanskov, ni au cours de l'enquête ni au procès. Le témoignage du troisième accusé, Vera Lachkova, ne fut non plus d'aucune utilité comme preuve de la culpabilité de Galanskov sur le point principal que ma défense contestait. De nombreux témoins furent interrogés, et pas un non plus ne soutint Dobrovolski. Même ainsi, il ne fut pas la seule personne à incriminer Galanskov. Il y avait un autre homme dont le témoignage, peut-être à un degré plus élevé encore que

Dobrovolski, fournissait aux enquêteurs les preuves nécessaires à l'inculpation : cet homme était Galanskov lui-même.

Depuis le jour de son arrestation, le 19 janvier, jusqu'au 6 mai, toutes les déclarations de Galanskov peuvent se résumer en quelques mots : « J'ai écrit la lettre à Cholokhov. J'étais le rédacteur en chef de la revue *Phénix-66*. Je considère que j'ai agi dans le cadre de la loi, et c'est pourquoi je ne me considère pas comme coupable. »

Au cours de son interrogatoire du 6 mai, qui, avec la pause du repas, dura de 12 h 40 à 20 h 30, il confirma toutes les accusations de Dobrovolski : les rencontres avec des représentants du N.T.S. venus à Moscou, la livraison qu'ils lui avaient faite d'une codeuse, de papier spécial, de littérature et d'argent ; la correspondance entretenue avec le N.T.S. au moyen d'un code numérique ; la transmission à l'Ouest, grâce à ces représentants, du *livre blanc* et de *Phénix-66*.

Tout cela, avec plus encore de détails, fut consigné dans le procès-verbal *in extenso* de l'interrogatoire du 17 mai, intitulé « Une confession sincère ».

Quelques jours passèrent, cependant, avant que Galanskov ne commençât à faire quelques modifications à sa « confession sincère » :

« Je ne sais pas qui a remis le *livre blanc*. Je n'ai pas pris part à cette opération. » (31 mai)

« J'ai écrit la lettre codée destinée à la femme connue sous le nom de Nadia, mais je ne l'ai pas envoyée ; au lieu de cela, je l'ai brûlée. Dans cette lettre non parvenue à destination, je parlais des relations entre les jeunes poètes appartenant au S.M.O.G.[1]. » (8 juin)

« Je ne sais rien de la remise du *livre blanc*. Je n'ai pas donné la codeuse ni la revue de Possev ; je n'ai donné aucun livre du N.T.S. à Dobrovolski. » (12 juin)

« Je n'avais aucun livre du N.T.S. Je n'ai reçu ni livres ni paquets du N.T.S. Je récuse totalement le témoignage de Dobrovolski. » (13 juin)

« Toutes les déclarations relatives à mes rencontres avec des représentants du N.T.S., à la réception de matériel de codage et de littérature envoyés par eux ne sont que pure invention. Je voulais seulement sauver Dobrovolski, qui me supplie de le faire depuis si longtemps. » (16 juin)

« Toutes mes dépositions, à partir du 6 mai, ne sont que pure invention. Je m'accusais consciemment et faussement, en réponse aux demandes, pour ne pas dire aux supplications, de Dobrovolski. » (19 juin)

Si seulement c'était tout ! Si seulement la défense avait été capable d'affirmer devant la cour que les aveux de Galanskov n'avaient été que temporaires, qu'il avait rétracté sa fausse déposition au cours de l'enquête préalable et qu'il avait expliqué les motifs qui l'avaient conduit à dire ces

---

1. Groupe littéraire officieux.

mensonges ! Au lieu de cela, dans toute une série d'interrogatoires (21, 26, 28 et 31 juillet), Galanskov fit des déclarations telles que : « J'ai rencontré les représentants du N.T.S... J'ai reçu le matériel de codage, la littérature et l'argent de ces représentants... J'ai tout donné à Dobrovolski... J'ai donné des instructions à Dobrovolski pour qu'il écrive la lettre codée... » Et, le 12 août, le procès-verbal mentionnait spécialement : « L'accusé Galanskov a exprimé le désir d'écrire sa déposition de sa propre main. » La déclaration manuscrite était ainsi conçue :

« A la fin de l'été ou au début de l'automne, j'ai eu une série de rencontres avec quatre étrangers dont je reçus des paquets contenant le matériel du N.T.S. et des livres. Tous ces étrangers se sont identifiés comme des membres d'une organisation installée à l'étranger, le « Comité de coopération avec le S.M.O.G. ». En novembre, un étranger nommé Henri arriva à Moscou. Il représentait une organisation d'avocats. Je reçus de lui 260 dollars et 300 roubles en monnaie soviétique. C'est par son intermédiaire que j'ai envoyé le *livre blanc* en Occident. En janvier, une étrangère appelée Nadia est venue. Elle m'a donné le papier cryptographique, un code numérique et les adresses auxquelles je devais envoyer les lettres destinées au N.T.S. Nadia était l'intermédiaire qui prenait ma revue *Phénix-66*. »

Et encore, si seulement ces nouveaux « aveux » avaient été tout !

L'enquête préalable fut close le 21 septembre, et trois jours auparavant Iouri modifia de nouveau sa déposition. Cette fois-ci, il ne nia pas avoir rencontré des étrangers, mais il nia que ceux-ci appartenaient au N.T.S. Il ne nia pas avoir écrit une lettre codée, mais il nia que celle-ci était adressée au N.T.S. Il admit avoir rencontré un étranger nommé Henri en novembre, mais il nia lui avoir donné le *livre blanc*. Il reconnut avoir rencontré une étrangère appelée Nadia, mais nia lui avoir donné *Phénix-66*. Il admit sa participation à la revente de dollars, mais dit qu'il les avait reçus de Dobrovolski, qu'il avait voulu aider. Il termina ainsi sa déclaration de ce jour : « En reconnaissant tout ce dont Dobrovolski m'accusait, je voulais le mettre hors de cause, considérant que j'étais de toute façon responsable de l'édition de *Phénix-66*, et d'avoir écrit la "lettre ouverte à Cholokhov". »

Si nous ajoutons à ces déclarations le fait que Iouri considérait comme une farce le procès qui allait s'ouvrir, qu'il pensait que se moquer ouvertement de la cour était la conduite la plus appropriée, on comprendra que ma tâche allait se révéler extrêmement dure. Car Iouri était un client difficile. Il acquiesçait à tous mes raisonnements et écoutait soigneusement mes conseils ; en fait, il était exceptionnellement reconnaissant de tous les signes d'attention et de sympathie que j'étais capable de lui témoigner. Il était, cependant, extrêmement épuisé physiquement et moralement affligé. Il tentait de cacher sa faiblesse et ses sentiments de culpabilité derrière un déploiement de bravades et de grossièreté sarcastique envers les enquêteurs. Il leur riait au visage, alors qu'il voulait crier de douleur. Ne voulant pas montrer combien il était malade aux personnes étrangères et hostiles, il suscitait leur irritation parce qu'il ne supportait pas de provoquer leur pitié.

Le 12 octobre 1967, quelques jours avant l'expiration du délai autorisé pour la détention préventive des accusés, nous terminâmes notre étude conjointe des dix-neuf volumes du dossier, et je dis au revoir à Iouri jusqu'au procès. Je passerais les quelques jours suivants à essayer de donner un sens à cette montagne de documents qui avaient besoin d'être analysés et systématisés. Mes camarades avocats et moi-même attendions avec impatience le moment où le dossier serait transmis au tribunal et où nous aurions l'occasion, sans gardes et sans clients, de relire les passages les plus importants et de discuter entre nous de la tactique de défense. Mais le temps passait, et personne ne nous annonçait la date du procès.

Finalement, au début de décembre, nous apprîmes que le procès aurait lieu devant le tribunal de la ville de Moscou, qu'il serait présidé par le juge Lev Mironov et qu'il s'ouvrirait à 10 heures du matin, le 11 décembre. La nouvelle était doublement malvenue. Le préavis était insuffisant pour nous, et la perspective d'un procès présidé par Mironov n'était pas agréable.

J'ai toujours été prudente en ce qui concerne les opinions des avocats à l'égard des juges, parce que nous avons tendance à vanter les juges quand nos procès se terminent favorablement et à les maudire quand le jugement est prononcé contre nous. C'est là un critère qui est loin d'être sûr, et qui en tout cas n'est certainement pas absolu. Même compte tenu de ces réserves, il fallait justement que nous tombions sur Mironov! Les collègues qui l'avaient rencontré dans les tribunaux populaires, avant sa promotion au tribunal de la ville, étaient presque unanimes à l'injurier, et trop souvent le mot qu'ils utilisaient était celui de « sadique ». Il traitait les avocats avec dédain, et sa conduite à l'égard des accusés était hostile et insultante. Dans notre procès, je ne pense pas que ces attitudes aient été en rapport avec le dossier. Mironov tirait simplement du plaisir de l'occasion qui lui était fournie d'humilier les gens, d'exercer son pouvoir sur ceux qui étaient sans défense et qui dépendaient de lui, qu'ils fussent accusés ou témoins.

Je fis connaissance avec le style judiciaire de Mironov dès avant le procès. Un matin, en début de journée, un petit groupe progressait le long du couloir du troisième étage du tribunal de la ville de Moscou: Valentina Ossina, secrétaire du « registre spécial », venait en tête; venait ensuite l'un de mes collègues, Vladimir Chveïski, portant une pile de dossiers dans ses bras tendus; j'étais la dernière du cortège, et moi aussi je portais une grande pile de classeurs bruns, chacun d'eux marqué «Affaire Guinzbourg, Galanskov et consorts ». J'entendis soudain une voix forte. En faisant des contorsions pour regarder par-dessus mon chargement, j'aperçus un homme grand et solidement bâti qui s'appuyait lourdement sur une canne. Il venait juste de grimper l'escalier raide qui conduisait au troisième étage, et il n'avait pas encore eu le temps de reprendre haleine.

« Comment osez-vous vous moquer de moi ? dit-il à Valentina. Combien de fois devrai-je monter et descendre cet escalier pour obtenir une simple information ? Je veux savoir quand va commencer le procès Guinzbourg. Pourquoi ne me répondez-vous pas ?

— Je vous ai déjà dit que je ne savais rien de ce procès. Nous n'avons pas un tel procès dans notre registre, répliqua Valentina en nous jetant des coups d'œil désespérés et en se demandant si l'homme pouvait lire les titres des volumes que nous portions : « Affaire Guinzbourg... »

— Vladimir Iakovlevitch, dit l'inconnu en se tournant vers Chveïski, vous pouvez peut-être me dire ce qui se passe ici ? »

Chveïski n'eut pas le temps de répondre, Valentina s'enterposait : « Je peux vous donner un conseil, dit-elle. Allez voir le camarade Mironov. Si ce procès doit réellement passer au tribunal de la ville de Moscou, Mironov sera certainement au courant. » Puis, à notre intention : « Par ici, s'il vous plaît, camarades avocats. Je vais vous montrer où vous allez travailler. »

Je réalisai toute l'absurdité de cette situation quand je découvris, plus tard, que l'homme qui nous avait abordés était un client indirect de Chveïski dans ce même procès. C'était le fameux général Piotr Grigorenko, qui avait demandé à Chveïski de défendre Dobrovolski. Réalisant que la secrétaire avait agi conformément aux ordres de Mironov, Chveïski était embarrassé, et peut-être même avait-il peur de dire la vérité à son client. Mironov refuserait sans aucun doute de recevoir Grigorenko, car le juge le connaissait comme l'une des figures les plus frappantes du mouvement dissident.

En 1961, Piotr Grigorenko — général, professeur à l'Académie militaire de Frounze, décoré d'innombrables médailles, communiste convaincu de longue date — prit la parole à une conférence du parti pour se livrer à de vives critiques contre Nikita Khrouchtchev. A l'époque, Grigorenko se retira avec de sévères réprimandes de la part des autorités du parti, une rétrogradation dans le service et une mutation dans un poste obscur de l'Asie soviétique. Mais là, il critiqua publiquement la politique du parti et du gouvernement, jusqu'à ce qu'il fût finalement expulsé du parti et renvoyé de l'armée.

Un juge, naturellement, n'est pas obligé de recevoir les visiteurs ni de répondre à leurs questions ; mais Mironov avait interdit à son personnel de répondre aux questions concernant ce procès, même aux questions posées par les parents des accusés. Presque en larmes, Valentina Ossina tenta de se justifier en face d'un Chveïski indigné : « Que puis-je faire ? dit-elle. Je serais heureuse de leur dire la vérité. Pensez-vous que cela me fait plaisir de faire monter et descendre aux gens des escaliers pour découvrir des renseignements sur une affaire qui est sur mon bureau depuis des semaines ? Ce sont les ordres de Mironov. »

A l'époque, j'essayai de découvrir quelque explication raisonnable à ces instructions, mais j'en fus incapable. Mironov devait se rendre compte que, dès que les avocats sauraient la date du procès, il serait impossible de la garder secrète. Nous la révélerions certainement aussitôt à nos clients et à leurs familles. L'ordre de Mironov était simplement un moyen de faire souffrir et d'humilier les amis et les parents des accusés, des gens déjà tourmentés par l'anxiété et la détresse.

La principale chose qui inquiétait les avocats à l'époque, cependant, ce n'était pas la méchante nature de Mironov, mais l'impossibilité d'achever la préparation de notre défense dans le temps qui nous était imparti.

Etudiant quotidiennement le dossier dans la prison du K.G.B., nous avions naturellement essayé de recopier le plus de choses possible dans nos propres dossiers, mais il était impossible de retranscrire dix-neuf volumes. A la maison, relisant ses notes, chacun de nous repérait des questions qui nécessitaient un développement ou une étude complémentaire. Combler ces lacunes dans les quelques jours qui nous restaient était d'autant plus impossible qu'il nous fallait passer au moins deux jours avec nos clients et, après une perte de contact de deux semaines, les préparer au procès. Nous décidâmes de soumettre tout de suite deux demandes séparées signées par tous les avocats, sans attendre le démarrage du procès. La première requête demandait que le procès fût repoussé de cinq ou six jours ; la seconde que l'affaire fût jugée publiquement. Sans autre justification que la lettre « S » (secret) qui figurait sur la couverture du dossier, Mironov avait décidé que l'affaire serait jugée à huis clos, et cette décision illégale n'était en aucune manière justifiée par le contenu de l'acte d'accusation.

Nous soumîmes les demandes à Mironov, et le soir même sa secrétaire nous informait que la première était rejetée. La seconde serait étudiée plus tard, et la décision de la cour communiquée en temps opportun. Dès que le procès commencerait, nous introduirions de nouveau cette requête. Dans l'entre-temps, avant de rencontrer de nouveau nos clients, la chose la plus urgente était de nous réunir et de mettre au point une tactique commune générale relativement au chef d'accusation principal, le plus sérieux : la réception, la possession et la diffusion de littérature du N.T.S., ainsi que les liens criminels des accusés avec cette organisation.

Comme il était dit dans l'acte d'accusation, le N.T.S. était une organisation émigrée dont le but spécifique était « de renverser le système politique existant en U.R.S.S. et de restaurer un ordre bourgeois au moyen de la lutte armée et idéologique contre le gouvernement communiste». Les autorités considéraient comme antisoviétique tout ce qui provenait du N.T.S., de sorte que la diffusion et même la possession d'une telle littérature étaient considérées comme un crime. « Le N.T.S. est une branche exportée de la C.I.A... Le N.T.S. est une organisation d'espionnage.» Tels étaient les commentaires qui accompagnaient automatiquement chaque mention de l'organisation dans la presse soviétique.

La première question à laquelle nous étions ainsi confrontés était de savoir si le N.T.S. était réellement une organisation antisoviétique. La défense pouvait-elle contester ce point?

Notre connaissance de la littérature politique du N.T.S. était limitée aux brochures trouvées dans l'appartement de Dobrovolski et qui faisaient donc partie du dossier. Même cette petite quantité de documents, cependant, était suffisante pour nous amener à l'incontestable conclusion que la plainte de l'accusation ne pouvait être discutée — et non parce que cela eût été dangereux ou tactiquement inopportun, mais parce que le N.T.S. était réellement antisoviétique. Son but n'était pas la démocratisation et la libéralisation du régime soviétique dans le cadre de la structure politique existante, mais le remplacement de cette structure par un régime politique fondamentalement nouveau, basé sur des principes moraux et sociaux différents. Les auteurs de la brochure *le Solidarisme: une idée de l'avenir* ainsi que des autres publications que nous lûmes partaient du point de vue que l'Union soviétique était un État totalitaire qui, de par sa nature, était incapable d'évoluer vers un État de droit. Il ne pourrait donc jamais assurer une harmonie authentique entre l'individu et la société, non plus que la liberté des gouvernés ni la sauvegarde des droits de l'homme. Les auteurs de ces brochures critiquaient toutes les idées politiques à la base de l'État soviétique et appelaient leurs lecteurs à combattre le système existant et à instaurer un régime nouveau par des moyens allant de la propagande idéologique à la révolution et au renversement violent du pouvoir soviétique.

Nous tombâmes tous d'accord pour dire que la défense ne pouvait contester le caractère antisoviétique de cette littérature. La diffusion d'une telle littérature était prohibée par la loi, et un avocat était tenu d'admettre qu'un client qui enfreignait cette loi était coupable. Nous décidâmes également que nous ne pouvions accepter la thèse de l'accusation sur ce point qu'après une analyse de chaque brochure, et que nous rejetions catégoriquement l'affirmation que «tout ce qui est publié par le N.T.S. est antisoviétique».

Au tribunal, Iouri Galanskov nia avoir jamais reçu, lu ou diffusé la littérature du N.T.S.; j'avais ainsi le droit, et même le devoir, de maintenir que ce chef d'accusation n'était pas prouvé. Lachkova et Dobrovolski ne nièrent pas avoir lu ces brochures et les avoir donné à lire à d'autres personnes, et leurs avocats, en demandant que l'acte d'accusation fût remanié, faisaient pour eux la seule chose qu'un avocat pût faire dans le cadre de la loi.

Le deuxième point sur lequel, en dépit des fausses notes parmi nos clients, nous autres avocats voulions adopter une attitude commune concernait le degré de criminalité imputé aux écrits littéraires et journalistiques que Galanskov avait inclus dans *Phénix-66* et que Guinzbourg avait mis dans le *livre blanc*. C'était une partie difficile, mais cruciale, de notre préparation. Nous lisions et relisions ces ouvrages, discutant chaque phrase douteuse. La discussion que chacun de nous eut avec l'accusation durant le procès fut dans une large mesure le résultat de ces travaux collectifs et des conclusions unanimes que nous avions tirées après de longues argumentations et l'émergence de nouvelles idées, dont certaines nous vinrent pendant le procès lui-même.

Les avocats de ce procès étaient des collègues avec lesquels j'étais liée par des années de collaboration professionnelle et, j'en étais sûre, par un mutuel respect. Chacun d'eux était un vrai professionnel, un avocat talentueux et hautement qualifié. Semion Ariïa, Vladimir Chveïski et moi-même étions tous de la même génération, probablement même du même âge. Boris Zolotoukhine était notablement plus jeune : il ne devait pas avoir plus de trente-cinq ou trente-six ans. Il était devenu avocat après avoir travaillé au parquet de la ville de Moscou, où il s'était déjà acquis une solide réputation d'orateur, de juriste bien entraîné, d'homme droit et indépendant. Je suis sûre qu'à l'époque Boris serait devenu un brillant avocat. La nature l'avait doué d'un talent qui se combinait avec une personnalité jamais satisfaite de ses propres réalisations et qui s'imposait à elle-même des normes de vie élevées. Le procès de Guinzbourg et de Galanskov était le premier procès politique de Zolotoukhine. Ce fut aussi son dernier. A l'époque du procès, je me rendais déjà compte que je n'avais aucun collègue qui fût un meilleur ami, un ami plus dévoué et plus cher, que Boris. Mais je ne me doutais pas combien désolé serait son avenir.

Pendant ces journées du début de décembre, nous étions tous les quatre, du matin au soir, à préparer notre dossier, et nous ne cessions de découvrir des problèmes exigeant de nouvelles solutions. Soudain, tandis que nous suions sang et eau sur notre travail, Mironov nous fit savoir que l'audience était en fin de compte reportée : notre demande avait été satisfaite.

Pendant quelques minutes, nous fûmes ravis, nous interrompant mutuellement pour demander à la secrétaire : « Quand le procès va-t-il commencer ? De combien de temps est le sursis ?

— Je ne sais pas, camarades avocats. Vous serez informés ultérieurement de la nouvelle date. Inutile de vous précipiter sur votre travail, maintenant, vous avez tout le temps. »

Quand nous fûmes seuls et que l'euphorie se fût apaisée, nous commençâmes à nous poser des questions : « Qu'est-ce que cela signifie ? Pourquoi Mironov a-t-il décidé de reporter le procès ? Pourquoi n'a-t-il pas indiqué de nouvelle date ? » Si Mironov avait reculé le procès de quatre ou cinq jours, nous aurions été également surpris : en règle générale, les procès politiques n'étaient jamais reportés, quelle que fût l'insistance de la défense. Mais maintenant le début du procès avait été reporté à une date indéterminée, apparemment pour une longue période. Il était évident que cela n'avait pas été fait pour les beaux yeux des avocats. Nous ne pouvions que nous livrer à des conjectures. La seule chose qui nous paraissait certaine, c'était que quelque chose de sinistre se tramait en coulisse, que quelque part, hors du tribunal, de nouvelles décisions étaient prises, qui exigeaient du temps pour être mises en œuvre, et que notre requête n'avait été utilisée que comme prétexte. Nous ne pûmes approcher la vérité que plus tard, à la lumière de ce qui se passa durant le procès.

Au moins, nous avions un peu de temps devant nous. Nous terminâmes notre travail de préparation. Chacun de nous eut la possibilité de rencontrer plusieurs fois son client. Décembre passa et la nouvelle année arriva. Le 4 janvier 1968, un message téléphoné nous parvint à notre bureau d'avocats : le procès de Galanskov était fixé au 8 janvier, 10 heures du matin.

Au troisième étage du tribunal de la ville de Moscou, il y a plusieurs bureaux de juges et une salle d'audience, la plus grande de tout le bâtiment. Elle occupe la quasi-totalité de l'étage et est le plus souvent utilisée pour les conférences qui réunissent les juges de toute la ville. Pour cette raison, il n'y a pas d'espace particulier réservé aux accusés. Cette salle est utilisée quand le tribunal de la ville juge un grand nombre d'accusés (vingt ou trente personnes). Les accusés n'y prennent pas place sur un côté, comme dans la plupart des salles, mais directement en face du juge et des assesseurs populaires. Ils ont des bancs de bois (deux personnes par banc) avec des dossiers, des accoudoirs et une tablette pour poser un bloc ou du papier.

Quand nous pénétrâmes dans cette salle le 8 janvier, nous ne la reconnûmes pas. Les bancs avaient été ôtés, la moitié de la salle était vide de sièges, et quatre petites chaises inconfortables avaient été placées — bien séparées les unes des autres — en face du bureau du juge. Derrière elles, il y avait un vaste espace vide, et les quelques rangées de chaises destinées au public étaient alignées près du mur du fond.

Bientôt, ces chaises furent occupées par des personnes qui avaient été spécialement invitées : quelques fonctionnaires de la Cour suprême de la R.S.F.S.R. et du ministère public, quelques journalistes triés sur le volet et plusieurs officiers enquêteurs du K.G.B. L'un des invités était un metteur en scène de cinéma bien connu, qui se vantait ouvertement de ses relations amicales avec les huiles du K.G.B. Il avait accoutumé de dire que Iouri Andropov, chef du K.G.B., était un homme gentil et doué d'une bonne nature, et qu'il était affligé jusqu'aux larmes chaque fois qu'il ordonnait une arrestation. Il y avait en outre quelques personnes du Comité de Moscou du parti communiste. Un très petit nombre de places étaient laissées libres, de toute évidence réservées, de manière que plus tard, à la demande de la défense, les proches parents des accusés pussent y prendre place. Il n'y avait pas de place pour les amis, ni pour un «public» authentique. Seuls les parents et les épouses des accusés seraient autorisés à pénétrer dans la salle d'audience.

Les prisonniers furent introduits.

J'aperçus Vera Lachkova pour la première fois. Elle semblait à peine plus qu'une petite fille : très mince et délicate, une tête minuscule sur un cou très fin, les cheveux tirés en arrière et maintenus par un élastique. Elle et Guinzbourg étaient assis sur les deux chaises qui faisaient face au juge ; à côté de chacun d'eux avait pris place un garde armé d'une mitraillette. Galanskov et Dobrovolski étaient au second rang, pareillement gardés.

Quelques minutes avant l'ouverture du procès, on nous permit de parler à nos clients et de leur donner d'ultimes conseils. Je demandai au chef des gardes un banc pour les accusés, au lieu de ces petites chaises étroites, ou tout au moins un banc pour Iouri Galanskov, qui était souffrant. Mais Iouri lui-même intervint : «Je ne veux rien accepter de leur part. Je resterai assis là comme les autres.» Et il resta assis là pendant les cinq jours du procès, plié par la douleur, se penchant en avant ou essayant de soulever ses genoux aussi haut que possible, sans un mot de plainte.

La psychologie d'un avocat doit paraître étrange. Durant la phase initiale du procès, mes doutes disparaissaient d'heure en heure, tout comme ma conviction se renforçait que Dobrovolski mentait. Ce sentiment provenait en partie du fait que je me familiarisais avec le dossier, et en partie des preuves objectives qui étayaient cette croyance. Mais aussi, contre ma volonté, mon esprit acceptait avec complaisance tout ce qui parlait en faveur de Iouri. Je considérais vraiment Dobrovolski comme l'ennemi numéro un.

Le long sursis m'avait donné du temps pour réfléchir à la méthodologie de ma défense et pour analyser les documents rassemblés par les enquêteurs. En ce qui concernait la tactique de défense, je n'avais de doute que sur la manière de structurer ma discussion avec l'accusation, de façon à la rendre aussi argumentée et convaincante que possible. J'aurais eu à mener cette discussion même si le corps du délit avait été trouvé en possession de Galanskov et non pas en possession de Dobrovolski, même si Iouri avait modifié dix fois son témoignage au lieu de trois fois seulement. C'était mon devoir professionnel. Mes doutes les plus sérieux avaient une autre origine.

En défendant Iouri, je me trouvais dans la position d'avoir à accuser un autre inculpé, un homme qui avait été exposé à un stress mental tout aussi violent que celui de Iouri. Naturellement, tout avocat est confronté assez souvent à ce genre de problème dans les procès criminels ordinaires, situation qui requiert beaucoup d'adresse et de tact pour ne pas franchir les limites de la conduite morale. Il ne faut pas se laisser emporter, dans la chaleur de la contestation, jusqu'à mettre en danger le destin d'autrui, non seulement le destin d'un autre accusé, mais celui de son propre client. Une défense agressive provoque toujours une réaction agressive. Elle prête le flanc à réfutation de la part du ministère public, et la cour y trouve toujours l'occasion d'en extraire de nouvelles preuves et de nouveaux arguments contre les deux accusés: celui qu'on défend et celui qu'on charge.

Je réalisais que je ne pourrais éviter de me heurter à Dobrovolski. Je ne pouvais me contenter d'affirmer que Dobrovolski avait faussement incriminé Iouri; j'aurais à dire *pourquoi* il avait proféré ces mensonges. C'est pourquoi j'aurais à dire aussi: « Il est coupable et il essaye de sauver sa peau en chargeant Galanskov de la culpabilité de faits qu'il a en réalité commis lui-même. »

Adopter cette ligne de conduite était justifié par mon devoir professionnel de défendre mon client par tous les moyens légaux et professionnellement moraux. Même ainsi, j'étais intérieurement torturée par l'inquiétude.

Chaque fois que je lisais et relisais le témoignage illogique et inconsistant de Iouri, la question surgissait dans mon esprit: « Et si...? Et si la déposition de Dobrovolski, qui incriminait Galanskov, n'était pas que mensonges? » Certains détails des déclarations de Dobrovolski étaient indirectement confirmés par la déposition de Vera Lachkova, dont la conduite pendant l'enquête (et plus tard au tribunal) était rationnelle et moralement irréprochable. Je pouvais facilement trouver des explications parfaitement plausibles à ces détails et, en eux-mêmes, ils n'incriminaient pas Iouri; mais ils suscitaient certains doutes.

Ces doutes n'étaient pas assez consistants pour m'autoriser à modifier ma tactique de défense relativement aux incidents liés au N.T.S.; en aucun cas, je n'aurais eu le droit de le faire, étant liée par la position de mon client. Cependant, en termes d'éthique, cette position ne m'apparaissait pas absolument inattaquable.

Et il y avait encore un autre point: en mettant en doute la vérité des déclarations de Iouri, je *ne* mettais *pas* aussi en doute la moralité de ses actions (ou de ses prétendues actions). Même en admettant qu'il ait fait tout ce dont il était accusé, il n'eût pas à mon sens mérité de reproches. Je ne pouvais rien voir d'immoral dans le fait de recevoir, de lire et de distribuer la littérature de n'importe quelle maison d'édition, où qu'elle se trouve, ni dans le fait d'exposer des idées, quelle qu'en soit leur nature. Je ne pouvais rien voir d'immoral dans le fait d'écrire des lettres chiffrées, puisque seul leur contenu aurait pu être immoral (ce qui ne figurait pas dans l'acte d'accusation), et non pas la méthode qui avait servi à les écrire. L'État lui-même, qui surveille en permanence par sa police et intercepte illégalement les correspondances privées, pousse les citoyens à adopter de telles méthodes. Je ne pouvais non plus condamner les liens de quiconque avec le N.T.S., pourvu que ces liens ne le conduisissent point à commettre des actes inconvenants.

Dans les procès politiques, la dimension morale de la défense revêt une importance particulière, et cela affecte inévitablement les méthodes et les tactiques des avocats. Ces méthodes sont difficiles à spécifier, mais elles existent. Ce n'est pas par hasard que, dans le procès de la manifestation de la place Rouge, aucun des avocats n'ait fondé sa défense sur des arguments aussi habituels que le moindre degré d'implication de son client, par comparaison avec celui des autres prévenus. Aucun des avocats ne tenta d'établir qui avait été à l'origine de la manifestation, et qui avait écrit les slogans. En cette occasion, tous les avocats avaient respecté la position hautement morale de leurs clients : celle d'une responsabilité égale et collective.

Dans ce nouveau procès, le conflit entre deux accusés ne me dispensait pas d'observer les règles les plus élevées de la morale. Dès que je commençai à entretenir des doutes sur ces degrés subtils d'implication, mon zèle à exposer Dobrovolski me parut moins justifié, ma condamnation de sa conduite pas tout à fait aussi méritée. Quand je pénétrai dans la salle d'audience, j'étais déterminée à garder une certaine distanciation qui me permettrait d'être impartiale et objective.

Après avoir lu les actes d'accusation, la cour procéda à l'interrogatoire du premier accusé, Alekseï Dobrovolski. Dès le début, minute après minute, chaque fois que le nom de Iouri Galanskov était mentionné, je sentis revenir en moi mon attitude partisane émotionnelle.

« Galanskov disait qu'il rencontrait des étrangers, dont il recevait de la littérature, du matériel de codage et de l'argent... La littérature que ces gens apportaient à Galanskov était publiée par le N.T.S... Galanskov fit passer le *livre blanc* en Occident par l'intermédiaire de l'étranger appelé Henri... Galanskov reçut d'Henri de la monnaie soviétique et des devises... Galanskov disait qu'il envoyait *Phénix-66* par Nadia, qui travaillait pour la revue émigrée *Grani*... Galanskov m'a donné du matériel de codage et quelques feuillets antisoviétiques en vue de leur copie... C'est Galanskov qui a entretenu une correspondance avec le N.T.S. au moyen de lettres codées, écrites avec une sorte spéciale de papier carbone... C'est de Galanskov que j'ai reçu les 200 roubles qui ont été trouvés lors de la perquisition de mon appartement... L'argent que Henri a donné à Galanskov était destiné à financer les activités de ce dernier... Galanskov m'a enseigné les principes professés par le N.T.S...»

Telles étaient les réponses que Dobrovolski donnait à Terekhov, le procureur. Telles furent les raisons pour lesquelles, depuis le premier jour du procès, Dobrovolski redevint mon ennemi numéro un. Je ne me souvenais plus qu'il était épuisé et affligé par son arrestation et sa détention, ainsi que par la perspective d'une longue peine de prison, bien que je n'eusse pas oublié un instant ces mêmes menaces en ce qui concernait Galanskov. Ma sympathie spontanée pour toute personne en détresse avait disparu.

Si la menace d'une nouvelle et très longue peine de prison avait poussé Dobrovolski à choisir le repentir comme sa seule méthode possible de défense, s'il avait reconnu publiquement et condamné ses propres opinions comme antisoviétiques, et par conséquent comme criminelles, je ne l'aurais certes pas considéré comme un héros, mais je ne l'aurais pas non plus considéré comme un traître. En fait, Dobrovolski se défendait en trahissant impitoyablement ses compagnons : Galanskov, qu'il considérait comme son ami, et Guinzbourg, qu'il connaissait à peine et dont il ignorait pratiquement les opinions et l'activité. Si le témoignage de Dobrovolski sur Galanskov pouvait s'expliquer dans une certaine mesure par leur implication conjointe dans certains événements cités, de sorte qu'en parlant de lui-même il lui était difficile de ne pas mentionner Galanskov, sa déposition concernant Guinzbourg ne pouvait s'expliquer par les mêmes motifs. Cependant, l'accusation de compromission avec le N.T.S. reposait exclusivement sur les dires de Dobrovolski : «J'ai entendu dire que Guinzbourg avait des relations anciennes avec des organisations étrangères... On m'a dit que des étrangers venaient souvent voir Guinzbourg... J'ai deviné que Guinzbourg se préparait à envoyer son *livre blanc* en Occident...»

Le passage suivant de l'interrogatoire de Dobrovolski par le procureur avait des effets similaires :

LE PROCUREUR : «Attendaient-ils la venue de Henri, de manière à lui remettre le *livre blanc* pour qu'il l'emporte à l'étranger ?»

DOBROVOLSKI : « Oui. »

P. : «L'ont-ils (Guinzbourg et Galanskov) remis en secret ?»

D. : « Oui. »

P. : «Ainsi, ils l'ont fait en secret parce que le livre contenait des documents antisoviétiques, n'est-ce pas ?»

D. : «Oui, il contenait des documents antisoviétiques. »

P. : «Avaient-ils peur d'être pris ?»

D. : « Oui. »

P. : « Et c'est pour cette raison qu'ils cachaient leurs liens avec le N.T.S. ? »

D. : « Oui. »

La manière dont le procureur formulait ses questions est digne d'être notée : elle consistait moins à poser des questions qu'à fournir des réponses toujours prêtes. Dobrovolski n'avait nul besoin de fournir des faits à la cour, il lui suffisait d'être d'accord avec le procureur. Une telle « directivité » est interdite par le Code de procédure soviétique. Terekhov ne l'ignorait pas. Après tout, il était le premier adjoint du procureur général de l'U.R.S.S. Le juge Mironov connaissait aussi la loi, et pourtant il n'interrompit pas une seule fois le procureur.

Je pense que cette méthode fut choisie parce que Terekhov et Mironov savaient que Dobrovolski était complètement dépourvu d'informations relativement aux faits reprochés à Guinzbourg et que, sans aide, sans influence, il n'eût pas fourni le témoignage requis. Ils avaient correctement apprécié sa complaisance à fournir toute l'aide possible à l'accusation, et ils étaient sûrs qu'il dirait gentiment « oui » chaque fois que ce serait nécessaire. Son seul but était de recueillir l'approbation du K.G.B., et par conséquent de s'assurer l'indulgence de la cour à son égard.

Si ma tâche s'était limitée à miner la confiance en Dobrovolski en prouvant qu'il avait modifié plusieurs fois son témoignage, elle eût été relativement facile à accomplir. Une tâche similaire s'imposait à Zolotoukhine, et il s'en tira magnifiquement, faisant admettre à Dobrovolski qu'il n'avait jamais été témoin d'une seule rencontre entre Guinzbourg et des représentants du N.T.S., et qu'il n'avait jamais entendu Guinzbourg mentionner de telles rencontres, établissant ainsi que Dobrovolski ne connaissait ni les noms des étrangers que Guinzbourg avait prétendument rencontrés ni les lieux et les heures où les rencontres étaient supposées avoir eu lieu. L'inexactitude du témoignage de Dobrovolski sur Guinzbourg devint pour tous d'une lumineuse évidence.

Ma situation était différente. Le témoignage de Dobrovolski sur Galanskov était entièrement spécifique et concret. Il indiquait les noms des personnes que Galanskov avait rencontrées. Il indiquait les lieux et les heures des rencontres. Qui plus est, Galanskov lui-même ne niait aucune des séries de faits que les enquêteurs avaient appris de Dobrovolski, encore qu'il leur donnât une interprétation différente.

Essayant comme toujours de raisonner comme le juge pourrait le faire, je me dis : « Le témoignage de Dobrovolski sur Galanskov peut n'être que mensonges, suscités par son désir de détourner les coups de lui-même, quand il dit que tout le matériel incriminé trouvé en sa possession appartenait à Galanskov, et que ce n'est pas lui mais Galanskov qui était en relation avec le N.T.S. Mais ce témoignage peut aussi être véridique. Ils rencontraient tous les deux les mêmes étrangers. Des dollars ont été vus entre les mains de l'un et de l'autre (encore que Galanskov dise que ces dollars étaient ceux de Dobrovolski, tandis que Dobrovolski affirme qu'ils appartenaient à Galanskov). Dobrovolski a dit que Galanskov envoyait son *Phénix-66* à l'étranger par un émissaire du N.T.S. ; Galanskov nie cela. Mais des extraits de *Phénix-66* ont été publiés dans la revue du N.T.S., *Grani*, en Allemagne occidentale, de sorte que le témoignage de Dobrovolski a, dans une certaine mesure, été confirmé. »

Le juge le plus objectif, dans des conditions de complète indépendance, eût été confronté à un choix difficile entre ces deux versions qui s'excluaient mutuellement, versions fournies par deux accusés également intéressés à maintenir leur propre point de vue. Et il n'était pas certain que, même dans des conditions aussi idéales, l'issue eût été favorable à Galanskov.

Qu'est-ce que j'obtiendrais si j'arrivais à prouver à la cour que Dobrovolski avait d'abord caché sa participation à la tentative de faire copier le matériel littéraire par Radzievski et que, l'ayant admise, il avait affirmé n'avoir agi que sur les instructions de Galanskov ? A cela, mon contradicteur intérieur objecterait raisonnablement : « Cette sorte de conduite se rencontre fréquemment chez les accusés. Elle prouve seulement que Dobrovolski essayait d'échapper à ses responsabilités en cachant sa participation à cet épisode ; mais une fois admis cela, cela ne signifie pas qu'il ait nécessairement fourni un faux témoignage relativement au rôle de Galanskov dans cet incident. » Et ce personnage essentiel, l'avocat du diable que je porte en moi, ajoutait : « N'oublie pas que, dans la dernière déposition de Dobrovolski, il y a beaucoup de logique et de bon sens. Après tout, les documents que Dobrovolski a essayé de faire reproduire ont été inclus par Galanskov dans *Phénix-66* ; en tant que rédacteur en chef et éditeur, il avait intérêt à assurer la diffusion la plus large possible de sa revue ; il avait donc des raisons de faire copier ces documents. Mais quelles raisons avait Dobrovolski de vouloir leur reproduction ? »

Je réalisai que, tant que je ne pourrais trouver une réponse valable à cette question, tant que je ne pourrais pas démontrer à la cour que Dobrovolski avait un intérêt propre, indépendant de celui de Galanskov, à faire copier ces écrits, je n'avais pratiquement rien à opposer au témoignage de Dobrovolski. Il était peu probable que, en interrogeant Dobrovolski, je ferais apparaître des informations nouvelles. Même ainsi, je m'engageai dans une direction qui — si elle révélait quoi que ce soit — me permettrait ultérieurement d'affirmer que Dobrovolski avait ses propres raisons de rencontrer des étrangers, ses propres raisons de faire photocopier le matériel littéraire :

KAMINSKAYA : « Qui était le premier étranger que vous ayez rencontré ? »

DOBROVOLSKI : « Un journaliste français appelé Gabriel. »

K. : « Quand cette rencontre a-t-elle eu lieu ? »

D. : « En août 1966. »

K. : « De quoi avez-vous parlé ? »

D. : « De littérature. »

K. : « Pouvez-vous préciser ? Avez-vous discuté d'un groupe littéraire particulier ? »

D. : « Oui, nous avons parlé des membres du S.M.O.G. »

K. : « Avez-vous adressé des demandes à cet étranger ? »

D. : « Oui, j'en ai adressé. Pour l'instant, je ne puis me rappeler exactement... mais c'est vrai que je lui ai demandé quelque chose. (Une pause.) Je lui ai donné un article que j'avais écrit, pour qu'il l'emporte à l'étranger. Je voulais qu'il soit publié. »

K. : « Vous est-il jamais arrivé de parler de cet article à un autre étranger ? »

D. : « Oui, j'en ai parlé à Henri. Il m'a dit qu'il avait été publié. »

K. : « Que vous a-t-il dit d'autre à propos de cet article ? Vous a-t-il, par exemple, communiqué son opinion sur lui ? »

D. : « Oui, il m'a encouragé moralement. »

K. : « Est-ce là tout ce qu'il a dit sur cet article ? »

D. : « Non, il m'a dit qu'on me verserait des honoraires à cause de lui. »

K. : « Galanskov a-t-il eu quelque chose à voir avec cet article signé de vous, et l'a-t-il envoyé à l'étranger ? »

D. : « Non. J'ai rencontré Gabriel tout seul. »

K. : « A-t-il eu d'autres occasions... »

A ce moment, je fus interrompue par une remarque acerbe du juge : « Collez davantage aux faits, camarade avocate. »

Je posai une nouvelle question :

K. : « Est-ce que la discussion de votre article avec Henri a eu lieu lors de votre première rencontre avec lui, ou bien plus tard ? »

D. : « J'ai parlé de mon article lors de ma deuxième rencontre avec Henri. »

K. : « Qui d'autre était présent à cet entretien ? »

D. : « Personne. Il n'y avait que nous deux. »

De nouveau, le juge m'interrompit : « Camarade avocate, je vous interdis de poser ces questions. Dobrovolski n'est pas accusé d'avoir transmis des documents à l'étranger en vue de leur publication. Ne protestez pas, camarade avocate. Je ne permettrai plus de telles questions à l'avenir. »

C'était vrai que Dobrovolski n'était pas accusé de ce crime, mais, suivant l'article 180 du Code de procédure criminelle, le juge ne peut refuser que les questions « qui ne s'appuient pas sur le dossier ». La rencontre avec Henri était un épisode en rapport avec les chefs d'inculpation portés à la fois contre Galanskov et contre Dobrovolski, et j'avais le droit incontestable d'élucider toutes les circonstances de cette rencontre. Je ne pouvais que formuler une objection à la décision du juge, puis m'y soumettre.

Le juge Mironov refusait mes questions parce qu'il flairait l'intention qui se cachait derrière elles. Il réalisait qu'elles menaçaient la structure fondamentale du dossier de l'accusation, que Dobrovolski n'avait pas été un simple auxiliaire, poussé au crime par Galanskov. Toute indication que Dobrovolski ait eu un intérêt autonome à rencontrer des étrangers, toute allusion à des transactions financières indépendantes entre Dobrovolski et Henri, supposé être un représentant du N.T.S., minait la plausibilité de cette structure.

Un autre extrait montre que les raisons de Mironov, en supprimant ma question de la minute, n'étaient pas son manque de pertinence. Le témoin Iepifanov, une relation de Galanskov et de Guinzbourg, faisait l'objet d'un contre-interrogatoire :

LE PROCUREUR : « Que savez-vous de la rencontre de Galanskov avec le Suédois ? »

GALANSKOV : « Je proteste contre cette question. »

LE JUGE : « Accusé Galanskov, je vous interdis d'intervenir dans le contre-interrogatoire. »

KAMINSKAYA : « Camarade président, je demande que la question du procureur soit supprimée de la minute. L'acte d'accusation ne dit rien d'une rencontre de Galanskov avec le Suédois ; la question déborde donc le champ d'action du tribunal. »

ZOLOTOUKHINE : « Camarade président, vous avez écarté beaucoup de nos questions, mais vous n'avez jamais ôté de la minute des questions posées par le procureur et qui excèdent de toute évidence la compétence du tribunal. »

MIRONOV : « Camarade procureur, continuez vos questions. »

LE PROCUREUR : « Témoin, répondez à ma question. »

LE TÉMOIN : « Je ne sais rien des rencontres entre Galanskov et le Suédois. »

Mironov n'était pas simplement un juge partial ; il empêchait les avocats de conduire une défense effective en rejetant des questions importantes et légitimes et en repoussant des demandes essentielles. Puisque ni argent ni objets de valeur n'avaient été trouvés dans l'appartement de Galanskov lors de la perquisition, l'une des charges relevées contre lui reposait exclusivement sur l'affirmation de Dobrovolski que Galanskov lui avait donné l'argent pour le mettre en lieu sûr. Pourtant, au cours de l'enquête préalable, la femme de Dobrovolski avait demandé trois fois au K.G.B. de lui restituer l'argent confisqué pendant la perquisition. Elle écrivit qu'il s'agissait en partie d'économies sur les salaires du ménage et en partie de sommes que son mari avait empruntées auprès de ses amis des milieux religieux. C'était en contradiction avec la déposition de

Dobrovolski et demandait des éclaircissements. Le deuxième jour du procès, on me remit une lettre du général Grigorenko dans laquelle il déclarait connaître l'origine de l'argent trouvé dans l'appartement de Dobrovolski et affirmait être prêt à témoigner. J'introduisis une requête pour qu'il fût cité comme témoin. La cour refusa de l'entendre sous le motif qu'il était soigné dans une clinique psychiatrique.

Quelques heures plus tard, l'accusation interrogeait un témoin du nom de Bassilova, la femme du poète Goubanov. Ce dernier avait déclaré que Guinzbourg avait l'habitude de ramener des étrangers chez eux. Guinzbourg le niait. Le procureur souhaitait utiliser ce témoignage pour prouver que Guinzbourg entretenait des relations avec des étrangers.

LE PROCUREUR: «Dans sa déposition, votre mari, Goubanov, a dit...»

BASSILOVA: «Je désire faire une déclaration.»

LE JUGE: «Je ne la permettrai pas.»

BASSILOVA: «Je vais la faire tout de même. Je voudrais savoir quel droit a le K.G.B. de réduire un homme, par diverses formes de persécution, à un état où il est juridiquement irresponsable, puis de l'interroger dans cet état. Qui plus est, le K.G.B. a utilisé le témoignage d'un homme atteint de maladie mentale comme preuve dans ce tribunal.»

LE JUGE: «C'est de la diffamation envers le K.G.B. Vous aurez à répondre de vos remarques calomnieuses.»

BASSILOVA: «Ce n'est pas de la calomnie. L'état de mon mari a été certifié par un médecin.»

LE JUGE: «Gardes, reconduisez ce témoin.»

ZOLOTOUKHINE: «J'ai quelques questions à poser au témoin.»

LE JUGE: «Très bien, allez-y.»

ZOLOTOUKHINE: «Votre mari est soigné dans une clinique psychiatrique, n'est-ce pas?»

BASSILOVA: «Oui.»

ZOLOTOUKHINE: «Depuis combien de temps y est-il?»

BASSILOVA: «Six ans.»

ZOLOTOUKHINE: «Avec quel diagnostic?»

BASSILOVA: «Schizophrénie.»

Zolotoukhine attira alors l'attention de la cour sur les certificats médicaux versés au dossier, lesquels indiquaient que le témoin Goubanov souffrait — et cela depuis plusieurs années — de graves désordres mentaux.

ZOLOTOUKHINE: «La requête de l'avocate Kaminskaya a été rejetée parce que Grigorenko, d'après le certificat d'une clinique psychiatrique, est un homme malade. Pourquoi, par conséquent, accorde-t-on au témoignage de Goubanov — un homme évidemment malade, hospitalisé plusieurs fois pour schizophrénie — une si grande importance qu'on l'accepte comme preuve unique et suffisante de la culpabilité de Guinzbourg pour l'un des chefs d'accusation ? »

Zolotoukhine demanda à la cour de supprimer de la minute l'interrogatoire de Goubanov. La cour l'écouta jusqu'au bout, mais décida dans une déclaration écrite qu'elle ne trouvait pas de motifs suffisants pour supprimer la déposition de Goubanov. La cour n'interrogea pas Goubanov, dont l'état mental, c'était évident, excluait toute possibilité d'un interrogatoire public. Et pourtant, dans son verdict, elle se référa à sa déposition dans l'enquête préliminaire comme preuve de la culpabilité de Guinzbourg.

A peu près chaque procès produit quelque chose d'inattendu : des surprises auxquelles on aurait parfois pu s'attendre, quelquefois des bombes imprévisibles qui requièrent de l'avocat une réponse instantanée et correcte.

Le 10 janvier 1968 était le troisième jour du procès. Il était 10 heures du matin et la séance venait juste de commencer.

Le procureur soumit une demande à la cour : « Je demande à la cour de citer Broks-Sokolov comme témoin et citoyen : il est susceptible de fournir un témoignage de valeur dans le présent procès. »

Qui diable était Broks-Sokolov ? Son nom n'était pas mentionné dans le dossier de l'enquête préalable, aucun témoin ni accusé n'avait prononcé son nom au tribunal.

Le procureur expliqua que Broks-Sokolov était un citoyen du Venezuela venu comme touriste en Union soviétique, et qu'il avait été arrêté par le K.G.B. en décembre 1967. L'instruction de son affaire n'était pas encore achevée, mais il avait déjà fait une certaine déposition en relation avec le présent procès.

Pour être capables de réagir à cette demande et de donner à la cour leur opinion sur elle, les avocats devaient avant tout être en mesure d'étudier le témoignage de Broks-Sokolov. Notre requête concernant ce document était en parfait accord avec le Code de procédure ; de telles demandes étaient toujours accordées.

De nouveau, le procureur Terekhov se leva pour faire une déclaration : « J'informe la cour que l'affaire Broks-Sokolov est d'une importance particulière pour l'État, et que par conséquent les documents de ce dossier ne peuvent être rendus publics. »

Mais si la déposition de Broks-Sokolov était secrète au point de ne pouvoir nous être montrée — à nous tous qui avions l'accès aux documents secrets et étions autorisés à défendre les dossiers comportant des secrets d'État —, comment ce témoin pouvait-il être interrogé dans un procès public ? Il était clair que tout son témoignage n'était pas aussi secret que le prétendait le procureur. (Disons incidemment que Broks-Sokolov fut jugé six mois plus tard par le tribunal de la ville de Moscou.

Le procès fut public, et l'affaire commentée dans les journaux soviétiques. Il n'y avait aucun secret d'État dans le dossier, et la cour, après l'avoir reconnu coupable de propagande antisoviétique, le relaxa sur-le-champ « en considération de son sincère repentir ».)

Nous introduisîmes une nouvelle requête, demandant cette fois uniquement à accéder à la partie de la déposition de Broks-Sokolov sur laquelle il allait être interrogé au tribunal. Cela, la cour ne pourrait sûrement pas le refuser. Mironov écouta, appuyé contre le haut dossier de son fauteuil de justice ; ayant entendu nos objections, il fit un imperceptible signe de tête aux assesseurs de droite et de gauche, puis, sans changer de posture (sinon qu'il intensifia la grimace de dégoût qu'il n'abandonna jamais tout au long du procès), dicta au greffier : « La requête du procureur est accordée. Le citoyen Broks-Sokolov sera cité devant cette cour en qualité de témoin. La requête de la défense visant à étudier le procès-verbal de l'interrogatoire de Broks-Sokolov est rejetée. »

Toute la journée, tandis que les témoins défilaient à la barre et que les attentions étaient tendues au maximum, je ne pouvais m'empêcher de penser à ce Vénézuélien inconnu dont nous aurions à entendre la déposition. Pendant les suspensions de séances, discutant avec nos clients, chacun de nous essayait de découvrir qui ce mystérieux Broks-Sokolov pouvait bien être, et quelle relation il pouvait avoir avec notre procès. Il était venu en Union soviétique un an *après* l'arrestation de nos clients, et aucun d'eux n'avait jamais entendu parler de lui auparavant.

A 7 heures du soir, ce fut le son strident de la sonnette annonçant la fin de la journée, le bruit des pas qui s'éloignent, puis le silence. Notre procès se poursuivait, les témoins se succédaient, les uns après les autres.

Presque tous les témoins cités par l'accusation étaient des amis ou des relations des accusés, qui leur étaient favorables. Tandis que Mironov avait écouté avec bienveillance les témoignages de Tsvetkov et de Golovanov, les photocopieurs informateurs, la conduite qu'il autorisa au tribunal pendant l'interrogatoire des amis et parents des accusés fut indescriptible ; les rires et les insultes en provenance des bancs du public furent presque ininterrompus.

Les spectateurs rirent quand les témoins décrivirent Galanskov comme une personne gentille et altruiste, ou Guinzbourg comme un jeune homme talentueux. Ils rirent aussi quand les témoins parlèrent d'eux-mêmes, comme s'il s'agissait d'une situation comique ; quand, interrogé sur sa profession, un homme répondit : « Je suis poète » ou bien : « Je suis écrivain en matière religieuse ». Les rires furent incessants tout au long de la tragique déposition du témoin Bassilova.

Mironov, évidemment, approuvait ces réactions du « public ». Le juge lui-même ne riait pas des témoins ; il usait de son pouvoir pour les injurier. D'après la loi, les témoins, une fois interrogés, doivent rester dans la salle et ne sont pas autorisés à partir avant la fin de l'audience. Le juge Mironov, cependant, interdit à tous les amis des accusés de rester dans la salle. Chaque fois qu'il congédiait sèchement un témoin, l'huissier (spécialement désigné par le K.G.B. pour maintenir l'ordre durant notre procès) avait déjà ouvert la porte du couloir, de sorte que le témoin ne pouvait rester dans la salle une minute de plus.

Quand l'interrogatoire de Vinogradov — une relation de Guinzbourg — fut terminé, Mironov prononça sa phrase habituelle : « Témoin vous pouvez vous retirer. » Vinogradov, cependant, demanda à rester dans la salle d'audience : « Vous devez le permettre. Conformément à l'article 283, je dois rester ici. »

— D'après ce même article 283, vous allez immédiatement quitter cette salle. Gardes, faites sortir le témoin. » La réponse de Mironov suscita une approbation particulière de l'élite du parti dans la salle.

L'interrogatoire des témoins représente une partie difficile du travail de l'avocat. Il faut écouter et trouver le temps de prendre des notes ; il faut apprécier instantanément l'humeur des témoins et leur état d'esprit, car c'est cela qui détermine les questions que l'on peut poser utilement. Ce jour-là, pourtant, j'étais distraite par une pensée qui m'obsédait : Qui est Broks-Sokolov ? Quand va-t-il apparaître ? Et pendant ce temps-là les témoins se succédaient, de sorte que je n'avais même pas le temps de réaliser à quel point j'étais fatiguée après ces dix heures de travail presque ininterrompu.

Il y avait maintenant une jeune femme à la barre des témoins. Brune, les yeux foncés, elle était vêtue de noir et avait les épaules enveloppées d'une grande écharpe également noire, décorée de roses d'un rouge éclatant. C'était Aïda Topechkina, une vieille connaissance de Iouri Galanskov qui était aussi amie de sa femme. Ce fut de nouveau un déchaînement de rires dans la salle. Comme c'était comique d'entendre que Galanskov était « pauvre comme un rat d'église », qu'il avait constamment aidé le témoin dans les moments difficiles de la vie ; c'était aussi très amusant qu'il aimât les enfants.

Le public qui occupait les sièges n'était pas toujours le même. Chaque jour, de nouvelles figures apparaissaient à la place de celles que j'avais vues la veille, mais elles étaient tout aussi revêches que les précédentes. Pendant l'une des suspensions de séance, nous nous trouvions dans le hall contigu à la salle d'audience. Il y avait près de nous une énorme fenêtre, presque aussi haute que le mur lui-même, donnant sur la rue Kalanchevskaïa. Il y avait foule en face du tribunal : hommes en pardessus, cols relevés, femmes entortillées dans des écharpes de laine. Ces gens avaient piétiné pendant des heures dans le froid impitoyable d'un hiver rigoureux. J'entendis soudain une voix derrière moi : « Que ne donnerais-je pas pour avoir une mitrailleuse entre les mains en ce moment ! Je tirerais là-dedans à bout portant. » Cela déclencha un éclat de rire. C'était un groupe de spectateurs de la salle d'audience. Ces gens ne se contentaient pas de trouver matière à rire dans le procès. Dès que les masques tombaient pour un moment, ils se révélaient tels qu'ils étaient : des fascistes.

J'évoque souvent cette scène. Des gens debout dans le froid, le gel, se contentant simplement de rester là. C'était en fait une manifestation : une manifestation sans slogans ni pancartes, sans banderoles, mais une manifestation authentique de solidarité.

> *Oh, combien petit*
> *Le cercle de ces révolutionnaires.*
> *C'est pourquoi il est si facile*
> *De les entourer dans la cour...*

écrivit un fameux faiseur de chansons moscovite dans une chanson qu'il dédia à ce procès.

A l'époque, nous pensions qu'en bas la foule était grande ; mais peut-être qu'elle n'était pas aussi importante que cela, après tout. Juste quelques particuliers dont les noms apparaissaient dans les lettres de protestation, les appels à l'opinion publique mondiale. Ils se joignaient à ces manifestations silencieuses, procès après procès, jusqu'à ce qu'ils échouent eux-mêmes dans la salle d'audience, non pas comme spectateurs ou comme témoins, mais comme accusés. Combien d'entre eux ont suivi ce chemin qui va de la manifestation de solidarité au box des accusés ?

A l'occasion de chaque procès politique, je remarquais toujours ces hommes du K.G.B. en civil qui fouinaient parmi la foule du dehors. Ils observaient les manifestants, les photographiaient, essayaient de les provoquer, dans l'espoir de les intimider pour mettre fin à cette tradition de soutien moral silencieux. Il aurait dû être facile de les harceler, de les disperser ; pourtant, année après année, la foule ne diminua pas, et la tradition fut maintenue. Ce jour-là, tandis que nous regardions par la fenêtre du troisième étage la foule rassemblée en bas, il était assez facile de distinguer qui était sympathisant, et qui était agent du K.G.B. Bien que ces deux catégories de personnes fussent également gelées par cette température glaciale, bien que tous eussent relevé leur col et eussent piétiné de la même manière, même à cette distance, on ne pouvait s'y méprendre.

La séance allait reprendre, et il était temps pour nous de retourner dans la salle.

Quand Aïda Topechkina eut répondu à la dernière question qui lui était posée, elle voulut soit ajouter quelque chose à son témoignage, soit faire quelque déclaration. « Nous ne sommes pas intéressés par votre déclaration. Vous pouvez vous retirer » aboya Mironov. On cria dans la salle: «Allez-vous-en! Dehors!... Vous feriez mieux de surveiller vos gosses! Vous devriez avoir honte de vous!»

Mironov faisait usage de rudesse pour punir les témoins récalcitrants, qui refusaient de se laisser intimider ou qui manifestaient quelque indépendance. Un témoin qui laissait tomber même un simple mot de condamnation pour les accusés était traité de façon toute différente.

L'un des témoins était Lioudmila Kats, dont je me souvenais comme ayant déjà témoigné dans le procès de Boukovski. Jeune et jolie fille, entretenant des relations étroites avec les quatre accusés, elle confirma que Dobrovolski lui avait donné des livres publiés par le N.T.S.:

LE JUGE MIRONOV: «Dobrovolski vous a donné de la littérature de nature évidemment antisoviétique. Comment avez-vous pu, vous une citoyenne soviétique, continuer d'avoir affaire à lui après cela?»

LE TÉMOIN KATS: «A l'époque, je ne savais pas qu'il deviendrait une telle ordure.»

Naturellement, Mironov eût préféré que le témoin condamnât Galanskov ou Guinzbourg plutôt que Dobrovolski, mais même ainsi il était reconnaissant. Il sourit et autorisa Kats — seule entre tous les témoins — à rester dans la salle. Quelques minutes plus tard, cependant, Mironov réalisa qu'il s'était mépris sur sa condamnation. Il lui avait échappé que, en traitant Dobrovolski d' «ordure», le témoin n'avait pas voulu le blâmer de lui avoir donné des livres du N.T.S. ou de lui avoir parlé de l'organisation. Lioudmila avait condamné la trahison de Dobrovolski.

Une suspension de séance fut annoncée, à l'issue de laquelle Kats ne fut pas autorisée à rentrer dans la salle d'audience. Mironov y avait veillé personnellement.

Un autre témoin était maintenant à la barre, et de nouveau Mironov ne fit aucune tentative pour stopper les cris et les injures, ne fit aucun rappel à l'ordre pour que soit observé le silence obligatoire dans un tribunal. Il n'obéissait à aucune directive des autorités supérieures; il n'était pas incapable de conduire proprement un procès. Simplement, il jouissait du spectacle de voir les accusés injuriés, leurs amis tournés en dérision.

Puis le silence tomba. Même les spectateurs les plus bruyants se turent. Les gens semblaient retenir leur souffle. On n'entendait que la voix de Mironov:

«Témoin, indiquez à la cour vos nom, âge et nationalité.

— Mon nom est Broks-Sokolov, Nikolaï Borissovitch. J'ai vingt et un ans et je suis citoyen du Venezuela. Je suis né en Allemagne de l'Ouest, mais je vis maintenant en France.»

Nous écoutâmes la déposition de Broks-Sokolov avec la plus extrême attention, attendant sa partie réellement importante, la preuve qui condamnerait nos clients, celle pour laquelle le témoin avait été tiré de prison.

« Je suis étudiant à l'université de Grenoble, en France. Je parle suffisamment le russe pour témoigner sans l'aide d'un interprète.

« Je suis venu en Union soviétique comme touriste. En novembre 1967, j'ai rencontré une fille dans un café. Elle me parla de quelques jeunes écrivains russes qui avaient été arrêtés par le K.G.B. et me demanda si je serais d'accord pour apporter quelque aide à ces écrivains pendant mon voyage — ce qui impliquait d'expédier des lettres pour leur compte à Moscou. Cette fille, Tamara Volkova, nomma les écrivains qu'elle voulait que j'aide : Galanskov, Guinzbourg et Dobrovolski. Au cours de l'entrevue que j'eus avec Tamara, elle me convainquit que ces gens étaient de vrais écrivains, et c'est pourquoi j'acceptai de fournir quelque aide à des personnes qui avaient souffert pour leur intégrité artistique. J'appris par Tamara qu'elle était une représentante du N.T.S. et que Slavinski, qui donnait des conférences à l'université sur la littérature souterraine, était un membre important de cette organisation.

« Au début de décembre 1967, je rencontrai de nouveau Tamara. Il y avait un homme avec elle, qui était aussi, je le devinai, un représentant du N.T.S. Je connaissais déjà ma date de départ d'Union soviétique, et nous convînmes que...

— Camarades avocats, taisez-vous. Vous gênez les travaux de la cour. »

Le juge avait interrompu la déposition du témoin pour nous lancer cet avertissement. Mironov avait raison : nous parlions.

« Vous souvenez-vous de la date à laquelle nous avons demandé un report du jugement ? » me demanda l'un de mes collègues.

« Je comprends maintenant pourquoi ils nous l'ont accordé », dit un autre.

« Ils l'attendaient », répondis-je en chuchotant.

Nos hypothèses étaient-elles fondées ? Seul le K.G.B. aurait pu répondre avec précision, mais nous avions de sérieux soupçons.

On pouvait, naturellement, supposer que le synchronisme entre l'ajournement du procès et la date d'arrivée de Broks-Sokolov n'était que pure coïncidence ; mais la nouvelle date du procès n'avait pas été fixée avant l'arrestation de Broks-Sokolov. Le K.G.B. l'attendait de toute évidence. Il savait déjà qu'un homme porteur d'une mission spéciale venait à Moscou. La veille de quitter la France pour se rendre en Union soviétique, Broks-Sokolov rencontra un représentant du N.T.S. qui lui remit une ceinture à porter à même le corps et dans laquelle on avait cousu cinq lettres, des photographies de nos accusés, du papier spécial pour écriture codée, un dispositif de chiffrage et 3 000 roubles en monnaie soviétique.

Broks-Sokolov fut arrêté le troisième jour de son séjour à Moscou. Il n'avait encore essayé d'accomplir aucune de ses missions. La ceinture n'avait pas encore été ouverte. Son comportement, pendant ces trois jours, n'avait pas été différent de celui d'un touriste ordinaire et n'avait pu susciter de soupçons. Il n'avait pris aucun contact illégal ni rencontré quelqu'un qui fût sous la surveillance du K.G.B. Il fut arrêté en plein air, dans un parc, dans des circonstances qui n'étaient en aucune manière compromettantes.

La décision d'arrêter un ressortissant étranger de cette manière signifiait indubitablement que le K.G.B. était informé de la mission de Broks. Je ne serais pas surprise que le K.G.B. eût connu à l'avance le contenu exact de la ceinture. Dès que Broks eut été arrêté, dès que la ceinture eut été trouvée et ouverte, dès que les photographies de nos accusés furent sur le bureau de l'enquêteur — ainsi que le papier à coder et l'instrument de chiffrage, identiques à ceux qui avaient été trouvés dans l'appartement de Dobrovolski —, la nouvelle date du procès fut fixée.

Si notre supposition — notre certitude — que le procès avait été ajourné en vue de l'arrivée de ce témoin potentiel était correcte, alors il faut bien dire que ce coup monté n'eut pas pour le K.G.B. les résultats escomptés.

Il eut certes un effet psychologique. La tension émotionnelle fut considérable tandis que nous attendions quelque révélation stupéfiante. Bien qu'il eût fait amende honorable pour avoir accepté d'exécuter les directives du N.T.S. et qu'il eût condamné plus sévèrement encore cette organisation pour avoir « abusé de [sa] confiance » et l'avoir « entraîné », Broks ne révéla rien à la cour qui pût servir de preuve de culpabilité pour les accusés. Les enveloppes qu'il était censé expédier à Moscou se révélèrent ne contenir que de courtes biographies de nos clients, accompagnées d'un appel à se battre pour leur libération. L'argent et le matériel de codage étaient destinés à un homme qui n'avait rien à voir avec les accusés ; ils étaient donc dépourvus d'intérêt comme pièces à conviction dans notre procès.

Toutes les informations que Broks fournit à la cour sur Galanskov, Guinzbourg et Dobrovolski étaient tirées des conférences de Grenoble sur la littérature soviétique illégale. Il était évident, pour quiconque écoutait Broks-Sokolov, qu'un solide dossier d'accusation ne pouvait être bâti sur son témoignage. Il y avait cependant un autre objectif, qui, pour le K.G.B. et la machine de propagande du parti communiste, n'était pas moins important que de prouver la culpabilité des accusés : compromettre le N.T.S. et ses leaders, ce qui compromettrait moralement Guinzbourg, Galanskov et Dobrovolski.

Pour atteindre cet objectif, il fut fait un grand usage de la déposition de Broks-Sokolov. Il n'y eut pas un seul article de presse sur le procès dans lequel sa déposition ne fut pas citée. On cita aussi largement ses opinions, comme son jugement sur «les messieurs du N.T.S.» et ses commentaires injurieux sur les accusés : «Je pensais qu'ils étaient des écrivains. En France, on les décrivait comme des écrivains. Mais je vois maintenant qu'ils n'étaient pas du tout des écrivains. On les juge comme criminels pour être en relation avec le N.T.S.»

Le 11 janvier, le procès touchait à sa fin. Tous les témoins, sauf un, avaient été interrogés ; toutes les dépositions avaient été examinées à fond. Soudain, le procureur demanda la permission d'introduire une nouvelle requête. Il avait à la main une feuille de papier de luxe comportant un texte dactylographié, et il demanda à la cour l'autorisation de verser au dossier «un document d'une exceptionnelle importance».

«Il est clair d'après ce document, dit le procureur, que le N.T.S. est une agence de l'espionnage américain ; il figure dans le budget de la C.I.A. et est totalement financé par cette dernière.»

L'un de nous, sans attendre la décision de Mironov, demanda au procureur avec un peu plus qu'une nuance d'ironie : «Est-ce la C.I.A. qui vous a communiqué ce document ?

— Non, camarade avocat, répondit très sérieusement le procureur, cette information ne provient pas de la C.I.A., mais du K.G.B. Je demande instamment qu'elle soit versée au dossier.»

Nous examinâmes ce document unique. En haut, un en-tête en gros caractères : Comité de Sécurité d'État de l'U.R.S.S. En bas, l'énorme cachet du K.G.B., et une signature. En dépit des objections de la défense, ce document fut versé au dossier selon les règles. Voici son texte complet :

ATTESTATION

Le K.G.B. est en possession d'éléments d'information sûrs selon lesquels, après la défaite de l'Allemagne hitlérienne, le N.T.S. fut entièrement pris en charge d'abord par les services de renseignement britanniques, puis par l'espionnage américain. Les services de renseignement américains versent chaque année 200 000 dollars au N.T.S., destinés principalement à couvrir les frais de personnel de cette organisation et à financer ses activités antisoviétiques.

En outre, la C.I.A. fournit des fonds au N.T.S. pour des missions antisoviétiques spécifiques, y compris des campagnes idéologiques contre l'U.R.S.S., ainsi que pour l'entraînement et la répartition des émissaires du N.T.S. et de son personnel de liaison vers l'Union soviétique.

Comité de Sûreté de l'État
du Conseil des ministres de l'U.R.S.S.
Le directeur adjoint de l'Administration
(signé) Oloviannikov.

On appela ensuite le dernier témoin. Comme dans le procès Boukovski, nous attendions la déposition du psychiatre expert, le Dr Daniel Lounts.

Dobrovolski était soigné comme patient extérieur dans une clinique psychiatrique depuis 1955, et il avait été hospitalisé plusieurs fois pour traitement psychiatrique. En 1964, on l'avait envoyé à l'Institut Serbski pour examen par des psychiatres médico-légaux, et il avait été déclaré juridiquement irresponsable. En 1966, il fut soumis à un traitement pour schizophrénie dans un hôpital psychiatrique.

Galanskov également avait été hospitalisé plus d'une fois pour des raisons d'ordre psychiatrique. Il avait été traité sur une longue période à l'hôpital psychiatrique Sokolov de Moscou. Parmi les documents du dossier, à part le certificat médical habituel, figurait un «rapport de consultant expert» qui prononçait pour Galanskov le même diagnostic que pour Dobrovolski: schizophrénie.

Cette fois-ci, avant le procès, une commission médicale dirigée par le docteur Lounts les avait déclarés tous deux juridiquement responsables, et le médecin avait répété ses conclusions devant la cour. S'il y eut jamais une science obéissante, c'est bien la psychiatrie soviétique.

Ma connaissance de la psychiatrie se limite à ce qu'un avocat a besoin de savoir. J'ai étudié la psychiatrie médico-légale à l'école de droit, puis je me suis tenue au courant au moyen de la littérature spécialisée. Cependant, j'avais passé beaucoup de temps en compagnie de Galanskov, je l'avais observé de près et j'avais pu me former une opinion sur son état mental. A mon sens, son caractère et sa pensée n'étaient pas tant marqués par une déviation de la normale au sens médical du terme que par une déviation de la pensée standardisée. Iouri était absolument lucide et éveillé, parfaitement bien informé, et son comportement était complètement logique. C'était aussi une personnalité inhabituelle. Parfois, nous riions même ensemble de ses excentricités, qui étaient toujours charmantes et aimables. Pas une seule fois pourtant je n'ai ressenti le moindre doute quant à son intégrité mentale et à sa stabilité. J'étais bien forcée d'adhérer aux conclusions de Lounts, au moins en ce qui concernait mon client.

La phase documentaire du procès était achevée. Accusation et défense devaient prendre la parole le même jour.

Qu'avaient apporté ces quatre jours de débats pour ma défense de Iouri Galanskov? Quels éléments nouveaux avaient émergé de la déposition des témoins et des accusés? Hélas, ma position restait aussi difficile qu'auparavant. Il y avait toujours devant le tribunal deux hommes qui fournissaient des témoignages contradictoires sur les mêmes événements, témoignages qui s'excluaient mutuellement. Comme tous les prévenus, ils étaient tous deux hautement concernés par l'issue du procès, mais leurs positions relatives étaient inégales: toute la confiance de la cour allait à l'un d'entre eux, à Dobrovolski.

La déposition d'Aleksandr Guinzbourg devant la cour fut excellente sur tous les chefs d'accusation qui lui étaient opposés. Ses déclarations furent précises, concrètes et convaincantes. En ce qui concernait la défense de Galanskov, cependant, la déposition de Guinzbourg n'intéressait qu'un seul point de l'acte d'accusation : leur prétendue collaboration sur le *livre blanc*. Comme précédemment, Guinzbourg affirma qu'il avait édité sa compilation tout seul, sans aucune aide de Galanskov.

La déposition de Galanskov devant le tribunal fut un peu longue et verbeuse. Il reconnut être le compilateur et l'éditeur de la revue *Phénix-66*, mais nia que ce fût criminel. Il nia aussi catégoriquement tous liens avec le N.T.S. Il nia avoir envoyé *Phénix-66* et le *livre blanc* à l'étranger, avoir reçu de la littérature, de l'argent ou du matériel de codage de la part de visiteurs étrangers. Il expliqua comme suit la déposition qu'il avait faite avant le procès, dans laquelle il admettait toutes ces choses :

« En prenant sur moi toute la responsabilité, j'avais l'intention de sauver les autres, y compris Dobrovolski. Mais quand j'ai découvert que Dobrovolski avait parlé de moi dans son témoignage, je lui en ai voulu d'avoir raconté de tels mensonges et je me suis rétracté. La deuxième fois, j'ai admis tout ce dont Dobrovolski m'avait accusé sous la pression de l'enquêteur. »

Au tribunal, Iouri rendit un compte exact de cette pression. L'enquêteur avait dit que, à moins que Galanskov n'en revînt à sa version précédente, non seulement lui mais tous les autres seraient plus sévèrement punis. Eux tous, avait-il menacé, y compris Vera Lachkova, seraient condamnés aux travaux forcés dans les mines d'uranium. Ce passage de la déposition de Galanskov devant la cour, cependant, ne fut pas enregistré sur la minute.

De nombreux témoins avaient déclaré que Iouri était un jeune homme honorable et altruiste. D'un autre côté, l'un des témoins les mieux disposés avait décrit comment, sur les instructions de Iouri, elle avait vendu des dollars (ce qui lui avait valu une longue peine de prison), et elle avait démontré au tribunal que Iouri devait savoir que ces dollars seraient vendus au marché noir. « Je suis certaine, dit-elle, que Galanskov aurait dépensé cet argent pour quelque cause noble et désintéressée, et non pas pour lui-même. Mais, comme tous les citoyens de notre pays, il devait savoir que le commerce des devises étrangères était un crime. »

Ma tâche la plus dure ne fut pas d'écarter les preuves de Dobrovolski, mais de m'occuper de la déposition de Vera Lachkova.

Au stade de l'enquête préliminaire, Vera avait confirmé certains des faits contenus dans la version de Dobrovolski. Elle avait confirmé que, en sa présence, Galanskov avait donné à Dobrovolski des livres publiés par le N.T.S. Elle avait confirmé que, sous la dictée de Galanskov, elle avait dactylographié une lettre chiffrée, et qu'elle avait vu des dollars dans l'appartement de Galanskov. Au tribunal, elle ajouta davantage de détails, disant que, si elle avait vu la remise des livres, elle n'en avait pas vu les titres; qu'elle supposait qu'il s'agissait de publications du N.T.S. parce que, le même jour, Dobrovolski lui avait donné des brochures publiées par cette organisation. Lachkova affirma aussi devant la cour que, si elle avait vu une fois un billet de un dollar dans l'appartement de Galanskov, elle en avait vu un bien plus grand nombre entre les mains de Dobrovolski. Elle confirma en outre qu'elle avait usé de précautions pour taper la lettre de Galanskov — Iouri lui avait apporté à cette occasion une paire de gants en caoutchouc mince —, mais elle ne pouvait se rappeler ni le contenu de cette lettre ni celui de la lettre chiffrée. En tout cas, les deux lettres ne parlaient que de choses ordinaires, et elle ignorait si elles avaient un sens caché.

Durant nos entretiens à Lefortovo, Iouri m'avait assuré que Vera disait la vérité. L'une de ces lettres était adressée au comité du S.M.O.G. et contenait des informations sur les poètes «smogistes» soviétiques, tandis que l'autre fut expédiée à Batchev, un camarade du S.M.O.G. qui purgeait alors une peine d'exil en Sibérie. Iouri m'expliqua qu'il ne pouvait écrire en langage ordinaire parce qu'il savait que ses lettres étaient interceptées, et j'acceptai son explication.

Je réalisai que, en face du témoignage de Dobrovolski, les explications de Iouri devant la cour ne rendraient pas un son bien convaincant, mais nous n'avions rien d'autre à offrir. Les déclarations les plus favorables à Galanskov étaient probablement celles de Lachkova relatives à l'intention qu'avait Dobrovolski d'éditer une revue sur le modèle de *Phénix-66*; bien que Vera eût légèrement affaibli son témoignage en disant que ces projets de Dobrovolski étaient assez vagues, elle expliqua qu'en fait il avait déjà commencé à rassembler des matériaux, ce que plusieurs autres témoins confirmèrent.

Vera Lachkova ne trahit Iouri d'aucune manière. Réalisant que tout autre conduite irait à l'encontre du caractère de Vera, Iouri et Vera avaient depuis longtemps convenu que, si cette dernière était arrêtée, elle dirait la vérité, et c'est ce qu'elle fit.

Quand je vis Lachkova pour la première fois au tribunal, dans la situation difficile de quelqu'un qui est accusé d'un crime sérieux, elle m'impressionna comme une personne digne et honorable. Le ton de sa déposition, l'absence d'obséquiosité dont elle faisait preuve à l'égard du juge et du procureur, la constance de ses positions, tout me faisait éprouver sympathie et respect à son endroit.

Je me rappelle particulièrement le moment où son avocat, Semion Ariïa, arrivait à la fin de son interrogatoire. «Vera, demanda-t-il, vous êtes en détention depuis un an. Vous avez eu le temps de réfléchir à tout cela et de réévaluer vos actes. Regrettez-vous maintenant de vous être engagée dans ces activités ? »

Vera se tenait debout devant le bureau du juge, la tête légèrement tournée vers nous et, tandis qu'Ariïa parlait, son regard se durcit et son expression devint de pierre. Puis vint un chuchotement à peine audible : « Ne me posez pas cette question. » Le visage d'Ariïa devint cramoisi ; même le sommet de son crâne chauve vira au rouge. C'était un moment terrible pour un avocat — poser une question à laquelle son client ne voulait pas répondre et qui par conséquent lui causerait probablement du tort. Mironov fixait durement Vera, et l'un des assesseurs profanes, une femme qui jusque-là avait considéré les débats d'un regard ennuyé, se tourna vers elle avec une lueur d'intérêt. Les voix s'étaient tues dans la salle ; il n'y avait aucune ligne de retraite.

De nouveau, Ariïa parla, suppliant presque Vera, au désespoir. « Mais pourquoi, Vera ? Vous et moi avons parlé de cela. Comprenez que votre sort est en train de se décider. Répondez à ma question. Regrettez-vous maintenant ce que vous avez fait dans le passé ? »

Cette nuit-là, quand je décrivis la scène à la maison, je dis : « Vera se tenait là, mince et droite comme un cierge... »

C'est ainsi que je me la rappelle : mince cierge, avec des yeux énormes dans son petit visage. Et je n'oublierai jamais comment elle levait la tête, regardant droit devant elle ; comment elle dit : « Non, je ne regrette pas. »

Ce soir-là, après la séance, chacun des avocats s'inquiétait pour Vera. Avant le procès, un enquêteur avait dit à l'un de mes collègues : « Dans cette affaire, Galanskov aura la plus longue peine, sept ans ; Guinzbourg aura moins, cinq ans ; Dobrovolski n'aura pas plus de deux ans ; quant à Lachkova, elle s'en tirera avec un an. » Bien que cet enquêteur n'exprimât que son opinion personnelle, l'expérience nous avait appris que l'« opinion » d'un enquêteur du K.G.B. avait tendance à coïncider avec l'« opinion » de la cour. Le procès avait commencé le 8 janvier 1968. Vera avait été arrêtée le 17 janvier 1967. Il ne restait plus maintenant que quelques jours à courir jusqu'à la fin de la période prévue par l'enquêteur et, puisque la durée de la détention préventive vient en déduction de la durée de la peine, Vera pouvait être libre dans quelques jours — à moins que le tribunal n'augmente la durée de sa peine. Et il était possible que la réponse qu'elle avait faite lui valût un châtiment supplémentaire.

Nous savions tous que le sort des accusés n'était pas décidé au tribunal, que le K.G.B. avait tranché l'affaire longtemps avant qu'elle ne soit jugée en audience, et que les sentences avaient été fixées aux échelons les plus élevés du parti. Toutefois, si la réduction d'une sentence prévue était pratiquement impossible, une augmentation pouvait très bien être décidée. L'incident entre Vera et son avocat était une cause d'alarme.

Quand je pénétrai dans la salle d'audience le lendemain matin, Ariïa était déjà en conversation avec Vera. Je pouvais voir qu'il essayait de la persuader de revenir sur son opposition initiale. Puis il écouta en silence son argumentation prolongée.

« Nous avons convenu, me dit Ariïa, que je ne lui reposerai pas la question ; mais, si le juge ou le procureur la lui pose, elle répondra d'une façon moins catégorique. »

Et de fait, la séance du jour n'avait pas plus tôt commencé que la femme assesseur s'adressa à Vera : « J'aimerais que vous répondiez de nouveau à la question que vous a posée hier votre avocat. Regrettez-vous ce que vous avez fait, ou ne le regrettez-vous pas ? Vous comprenez que beaucoup de choses dépendent de votre réponse... »

Vera répondit par ces mots : « Je ne regrette pas d'avoir aidé certains des accusés en tant qu'individus. Mais si ce que j'ai fait a pu nuire de quelque façon au peuple soviétique, je le regrette. »

Il est peu probable que la cour ait interprété cette réplique comme une manifestation de repentir ; en fait, je suis sûre que, si cela avait dépendu de Mironov, Vera aurait payé cher pour cette réponse. Heureusement, il était maintenant trop tard pour changer ce qui avait été décidé en haut lieu et, quatre jours après le verdict, Vera était libre.

Le 11 janvier, Terekhov prononça son réquisitoire, dont une grande partie était consacrée à la dénonciation du N.T.S. — à son « réseau d'espionnage antisoviétique » et à ses tentatives « de renverser notre État ».

« Toute relation avec cette organisation, dit le procureur, est un crime grave contre le peuple soviétique. »

Rejetant complètement ce que Galanskov avait dit au tribunal en niant sa culpabilité, Terekhov bâtit son accusation uniquement sur la déposition de Dobrovolski, à laquelle il accorda un crédit illimité. « Dobrovolski a été poussé au crime par Galanskov... Dobrovolski n'a pas joué de rôle actif... Dobrovolski s'est repenti et a prouvé l'authenticité de son repentir par une conduite correcte pendant l'enquête et au tribunal... »

Galanskov, en revanche, avait entretenu « des relations directes et systématiques avec le N.T.S... » Galanskov ne s'était pas contenté de s'engager dans des activités antisoviétiques, il y avait « attiré Lachkova et Dobrovolski »... Galanskov, « en trompant la cour par une tentative d'esquiver sa responsabilité et un châtiment bien mérité », avait prouvé à la cour qu'il n'avait aucune intention de se repentir...

Les châtiments « suggérés » par le procureur furent conformes aux pronostics de l'enquêteur du K.G.B. : sept ans pour Galanskov, cinq pour Guinzbourg, deux pour Dobrovolski et un an pour Lachkova. Des applaudissements éclatèrent immédiatement dans le « public », mêlés de cris tels que : « Ce n'est pas assez ! Il faut leur en donner davantage ! »

Les plaidoiries commencèrent après la pause du déjeuner.

Toute la journée, il y avait eu dans la salle d'audience plus de gens que d'habitude, et parmi eux des têtes qui nous étaient très familières. Il y avait là tous les juges âgés du tribunal de la ville de Moscou, son président en tête, plusieurs hommes en uniforme du ministère public et des membres du praesidium du collège des avocats. D'autres juges de la périphérie de Moscou étaient venus, et même quelques avocats avaient eu la permission d'entrer. Tout cela avait accru la charge électrique de l'atmosphère, bien familière à quiconque a jamais eu à prendre la parole dans un tribunal. J'avais ressenti cette sorte de tension particulière dès que je m'étais levée le matin.

C'est peut-être parce que j'étais absorbée en moi-même que je ne remarquai pas tout d'abord quelque chose de nouveau dans la salle d'audience ; il y avait un changement, quelque chose d'inaccoutumé que je ne parvenais pas à identifier. Ce n'est que plus tard, quand je remarquai l'un de mes collègues qui fixait un endroit du mur opposé, que je pris conscience de la nouveauté. En hauteur, au niveau de l'installation électrique, certains objets de forme indéterminée avaient été fixés au mur et soigneusement enveloppés dans de la mousseline noire, comme le font certaines personnes avec les lampes et les miroirs dans une pièce où se trouve un cadavre.

La raison de cette décoration nouvelle et étrange nous devint claire pendant la suspension de séance. La salle avait été sonorisée pendant la nuit. La phase finale du procès était retransmise directement au Comité central du parti communiste de l'Union soviétique. Notre travail allait être contrôlé non seulement par les cadres supérieurs de l'appareil judiciaire, mais aussi par les hautes instances du parti.

Comme le veut la tradition qui donne la parole en premier à l'accusé qui a aidé le ministère public, Vladimir Chveïski ouvrit le feu en défendant Dobrovolski.

Défendre Dobrovolski était une tâche relativement aisée. Les charges maintenues contre lui étaient limitées à celles pour lesquelles il avait plaidé coupable, de sorte que son avocat n'avait pas de faits à contester. Il ne pouvait y avoir aucune discussion sur le contenu antisoviétique des brochures du N.T.S. que Dobrovolski avait reconnu avoir distribuées, ni sur la formulation des charges conformément à l'article 70 (activité antisoviétique) ; Dobrovolski avait admis au tribunal que ses activités, tout comme celles qui étaient attribuées à Galanskov et à Guinzbourg, « avaient été criminelles et de nature antisoviétique » et qu'elles avaient été « poursuivies avec des intentions antisoviétiques ». Tout cela avait prédéterminé la ligne adoptée par Chveïski dans sa plaidoirie. Fondamentalement, celle-ci fut consacrée à une analyse psychologique des raisons qui avaient amené Dobrovolski au crime. La discussion de Chveïski avec l'accusation se limita à nier le caractère criminel de l'un des documents confisqués

345

chez Dobrovolski, *Une description des événements au monastère de Potchaïev*. (Cette argumentation, poursuivie par Ariïa et par moi-même, fut le seul succès de la défense ; la cour nous donna raison.) Ce document, écrit et signé par les moines du monastère de Potchaïev, décrivait les harcèlements arbitraires et les outrages physiques auxquels les moines avaient été soumis par les autorités locales. Au moment du procès, l'exactitude de ces faits avait déjà été admise par le gouvernement soviétique.

Pour moi, la plaidoirie de Chveïski fut significative moins par ce qu'il dit que par ce qu'il ne dit pas. Je connaissais bien Vladimir Chveïski. C'était un homme ambitieux, très jaloux de sa réputation professionnelle. La gloire, pour lui, n'était pas quelque récompense abstraite, mais la véritable rétribution de ses efforts, et il peinait dur pour l'obtenir. Ce procès lui fournissait l'occasion de faire un discours brillant qui mettrait toutes ses qualités en valeur. Connaissant le caractère de Chveïski et son tempérament de polémiste, je puis dire avec certitude que, à cette occasion, il fit preuve d'une grande réserve en évitant la tactique la plus agressive et potentiellement la plus efficace qui consistait à attaquer Galanskov. Il n'accusa pas Galanskov de fournir un témoignage contradictoire, et s'abstint de le faire passer pour responsable des malheurs de Dobrovolski. Il défendit Dobrovolski comme si son client était le seul accusé. Chveïski savait que la cour ne pouvait franchir les limites des charges relevées contre Dobrovolski, et qu'elle ne pouvait par conséquent le reconnaître coupable de relations directes avec le N.T.S. indépendamment de Galanskov ; ainsi, tout en évitant un affrontement avec Galanskov, Chveïski réussissait en même temps à ne pas trahir les intérêts de Dobrovolski.

Je ne crois pas que beaucoup d'avocats eussent accepté une telle autolimitation. Mon seul désaccord avec Chveïski fut l'interprétation juridique qu'il donna de la « lettre ouverte » de Galanskov à Cholokhov.

Mikhaïl Cholokhov, lauréat du prix Nobel de littérature, est probablement le plus fameux des écrivains soviétiques officiels. J'ignore son degré de sincérité dans ses affirmations de loyalisme à l'égard de l'État soviétique, mais son nom a longtemps été associé aux tendances les plus obscurantistes et les plus réactionnaires de la vie publique soviétique. Au vingt-troisième Congrès du parti communiste de l'Union soviétique, en 1966, il avait prononcé un discours sur le récent procès des deux écrivains Siniavski et Daniel, dont l'issue ne lui avait pas plu. Il considérait leurs condamnations de sept et cinq ans respectivement de camp de travail à régime sévère comme trop indulgentes. Il regrettait le temps où, comme il le dit, « les gens n'étaient pas jugés d'après le Code, mais d'après le bon sens de la justice révolutionnaire » et où, pour avoir publié leurs livres à l'étranger, Siniavski et Daniel eussent pu recevoir n'importe quel châtiment, « jusques et y compris le peloton d'exécution ». La « lettre ouverte » à Cholokhov était une réponse à ce discours. Chveïski qualifia cette lettre d'« antisoviétique ». Je ne pouvais être d'accord avec cette prise de position.

La plaidoirie de Semion Ariïa, pour la défense de Vera Lachkova, est essentiellement mémorable pour la clarté de sa construction, la logique de ses conclusions et sa brillante analyse juridique. Il n'y eut absolument aucune tentative de jouer pour la galerie — absence complète de rhétorique spectaculaire. Certains ont pu trouver cette plaidoirie excessivement froide et dépassionnée, mais, pour les avocats professionnels qui assistaient à la séance, elle fut d'un haut niveau de qualité.

Comme Chveïski, Ariïa ne nia pas que sa cliente eût commis un crime. En revanche, il entreprit de définir, avec une extrême précision et beaucoup de courage, les limites du concept d' « activité antisoviétique », argumentant avec force contre une interprétation trop large de la loi. Ici, l'analyse juridique d'Ariïa prit une nuance nettement politique ; c'était comme s'il marchait sur une corde raide : le moindre vacillement, la plus légère perte d'équilibre et la limite eût été franchie de ce qu'il est permis de dire devant un tribunal soviétique. Mais il ne perdit jamais l'équilibre ; ses formulations précises, soigneusement pesées, lui permirent de dire juste ce qu'il fallait.

Je trouvai Ariïa particulièrement convaincant quand il traita du chef d'accusation reprochant à Lachkova d'avoir dactylographié des documents pour le *livre blanc*. Vera avait tapé un grand nombre de documents pour le *livre blanc*, mais un seul d'entre eux, « Une lettre à un vieil ami » — écrite par un auteur anonyme et contenant une vive critique de Staline —, était considéré comme antisoviétique par l'accusation.

Je ne sais pas si ce fut Zolotoukhine (défendant Guinzbourg, le rédacteur en chef) ou bien Ariïa (défendant Lachkova, la dactylographe) qui conçut l'idée qui leur permit d'éviter les dangers d'argumenter sur le contenu de ce document et en même temps de plaider pour un acquittement sur ce chef d'accusation. Zolotoukhine et Ariïa firent tous deux usage de cette tactique dans leurs plaidoiries.

« Il est possible, dit Ariïa, qu'« Une lettre à un vieil ami » contienne des éléments de nature criminelle, mais il n'appartient pas à la défense d'analyser son contenu. Lachkova a dactylographié le *livre blanc* de manière qu'il pût circuler parmi un groupe restreint de fonctionnaires responsables, et non pas pour une diffusion généralisée. Le collationnement et la transcription de n'importe quelle documentation, quand on a ces objectifs en vue, ne sauraient être considérés comme criminels. »

Sur les chefs d'accusation pour lesquels Lachkova ne pouvait nier sa participation, il affirma qu'elle n'avait pas eu d'intentions antisoviétiques, et que par conséquent son crime pouvait être réduit de « propagande antisoviétique » à « diffamation du système politique et social soviétique ».

Quand Ariïa eut terminé sa plaidoirie, à 20 h 30, la longue journée d'audience s'achevait. La plaidoirie de Boris Zolotoukhine et la mienne étaient remises au lendemain, dernière séance, qui devait commencer à 8 h 30 le 12 janvier.

La nuit qui suivit fut une nuit d'insomnie, causée moins par la nécessité de répéter l'argumentation de ma plaidoirie (elle était prête, bien pesée, systématiquement organisée dans mon esprit) que par la pensée d'une condamnation de sept ans pour Iouri. Comment un homme malade pourrait-il survivre pendant si longtemps dans un camp de travail avec emprisonnement ? Les avocats connaissent ce sentiment de responsabilité pour le destin de l'accusé, et aussi un sentiment de compassion envers lui. Je pense que la ligne de partage entre les vrais avocats et les autres passe par ces sentiments. Mais quand ce sentiment de responsabilité est lié à un sentiment de totale impuissance, quand la sympathie éprouvée pour la personne qui attend son châtiment est liée à la certitude que ce châtiment est équivalent à une sentence de mort, la situation est quasiment insupportable.

Ainsi, je fis les cent pas dans notre petite cuisine, essayant de ne pas troubler le sommeil de ma famille, ne cessant de me demander : Qu'ai-je pu omettre ? Qu'ai-je laissé inachevé ? Quel point essentiel ai-je pu oublier ? Pourquoi est-ce que je détecte toujours une note d'irritation personnelle envers Iouri Galanskov dans la manière de Terekhov, ce procureur généralement calme et sans émotions ? Pourquoi, quand Iouri a déposé, l'expression dégoûtée du juge Mironov était-elle plus accentuée que d'habitude ? Puisque l'avocat a notamment pour tâche d'instruire son client sur la manière de se comporter au tribunal, de faire bonne impression, ou tout au moins de ne pas indisposer la cour, ces réactions signifiaient-elles que j'avais failli à mon devoir ?

Mais même si Iouri n'avait pas irrité la cour ; même s'il avait été capable de réprimer son besoin de cacher sa faiblesse et son sentiment de culpabilité par un déploiement de bravades et de sarcasmes ; même si, quand on lui demanda pourquoi il avait écrit des lettres codées, il n'avait pas répondu qu'il s'entraînait pour succéder à Andropov à la tête du K.G.B. (et il fit beaucoup d'autres réponses semblables), il aurait tout de même été condamné à sept ans. La seule chose qui aurait pu l'aider eût été le «repentir» — et cela, je ne pouvais pas le lui enseigner.

Ma plaidoirie, pour la défense de Iouri Galanskov, fut divisée en deux parties. La première fut consacrée aux chefs d'accusation relatifs à ses liens avec le N.T.S. Cette section relativement longue fut largement occupée par une analyse de la déposition de Dobrovolski en tant que source de la plupart des preuves de l'accusation contre mon client. Ce fut la partie la plus émouvante de mon discours, et je pense que — pour un juge impartial mythique — j'ai vraiment démoli le témoignage de Dobrovolski, en partie en présentant une analyse psychologique de ce qui avait poussé Galanskov à s'accuser faussement en avouant des choses qu'en réalité il n'avait pas commises. Mon argumentation en cette matière, politiquement le plus grave faisceau de charges contre Galanskov, ne m'exposait à aucun danger. C'était un type de défense parfaitement normal, une discussion familière sur les faits, et je pouvais demander à la cour un acquittement pour tous ces chefs d'accusation sans courir le moindre risque pour moi-même.

Quand j'ai prononcé cette plaidoirie, je croyais que Galanskov n'avait aucun lien avec le N.T.S. Je sais aujourd'hui que ce n'était pas le cas. Après la mort de Iouri, le N.T.S. annonça qu'il avait été un membre de son organisation. Même sachant cela, mon attitude reste la même envers Galanskov. Mon critère de base, pour former mon opinion, reste le suivant : peu importe que Iouri ait eu ou non des liens avec le N.T.S., ce qui compte, c'est de savoir si ces liens l'ont conduit à faire quelque chose de cruel ou de déshonorant. Même le juge moral le plus sévère n'aurait rien trouvé à redire dans les actes qui avaient conduit Iouri au tribunal. Ma croyance en sa bonté et en son altruisme n'a pas été altérée.

Les attaques portées contre Dobrovolski au tribunal ont été une nécessité professionnelle. Il se trouvait dans la position désastreuse d'une personne en possession de laquelle le K.G.B. avait trouvé toutes les pièces à conviction qui établissaient les liens avec le N.T.S. Il lui aurait fallu plus de fermeté et de courage pour accepter de porter seul la responsabilité, et pour ne pas livrer d'autres noms aux enquêteurs. Dobrovolski manquait à la fois de fermeté et de courage, mais ce n'est pas mon rôle, à moi qui n'ai jamais été privée de liberté, de porter un jugement sur lui, dont l'expérience comportait déjà la prison, le camp de travail et les hôpitaux psychiatriques.

« Dobrovolski est un homme malade, brisé, qui mérite la pitié, non la condamnation. » Ces mots ont été écrits dans un camp de travail avec emprisonnement, avec demande spéciale qu'ils soient rendus publics, par la personne qui connaissait la situation, qui savait toute la vérité depuis le début. Ce sont les propres paroles de Iouri Galanskov.

La seconde partie de mon discours était une tâche beaucoup plus complexe. Je donnais une analyse des cinq articles, essais, etc., que, entre autres, Galanskov avait inclus dans *Phénix-66* et que l'accusation avait catalogués comme antisoviétiques. Dans mon discours, j'analysais chacun d'eux en détail, et je prouvais que trois sur cinq n'étaient pas criminels. Cela laissait subsister deux documents : l'essai de Siniavski *Qu'est-ce que le réalisme socialiste ?* et la *Lettre ouverte à Cholokhov*. J'aimais beaucoup l'essai de Siniavski ; j'étais prête à le défendre et je crois que, en dépit de certains passages dans lesquels, politiquement, Siniavski serrait le vent de très près, il aurait pu être défendu avec succès. Mais cela aurait dû être fait plus tôt, au procès de Siniavski lui-même. Maintenant, il me fallait trouver une formulation qui m'éviterait d'avoir à me déclarer d'accord avec l'opinion de la Cour suprême sur cet essai, et qui en même temps soulignerait que seules les exigences formelles de la loi m'empêchaient de discuter cette opinion. J'exprimai cette position en deux phrases : « Le verdict de la Cour suprême de la R.S.F.S.R. dans le procès des écrivains Siniavski et Daniel, qui a force de loi, est contraignant pour le tribunal de la ville de Moscou. Cette considération m'épargne la nécessité d'avoir à analyser cet essai ici. »

Il me restait à commenter le dernier point de l'acte d'accusation, à dire à la cour si j'étais d'accord avec l'affirmation selon laquelle la « lettre ouverte à Cholokhov » était un document antisoviétique, et selon laquelle son auteur, Iouri Galanskov, l'avait écrite et diffusée avec des intentions antisoviétiques.

Aucun autre procès n'a jamais suscité en moi autant de doutes sur la justesse de la défense que j'avais choisie. J'ai souvent relu cette lettre depuis, cette lettre dans laquelle Iouri décrivait le système soviétique comme « une machine militaire et policière qui, jusqu'aujourd'hui, continue d'étouffer la liberté en Russie », dans laquelle il déclarait que « le régime avait réduit le peuple soviétique au niveau du bétail » et que « l'*Homo sovieticus* était un échec au même degré que le système soviétique lui-même était un échec ».

« Pourquoi éprouver ces doutes, Madame l'ex-avocate soviétique ? Pourquoi vous affliger ? » Telle serait la réaction occidentale normale au manifeste de Iouri. Pourquoi quelqu'un ne qualifierait-il pas le régime de son pays de machine militaire et policière, ne dirait-il pas que le système soviétique est un échec et qu'il étouffe la liberté ? Des Américains, des Anglais et des Français maudissent régulièrement leurs gouvernements ; ils donnent à leurs systèmes politiques des qualificatifs encore moins flatteurs que ceux-ci, et puis ils vont tranquillement vaquer à leurs occupations sans crainte des conséquences. Mais en Union soviétique, l'expression de telles opinions est un crime, punissable selon la loi de cinq à sept années d'emprisonnement.

Je ne pouvais pas prétendre que ce qu'avait écrit Iouri ne s'appliquait pas au système soviétique dans son ensemble, mais à une décision particulière de son gouvernement, comme je l'avais fait en défendant Pavel Litvinov. Je ne pouvais pas dire que la critique était dirigée contre certains individus déterminés, bien que haut placés. Pour défendre Iouri contre ce chef d'accusation, je choisis la voie du compromis.

Mon point de vue n'était pas déterminé par la peur pour moi-même, ou par le fait que Chveïski et Ariïa avaient déjà admis que la « lettre ouverte » fût soit antisoviétique, soit criminelle. Je pris seule ma décision — personne n'exerça sur moi de pression ni d'influence — et je l'ai fait uniquement parce que quelques passages isolés de cette lettre étaient, selon la loi soviétique, criminels. C'est pourquoi je dis à la cour que, si

Galanskov s'était limité dans cette lettre à une critique — si vive fût-elle — de Cholokhov, j'aurais demandé que ce point fût supprimé de l'acte d'accusation. Je dis que, dans son esprit, cette lettre était dirigée contre le discours de Cholokhov, que Galanskhov considérait comme haineux et inhumain, et non pas contre le système soviétique; je dis également que Galanskov n'était pas le seul à entretenir de telles opinions sur le discours de Cholokhov. Seules quelques remarques généralisées, et non pas le sens global de la lettre, me privaient de la possibilité de contester son caractère criminel. Je priai la cour de concéder que, en écrivant la lettre, Galanskov n'avait pas l'intention de miner le gouvernement soviétique, et en conséquence de modifier le chef d'accusation : de transformer l'«activité antisoviétique» en «diffamation du système soviétique ».

Ayant décrit ce que je considère comme la partie quelque peu contestable de ma plaidoirie, j'aimerais mentionner aussi les passages qui me plaisent.

Premièrement, je pense que j'ai battu mes collègues qui défendirent Siniavski et Daniel, parce que je ne me suis pas dérobée à l'analyse des œuvres littéraires de *Phénix-66*. J'ai affirmé qu'il était également inadmissible d'identifier un auteur à ses héros littéraires et d'étendre l'action de la loi pénale à une œuvre de fiction littéraire.

Deuxièmement, je crois que mes sentiments authentiques de compassion pour Iouri m'ont aidée à trouver les mots qu'il fallait quand je dis de lui qu'il était motivé par les intentions les plus honorables. Je suis contente que quelques mots de mon discours (« Il ne recherchait pour lui-même ni la richesse ni la gloire ») aient été par la suite choisis comme titre pour un livre consacré à cet homme étrange, gentil et bon.

La plaidoirie de Zolotoukhine fut la dernière. Malgré notre amitié, nous n'avions jamais encore travaillé ensemble dans un procès. Pour moi, le discours de Boris fut la révélation d'un nouveau talent. Tout ce qu'il contenait était soigneusement réfléchi et hautement persuasif. Il était remarquable par son niveau moral et par la hardiesse de ses conclusions. C'est aussi l'un des rares discours qui ne perdent rien à être lus, encore que, peut-être, je sois aidée par le fait que j'entende sa voix familière quand je le lis. J'observais de très près les membres de la cour pour noter leurs réactions pendant la plaidoirie de Zolotoukhine, et je remarquai la désapprobation évidente avec laquelle Mironov écoutait les références que faisait Boris aux réponses occidentales au procès de Siniavski et de Daniel. Quand Boris rappela à la cour que Louis Aragon, écrivain français et membre du Comité central du parti communiste français, ainsi que John Gollan, secrétaire du parti communiste britannique, étaient parmi ceux qui avaient critiqué ce procès, l'expression de Mironov changea visiblement. C'était un point très douloureux pour le parti communiste sovié-

tique: pour la première fois, ces amis loyaux avaient publiquement condamné les actes du gouvernement soviétique.

L'expression de désagrément de Mironov n'avait pas encore disparu
quand, dans le silence du prétoire, nous prêtâmes l'oreille à ces paroles de
Zolotoukhine:

«Guinzbourg considérait comme injuste le verdict rendu dans le procès Siniavski-Daniel. Je veux vous poser une question d'ordre général:
que doit faire un citoyen s'il nourrit une telle opinion? Il peut y réagir
avec apathie, ou bien il peut sentir en lui le besoin de communiquer son
opinion aux autres. Un citoyen peut soit regarder avec indifférence les
gardes qui emmènent un innocent, soit entreprendre quelque action pour
le bien de cet homme. Je ne sais quelle sorte de conduite la cour considère
comme préférable. Mais je crois que la personne qui ne se contente pas de
l'indifférence fait preuve d'un plus grand esprit civique.

«Guinzbourg a tout fait pour aider Siniavski et Daniel.»

Sans se livrer à une analyse littéraire, Zolotoukhine demanda l'acquittement pour Guinzbourg, sous le motif que la collection de documents
qu'il avait compilée était destinée à être lue par les hommes au pouvoir en
Union soviétique et que, quelle que fût la nature de ces documents, ils ne
pouvaient être considérés comme de la propagande antisoviétique, ni
comme donnant lieu à une activité antisoviétique.

Conformément au Code de procédure, après les plaidoiries, le juge
accorde au procureur un droit de réfutation. Le procureur peut opposer
des objections aux arguments de la défense, rectifier ce qu'il considère
comme une interprétation erronée des preuves verbales ou documentaires
ou souligner les erreurs politiques commises par la défense. Terekhov
déclina l'offre de faire usage de ce droit de réponse.

Cela et le fait que Mironov n'avait donné d'avertissement à aucun des
avocats ni interrompu leurs discours constituaient les premiers signes
certains que les avocats n'avaient à redouter aucune vengeance personnelle
pour leurs efforts dans ce procès. Pendant la suspension de dix minutes
qui suivit la plaidoirie de Zolotoukhine, le procureur s'avança vers notre
table: «Je vous félicite, camarades avocats, dit-il, ce fut une défense intéressante, et non un simple travail de routine. Vous avez vraiment fait tout
votre possible pour vos clients.»

Quelques minutes plus tard, Apraskine, le président du collège des
avocats, nous disait: «Excellent. Tout s'est très bien passé; il n'y aura pas
de conséquences désagréables.»

L'anxiété que j'avais ressentie pendant les plaidoiries d'Ariïa et de
Zolotoukhine était dissipée, et nous étions tous soulevés par un étrange et
ironique sentiment de triomphe. Nous nous félicitâmes les uns les autres
et écoutâmes avec délice les paroles de gratitude exprimées par nos
clients et leurs parents.

Les accusés prononcèrent leurs brèves « dernières déclarations ». Vera Lachkova, Iouri Galanskov et Aleksandr Guinzbourg ne demandèrent pas d'indulgence à la cour, ni ne se repentirent.

La demande de Iouri était la suivante : « Je demande à la cour de faire preuve de pondération dans ses décisions en ce qui concerne Dobrovolski, Lachkova et moi-même. En ce qui regarde Guinzbourg, son innocence est si évidente que personne ne se doute de ce que devrait être la décision dans son cas. »

Aleksandr Guinzbourg dit qu'il savait qu'il serait condamné parce que « personne n'avait jamais été acquitté après avoir été inculpé en vertu de l'article 70 ». Puis il ajouta : « Vous pouvez me mettre en prison, vous pouvez m'envoyer dans les camps de travail, mais je sais qu'aucune personne honnête ne me condamnera. » Quand elle l'entendit dire : « Je plaide non coupable, étant convaincu que ce que j'ai fait est juste », l' « élite » de la société soviétique, assise sur les bancs du public, rugit d'hilarité. Les dernières paroles de Guinzbourg : « Je demande à la cour de me condamner à une peine qui ne soit pas inférieure à celle de Galanskov », furent noyées dans le bruit et dans des cris comme : « C'est trop peu ! On devrait vous donner davantage ! »

La cour se retira, et on fit sortir les accusés. Nous étions seuls dans la salle vide. Quoi que nous pussions dire, nous ne pouvions penser qu'à une chose : le verdict imminent.

« Vont-ils condamner Alik ?

— Ils ne peuvent déclarer Guinzbourg coupable, ce serait monstrueux ! »

Nous réalisions tous qu'espérer en la justice, dans un procès politique, était plus que naïf, mais l'échec complet à prouver la culpabilité d'Aleksandr Guinzbourg était si évident que même nous, habitués à l'injustice arbitraire, ne pouvions accepter la possibilité qu'il pût être condamné. En ce qui concernait le sort de Iouri, je réalisais que, s'il obtenait moins de sept ans, ce serait un miracle. Même ainsi, j'espérais ce miracle : « Si seulement ils pouvaient ne lui donner que cinq ans ! »

Quand mes collègues insistaient : « C'est inutile d'espérer. Iouri aura sept ans », j'acquiesçais de la tête, mais dans mon cœur je leur en voulais de dire cela, et je continuais d'attendre un miracle.

On lut les sentences : sept ans d'emprisonnement pour Galanskov, cinq pour Guinzbourg, deux pour Dobrovolski, un an pour Lachkova.

La salle cria : « Ce n'est pas assez ! C'est trop peu ! »

Si seulement de quelque manière, fût-ce de six mois, Mironov avait réduit les « prédictions » de l'enquêteur du K.G.B., il eût paru un peu moins évident que ces cinq jours de procès n'avaient été qu'une farce cruelle. C'était une preuve supplémentaire que, parmi les procès politiques auxquels il m'avait été donné de participer, l'affaire Guinzbourg détenait la palme pour la manière cynique de tourner la loi en dérision et pour le ton vindicatif et honteux dont on usait envers les accusés.

Une fois de plus, nous autres avocats, nous nous trouvions tous les quatre dans le grand hall vide du tribunal de la ville de Moscou, incapables de rassembler assez de courage pour franchir le seuil et sortir dans la rue. Le bref sentiment de triomphe, le plaisir d'un travail consciencieusement accompli s'étaient évaporés comme s'ils n'avaient jamais existé. Comment pouvions-nous affronter ces parents et amis? Que pouvionsnous leur dire?

Dépression et honte étaient les seuls sentiments que je pusse éprouver.

Je n'oublierai jamais les minutes qui suivirent, quand j'arrivai dans la rue et que je vis les gens gelés jusqu'à la moelle des os dans le froid terrible. Ils n'étaient pas partis quand le procès s'était terminé, mais ils avaient attendu là pour nous offrir des fleurs rouges.

Boris me reconduisit à la maison en silence et, arrivé à ma porte, me donna son bouquet. «C'est pour vous», dit-il. Puis, interrompant mes tentatives de refus: «Vous devez le prendre. Disons que c'est votre premier cadeau — après tout, c'est demain le 13 janvier, le jour de votre anniversaire.»

Nous ne pûmes en dire plus, écrasés par l'injustice, par l'angoisse pour les gens que nous avions essayé de défendre et par un terrible sentiment d'impuissance.

6

LE BARREAU EN PROCÈS

Immédiatement après les verdicts du 12 janvier, trois des avocats de la défense interjetèrent appel : Zolotoukhine parce qu'il avait demandé l'acquittement de Guinzbourg ; Arïïa et moi-même parce que nous avions demandé que les crimes de nos clients fussent rapportés non plus à l'article 70 du Code pénal (activité antisoviétique), mais à l'article 190/1 (diffamation du système politique et social soviétique).

Pour Semion Arïïa, cela représentait une simple argumentation juridique relative à l'attribution correcte, qui n'affectait pas la libération de Lachkova, quatre jours plus tard. Pour Boris et pour moi, la Cour d'appel était le lieu de reprendre le combat pour nos clients : pour la relaxe dans le cas de Guinzbourg, pour une réduction significative de la peine dans celui de Galanskov. Nous parlâmes longtemps et fréquemment de nos appels, discutant des problèmes qui leur étaient liés.

Je ne me souviens pas qu'aucun de nous eût exprimé des inquiétudes ou des pressentiments à propos de nous-mêmes tandis que nous attendions nos procès d'appel, bien qu'il y eût certains motifs d'anxiété.

Apraskine nous avait dit immédiatement que tout s'était bien passé, et qu'aucun d'entre nous n'aurait d'ennuis. Très tôt cependant, des rumeurs commencèrent à circuler autour du collège des avocats, selon lesquelles les leaders du parti étaient mécontents que Boris eût mentionné les réactions critiques de communistes occidentaux connus au procès Siniavski-Daniel. Mais il me semblait (et il semblait à d'autres) que la seule conséquence de ce mécontentement serait que le Comité de Moscou du parti ne soutiendrait pas Boris lors de la réélection au praesidium du collège, dans le scrutin qui était sur le point d'intervenir.

Entre eux, les avocats disaient qu'ils voteraient pour Zolotoukhine, que le parti lui apportât ou non son soutien. Avec notre système de scrutin vraiment secret, Zolotoukhine ne pouvait pas devenir président, mais nous pouvions obtenir presque à coup sûr qu'il fût élu au praesidium. En tant que membre du parti, il avait joui de son appui jusqu'à maintenant, et il était favori pour la présidence, sinon à cette élection, du moins à la suivante.

Puis les rumeurs cessèrent. Le juge Mironov, qui était censé réagir à tout énoncé politiquement incorrect, avait écouté entièrement la plaidoirie de Zolotoukhine sans dire un mot, et aucune sanction disciplinaire n'avait été demandée contre Boris pour conduite incorrecte de la défense. Si un juge comme Mironov, qui déteste si cordialement les avocats, pensais-je, n'a trouvé aucun prétexte pour le réprimander, Boris n'a pas lieu de s'inquiéter.

Janvier et février passèrent, de même que les premiers jours de mars. Nous terminâmes l'étude de la copie du jugement, puis déposâmes les textes détaillés de nos appels. Nous attendions que nos appels fussent entendus par la Cour suprême, quand soudain les événements se précipitèrent, au point que leur chronologie devient confuse. Tout commença par la parution d'un article dans *le Nouvel Observateur*, hebdomadaire français. Cet article annonçait que de grands changements avaient lieu en Union soviétique, qu'un processus bienvenu de libéralisation et de démocratisation était en cours dans la société soviétique. Pour illustrer sa thèse, l'auteur citait un passage de la plaidoirie de Zolotoukhine dans le procès Guinzbourg, passage qui contrastait avec les plaidoiries des affaires précédentes.

L'auteur soulignait que le simple fait qu'un avocat, dans un tribunal soviétique, pût demander l'acquittement pour un prévenu accusé de crime politique — ajouté au fait que la défense était conduite par des avocats choisis par les accusés et non pas nommés par l'État — était une preuve incontestable de la démocratisation du système soviétique. Je ne pense pas que l'auteur de ces lignes bien intentionnées ait réalisé que son article serait à l'origine de sauvages représailles. Je suis sûre qu'il n'avait pas prévu cela, pas plus que nous ne l'avions prévu quand, un peu après, quelques amis et moi avions eu l'occasion de lire cet article.

Quelques jours après cette publication, cependant, nous apprîmes que le parti avait introduit une procédure disciplinaire contre Boris, et que ce «procès» serait jugé immédiatement par le Comité du district de Dzerjinski du parti communiste de l'Union soviétique. Plusieurs avocats membres du parti dirent à Zolotoukhine qu'il devait reconnaître son erreur, manifester du remords et renier publiquement l'article du *Nouvel Observateur* en disant aux journaux moscovites que ses paroles avaient été déformées. Ils assuraient à Boris que, s'il faisait cela, il ne serait pas exclu du parti.

Je suis sûre que ces avocats étaient animés de bonnes intentions. Je suis également certaine que leur conseil était inspiré par les autorités supérieures du parti.

Zolotoukhine ne suivit pas ce conseil et, le 21 mars 1968, il fut exclu du parti par une décision du Comité du district de Dzerjinski. En même temps, le Comité recommanda au praesidium du collège des avocats que Boris fût démis de ses fonctions dans le bureau d'avocats du district de Dzerjinski où il travaillait.

Persécuter un avocat pour avoir fait son devoir professionnel, voilà une action dont l'absurdité et l'illégalité doivent paraître évidentes. Aucun avocat de Moscou ne peut avoir manqué de réaliser cela, ou d'être outré par l'injustice de cet acte répressif. Mais, après l'exclusion de Zolotoukhine, certaines personnes nous chargèrent, mon mari et moi, d'une part de responsabilité dans ce qui était arrivé, parce qu'elles pensaient que l'attitude inflexible de Boris était due, dans une certaine mesure, à notre influence. Mais nous ne pouvions accepter cet honneur. Son refus de reconnaître l'erreur qu'il avait faite en choisissant sa tactique de défense — dont il était convaincu de la justesse — n'était pas le résultat d'une influence extérieure, mais celui de l'intégrité innée de Boris. Il ne pouvait accepter le compromis offert parce qu'il était un homme courageux, un homme d'honneur.

Certaines gens sont des personnes d'honneur en intention, mais dont les bonnes intentions sont viciées par leur faiblesse de caractère. Boris était assez fort pour être à la fois un homme d'honneur dans ses desseins et dans ses actes.

Il avait commencé sa carrière comme procureur dans le ministère public, c'est-à-dire dans une branche bien respectée de la profession juridique. Boris était issu d'une famille dont le statut social contribua indubitablement à son avancement. Ses parents étaient tous deux membres du parti communiste. Son père occupait une très haute position ; il avait rang de ministre dans la hiérarchie soviétique et jouissait de tous les privilèges que l'État accorde à l'élite dirigeante. Les magasins du Kremlin à accès réservé, les maisons de vacances du gouvernement, les cliniques : Boris eut tout sous la main, ils ont été son milieu dès l'enfance. Boris était né et il avait été élevé dans une atmosphère de loyauté absolue à l'égard du régime, qui avait tout donné à son père, avait fait de lui — ancien berger de village — un ministre.

Je savais que le père de Boris aimait bien son fils et qu'il était heureux de l'aider à faire une bonne carrière. Mais, selon les normes de l'establishment soviétique, sa carrière ne débouchait pas — et n'aurait jamais débouché. Dans les conditions soviétiques, les gens de caractère indépendant, les gens qui ont des principes et de l'honneur ne font pas carrière dans le service public, quelle que puisse être par ailleurs leur attitude à l'égard du régime. Son indépendance d'esprit et son adhésion à certains principes furent à l'origine de la démission forcée de Boris, qui quitta ainsi le ministère public. S'étant spécialisé dans les cas majeurs de crime « économique » — détournements, commerce illicite, marché noir, trafic de devises, etc. —, il traitait les affaires conformément aux faits et en accord avec la loi. Au cours d'un tel procès, Boris en vint à la conclusion que la culpabilité de certains des accusés n'était pas prouvée.

« Si, à la suite d'une audience judiciaire, un procureur décide que les preuves présentées à la cour sont insuffisantes pour étayer les charges retenues contre un inculpé, il doit retirer l'acte d'accusation. » (Article 248 du Code de procédure criminelle de la R.S.F.S.R.)

Zolotoukhine agit en conformité avec cette loi. Les instances dirigeantes du parquet de Moscou exigèrent qu'il insistât sur la culpabilité des accusés en question et le pressèrent pour qu'il obtînt leur condamnation. L'affaire elle-même avait causé trop de scandale, et les accusés avaient connu trop longtemps la détention préventive. Abandonner maintenant, c'eût été perdre la face pour le ministère public. Zolotoukhine avait le choix d'obéir à ses supérieurs en demandant au tribunal la condamnation de gens qu'il considérait comme innocents, ou bien de démissionner.

Zolotoukhine fit au tribunal un discours détaillé dans lequel il donnait des arguments pour appuyer sa requête d'acquittement pour les accusés, puis il quitta le ministère public. C'est ainsi qu'il était devenu avocat et, quelques années plus tard, directeur de l'un des bureaux d'avocats du centre de Moscou et membre du praesidium du collège des avocats.

Le collège tout entier fut bouleversé quand Zolotoukhine fut exclu du parti. Nous réalisions tous que la question était d'une grande importance pour tous les membres du collège : dans un procès politique, quand la culpabilité d'un client n'était pas prouvée, son avocat pouvait-il demander son acquittement, ou bien la défense pouvait-elle seulement demander l'indulgence, trahissant ainsi le client ?

Zolotoukhine était très aimé et respecté dans le collège, mais ce fut la prise de conscience du danger commun qui persuada le collège de lui apporter son soutien ouvert durant la première phase de l'attaque des autorités. Quand le procès disciplinaire intenté contre lui fut entendu par le Comité du parti du district de Dzerjinski, puis en appel par le Comité du parti de la ville de Moscou, le secrétaire du parti du bureau d'avocats de Boris essaya de démontrer l'inconsistance des accusations et lui fournit de brillantes références de caractère.

Les avocats qui avaient plaidé dans le procès Guinzbourg-Galanskov essayèrent aussi de l'aider. Nous décidâmes d'écrire à Viktor Grichine, premier secrétaire du Comité de Moscou du parti. Nous n'en parlâmes pas à Boris, mais, après une longue discussion et un travail collectif soigneux, une lettre fut rédigée qui nous satisfit tous.

Nous écrivîmes que chacun de nous avait plus de vingt ans d'expérience dans la procédure, y compris les procès concernant des crimes particulièrement dangereux pour l'État. Cette expérience, combinée à notre participation au procès de Guinzbourg, nous permettait de formuler un jugement autorisé sur le travail de Zolotoukhine dans l'affaire. Nous poursuivions :

« La position choisie en toute indépendance par chacun des conseillers de la défense fut ensuite discutée conjointement par nous tous afin d'éviter toute erreur. La ligne de défense adoptée par l'avocat Zolotoukhine fut admise unanimement comme la seule possible pour la défense de Guinzbourg. N'importe lequel d'entre nous, n'importe quel avocat consciencieux, dans les mêmes circonstances, eût été obligé d'adopter la même position. S'écarter d'elle en admettant la culpabilité de Guinzbourg eût équivalu, pratiquement, à le priver de défense dans ce procès, et par conséquent à violer les droits qui lui étaient garantis par l'article III de la constitution de l'U.R.S.S...

« Nous ne savons pas comment la plaidoirie de Zolotoukhine a été utilisée par la presse bourgeoise. Mais, si ses paroles n'ont pas été déformées, le commentaire de la plaidoirie du camarade Zolotoukhine ne peut qu'accroître le prestige de notre pays et de la justice soviétique, puisqu'il a montré qu'un accusé peut toujours avoir recours aux avocats les plus qualifiés et les plus adroits pour le défendre lorsqu'il est en jugement. »

Nous signâmes tous les trois la lettre, et il ne restait plus qu'à l'expédier. Puis Chveïski ou Ariïa la montra à Zolotoukhine. Ils agirent incontestablement avec les meilleures intentions : pour recueillir son accord sur le texte et voir s'il convenait d'ajouter quelque chose. Mais ils n'auraient pas dû le faire. Connaissant Boris, j'aurais pu leur dire à l'avance qu'il refuserait de permettre aux autres de s'exposer. Et c'est bien ce qui arriva.

Après avoir persuadé Chveïski et Ariïa de laisser tomber cette idée, Boris me téléphona et me persuada de même, disant que ce n'était pas mon rôle, à moi qui n'appartenais pas au parti, d'envoyer une telle lettre aux autorités du parti. Je m'en veux d'avoir cédé à ses arguments. La seule chose que je puisse dire pour me justifier, c'est que je ne saisissais pas l'importance du danger qui se préparait. En ce qui me concernait, l'exclusion de Boris du parti communiste était une injustice criante, mais non un désastre. Bien que je ne l'eusse pas dit à Boris, je pensais à part moi qu'il était très bien hors du parti, et qu'il pouvait parfaitement bien survivre sans être le directeur d'un bureau d'avocats ou un membre du praesidium du collège. L'important, c'était qu'il restât avocat, et je ne doutais pas qu'il le resterait.

Même quand Boris dit que, s'il était rayé du barreau, j'aurais à m'occuper de l'appel de Guinzbourg devant la Cour suprême, je ne le pris pas au sérieux ; simplement, je le tançai vertement pour entretenir de telles pensées. Je pensais que l'impuissance de Mironov à trouver un sujet de plainte contre lui était une garantie absolue que les autorités du collège n'entreprendraient pas d'action disciplinaire.

Quelques jours ou peut-être une semaine plus tard, j'appris, non par Zolotoukhine, mais par un membre du praesidium du collège, que les autorités ne s'en tiendraient pas à son exclusion du parti. Le Comité de Moscou du parti avait exigé que Zolotoukhine fût exclu du collège des avocats. Je réalisai alors que, pour Boris, il ne s'agissait pas de quelques ennuis, mais d'un véritable désastre.

Boris était heureux dans notre métier. Il me l'avait dit tant de fois. C'était un passionné du barreau, et il s'était profondément engagé dans cette voie. Bien que je susse qu'il ne risquait pas de mourir de faim — il était en mesure, à l'époque, de se trouver un autre emploi —, je considérais sa radiation potentielle du barreau, qui le priverait du travail pour lequel il avait une authentique vocation, à peu près comme une catastrophe.

Nos appels contre le verdict du tribunal de la ville, dans l'affaire Guinzbourg-Galanskov, furent entendus le 16 avril. Sachant que ni Guinzbourg ni ses parents n'y verraient d'objection, j'offris de prendre la place de Boris dans la défense de Guinzbourg. Boris, cependant, refusa mon offre. Il se considérait comme obligé de mener l'affaire à son terme, bien qu'il fût parfaitement conscient que, en répétant des arguments qui avaient déjà été sévèrement critiqués par les autorités, il courait le risque d'aggraver son cas. Son argumentation, devant la Cour suprême, fut irréprochable de clarté et de persuasion. Il mit en évidence l'inadéquation et l'injustice du verdict du tribunal de la ville de Moscou.

Les magistrats de la Cour suprême qui jugèrent nos appels comptaient plusieurs figures familières. Deux d'entre eux étaient d'anciens juges au tribunal de la ville, devant lesquels j'étais apparue d'innombrables fois. Autrefois, quand ils jugeaient des affaires criminelles ordinaires, ils avaient été de véritables arbitres judiciaires ; maintenant, en tant que membres de la magistrature spéciale de la Cour suprême, ils n'étaient plus censés juger : ils faisaient simplement ce qu'il leur était dit de faire.

Le verdict du tribunal de la ville de Moscou fut confirmé.

Au début de mai, j'appris que la question de la radiation de Boris serait soulevée à l'occasion d'une session du praesidium du collège. Conformément au statut de la profession d'avocat, les questions relatives à l'enrôlement et à l'exclusion sont de la compétence du corps élu qui gouverne le collège : son praesidium. Le Comité de Moscou du parti communiste avait décidé de ne pas enfreindre cette loi directement, et avait donné ses instructions aux avocats eux-mêmes pour qu'ils s'occupent de Zolotoukhine.

Je sais de source sûre que, avant la session du praesidium, le représentant du Comité de Moscou du parti convoqua une réunion préliminaire du « groupe parti » du praesidium (c'est-à-dire de tous les membres du praesidium appartenant au parti) et l'avertit que quiconque désobéirait aux directives du Comité de Moscou du parti et oserait voter contre l'expulsion de Boris serait également exclu du parti. Mon premier mouvement fut donc de tenter de persuader les membres du praesidium (quatorze ou quinze à l'époque) que, s'ils refusaient tous de voter l'expulsion de Boris, le Comité du parti n'aurait qu'à s'incliner.

Ma première tentative de persuader les membres du praesidium eut lieu à la prison de Boutyrki, où j'étais allée pour rencontrer un client. J'avais grimpé l'escalier raide et je longeais un grand couloir. Une autre femme avocate, Lioubov Sokolova, s'avançait vers moi.

Le nom de Lioubov Sokolova était connu de tous les avocats de Moscou. Elle était l'un des avocats les plus adroits et les plus expérimentés de sa génération, avec une réputation professionnelle sans faille et l'autorité d'une personne parfaitement droite. Quand elle me vit, elle aborda d'elle-même le sujet qui me préoccupait.

« Dina, dit-elle, c'est une affaire affreuse, un véritable scandale. Je n'ai pas pu dormir, à force de penser à Boris. Je ne puis prendre part à cette réunion ; je n'irai pas à la séance du praesidium. Je vais dire que je suis malade, que j'ai eu de nouveau un malaise cardiaque.

— Pourquoi ? demandai-je. *Il faut* que vous veniez. Ils comptent sur vous. Si vous votez contre l'expulsion de Boris, d'autres vous rejoindront. »

Elle se tenait près de moi, grande et mince, ses cheveux légèrement grisonnants, avec des traits qui auraient pu appartenir à une icône byzantine antique — visage ascétique avec de beaux yeux en amande : le visage d'une femme forte, qui a une volonté bien à elle.

« Vous devez être folle, répliqua-t-elle. Vous vous rendez compte de ce que vous dites ? »

Lioubov Sokolova était probablement le seul membre du praesidium qui n'avait absolument rien à craindre. Elle n'était pas membre du parti, et elle pouvait difficilement être menacée par une forme quelconque de représailles. Sa peur était irrationnelle. C'est elle-même qui me l'avoua : « N'essayez pas de me persuader, Dina. Je comprends tout. Je suis une vieille femme et j'ai une pension sûre. Est-ce cela que vous alliez me dire ? Si seulement je savais pourquoi j'ai peur ! Je ne peux pas l'expliquer. C'est plus fort que moi. Mais je ne participerai pas à cette affaire honteuse. Au moins, je ne vais pas me déshonorer. »

Ma deuxième approche fut encore pour une femme, qui n'était pas non plus membre du parti. L'avocate Maria Blagovolina était une amie à moi et à Zolotoukhine. C'était une personne déterminée, pleine de joie de vivre, une raconteuse magnifique et infatigable en compagnie de laquelle nous avions passé d'innombrables soirées agréables. Je pensais toujours à elle comme à «l'une des nôtres».

«Je n'ai pas peur pour moi-même, me dit-elle. Je n'ai rien à craindre. Que pourraient-ils me faire? Bon. Supposons qu'ils me renvoient du collège. Je n'ai pas l'impression d'être le plus grand avocat du monde et, de toute façon, je vais bientôt prendre ma retraite. Quant à l'argent, eh bien, je n'ai pas besoin de vous dire que j'en ai assez pour jusqu'à ma mort, et au-delà.» Le père de Maria avait été le professeur de gynécologie le plus en vue de tout Moscou, et ses services avaient été hautement appréciés par le gouvernement. Lénine avait promulgué un décret spécial autorisant sa famille à conserver à perpétuité sa vieille maison prérévolutionnaire dans le centre de Moscou.

«Mais il s'agit de Serioja, mon fils. Vous devez comprendre, il démarre tout juste sa carrière. Je n'ai pas le droit de lui faire le moindre tort. Ainsi, je n'irai pas à la séance du praesidium, mais je ne peux pas faire plus.»

Et il en fut ainsi de tous, les uns après les autres: hommes et femmes, membres du parti et non-membres. Une seule fois, au cours de ces conversations, j'ai constaté une attitude hostile à l'égard de Boris, sa condamnation semi-ouverte pour nous avoir tous mis dans cette situation dangereuse par sa conduite inflexible. Cette attitude était le fait d'un autre sans-parti, Ivan Parkinson, également vieil avocat à l'excellente réputation, qui, en plus, possédait l'aura spéciale d'un homme qui avait connu les camps de Staline et qui s'était acquis le respect de ses camarades prisonniers par une conduite irréprochable. J'avais l'impression que Parkinson enviait à Zolotoukhine sa jeunesse, son talent et la rapidité avec laquelle il s'était acquis notoriété, respect et affection parmi les membres de notre profession. C'est seulement plus tard que je découvris que son animosité était provoquée par une autre raison, plus sérieuse mais tout aussi honteuse.

Tous les autres enduraient l'agonie de l'indécision, réalisant qu'on leur demandait de participer à des représailles basses et injustes, et ils ne pouvaient voir qu'une seule issue: l'abstention.

Une fois, pendant cette période de tension, Ariïa, Chveïski et moi-même nous réunîmes de nouveau pour écrire une autre lettre, celle-là à Konstantine Apraskine. Cette fois, nous décidâmes d'écrire séparément. L'un des deux autres, Ariïa ou Chveïski, pensait qu'une démarche «collective» ou conjointe était une forme de protestation que désapprouvaient les autorités du parti, tandis qu'elles avaient tendance à réagir plus favorablement à des lettres individuelles, considérées comme étant l'expression de l'opinion personnelle de leurs auteurs. Nous tombâmes donc d'accord sur cette procédure. Je décidai d'agir indépendamment, sans dire à Boris ce que j'avais en vue.

Le 31 mai, j'envoyai une lettre à Apraskine, avec copie à tous les autres membres du praesidium. J'y exposais, sous une forme concise, les arguments de notre première lettre, ajoutant pour mémoire que, avant de prononcer sa plaidoirie pour Guinzbourg, Zolotoukhine avait, en ma présence, informé Apraskine et son adjoint, Issaak Skliarski, de la position qu'il avait l'intention d'adopter dans son discours de défense, et que tous deux avaient approuvé la ligne de défense de Zolotoukhine.

Puis j'en appelais à tous les membres du praesidium : « Le fait d'exclure un avocat pour avoir fait son devoir professionnel est sans précédent et engage lourdement la responsabilité personnelle de tous les membres du praesidium qui soutiennent une telle mesure. » Je demandais ensuite l'autorisation de m'adresser aux membres du praesidium réunis en séance.

Deux ou trois jours plus tard, Apraskine téléphona. C'est mon mari qui décrocha. Il eut à entendre un chapelet d'accusations, de reproches et de menaces contre moi. Apraskine pria mon mari (ils avaient été étudiants ensemble à l'école de droit) d'essayer de me persuader, « avant qu'il ne soit trop tard et tandis qu'il était encore possible de [me] sauver », de retirer ma lettre. Il annonça que j'étais déjà dans l'isolement, parce qu'Ariïa et Chveïski avaient déjà retiré la leur. Naturellement, mon mari refusa d'agir de la sorte.

Ce soir-là, Chveïski ou Ariïa — j'ai oublié lequel — vint nous voir et nous dit que, la veille, ils avaient tous deux été convoqués par le Comité de district du parti ; on leur avait dit de retirer immédiatement leurs lettres, faute de quoi ils se verraient supprimer leurs cartes de membre du parti. En disant cela, il avait douloureusement honte, nous pouvions le voir. Il réalisait qu'il trahissait un camarade, mais nous ne pouvions le blâmer. En tant que membre du parti, il était dans une position beaucoup plus vulnérable que ne l'était la mienne. Quand il fut parti, je pensai pour la centième fois : « Dieu merci que je ne sois pas au parti ! »

C'est à ce moment que Boris entendit parler de l'affaire des lettres. Il n'essaya pas de me persuader de retirer ma lettre ; il se contenta de dire : « Il faut que vous réalisiez que vous ne pouvez plus rien faire pour m'aider. Tout est déjà décidé. » Nous ne savions ni l'un ni l'autre que je n'étais pas seule : Sofia Kallistratova, que je n'avais pas pu contacter, avait de son côté écrit une lettre de protestation extrêmement vive au praesidium.

La première session du praesidium programmée pour voter l'exclusion de Boris fut annulée pour défaut de quorum : l'écrasante majorité des membres étaient « malades ».

De nouveau, le « groupe parti » du praesidium fut réuni. De nouveau, le représentant du Comité de Moscou du parti avertit que chaque membre de ce groupe serait exclu s'il s'abstenait ou s'il refusait d'obéir aux directives. Une deuxième session du praesidium était prévue pour le 13 juin.

Ce jour-là, mon mari et moi nous rendîmes de bonne heure au bâtiment du praesidium pour nous entretenir de nouveau avec chacun de ses membres. Je me rappelle combien ils avaient la tête basse en entrant et comme, en nous parlant, ils évitaient notre regard. La seule promesse que je pus arracher à ceux à qui je pus parler fut qu'ils soutiendraient ma demande d'être autorisée à m'adresser au praesidium.

Les séances du praesidium sont ouvertes à tous les avocats. Chacun a le droit d'y assister et d'y prendre la parole. Ce jour-là, le praesidium était presque au complet autour de la longue table en T couverte de tissu vert. La seule absente était Lioubov Sokolova. Apraskine annonça qu'elle avait été victime d'une grave crise cardiaque. Il n'y avait que quelques personnes sur les sièges du public. La séance avait délibérément été convoquée à une heure où presque tous les avocats sont au tribunal. Outre mon mari et moi, il n'y avait que deux ou trois avocats, des amis de Boris, des collègues de son bureau. En haut de la table étaient assis des étrangers, des gens du Comité de Moscou du parti.

Apraskine déclara la séance ouverte et s'adressa immédiatement à ceux qui étaient assis dans la partie centrale de la galerie : « Camarades, je dois vous demander de quitter la partie centrale de la galerie. La présente session va se dérouler à huis clos. » Naturellement, cette demande ne s'adressait pas aux représentants du Comité du parti.

Quelques personnes se levèrent pour partir, mais je demandai à Apraskine d'expliquer les raisons d'une procédure aussi inhabituelle pour discuter le cas disciplinaire de Zolotoukhine. Aucun doute qu'Apraskine ne se fût attendu à ce que tout le monde obéît automatiquement à son ordre. En tout cas, il ne s'attendait nullement à ma question, et il dit la première chose qui lui passa par la tête : « Nous allons discuter d'une plaidoirie prononcée dans un tribunal qui siégeait à huis clos.

— Vous vous trompez, dis-je. L'affaire a été jugée en présence du public, et on en a parlé dans les journaux. En outre, j'ai pris part à ce procès. Même s'il avait comporté quelque secret, je serais déjà au courant. Contrairement à ce qui est le cas pour les membres du praesidium, je connais à fond les débats... »

Apraskine m'interrompit : « Soyez gentille de quitter la galerie immédiatement. » Puis, sa voix s'éleva en un véritable cri : « Vous voulez que j'appelle la police ? »

Je fis une dernière tentative. Je m'adressai aux membres du praesidium, les appelant par leur nom, ne leur demandant qu'une seule chose : de me permettre, en tant que participante au procès en question, de donner un compte rendu de première main de la plaidoirie de Zolotoukhine, qu'aucun d'entre eux n'avait entendue. Mais nul d'entre eux ne prononça une parole, même ceux qui, quelques minutes auparavant, m'avaient promis leur appui. Pas un seul ne me regardait. Boris Zolotoukhine se tourna vers moi et dit : « Je vous en prie, allez-vous-en. Vous voyez bien ce qui se passe ici. »

Nous sortîmes donc. Je ne sais pas combien de temps s'écoula tandis que nous attendions dans le couloir, près des portes donnant dans la galerie. Nul doute que la session fût longue. Tous les membres eurent à parler ; aucun ne fut autorisé à garder le silence.

Plus tard, ces mêmes personnes rivalisèrent entre elles pour donner le compte rendu de ce qui s'était passé derrière les portes closes, et chacune rapporta que ses propres remarques avaient été plus modérées que celles de ses collègues. L'un des membres avait fait des objections à la radiation sous le motif que, puisque Zolotoukhine était accusé de crime politique, il était prématuré de décider de l'issue de l'affaire à l'intérieur du collège, étant donné que les hautes instances du parti n'avaient pas épuisé encore toutes les possibilités de discuter de l'affaire et de la réviser. Ce même membre, Vladimir Petrov, s'abstint dans le scrutin d'exclusion. Il resta membre du parti et ne fut pas puni pour sa prise de position.

Ceux qui me décrivirent les prises de parole furent unanimes pour me désigner le membre qui avait été le plus agressif contre Boris, celui dont les accusations allaient même encore plus loin que celles du Comité du parti du district de Dzerjinski. Cet homme était l'avocat sans parti Ivan Parkinson. C'est seulement alors que j'appris qu'il avait été proposé pour le titre honorifique de « juriste d'honneur de la République », et que le décret correspondant du praesidium du Soviet suprême allait être publié le lendemain. Parkinson avait peur que, s'il ne faisait pas un discours violemment anti-Zolotoukhine, il soit privé de cet honneur officiel. Au lieu de cela, il préféra perdre pour toujours sa bonne réputation, celle d'un homme intègre.

Aujourd'hui encore, j'ignore pourquoi les autorités se sont livrées à de telles représailles contre Boris. Je ne puis accepter l'explication de nombreux commentateurs occidentaux, selon laquelle il a été puni pour avoir demandé au tribunal l'acquittement de Guinzbourg. Avant lui et après lui, d'autres avocats ont fait la même demande dans des affaires politiques complexes, et ils n'ont pas eu d'ennuis pour cela. Je pense qu'une raison était que ce procès avait suscité plus de commentaires nationaux et internationaux que ce n'avait été le cas pour les deux procès précédents dans lesquels les avocats avaient demandé l'acquittement, ceux de Khaoustov et de Boukovski. Qui plus est, si l'opinion publique, avant le procès, s'inquiétait pour les quatre accusés, ce fut bien Aleksandr Guinzbourg qui, après coup, s'attira le plus de sympathie et dont la condamnation souleva le plus d'indignation. Vera Lachkova avait été libérée et n'était plus une cause d'inquiétude ; personne ne se souciait beaucoup de Dobrovolski, ayant entendu parler de son rôle perfide. Le nombre des personnes qui signaient des lettres en faveur de Iouri Galanskov était encore plus réduit qu'avant le procès, à cause des doutes qui planaient sur ses relations possibles avec le N.T.S. Beaucoup de gens préféraient ne pas prendre ouvertement la défense de quelqu'un qui était lié à cette organisation.

La plupart des lettres écrites pour soutenir Guinzbourg se référaient à la plaidoirie de Zolotoukhine, comme ayant « indubitablement prouvé sa complète innocence ». Parmi les fonctionnaires du parti et du gouvernement, le nom de Zolotoukhine s'était assimilé à cette vague d'indignation ; l'article du *Nouvel Observateur* était la goutte d'eau qui avait fait déborder le vase. Je crois que la demande insistante adressée à Zolotoukhine d'exprimer publiquement dans la presse le « désaveu » des interprétations données à sa plaidoirie était provoquée par le besoin urgent qu'avait le gouvernement d'apporter une réplique à l'opinion publique occidentale, et une réplique qui n'émanât point d'un vague journaliste soviétique, mais de l'homme même dont l'autorité morale avait été louée.

Il y avait une autre raison importante. Dans sa plaidoirie, Zolotoukhine, bien qu'en termes voilés, avait exprimé son approbation personnelle à ce qu'avait fait Guinzbourg : « Je ne sais pas quelle sorte de conduite la cour estime préférable. Mais je pense que la personne qui ne se satisfait pas de l'indifférence fait preuve d'un plus grand esprit civique. » Les autorités avaient retenu contre Zolotoukhine que, non seulement, il avait omis de condamner les « actes criminels » de Guinzbourg, mais qu'encore, dans une certaine mesure, il leur avait apporté son approbation.

Le 13 juin, par une résolution du praesidium du collège des avocats de Moscou, Boris Zolotoukhine fut exclu du collège.

Et que fîmes-nous quand le pâle mais absolument calme Boris surgit dans le couloir, le premier, et nous dit « je ne suis plus avocat » ?

Nous rentrâmes à la maison avec lui, où nous bûmes à sa santé. Le 13 juin était son jour d'anniversaire.

Quatrième partie

LE DÉPART

Pendant la nuit du 16 novembre 1976, je fis un rêve étrange. Je rêvai que je m'étais réveillée, mais que j'étais toujours au lit. J'avais en face de moi la double porte vitrée conduisant dans la pièce voisine de la datcha, là où nous passions nos week-ends. Là, assis sur le divan, les mains posées sur la petite table ovale, attendait un homme parfaitement inconnu. Il portait un gros pardessus et un bonnet de fourrure.

« Je dois rêver », pensai-je, et je refermai les yeux.

Quand je les rouvris, il y avait deux hommes derrière la porte vitrée, tous deux assis sur le divan, tous deux en pardessus noir et bonnet de fourrure. Ils me regardaient intensément.

« Je ne rêve pas, pensai-je. Il faut que je leur demande qui ils sont. »

J'entends encore ma voix qui disait : « Puisque vous êtes entrés dans ma maison, vous allez peut-être me dire qui vous êtes ? »

Voici la réponse qu'ils me firent : « Nous ne sommes pas venus pour vous voir. Nous sommes venus en mission officielle. »

Je m'éveillai. C'était le petit matin. J'étais couchée dans la chambre où, juste en face de mon lit, se trouvait la double porte vitrée qui séparait la chambre à coucher du salon. Je me levai, écartai les rideaux que nous tirions toujours devant les portes vitrées pendant la nuit et regardai dans le salon. L'obscurité y régnait, et il était vide. La petite table qui était habituellement en face du divan avait été poussée contre le mur. A la place, il y avait la grande table de salle à manger, non desservie du dîner de la veille au soir, avec ses plats, ses verres, ses couverts.

Nous étions restés à la datcha, que nous louions du printemps à l'automne, avec nos amis Iouli et Irina Daniel. Nous étions sortis pour célébrer l'anniversaire de Iouli, le 15 novembre, bien qu'il tombât un lundi et que, le mardi matin, mon mari dût être de retour pour son travail à l'Institut. Pendant le petit déjeuner, je racontai mon rêve à Konstantine. Il ne quittait pas mon esprit. Il m'obséda pendant tout le trajet de retour à Moscou, gardant toute son acuité et sa réalité.

A Moscou, nous nous séparâmes, mon mari et moi. Il alla travailler, je rentrai à la maison. Je me souviens avec une précision inaccoutumée du court trajet allant de l'arrêt de l'autobus à la maison. Je ne pris pas l'itinéraire habituel, mais longeai le côté opposé de la rue par rapport à notre bâtiment, surprise moi-même de changer mes habitudes : depuis des années, je traversais toujours la rue au même endroit exactement. Je levai les yeux pour examiner attentivement les fenêtres de notre appartement, comme si je m'attendais à y voir quelque chose. Les fenêtres étaient sombres, comme elles devaient l'être dans un appartement vide. Le hall d'entrée, également, était silencieux et vide. Je pris l'ascenseur jusqu'au cinquième étage et arrivai sur le palier. Je fus saluée par un « Bonjour, Dina Izaakovna. Nous vous attendons depuis longtemps. »

Deux hommes attendaient sur le palier. L'un était entre deux âges, l'autre sensiblement plus jeune. Tous deux portaient des pardessus sombres et des bonnets de fourrure.

Je n'avais pas besoin de leur demander qui ils étaient et pourquoi ils étaient venus. Ma seule pensée, c'était ce qu'il y avait sur le bureau de mon mari, près de la radio, dans l'appartement où les deux hommes s'apprêtaient à m'accompagner : proprement empilés, les feuillets dactylographiés et corrigés d'un livre sur lequel mon mari avait travaillé depuis plus d'un an et que nous avions l'intention d'emballer le lendemain pour l'expédier aux États-Unis en vue de sa publication sous un pseudonyme[1].

Dans l'entre-temps, j'avais été entourée par une solide équipe d'hommes soudainement descendus de plus haut. J'avais entre les mains une petite feuille de papier portant le mot familier « ordre ». C'était un mandat pour perquisitionner notre appartement : on soupçonnait qu'il abritait de la littérature de nature diffamatoire et antisoviétique. L'ordre de perquisition était daté du 15 novembre et contresigné par le substitut du procureur de Moscou, Iouri Stassenkov. « Iourotchka l'a signé », dis-je mécaniquement, appelant Stassenkov par son diminutif, comme j'avais commencé à le faire bien des années auparavant du fait de notre grande différence d'âge. A l'époque, il venait de recevoir son diplôme de droit et commençait à travailler au parquet du district de Leningrad, près du bureau d'avocats où je travaillais moi-même.

Nous restâmes un long moment sur le palier, car je refusais de les laisser entrer dans l'appartement avant l'arrivée de mon mari. J'avais

---

1. Ce livre a été publié en 1982 aux États-Unis sous le titre *USSR : The Corrupt Society* (Simon & Schuster, New York).

besoin de temps pour rassembler mes pensées. Mais surtout, j'avais besoin de voir mon mari pour découvrir ce qui lui était arrivé, et pour savoir ce qu'il dirait aux enquêteurs à propos de son manuscrit, qu'un tribunal soviétique traiterait sans aucun doute de criminel.

Enfin, mon mari sortit de l'ascenseur, accompagné de deux hommes. Le visage de l'un d'eux m'était familier. «Vous devez vous tromper, Dina Izaakovna, dit-il en réponse à ma remarque que nous avions dû déjà nous rencontrer. C'est la première fois de ma vie que je vous vois.»

Je savais que c'était faux. Un jour que nous rentrions à pied à la datcha, Irina et moi avions rencontré cet homme et je lui avais dit : «Je pense que cet homme est en train de nous filer.» A quoi elle avait répondu : «Mon Dieu, comme nous sommes tous nerveux ! Nous rencontrons un homme qui prend l'air, et nous pensons immédiatement qu'il nous file. Je ne dis pas cela seulement pour vous. Je le dis aussi pour me rassurer. Je n'aime pas non plus l'air de cet homme.»

Mon mari était calme, bien qu'il fût plus pâle que d'habitude. Quand nous entrâmes dans l'appartement, il n'eut que le temps de me chuchoter un mot : «Désolé». Il s'excusait parce que, quand nous avions quitté la datcha, je lui avais demandé de cacher le manuscrit et il ne l'avait pas fait. Il pensait que personne ne viendrait dans notre appartement. Il ne restait plus qu'un jour avant de l'envoyer, et il n'y avait aucune raison de s'inquiéter.

La perquisition dura six ou sept heures. Quand elle s'acheva, il y avait sur le sol une pile de «livres diffamatoires et antisoviétiques» : l'*Archipel du Goulag*, de Soljenitsyne, *le Docteur Jivago*, de Pasternak, *Dans l'ombre de Gogol*, de Siniavski, un grand nombre de livres de fiction et de poésie, stigmatisés pour une seule raison, parce qu'ils avaient été publiés à l'étranger. Il y avait Nabokov, Akhmatova, Mandelstam — je ne puis me les rappeler tous. Un tas de photos sorties de nos albums de famille était empilé sur la table. Les seules photos qu'ils avaient laissées étaient des instantanés de nous et de notre fils enfant, ainsi que quelques photos de nos parents. Tout le reste, ainsi que l'appareil photo que j'avais reçu comme cadeau d'anniversaire, était confisqué. Sur la table également, emballé et cacheté d'un sceau de cire, se trouvait le manuscrit dactylographié du livre de mon mari.

Le soir, quand la perquisition fut terminée, mon mari et moi fûmes priés de prendre nos manteaux.

«Est-ce que vous nous arrêtez ? demanda mon mari. Nous avons besoin de savoir ce que nous devons mettre.

— Mettez ce que vous portez d'habitude», répondit l'enquêteur évasivement.

Nous sortîmes dans la rue. Mon mari venait en tête avec son escorte ; je marchais quelques pas en arrière avec la mienne. Plusieurs voitures étaient parquées un peu plus loin. En montant dans la première voiture, mon mari me cria: «Ils m'emmènent à la datcha.»

Coincée entre deux enquêteurs, on me jeta sur le siège arrière d'une autre voiture, et nous démarrâmes. Ce fut un grand soulagement de constater que toutes les voitures prenaient la voie rapide familière qui sortait de Moscou. *Nous allions à la datcha*. Nous serions ensemble quelques instants de plus.

Quand nous arrivâmes, ma première pensée fut pour les Daniel. Etaient-ils déjà repartis chez eux? Je ne pouvais pas supporter l'idée que Iouli, qui avait déjà fait cinq ans dans un camp avec emprisonnement à régime sévère, fût de nouveau soumis à des perquisitions et à des interrogatoires. Mais il n'y avait personne à la datcha; ils étaient partis. Je ressentis immédiatement un grand soulagement. La nuit qui suivit, cependant, nous apprîmes que Iouli et Irina avaient été arrêtés le matin à leur retour à Moscou et qu'ils avaient été retenus jusque tard dans la soirée au parquet de Moscou, où les autorités espérèrent en vain que les Daniel fourniraient quelque preuve contre nous. Puis, quand il leur était devenu évident qu'ils n'obtiendraient rien, ils les avaient relâchés.

La perquisition fut bientôt terminée. Les agents du K.G.B. confisquèrent un livre, un ouvrage du philosophe russe Berdiaev, et cela uniquement parce qu'il avait été publié à l'étranger.

Pendant tout ce temps, je me demandais avec anxiété ce qu'il allait advenir de mon mari. J'avais moins peur pour moi-même parce que j'avais deviné, grâce à quelques remarques entendues par hasard, qu'ils étaient vraiment venus pour le manuscrit de mon mari, et que tout le reste n'était qu'une recherche complémentaire de preuves pour son inculpation.

Tandis que nous rentrions à Moscou dans le noir, je ne savais pas où nous allions cette fois-ci ni, et c'était le pire, où on emmenait mon mari.

On me conduisit au parquet de Moscou. Quand nous pénétrâmes dans le hall de réception, j'aperçus la silhouette familière du policier gardant l'entrée. Pendant des années, j'étais entrée par cette porte, adressant un signe de tête négligent à l'homme en faction: c'est à peine si je le remarquais en entrant dans le bâtiment. Tout ce qui s'est passé cette fois-là s'est gravé dans ma mémoire: le regard étonné du policier quand il me reconnut, la salle d'attente vide, bien longtemps après l'heure de fermeture. Puis l'enquêteur me conduisit dans une grande pièce meublée de deux bureaux — et ce fut le silence. Un silence rompu seulement par une toux familière et bien-aimée, que je pouvais entendre à travers la cloison. Comme j'étais heureuse de pouvoir entendre la toux caractéristique de mon mari, que je n'aurais pu confondre avec aucune autre. Cela voulait dire qu'il était ici, qu'il n'était pas encore arrêté. J'étais encore capable de dire calmement à l'enquêteur: «Vous perdez votre temps à me poser ces questions. Je n'y répondrai pas. Je n'ai pas l'intention de répondre maintenant à aucune de vos questions. Il est dix heures du soir. Vous êtes venus perquisitionner à dix heures du matin. Je suis fatiguée et j'ai faim. »

Puis vint le moment le plus dur quand, pour un moment, je perdis le contrôle de moi-même. J'étais seule dans le bureau. L'enquêteur était sorti pour demander à son supérieur ce qu'il devait faire de moi, puisque je refusais de répondre à ses questions. J'étais assise, écoutant le silence, prêtant l'oreille au moindre bruissement, cherchant à identifier la voix de mon mari. Mais je ne pouvais rien entendre. La toux rassurante avait cessé. Puis il y eut des bruits de pas dans le couloir — beaucoup de monde — et des claquements de portes, et ce fut de nouveau le silence absolu.

« Ils ont emmené mon mari ! »

Je courus vers la porte, dans l'intention de me précipiter dans le couloir — peut-être que je pourrais le voir, lui dire au revoir. La porte était fermée à clé. Je tambourinai contre la porte et, quand un policier vint, j'exigeai qu'on me laissât sortir, bien que je susse que c'était inutile. Je ne sais combien de temps s'écoula : pas plus de quelques minutes sans doute. Finalement, la porte fut ouverte.

« Où est mon mari ? Il faut que vous me disiez où il est ! »

L'enquêteur et moi nous faisions face dans l'embrasure de la porte. Il n'y avait personne dans le hall. Même le policier avait disparu. Soudain, l'enquêteur fit demi-tour et s'éloigna sans un mot. Il ouvrit toute grande la porte du bureau voisin : mon mari y était assis.

« Tout va bien ? », lui demandai-je avec les yeux.

« Tout va bien », me répondit-il sans un mot.

La porte du bureau se referma en claquant, puis l'enquêteur fit une remarque dont je lui serai éternellement reconnaissante : « Ne vous inquiétez pas, personne ne va vous séparer. »

Quelques minutes plus tard, Konstantine et moi rentrions à la maison. Quand nous pénétrâmes dans l'appartement, la première chose qui me vint à l'esprit fut mon rêve, que, dans le tourbillon des événements, j'avais complètement oublié. Maintenant, il s'imposait à moi, avec tous les détails réels et concrets des mots prononcés, qui n'étaient que trop prophétiques : « Nous sommes venus en mission officielle. »

Pendant toute l'année qui sépara la perquisition de notre appartement du jour où nous fûmes forcés de quitter l'Union soviétique, nous menâmes une étrange double vie. L'une était notre vie extérieure, dans laquelle nous allions au bureau comme d'habitude, recevions des clients, donnions des conseils juridiques, parlions au tribunal ; l'autre était une vie dans laquelle nous étions convoqués pour interrogatoires chez l'enquêteur — mon mari, souvent ; moi, moins fréquemment. Chaque matin avant l'interrogatoire régulier, je mettais dans la poche de sa veste un moucloir de rechange, un morceau de savon, de la pâte dentifrice et une brosse à dents. Puis une, deux, trois heures passaient, et voilà que j'attendais de nouveau le coup de téléphone promis. Enfin : « Ne t'inquiète pas, je suis sur le chemin du retour. »

Mes amis faisaient de leur mieux pour que, en ces temps difficiles, je ne fusse jamais seule. Dieu sait comment mes amies qui travaillaient arrangeaient les choses, mais quelqu'un se trouvait toujours avec moi dans les mauvais jours, et nous passions ensemble de longues heures silencieuses.

Chaque fois que mon mari allait à l'interrogatoire, l'un de nos amis le suivait au parquet et attendait à proximité dans une encoignure de porte pour voir s'il ressortait seul ou bien si on le reconduisait sous escorte. Il arriva une fois que mon mari fut interrogé non pas au parquet de la ville, mais au parquet de district, situé dans une rue voisine. Notre amie, dont nous avons tant apprécié le dévouement en ces mois difficiles, suivit mon mari et l'attendit au premier étage du bâtiment. Soudain, elle entendit la voix de mon mari disant très fort : « Quoi ? Vous voulez m'emmener au parquet de la ville ? » Puis elle le vit quitter le bâtiment avec l'enquêteur. Au moment où elle atteignit la rue, ils n'étaient déjà plus en vue. Elle me dit après coup qu'elle avait couru tout le long du chemin, parce qu'elle s'était d'abord perdue. Puis, quand elle atteignit le parquet de la ville, elle aperçut une fourgonnette de la police qui s'éloignait. C'est alors qu'elle me téléphona :

« Dina... », dit-elle, puis elle s'arrêta.

« Que s'est-il passé ?

— Je l'ai vu ressortir accompagné de l'enquêteur. Puis je l'ai perdu de vue. Ensuite, une fourgonnette de la police s'est éloignée du parquet. Vous connaissez le modèle — une fourgonnette spéciale...

— Je comprends », dis-je.

Je tentai sans succès de téléphoner à l'enquêteur : son numéro était toujours occupé. Puis le téléphone sonna. C'était mon mari qui appelait d'une station du métro. Toute l'histoire de son « arrestation » n'avait été qu'un acte délibérément mis en scène dans le « théâtre de la cruauté ».

L'attention et le dévouement de nos amis tout au long de ces mois ne furent pas une surprise pour nous. Nous les connaissions tous assez pour ne pas douter d'eux. Ce qui fut réellement une surprise, ce fut la réaction de gens qui ne nous étaient pas proches, que nous considérions simplement comme des relations. Nous n'avions jamais imaginé que, parmi eux également, nous trouverions un tel empressement indéfectible à nous aider de toutes les manières possibles. Pas une seule fois, je n'ai eu à demander quelque chose ; les gens offraient spontanément leur aide. J'ai souvent pensé qu'il ne s'agissait pas simplement de sympathie pour mon mari et pour moi, mais que c'était le signe indiscutable d'un changement dans le climat social du pays. Naturellement, il y avait aussi ceux qui avaient peur d'être vus en notre compagnie, peur de représailles pour eux et pour leurs familles, mais ils n'étaient pas nombreux, et je savais qu'ils avaient honte de nous éviter et qu'ils en souffraient.

Pendant toute cette année, mon mari et moi vécûmes comme nous l'avions décidé au lendemain de la perquisition, c'est-à-dire sans modifier en rien notre mode d'existence. Comme auparavant, nous partions pour la datcha le vendredi soir, nous fréquentions les concerts et les expositions et, naturellement, nous travaillions dur. Quand, cependant, nous étions seuls et non pas dans notre appartement plein de micros, c'est-à-dire quand nous nous promenions en forêt ou dans la rue, notre conversation revenait invariablement aux événements du 16 novembre, jour de la perquisition. Comment cela avait-il pu arriver ? Pourquoi étaient-ils venus chez nous ?

Nous ne parlions jamais du livre de mon mari à la maison. Toutes nos discussions avaient lieu dans la rue ou à la datcha, où nous nous sentions à l'abri de l'espionnage. Même quand nous eûmes découvert qu'un mouchard était placé dans la datcha et que nous étions suivis chaque fois que nous sortions, la question demeurait : « Pourquoi ? » Nous nous creusions les méninges pour nous rappeler ce qui avait pu arriver au cours des dernières années, pour essayer d'identifier le moment où une réelle surveillance avait bien pu commencer. L'espionnage des domiciles privés, en U.R.S.S., est une chose si courante que nous ne l'avions pas considéré comme une marque d'intérêt particulier. Qu'est-ce qui avait suscité ce regain d'intérêt ?

En partant d'événements tout récents, nos réminiscences remontèrent de plus en plus loin dans le temps.

Le premier avertissement ouvert, officiel, que les autorités considéraient mes activités professionnelles comme politiquement dangereuses vint en liaison avec ma défense d'Ilia Gabaï et de Moustafa Djamilev. Leur procès s'était déroulé à Tachkent, capitale de la république d'Ouzbékistan, en 1970. Avant le début du procès, en septembre-octobre 1969, quand j'étudiais les vingt volumes des documents de l'enquête, je réalisai que j'étais confrontée à la sorte de défense la plus difficile dans un procès politique — une situation dans laquelle les faits ne sont pas contestés et où l'argumentation juridique débouche inévitablement dans la politique.

Les charges relevées contre Djamilev et Gabaï étaient de nature identique. Tous deux étaient accusés d'avoir établi et distribué (essentiellement à Tachkent) des documents « diffamatoires » : rapports matériels, lettres ouvertes, appels publics. Ils ne niaient ni l'un ni l'autre être les coauteurs de ces documents, mais tous deux affirmaient que les faits relatés dans ces documents étaient vrais, et par conséquent ils refusaient de plaider coupables.

Il y avait trente-cinq documents que les autorités enquêtrices considéraient comme criminels dans leur contenu. Après analyse soigneuse de chacun d'eux, je parvins à la conclusion que, s'ils étaient vivement critiques à l'égard de certains aspects de la politique officielle, aucun d'eux ne contenait en fait d' «inventions mensongères dénigrant le système soviétique». Le 8 octobre 1969, je soumis à Berezovski, l'enquêteur de la république d'Ouzbékistan pour les affaires particulièrement importantes, une requête de non-lieu pour «défaut de *corpus delicti* dans les affaires Moustafa Djamilev et Ilia Gabaï». Ma demande fut rejetée.

Néanmoins, ces documents n'étaient pas des mensonges. Ce que les autorités leur reprochaient, c'était qu'ils étaient, pour l'essentiel, des comptes rendus véridiques des mauvais traitements infligés par l'État à l'un des peuples minoritaires de l'Union soviétique. L'U.R.S.S. est une mosaïque de nations, une fédération de républiques «unies» ou «autonomes». L'une de ces dernières était la République autonome de Crimée, dans la péninsule homonyme, la partie la plus méridionale de la Russie. La population autochtone de cette région maritime prospère, de cette terre fertile, était constituée par les Tatars de Crimée. Pendant la Seconde Guerre mondiale, quand la plupart des Tatars adultes combattaient dans les rangs de l'armée soviétique, la péninsule de Crimée fut occupée par les troupes allemandes. Ceux qui restèrent sous l'occupation étaient pour la plupart des femmes, des enfants, des vieillards et des invalides. Les forces soviétiques libérèrent la Crimée en avril 1944. En mai de cette même année, le Comité de défense de l'État de l'U.R.S.S. promulgua un décret secret accusant le peuple tatar de Crimée dans son ensemble de collaboration avec les Allemands. Pour punir les Tatars de Crimée, on ordonna qu'ils fussent tous, jusqu'à l'enfant dernier-né, déportés hors de leur ancienne patrie. La nuit du 18 mai 1944, les villages des Tatars de Crimée furent cernés par des unités de l'armée soviétique. Dans le courant de la nuit, la population tatare tout entière fut entassée dans des camions et transportée dans des régions spécialement désignées de l'Asie centrale soviétique, régions que les Tatars ne pouvaient quitter sous peine d'arrestation et de procès. Les horreurs de la déportation et les conditions dans lesquelles les déportés furent forcés de vivre sont parfaitement décrites par une unique et épouvantable statistique: durant les dix-huit premiers mois d'exil, dans le seul Ouzbékistan (principale région de «peuplement spécial» pour les Tatars de Crimée), 46,2 % des déportés sont morts de faim ou de maladie[1].

En Crimée, tous les théâtres, écoles, bibliothèques et journaux tatars furent fermés, et tous les livres publiés en langue tatare furent détruits.

---

1. *Tachkentski Protsess* («le Procès de Tachkent»). Recueil documentaire. Fondation Alexander Herzen, Amsterdam, 1976.

En 1956, après la mort de Staline, le XXe Congrès admit l'illégalité de cette action, dont la cruauté et l'injustice étaient évidentes pour tous. En 1956 également, par un décret du praesidium du Soviet suprême de l'U.R.S.S., les Tatars de Crimée furent libérés de la surveillance policière ouverte, mais ce même décret interdisait leur retour en Crimée.

Depuis lors s'est constitué ce que je ne puis appeler autrement qu'un mouvement national des Tatars de Crimée pour la conquête du droit des Tatars à retourner dans leur patrie. Tout d'abord, ce mouvement, pour des raisons de principe, resta complètement en marge du mouvement général «de défense de la légalité» en Union soviétique, et les Tatars menèrent leur lutte par des pétitions massives adressées aux leaders de l'État soviétique et du parti communiste. Toutes ces pétitions commençaient par une affirmation de loyauté des Tatars de Crimée envers le gouvernement soviétique et le parti communiste, et par une reconnaissance des principes léninistes de leur politique des nationalités.

Les procès intentés dans les années soixante contre les participants les plus actifs à cette campagne furent la seule réaction des autorités soviétiques aux justes exigences de ce peuple pacifique, laborieux et martyrisé. Peu à peu, la logique de la lutte non violente conduisit les Tatars de Crimée à réaliser la nécessité d'un contact avec les participants au mouvement démocratique plus vaste de défense des droits de l'homme. Ils s'acquirent ainsi, parmi d'autres peuples de l'Union soviétique, d'abord des sympathisants, puis des aides actifs et des amis dévoués, au premier rang desquels on peut citer l'écrivain Alekseï Kosterine. Après la mort de Kosterine, en 1968, le flambeau fut repris par un autre membre du mouvement de défense des Tatars de Crimée, le général Piotr Grigorenko.

En mai 1969, en réponse à une pétition des Tatars de Crimée signée par deux mille personnes, Grigorenko devait prendre la parole comme «conseiller de la défense du peuple» à un procès intenté contre dix activistes du mouvement des Tatars de Crimée. Vingt jours avant le début du procès, cependant, on affecta d'envoyer Grigorenko à Tachkent, mais on l'arrêta. Peu après, Ilia Gabaï et Moustafa Djamilev furent arrêtés en liaison avec les activités de Grigorenko. Tous trois furent accusés d'avoir rédigé et diffusé des documents concernant la situation difficile des Tatars de Crimée et la campagne pour leur retour dans leur patrie. Grigorenko fut soumis à un examen psychiatrique médico-légal par une commission qui conclut à l'unanimité que l'intéressé était absolument sain d'esprit. Ce résultat ne convenait pas au K.G.B., qui ne voulait pas un procès public pour le distingué vieux général. On ordonna qu'il fût réexaminé, cette fois-ci par l'Institut Serbski de Moscou. Obéissant aux instructions du K.G.B., la nouvelle équipe de psychiatres déclara Grigorenko mentalement malade. On abandonna les poursuites contre lui, et on l'enferma pendant plusieurs années dans un hôpital psychiatrique «spécial».

L'affaire Gabaï-Djamilev ne fut pas mon premier lien professionnel avec les Tatars de Crimée. J'avais été à Tachkent un an plus tôt pour défendre un activiste tatar, et j'avais rencontré ses parents, d'autres activistes et des sympathisants. Je découvris alors que la lutte des Tatars de Crimée était une véritable campagne *nationale*. Jeunes et vieux, hommes, femmes et enfants, tous vivaient littéralement avec l'idée de retourner dans leur patrie. Ce peuple avait atteint un haut niveau de prospérité en Ouzbékistan, mais il était prêt à tout abandonner — ses vergers, ses vignes — sans compensation, simplement pour être autorisé à rentrer dans son pays. Les Tatars s'efforçaient d'obtenir pour leurs enfants des vocations et des formations professionnelles équilibrées, de manière à disposer, après leur retour, de médecins tatars, d'enseignants tatars, d'ingénieurs tatars. «Qu'est-ce que tu veux être quand tu seras grand?» ai-je demandé à un garçon de dix ans. «Je veux être instituteur dans une école tatare, répondit-il. Quand je serai grand, je vivrai dans mon pays.»

Longtemps après, l'une de mes visites à Tachkent coïncida avec une grande fête donnée en l'honneur de trois activistes condamnés du mouvement des Tatars de Crimée. Cette fête symbolisait pour moi tout ce que j'avais appris et ressenti à propos du peuple tatar. Alors que nous étions assis à de longues tables, dans le jardin, on me raconta une histoire remarquable. Le jour où les trois hommes avaient été libérés du camp avec emprisonnement, un autobus transportant le comité d'accueil était monté jusqu'aux grilles du camp. Toute la section de route séparant les grilles de l'autobus était couverte de fleurs. Quand les grilles s'ouvrirent et que les trois hommes furent libérés, ils furent accueillis par la musique, une musique nationale jouée par un orchestre national amateur. Et sur tout l'itinéraire conduisant à Tachkent, chaque village tatar les avait salués avec des fleurs et des tables de fête dressées au bord de la route.

Le lendemain, j'allai à une fête de famille dans la maison de l'un des prisonniers libérés. Seules quelques personnes étaient présentes; j'étais le seul hôte non tatar. La femme de l'homme libéré, mère de ses deux petits enfants, me dit: «Dans notre famille, il y a eu un autre jour aussi heureux que celui-ci. Ce fut quand nous nous sommes réunis pour célébrer le retour à la liberté de mon frère.»

«Moustafa, dit le plus vieil homme de la table, nous sommes tellement heureux que tu sois parmi nous aujourd'hui. Mais dis-moi, qu'as-tu l'intention de faire demain?»

Et Moustafa répondit: «Demain, je vais reprendre la lutte pour mon peuple.»

«Je lève mon verre, poursuivit la femme, pour me porter garante que mon mari sera à la hauteur de mon frère.»

Moustafa Djamilev était son frère. Il était né en Crimée en 1943, au cours de la Seconde Guerre mondiale. Son père fut mobilisé dans l'armée soviétique, laissant sa mère avec quatre petits enfants. Moustafa n'avait pas encore huit mois quand toute la famille fut déportée de force hors de Crimée. Son enfance se passa sous le régime lugubre des « peuplements spéciaux » : la faim et les humiliations. Au lieu de contes de fées, on lui racontait des histoires de sa Crimée natale, des histoires sur la vie d'autrefois dans sa patrie. Toute sa vie fut régie par le rêve du retour. Il devint un combattant fanatique consacré à ce rêve.

Quand je rencontrai Moustafa pour la première fois, à l'automne de 1969, dans la prison du K.G.B. d'Ouzbékistan, c'était un homme parfaitement mûr, à la volonté forte et déterminée. La vie l'avait moins éduqué qu'elle ne l'avait forgé. Depuis 1966, il avait été jugé et condamné cinq fois. Il avait soutenu une grève de la faim de dix mois pour protester contre les répressions illégales, résistant à l'alimentation forcée aussi longtemps que c'était humainement possible. Il ne s'accordait aucun délai pour respirer après chaque libération du camp avec emprisonnement. Il vivait — et il vit encore — comme s'il avait à accomplir un serment, le serment qu'il aurait fait de se consacrer sans répit à la lutte pour son peuple.

Mon second client dans ce procès était Ilia Gabaï ou, comme chacun l'appelait, Ilioucha. C'était un humaniste, un homme cultivé. Il vivait à Moscou, enseignant la langue et la littérature russes. Enseigner les enfants était sa vocation et sa mission dans la vie. La poésie était son violon d'Ingres. Chaque fois que je parlais d'Ilioucha avec des gens qui le connaissaient, ils souriaient invariablement. Ils avaient du plaisir rien qu'à parler de lui, de sa gentillesse, de son talent, de son érudition. Il n'y avait rien dans la nature de Gabaï qui fût cruel, ou même rude. Il avait une étonnante capacité à comprendre les gens et, les comprenant, à pardonner. Il n'était strict et inflexible qu'à l'égard de lui-même.

Avant même que son procès ne commençât, je reçus de nombreuses lettres de diverses régions d'Union soviétique, écrites par d'anciens étudiants d'Ilia et même par des relations. Les sujets d'ordre social et civil étaient curieusement absents de ces lettres, bien que les lettres défendant les personnes accusées de crimes politiques en soient généralement remplies. Au lieu de cela, ces lettres émanaient de gens reconnaissants pour le bien, l'aide et le soutien moral qu'ils avaient reçus.

Je reçus une lettre d'une personne qui porte une lourde part de responsabilité envers Gabaï. Cet homme insulta Ilia injustement et il fut abandonné par tous leurs amis. Il évoquait dans sa lettre le temps où le suicide lui apparaissait comme la seule issue : « Ce fut Ilia qui, grâce à la clarté et à la noblesse de son cœur, en rejetant toute rudesse, me força à revenir à une vie normale, de sorte que je n'eus plus honte de moi-même à chaque pas. »

Et d'une personne qui avait de sérieux ennuis de famille : « Ilia fit tout ce qu'il put pour que mon fils n'eût à souffrir aucune amertume de ce qui arrivait. Et maintenant, Ilia est le plus grand héros du monde pour ce garçon de dix-huit ans. Mon fils souffre terriblement de son absence et pense constamment à lui, en dépit de l'ingratitude des enfants. Les enfants l'aiment au premier regard et restent ses amis pour toujours. »

Une fois, Ilia s'inquiéta d'un garçon qu'il connaissait à peine et qui était devenu orphelin. Une autre fois, les préoccupations d'Ilia allèrent à un vieil homme, probablement rencontré dans la rue, qui était venu à Moscou pour essayer d'obtenir sa pension. Chaque lettre racontait une histoire d'aide, de bonté, de générosité.

Je fis la connaissance de Djamilev et de Gabaï dans des circonstances inhabituelles. Je n'eus que fort peu d'occasions de me faire une opinion personnelle sur leur caractère, et mon jugement fut largement influencé par la noblesse et le courage dont ils firent preuve tous deux pendant l'enquête et au tribunal. Ce fut l'unique occasion où ils se départirent de leur comportement fondamental. Moustafa manifesta les qualités d'un combattant : détermination, permanence des objectifs, esprit de décision. Ilioucha avait été coulé dans un autre moule : il était né pour écrire des poésies, pour instruire et éduquer les enfants, pour étudier.

Une vieille femme m'écrivit : « J'aime Ilioucha comme s'il était mon propre fils. Je ne puis imaginer qu'on puisse le connaître et ne pas l'aimer. » Je ne pouvais pas l'imaginer non plus. Même le procureur spécial, Berezovski, homme cynique et arriviste, me dit une fois : « Votre Gabaï est une si bonne personne. Je suis désolé pour lui. Djamilev, je comprends. C'est un Tatar, il combat pour son peuple. Mais Gabaï, que veut-il ? Pourquoi un juif se mêle-t-il de ces histoires qui ne le concernent pas ? » L'un des poèmes d'Ilia donnait la réponse :

> *Je serais heureux si la douleur des autres*
> *Habitait en moi et me fendait le cœur.*

Tandis que je préparais sa défense, les poèmes de Gabaï m'aidaient à comprendre son monde spirituel et à trouver les véritables motifs de ses actes. Contrairement à Berezovski, je n'avais pas besoin de me demander pourquoi un intellectuel juif et russe « se mêlait à des histoires qui ne le concernaient pas ». Je comprenais que la douleur des Tatars de Crimée fendait véritablement le cœur d'Ilia.

Après le procès de Tachkent, je ne revis Ilioucha qu'une fois, en 1972, quand il vint me voir après sa libération du camp avec emprisonnement. Il était très contrarié que j'aie eu des ennuis à la suite de son procès. Il me parla de ses projets d'avenir et me dit qu'il désirait beaucoup reprendre son enseignement, mais qu'il savait qu'une personne condamnée pour crime politique n'avait pas sa place dans le système scolaire soviétique.

Puis il y eut une série d'événements que je ne puis rapporter que de seconde main, d'après les comptes rendus que m'en firent sa femme et ses proches amis. Tout d'abord, peu après notre rencontre, parvint la nouvelle de l'arrestation de Piotr Iakir et Viktor Krassine, appartenant tous deux au mouvement dissident. Iakir était l'ami le plus intime de Gabaï, un homme en qui il avait la plus entière confiance et qu'il aimait beaucoup.

La jeunesse de Iakir, depuis l'âge de quatorze ans, s'était passée dans les camps de Staline. Il avait vécu l'emprisonnement de sa mère et l'exécution de son père, Jona Iakir, général à quatre étoiles et commandant en chef de la région militaire d'Ukraine qui, en 1937, fut poursuivi pour haute trahison et exécuté comme « ennemi du peuple ». Viktor Krassine avait également été arrêté auparavant. Ni Iakir ni Viktor ne pouvaient résister à la menace d'un nouvel et long emprisonnement. C'est par eux que le K.G.B. découvrit les noms d'un grand nombre de gens qui participaient à la rédaction de la *Chronique des événements en cours*, le bulletin de nouvelles publié en samizdat qui rapporte les violations des droits de l'homme en Union soviétique. Le Comité central du parti communiste de l'Union soviétique avait depuis longtemps ordonné au K.G.B. de détruire ce bulletin souterrain qui était considéré comme particulièrement subversif à cause de la précision et de la rapidité avec lesquelles il collectait et diffusait ses nouvelles. Maintenant, à cause de Iakir et de Krassine, toutes les personnes en relation avec la *Chronique* étaient menacées d'arrestation et de poursuites criminelles.

Ce fut une période très difficile pour le mouvement dissident. Bien des gens pensèrent qu'il avait reçu un coup mortel, qu'il allait être détruit non seulement par le gouvernement mais aussi, et principalement, par la perte de son autorité morale.

Ilia et sa femme Galina, qui attendait alors leur second enfant, figuraient parmi les noms indiqués par Iakir, et Ilia fut convoqué pour interrogatoire. Pour Ilia, qui n'avait jamais trahi un ami au cours d'un interrogatoire, la conduite de ses amis fut un coup cruel. Ce qu'il trouvait le plus dur à supporter, c'était que la perfidie ou la faiblesse de ces deux hommes, aux yeux de bien des gens, compromettaient l'ensemble du mouvement. La cause pour laquelle il avait souffert l'emprisonnement et perdu sa profession bien-aimée avait été avilie.

Le 5 septembre 1973, le K.G.B. organisa une conférence de presse dans la Maison centrale des journalistes, à Moscou, dont Iakir et Krassine furent les vedettes. Ilia Gabaï vit sur l'écran de télévision l'ami qui avait été pour lui presque un frère, plus propre, mieux rasé, plus élégamment habillé qu'il ne l'avait jamais vu. Il entendit Iakir parler de ses relations avec diverses organisations occidentales qui, comme il le disait, « n'apportaient que des bavardages à l'idée des droits de l'homme ». Il parla aussi de la dégénérescence du Mouvement pour la défense de la légalité. On m'a dit que, à la suite de cette conférence de presse, Gabaï sombra dans une dépression totale et irréversible. Il ne pouvait trouver aucune issue à son désespoir. Dans la matinée du 20 octobre, alors que sa femme s'était assoupie après avoir donné le sein à leur fille qui venait de naître, Ilia se jeta du balcon de leur appartement. Il se tua sur le coup. Ilia ne me donna jamais l'impression d'être un impulsif, encore moins une personne hystérique ou déséquilibrée. Seul le sentiment le plus irrémédiable de désespoir peut l'avoir conduit à cette fin tragique.

Le procès de Tachkent venait juste de commencer quand je reçus un avertissement personnel qui était tout aussi prophétique que mon rêve d'arrestation, mais absolument réel.

En septembre 1969, alors que je me préparais à partir pour Tachkent afin d'étudier le dossier d'Ilia et de Moustafa, je ressentis soudain une réticence à me mettre en route. J'aime Tachkent, je savais que j'y serais accueillie et libérée des soucis domestiques pendant un certain temps. J'étais sur le point de m'embarquer dans une affaire intéressante, et j'allais défendre des personnes bien. Néanmoins, il me fallut faire preuve d'un effort considérable pour surmonter ce sentiment et pour partir. Une fois à Tachkent, cet étrange sentiment de malaise disparut, et je l'oubliai jusqu'à mon retour à Moscou.

Quelques jours après mon retour, je fus appelée par Nikolaï Borovik, le directeur de mon bureau d'avocats. Nous parlâmes du prochain procès de Gabaï et de Djamilev. Je dis que j'avais introduit une requête pour que l'affaire fût classée et que, si elle était rejetée, je demanderais au tribunal l'acquittement des inculpés.

« Vous ne devriez pas aller là-bas, dit Nikolaï. Transmettez le dossier de ces deux hommes à quelque autre avocat. C'est un conseil amical que je vous donne. Ne l'ignorez pas. »

Je savais que ce conseil venait d'un homme dont les informations émanaient du K.G.B. Tout le monde, dans le collège des avocats, était au courant des liens étroits de Borovik avec la police secrète, même si ce ne fut qu'après sa mort, quand le K.G.B. décida de lui faire des funérailles comportant les honneurs militaires, que nous découvrîmes qu'il avait été lieutenant-colonel du K.G.B. Je travaillais avec Borovik depuis 1945, et j'étais en bons termes avec lui. Je ne doutais pas qu'il désirât sincèrement m'épargner des ennuis.

« Vous êtes devenue une spécialiste des procès politiques, me dit-il. Vous passez sans arrêt d'un procès politique à un autre. Ils n'aiment pas cela. Et n'oubliez pas : il leur sera beaucoup plus facile d'avoir leur revanche sur vous à Tachkent qu'à Moscou. »

Quand mon mari et moi discutâmes des remarques de Borovik, il admit que c'était un sérieux avertissement, mais nous savions tous les deux que je ne pouvais pas suivre ce conseil amical.

Quand la date du procès fut annoncée, j'eus un pressentiment vague et irrationnel que quelque chose de désagréable m'attendait à Tachkent. Je fus soulagée quand le mauvais temps ajourna mon vol de quarante-huit heures, et j'eus un pressentiment funeste quand, ultérieurement, j'entendis l'annonce : « S'il vous plaît, veuillez embarquer pour le vol Moscou-Tachkent. »

C'était le 12 janvier 1970. J'allai directement de l'aéroport au tribunal, espérant arriver à temps pour le début du procès. Ce fut juste, et le juge Pissarenko me salua par ces mots : « Camarade avocate, pourquoi défendez-vous tant de ces gens ? Et pas parce qu'on vous le demande, mais par choix personnel ? » Sa remarque exprimait une sincère perplexité, mais comportait aussi une certaine menace. Les noms des avocats qui défendaient dans les procès politiques n'étaient jamais mentionnés dans la presse soviétique. Le juge Pissarenko devait avoir entendu parler de Boukovski, de Martchenko, de Litvinov et de Galanskov, mais le fait qu'il savait que j'avais défendu tous ces gens signifiait que quelqu'un le lui avait spécialement dit. En particulier, la dernière partie de son commentaire me mit sur mes gardes : « ... non parce qu'on vous le demande, mais par choix personnel ». En d'autres termes, ce n'est pas l'État, ce n'est pas le K.G.B. ou le collège des avocats qui vous assigne la défense de ces « renégats ». *Ce sont eux* qui vous choisissent, de toute évidence parce qu'ils sentent que vous êtes leur alliée.

Je cachai mes soupçons au juge, mais, cette même nuit, quand je téléphonai à mon mari, je lui dis : « Il est évident que la décision a été prise — cette fois-ci, je vais avoir droit aux ennuis. »

Le procès lui-même ajoutait une nouvelle dimension aux difficultés des procès politiques. J'avais toujours été exaspérée, auparavant, par la pratique illégale qui consistait à fermer les portes du tribunal aux amis et sympathisants des accusés, et à entasser sur les bancs du public des représentants sélectionnés de l'administration. L'atmosphère d'hostilité qui en résulte tourmente les accusés et rend plus difficile une bonne défense. Cette fois-là, à Tachkent, il n'y eut aucune restriction à l'entrée du public, et le tribunal fut bientôt rempli d'activistes du mouvement des Tatars de Crimée. L'atmosphère était celle d'une chaude et bruyante sympathie pour les accusés, et de solidarité avec leur cause.

Chaque mot des accusés était accompagné d'un brouhaha d'approbation ; chaque remarque hostile du juge ou du procureur provoquait une réaction bruyante instantanée. Pendant l'interrogatoire de Gabaï, la cour s'arrangea pour maintenir un semblant de procédure judiciaire, ce qui fut grandement facilité par Ilia lui-même, homme de nature tranquille et réservée. Mais ce qui se passa pendant l'interrogatoire de Moustafa Djamilev ne ressembla pas, même de loin, à un procès en cour de justice. La nature passionnée de Moustafa enflamma les auditeurs, tandis que les réactions du public rendaient Moustafa encore plus émotif, encore plus catégorique dans ses déclarations, encore plus impitoyable dans son argumentation. Comme tout bon orateur politique, il répondait au contact d'un vif auditoire, et il s'adressait moins à la cour qu'à ses auditeurs reconnaissants et excités des bancs du public. Je dis cela sans le moindre reproche, car Moustafa et ses partisans n'avaient aucune obligation morale envers cette comédie judiciaire. Travailler dans cette atmosphère partisane de ferveur, cependant, devint pour moi extrêmement difficile.

L'hostilité manifeste de la cour à mon égard croissait littéralement d'heure en heure au fur et à mesure que le procès avançait. Quand c'était mon tour d'interroger, le juge Pissarenko disait invariablement : « Maintenant, on peut nous épargner le bruit pendant un moment. Camarade avocate, veuillez poser vos questions. » Et de fait, le silence régnait tant que je parlais, mais, chaque fois que le juge intervenait, le brouhaha reprenait aussitôt.

« Honte à vous ! Vous avez peur de la vérité ! »

« Pourquoi ces gens sont-ils poursuivis ? »

Il fallait beaucoup d'expérience professionnelle et tout simplement du tact pour conduire un procès dans de telles circonstances. Pissarenko n'était pas à la hauteur de sa tâche. Je ne puis faire de commentaires sur son expérience professionnelle, mais je peux dire, sans hésitations, que, dans toute ma carrière, je n'ai jamais rencontré un juge aussi stupide, aussi incompétent et aussi misérablement éduqué. Sa pratique juridique était inexistante, et son niveau d'instruction était celui d'un enfant du cours élémentaire. Au cours de l'interrogatoire de Tatiana Baïeva, participante active au Mouvement des droits de l'homme, on posa une question à l'intéressée sur son appartenance au Komsomol. Elle répondit qu'à ses yeux l'appartenance au Komsomol était dégradante.

« Dégradée ? demanda le juge Pissarenko.

— Pas "dégradée", dégradante », corrigea Tatiana.

Je suppose que la pauvre femme était submergée par la crainte. Elle calomniait l'avant-garde progressiste de la jeunesse soviétique ! Mais Pissarenko poursuivit tranquillement son interrogatoire. Il ne savait pas ce que voulait dire ce mot.

Non seulement Pissarenko ignorait les emprunts courants aux vocabulaires étrangers, mais il ne comprenait pas la signification des arguments et des explications au moyen desquels les accusés justifiaient leurs actes. Il ne pouvait sincèrement concevoir la possibilité de la dissidence. Selon ses vues fermes et simplistes, il existait, d'un côté, le monde beau et heureux du socialisme soviétique et, de l'autre, le monde méchant et malheureux du capitalisme. Dans ce dernier, qui était méchant et honteux, il y avait les mauvais et ceux qui étaient abusés. Les journaux du monde capitaliste étaient publiés exclusivement pour attaquer et diffamer le système soviétique. Les stations de radio capitalistes poursuivaient le même but.

Pissarenko commenta, à la suite du témoignage fourni par les accusés : « Gabaï, pourquoi pensez-vous que cet article ait été publié dans un magazine américain ? Dans quel but cela aurait-il été fait ? » Ou encore : « Peut-on écrire quelque chose d'objectif dans un journal bourgeois ? » Ou bien : « Un journal capitaliste peut-il jamais être objectif du point de vue d'un citoyen soviétique ? »

Il y eut une horreur non feinte et de la révulsion sur le visage de Pissarenko quand Gabaï répliqua : « Il est parfaitement possible que les journaux capitalistes soient objectifs. Qui plus est, où a-t-on consigné que les communistes ont le monopole de la vérité ? »

Avec la même conviction totale, Pissarenko ajoutait foi à chaque mot imprimé dans la presse soviétique. Il était incapable de comprendre qu'une personne normale pût mettre en doute son exactitude ou ne pas partager ses vues sur les événements.

« Qui vous a donné le droit de tirer vos propres conclusions ? » demanda-t-il à Gabaï avec une absolue sincérité.

La réponse : « Je pense que toute personne a le droit de penser », glaça Pissarenko d'étonnement pendant un moment, puis il dit, plein de reproche : « Gabaï, Gabaï, vous ne comprenez donc vraiment rien ? Comment pouvez-vous dire des choses semblables ? »

Chaque remarque de cette sorte produisait un rugissement d'hilarité dans la salle, bien que personnellement je ne trouvasse pas cela drôle du tout. C'est seulement des années plus tard, en relisant la transcription, que je pus sourire et dire : « Dieu, comme cet homme est idiot ! » A l'époque, cependant, j'étais consternée. Dans ce procès fantastique, le dialogue était conduit sur deux plans indépendants ; chaque personne jouait son rôle, mais sans le moindre espoir d'être entendu.

Le deuxième jour du procès — c'était le 13 janvier —, je pensai que le moment était venu de faire comprendre au juge que les journaux soviétiques pouvaient se tromper. Pissarenko lisait à Gabaï l'une de ses conférences régulières : « Gabaï, vous avez dit que vous ne croyiez pas les déclarations de la presse soviétique selon lesquelles nos forces étaient entrées en Tchécoslovaquie à la demande du peuple tchécoslovaque. Comment avez-vous pu ne pas croire cela, Gabaï ? Après tout, nos journaux parlent au nom du Comité central du parti communiste soviétique, par conséquent... »

Je chuchotai doucement, de sorte que seul Gabaï pût entendre, en répétant certains mots plusieurs fois : « Ennemis du peuple, ennemis du peuple, complot des médecins, complot des médecins, 13 janvier 1953, 13 janvier 1953... »

« En 1937, dit Ilia, nos journaux racontaient quotidiennement que les ennemis du peuple étaient "démasqués". Par la suite, ces mêmes journaux écrivirent des articles disant qu'il ne s'agissait pas d'ennemis du peuple, qu'ils avaient été réhabilités. Nous sommes le 13 janvier. Je me souviens des articles qui furent publiés le 13 janvier 1953 à propos des médecins qui avaient prétendument comploté le meurtre de leaders soviétiques en leur administrant de mauvais traitements médicaux. Trois ans plus tard, les mêmes journaux écrivaient que le «complot des médecins» n'était que pure invention. Quelle histoire vais-je croire?»

Je me sentais triomphante en écoutant la réponse de Gabaï. Je pensais que la simple mention des articles de journaux de ces années-là était suffisante pour répondre à la question de savoir si un individu était censé croire chaque mot imprimé dans un journal soviétique. Mais mon triomphe fut de courte durée. Comme toujours, Pissarenko fut sincèrement étonné du manque de logique de Gabaï et de son inaptitude à comprendre les choses les plus simples.

«Mais, Gabaï, vous vous contredisez vous-même. Vous dites vous-même que les journaux soviétiques ont publié un démenti par la suite. Exact? Et y a-t-il eu un démenti à propos de la Tchécoslovaquie? Quand ils impriment un démenti, alors vous pouvez en faire état.»

A ce procès, les assesseurs du peuple étaient des femmes. L'une d'entre elles avait un visage rouge enflammé et croisait invariablement ses bras grâs sur sa poitrine. L'autre portait une veste verte en tricot. De Pissarenko, je me rappelle seulement ses yeux minuscules qui irradiaient chaque jour un peu plus de haine, la haine profonde du philistin pour tous ceux qui sont différents. Quand je le regardais, je pensais à la nouvelle imaginaire de Iouli Daniel *Ici Moscou*, dans laquelle le gouvernement soviétique proclame une «journée du meurtre», une journée où chacun peut assassiner qui il veut. Si Pissarenko, pensais-je, lisait dans le journal que les citoyens soviétiques avaient le droit de commettre un meurtre un certain jour, il n'aurait ni doute ni hésitation. Il se saisirait d'une hache, faute de fusil, et il massacrerait tous les intellectuels, tous les dissidents, tous les Tatars de Crimée et, naturellement, tous les juifs.

Au fur et à mesure que le procès avançait, les rapports entre juge et accusés devenaient de plus en plus tendus, approchant du point de rupture. Désespérant de pouvoir expliquer même les choses les plus simples à la cour, Moustafa Djamilev décida de décliner mes services pour la suite du procès, disant qu'il ne pouvait pas se permettre de mettre son avocat en danger. Puis il refusa de répondre à toute question. Finalement, il exigea de quitter le tribunal. Il refusait de participer — ou même d'assister — à ce qu'il appelait à juste titre «cette farce honteuse». Même Ilia commençait à perdre de sa retenue.

Quand je me levai pour parler, pour exprimer des objections à la méthode du juge, je pouvais sentir la tension qui montait dans chaque nerf. J'eus à faire un effort colossal pour ne pas m'abandonner à la surenchère verbale. A ce moment, la porte de la salle d'audience s'ouvrit et une messagère entra, portant une énorme pile de télégrammes. Lentement et calmement, elle descendit la longue allée centrale, vint à moi et dit: « Signez ici, s'il vous plaît. » Puis, avec le même calme, elle ressortit de la salle.

« Puis-je poursuivre ? » demandai-je au juge ahuri.

L'effet de surprise fut si grand que Pissarenko écouta le reste de mon objection sans m'interrompre. Pendant la suspension de séance, il me demanda: « Est-ce que vous célébrez quelque chose aujourd'hui ? Vous paraissez avoir reçu un tas de félicitations. » Et, sans attendre ma réponse, il ajouta: « Nous aussi, nous allons vous donner quelque chose pour faire la fête. »

J'avais quelque chose pour célébrer cette journée ; c'était mon cinquantième anniversaire. Mes amis et collègues, ne sachant pas dans quel hôtel j'étais descendue, avaient tout simplement adressé leurs télégrammes d'anniversaire à l'avocate Kaminskaya, tribunal de Tachkent.

Je pris les paroles de Pissarenko comme un avertissement direct d'avoir à faire attention où je mettais les pieds en prononçant ma plaidoirie. Je ne me proposais pas de modifier la ligne que j'avais adoptée au cours de l'enquête préliminaire, selon laquelle il n'y avait rien de criminel dans les actes de Djamilev et de Gabaï, de sorte qu'ils devaient être acquittés. Mais, pour la première fois de ma vie, j'écrivis à l'avance la totalité de mon discours, me privant ainsi de toute occasion de faire une seule remarque imprévue. J'avais à peser chaque parole que je prononcerais devant la cour. Je savais que je ne pourrais échapper à la vengeance de cette manière, mais je ne voulais fournir à la cour aucune arme contre moi.

Au début de ma plaidoirie, Pissarenko m'interrompit par une remarque inhabituelle: il me demanda de parler aussi lentement que possible, de manière que le greffier pût consigner mes paroles mot pour mot, plutôt que sous la forme résumée habituelle. Heureusement, mes heures de travail nocturne furent payantes. Ma mémoire produisit sans défaillance les phrases que j'avais soigneusement préparées, de sorte que je n'eus à demander ultérieurement ni correction, ni démenti, ni rétractation.

Le verdict fut rendu le 19 janvier 1970: Gabaï et Djamilev furent reconnus coupables et condamnés à trois ans de prison.

En ce qui me concerne personnellement, la cour rédigea à mon intention une note de censure disciplinaire: « Le contenu de la plaidoirie de l'avocate Kaminskaya fournit des motifs de croire qu'elle manque des qualités nécessaires pour accomplir les tâches que les autorités du gouvernement et du parti assignent à un avocat. » Cette note de censure, court-circuitant le praesidium du collège des avocats de Moscou, fut envoyée directement au ministère de la Justice « afin que soient prises les mesures appropriées » — en d'autres termes, afin que je fusse radiée du barreau.

Pourtant, je ne fus pas exclue de la profession, et je suis certaine que la personne qui m'a sauvée fut le juge Pissarenko. Je dois donc remercier le destin que le K.G.B. ait choisi, comme instrument de ma chute, un juge aussi stupide.

Le dossier disciplinaire constitué contre moi, que le ministère de la Justice confia au praesidium du collège des avocats, prit exactement un an pour son instruction. Il fut jugé par le praesidium le 19 janvier 1971, le dernier jour de la période statutaire de douze mois au cours de laquelle un avocat peut être appelé à rendre compte d'une censure. Le 20 janvier, il y aurait eu prescription. Une nouvelle fois, comme lors de l'exclusion de Zolotoukhine, mes collègues et amis me faisaient face à travers la longue table.

On m'avait dit d'avance qu'une motion serait présentée au praesidium pour mon expulsion, mais que je ne serais pas exclue. Plusieurs membres du praesidium allaient s'opposer à cette motion. « J'ai assez honte d'avoir pris part à l'éviction de Zolotoukhine » me dit l'un des vice-présidents. Je savais que les inspecteurs désignés pour étudier mon cas (le doyen, désigné par Apraskine, était mal disposé à mon égard) n'avaient pas trouvé un seul passage critiquable dans toute ma plaidoirie. Je savais qu'une objection spéciale à ma censure avait été introduite par l'un des juges de la Cour suprême d'Ouzbékistan qui avait jugé mon appel dans l'affaire Gabaï, et qu'une telle objection était presque unique dans la pratique judiciaire soviétique. Je savais également que le président de la Cour suprême d'Ouzbékistan avait demandé au praesidium de cette Cour suprême de retirer la note de censure, même s'il avait annulé sa demande, le 8 janvier 1971, sur l'insistance du K.G.B. Tout cela, incontestablement, m'aidait.

Mais ces mouvements de soutien étaient rendus possibles par le juge Pissarenko. Il était si sincèrement convaincu que la liberté de parole garantie par la constitution soviétique n'avait rien de commun avec le droit, pour une personne, d'exprimer ses propres opinions qu'il écrivit effectivement dans la note de censure :

« L'avocate Kaminskaya a déclaré en plein tribunal que toute personne avait le droit de penser par elle-même, que les croyances et les opinions ne pouvaient donner lieu à poursuites criminelles et c'est sur cela qu'elle a fondé sa demande d'acquittement des accusés. »

C'est en cela que Pissarenko voyait mon inaptitude à être un avocat soviétique. Le praesidium du collège des avocats de Moscou déclara la censure non fondée, mais me réprimanda pour ne pas avoir déclaré mes « positions civiques » ni avoir condamné les vues de mes clients.

Ainsi, dans la trente et unième année de ma carrière d'avocate, je reçus mon premier blâme professionnel. De ce jour, je fus privée de l'accès aux procès politiques.

Ma situation professionnelle se modifia à peine après janvier 1971. Je n'étais plus une déléguée élue au collège électoral des avocats, et je cessai de recevoir la prime annuelle pour « travail irréprochable et hautement qualifié ». Chaque fois que j'acceptais un dossier en dehors de Moscou, le praesidium du collège demandait invariablement si l'affaire avait des implications politiques, et il fallait le convaincre que j'allais défendre dans un procès criminel ordinaire avant que l'on ne m'accorde l'autorisation de déplacement nécessaire.

Rien de tout cela ne m'inquiétait vraiment. La seule chose qui m'ennuyait réellement, c'était de ne plus superviser les avocats stagiaires. C'était le seul travail volontaire que je ne fus jamais tentée d'esquiver, et il m'avait donné une grande satisfaction. J'étais très fière du succès de mes internes, et je les aimais beaucoup. A nul autre égard, je ne souffrais de restrictions. J'étais très occupée, et je gagnais plus d'argent qu'auparavant.

Bien que je ne défendisse plus dans des procès politiques, les gens venaient me voir en consultation et suivaient mes recommandations, par exemple dans le choix d'un avocat. Le nombre des personnes qui me consultaient se mit à croître d'année en année. Les conseils de mon mari et les miens étaient recherchés par des juifs activistes, des artistes non conformistes et des écrivains qui avaient l'intention de publier leurs œuvres à l'étranger sans autorisation officielle. Le résultat, c'est que notre maison et notre vie tout entière se trouvèrent sous la surveillance permanente du K.G.B., bien qu'aucune pression officielle ouverte n'eût été exercée sur nous au cours de ces années.

En janvier 1973, notre fils Dimitri et sa femme Natalia émigrèrent aux États-Unis. Mon mari et moi, cependant, décidâmes fermement de rester. En dépit des complications et des fardeaux de la vie dans une société non libre, notre vie était intéressante et pleine d'événements. Et la compagnie de nos amis la rendait même heureuse.

Mais le K.G.B. ne m'avait pas oubliée, et son deuxième avertissement fut d'une sorte plutôt étrange.

En 1975, Anatoli Martchenko fut de nouveau arrêté. Après avoir purgé sa peine précédente, en septembre 1972, Martchenko s'était fixé à Taroussa, petite ville rurale de la province de Kalouga. Il n'était pas autorisé à vivre à Moscou, où sa femme, Larissa Bogoraz, avait une chambre. En mai 1974, Martchenko fut placé sous surveillance administrative par la police locale. La fonction de la surveillance administrative est de contrôler la conduite des gens qui ont été libérés d'un camp avec emprisonnement mais qui, selon les autorités du camp ou d'après la police, « n'ont pas encore commencé à s'améliorer ». La surveillance administrative limite la liberté d'une personne. Il lui est interdit de sortir le soir, d'aller au cinéma, au théâtre ou au restaurant, de sortir de son district sans une autorisation de la police.

Martchenko est, par nature, un homme très réservé, pondéré et stable. Quand il arriva à Taroussa, il trouva du travail et mena une vie normale et tranquille, ne troublant jamais l'ordre public. La police de Taroussa n'eut pas à se plaindre de lui. Les raisons de la surveillance administrative, c'était qu'il poursuivait le combat pour les droits de l'homme en U.R.S.S. Le K.G.B. l'avertit officiellement d'avoir à cesser toutes ces activités et le pressa d'émigrer hors d'Union soviétique. La signature de Martchenko au bas de l'appel protestant contre l'expulsion de Soljenitsyne, en février 1974, fut une réponse à cet avertissement. La surveillance administrative, suivie d'une inculpation criminelle de violation malveillante de ses restrictions, fut la méthode que le K.G.B. utilisa en représailles.

Larissa et moi-même discutâmes pour savoir quel avocat moscovite devait assurer la défense d'Anatoli, maintenant que l'enquête préliminaire touchait à sa fin. Nous envisageâmes plusieurs noms, puis nous nous demandâmes finalement pourquoi je n'entreprendrais pas la défense moi-même. Il n'y avait pas d'obstacle officiel à cela, étant donné que les charges relevées contre Martchenko n'étaient pas reliées formellement avec ses activités en matière de droits civils. Kalouga, où Anatoli était en prison, n'était pas à plus de trois heures, de sorte que je n'avais pas besoin d'une autorisation spéciale de déplacement de la part du praesidium. Larissa paya au caissier du bureau les honoraires réglementaires de vingt roubles pour mes services, je remplis une carte d'enregistrement sur laquelle je notai scrupuleusement que Martchenko était accusé d'avoir violé la surveillance administrative, puis le collège me délivra un «ordre de défendre» sans la moindre complication.

La veille de la date convenue pour le départ pour Kalouga, j'appelai Larissa et nous convînmes de voyager par le train qui quittait Moscou à 7 heures du matin, nous donnant rendez-vous dans la troisième voiture de tête. Nous nous rencontrâmes sur le quai; comme le train venait juste d'arriver, nous montâmes dans la voiture la plus proche, qui n'était pas la troisième. Deux ou trois minutes après que le train eut quitté la gare, Larissa me donna soudain un brusque coup dans les côtes. Je levai les yeux et aperçus aussitôt l'homme qui avait attiré son attention. Il longeait le couloir, venant apparemment de la voiture voisine, et dévisageait durement tous les voyageurs. Nous apercevant, il parcourut vivement la distance restante et s'assit en face de nous.

C'était un homme assez âgé, ayant largement dépassé soixante-cinq ans, arborant le nez rouge d'un alcoolique et des joues de la même couleur. Il avait l'air de souffrir d'hypertension. Il portait un pardessus à grands carreaux noirs et blancs et une casquette en même tissu. Ni son âge, ni son aspect extérieur, ni son habillement ne l'auraient fait suspecter d'être un homme chargé de nous suivre. Mais il ne nous quittait pas des yeux une seconde, comme s'il avait peur de nous voir disparaître et d'être obligé de parcourir une nouvelle fois toute la longueur du train à notre recherche.

«Peut-être que nous lui plaisons simplement» chuchota Larissa. Je la regardai, elle qui était fatiguée et à court de sommeil, puis je pensai à quoi je pouvais ressembler après m'être levée à 5 heures du matin. Je répondis fermement: «Ne vous flattez pas!»

Quand nous descendîmes du train à Kalouga, nous fîmes tout notre possible pour nous débarrasser de cet homme. Rien n'y fit. Il s'arrêtait quand nous nous arrêtions, courait après nous quand nous accélérions le pas. Ce fut à la fois absurdement drôle et pathétique de voir ce pauvre vieux se démener dans la foule de la gare de Kalouga quand Larissa se rendit aux guichets, tandis que je prenais la direction opposée pour prendre connaissance des heures de retour. Nous convînmes que Larissa, qui naturellement n'était pas autorisée à rendre visite à Anatoli, m'attendrait à la prison pendant une demi-heure, pour le cas où ma visite eût été inopinément annulée; dans le cas contraire, nous nous retrouverions à la gare, pour rentrer ensemble à la maison par le train de 17 h 30. Notre inséparable compagnon écouta soigneusement cette conversation. Nous le perdîmes de vue sur le chemin de la prison. Il n'était pas non plus à fouiner autour du bâtiment. Je mis dans ma serviette les bouteilles d'eau minérale que Larissa avait apportées pour Anatoli (qui faisait la grève de la faim et ne prenait aucune nourriture), puis nous nous séparâmes.

Rien, cependant, ne se passa comme nous l'avions convenu. L'enquêtrice avait changé ses plans, et je fus incapable d'étudier le dossier ce jour-là, mais je ne pus pas non plus m'en aller tout de suite. Elle avait décidé de lire l'acte d'accusation à Martchenko en ma présence, ayant peur que la brusque détérioration de l'ouïe d'Anatoli ne fût plus tard exploitée par la défense. Bien que l'entrevue n'eût pas été longue, Martchenko ayant refusé de fournir tout témoignage, elle avait pourtant pris plus d'une heure. Nous convînmes avec Anatoli que je reviendrais pour étudier le dossier, puis je m'en allai.

Quand je sortis de la prison, ployant sous le poids d'une serviette pleine des bouteilles d'eau minérale qu'Anatoli avait refusées, j'aperçus Larissa avec soulagement. Elle avait décidé d'attendre jusqu'à midi. Il y avait encore plusieurs heures avant le départ du prochain train pour Moscou. Nous errâmes dans la jolie ville de Kalouga, admirant la rivière à l'époque des hautes eaux, que l'on pouvait apercevoir de presque toutes les rues, sans oublier de regarder derrière nous pour vérifier la présence de «l'homme à carreaux». Mais on ne le voyait nulle part. Nous n'avions aucune raison de nous cacher de lui, mais c'était un plaisir de se sentir libéré de cet œil scrutateur.

Nous atteignîmes la gare vingt minutes avant l'heure du train, et nous nous assîmes dans la salle d'attente presque vide. Notre ombre n'avait toujours pas paru. La gare de Kalouga est une tête de ligne, et les trains viennent à quai bien longtemps avant l'heure du départ. Nous étions assises en face de la porte vitrée conduisant au quai et attendions l'entrée du train. Dix minutes passèrent: toujours pas de train.

«C'est curieux, dis-je. Nous ferions peut-être mieux de sortir et de jeter un coup d'œil.

— Vous vous conduisez comme une paysanne, dit Larissa. Nous sommes en bout de ligne. Le quai est ici, les voies sont là. Tout ce que nous avons à faire, c'est d'attendre.»

Quand il ne resta plus que quatre minutes avant l'heure prévue pour le départ, Larissa se déclara d'accord pour sortir sur le quai. Il était complètement vide, à l'exception de la dernière voiture de notre train, à l'autre extrémité du quai, et du panneau d'annonces, qui indiquait que le train était sur le point de partir pour Moscou. Comme nous prîmes nos jambes à notre cou! Je n'avais jamais pensé avoir la force de courir si vite et si loin. Heureusement, Larissa coltinait ma lourde serviette chargée d'eau minérale, sinon je me serais effrondrée. Nous sautâmes dans le train quelques secondes avant qu'il ne s'ébranle; nous étions dans le bout du wagon, reprenant haleine et incapables de bouger.

«Regardez, il y a quelqu'un d'autre qui court» dit Larissa.

Je penchai la tête par la portière. Courant le long du quai, éclatant presque sous l'effort, arrivait notre «homme à carreaux».

De pourpre, son visage était devenu lilas. Il était hors d'haleine, mais il y arrivait.

«Doucement, mon vieux, dit une femme bien intentionnée au moment où l'homme nous suivait dans le wagon. Vous allez vous tuer si vous courez comme ça, à votre âge.»

Il restait planté dans l'allée centrale, cramponné à un dossier de siège, incapable de se mouvoir. La couleur se retirait lentement de son visage, ne laissant qu'une pâleur mortelle. Ses yeux luisaient de haine. Il était sûr que nous étions restées dans la salle d'attente jusqu'à la dernière minute pour l'ébranler. De nouveau, nous étions assis nous faisant face, son regard rivé sur nous tandis qu'il ne perdait pas un mot de ce que nous disions — bien que nous n'ouvrissions pas beaucoup la bouche, sa présence même nous ôtant tout désir de parler ou même de lire.

Quand je racontais cette histoire après coup, j'avais l'habitude de demander: «Pourquoi faisaient-ils cela? Qu'avaient-ils en vue? Qu'avaient-ils à suivre un avocat allant visiter son client, et même pas pour une rencontre seul à seul, mais en présence d'un enquêteur? Qu'est-ce que le K.G.B. pouvait apprendre qu'il ne sût déjà ?» Les réponses étaient toujours les mêmes. Il s'agissait de ce qu'on appelait la «surveillance démonstrative», c'est-à-dire d'une pression psychologique exercée comme un moyen d'intimidation, un moyen de faire sentir aux gens que chaque pas est observé par le K.G.B. Pour être sûr que les gens remarquent qu'ils sont suivis, on les fait pister par une personne aisément reconnaissable, quelqu'un qui a un aspect peu commun et qui porte des vêtements voyants.

Dans mon cas, mes amis pensaient que cette surveillance démonstrative était aussi une sorte d'avertissement, un rappel qu'on ne m'avait pas oubliée. C'était probablement vrai, mais, cette fois encore, je négligeai l'avertissement. Notre famille était toujours déterminée à se comporter comme nous pensions qu'il convenait.

Des amis nous disaient aussi sans cesse que la surveillance était plus qu'un avertissement, que c'était le signe évident du désir des autorités de nous voir partir. Cependant, ce n'était pas évident pour nous. Nous ne voulions pas émigrer, abandonner la vie que nous nous étions faite, ni quitter les gens qui nous étaient chers. Et comme aucun fonctionnaire ne nous disait que nous étions indésirables, nous refusions de comprendre les avertissements qui nous étaient directement adressés.

Je ne puis que deviner pourquoi le K.G.B. nous donna ce choix entre l'arrestation et l'exil. Ce fut une pratique fréquente durant les années de la détente. Les arrestations et les procès politiques provoquaient des réactions déplaisantes en Occident, de sorte que les autorités soviétiques préféraient contraindre les fauteurs de troubles à s'en aller tranquillement. En même temps, les autorités espéraient que les expulsions aideraient à décapiter le mouvement dissident.

Nous rencontrions ouvertement un certain nombre de correspondants de presse américains et français, et nous découvrîmes que les Russes n'étaient pas les seuls à pouvoir être des amis fidèles (comme le pensent de nombreux Russes). Nous essayions d'aider ces visiteurs à surmonter la barrière de l'isolement qui les entourait, de leur montrer les bons côtés de Moscou, les choses dont un pays de longue tradition culturelle peut être fier. Nous devinions que nos rencontres étaient observées et photographiées ; par la suite, il se révéla que certaines d'entre elles étaient même filmées.

Nous avions une vague idée des motifs du K.G.B., bien sûr, mais pourquoi gardaient-ils en plein hiver une voiture garée en travers de la rue, près de notre maison, remplie de cameramen entraînés ? Pourquoi nous filmèrent-ils, mon mari et moi, quand nous sortîmes de chez nous avec Peter Osnos, le correspondant du *Washington Post*, pour monter dans sa voiture et nous rendre chez lui pour dîner ? Ce fut la seule occasion où nous rendîmes visite à Peter et à Susan durant la journée, et je m'en souviens très bien. La veille au soir, ils nous avaient invités chez eux pour voir leur fils nouveau-né, et c'était pourquoi ils nous avaient demandé de venir dans la journée, et non pas dans la soirée. Nous avions prévu un cadeau pour féliciter la mère du bébé et, quand Peter vint nous chercher à l'heure convenue, mon mari et moi fûmes immortalisés sur la pellicule, tenant un énorme paquet.

Plus tard, quand nous eûmes émigré, ces prises de vues furent montrées à la télévision de Moscou. Le commentaire parlé qui les accompagnait annonçait : «Ces personnes accomplissent une mission d'espionnage avec un espion américain déguisé en journaliste.» Le K.G.B. était parfaitement conscient de l'absurdité de ce commentaire. Pas une seule fois, au cours des interrogatoires, on ne nous interrogea à propos de cette rencontre. On accumulait simplement du matériel qui, par la suite, pourrait être utilisé comme preuves falsifiées.

On me demande souvent d'indiquer la cause immédiate principale de la pression exercée sur nous par le K.G.B., et de la demande subséquente d'avoir à quitter l'Union soviétique. Je ne sais jamais comment répondre à cette question, ni comment identifier une cause particulière.

Notre vie tout entière en fut la cause — ma participation aux procès politiques, le fait que nous devînmes les conseillers juridiques de tous les dissidents —, et les autorités en avaient assez de devoir répondre à des questions comme celles-ci : pourquoi l'avocate Kaminskaya n'a-t-elle pas été autorisée à défendre Boukovski lors de son second procès ? Pourquoi n'a-t-elle pas été autorisée à défendre des activistes bien connus des droits civils comme Sergueï Kovalev et Anatoli Chtcharanski ? Et puis, facteur qui n'était pas sans importance, il y avait notre empressement à nous associer à des journalistes étrangers.

En d'autres termes, nous nous efforcions d'agir comme si nous étions des personnes libres dans un pays libre.

Le troisième avertissement — la perquisition de notre appartement et les charges relevées contre mon mari — fut un avertissement que nous ne pouvions pas négliger. Maintenant, les autorités faisaient tout ce qu'elles pouvaient pour nous contraindre à partir. C'était le but poursuivi, derrière toute cette mise en scène : la perquisition, les interrogatoires, les menaces d'arrêter mon mari. Si nous ne nous étions pas soumis, nous eussions été anéantis.

Je réalisais que c'était le commencement de la fin, et pourtant je continuais comme si de rien n'était.

Après la perquisition, la démarche suivante fut d'essayer de nous évincer de notre appartement. Après que mon fils et ma bru eurent émigré, mon mari et moi continuâmes à vivre dans le même appartement où notre fils était né et où mes parents étaient morts. Pour les normes soviétiques, c'était un grand appartement. Sa surface totale excédait largement l'attribution normale d'espace vital (neuf mètres carrés par personne); mais mon mari, en tant que chercheur, avait droit à vingt mètres carrés de surface supplémentaire, et moi, en tant qu'avocate, j'avais droit à dix mètres carrés de plus, ce qui, ensemble, dépassait la surface totale de notre appartement. Selon la loi soviétique, il n'y avait aucune raison de nous chasser. Un jour, de retour à la maison après une scène désagréable, pour ne pas dire honteuse, au bureau local du logement, je dis à mon mari: « Ce qu'ils peuvent être bêtes. Pourquoi essaient-ils de nous chasser maintenant? Il leur suffit d'attendre que nous soyons tous les deux chassés de notre emploi (nous nous y attendions à chaque instant), ils pourront ensuite nous chasser sans problème puisque nous n'aurons plus droit à des suppléments de surface. »

Les tentatives d'éviction cessèrent presque immédiatement.

Le jeudi, mon mari avait sa journée pour travailler à la maison ou en bibliothèque. Cependant, le jeudi 19 mai 1977, son chef de service l'appela de bonne heure pour lui demander de se rendre d'urgence à l'Institut: des recherches étaient nécessaires pour le projet de texte de la nouvelle constitution soviétique. Quand mon mari arriva, on lui demanda de vérifier deux passages du projet dont le libellé était si urgent qu'il fallait le transmettre par téléphone. A une heure, quand le travail fut achevé, le même chef de service dit à mon mari qu'ils devaient se rendre ensemble à un autre bâtiment, qui abritait les instances dirigeantes de l'Institut, pour y recevoir de nouvelles instructions. C'est de cette manière que mon mari fut conduit à une réunion spéciale du Conseil académique, réunion des chefs de service et autres cadres supérieurs qui supervisaient l'administration de l'Institut, avec à son ordre du jour une démission: celle de mon mari.

L'ordre d'expulsion de l'Institut fut publié le jour même. Tandis que mon mari travaillait au projet urgent de la nouvelle constitution, son chef, se révéla-t-il par la suite, était assis dans la pièce voisine, rédigeant le brouillon de son ordre d'expulsion. Ce qui nous surprit et nous irrita le plus, dans toute cette histoire, c'était que le patron de mon mari, savant juriste et docteur en philosophie, avec qui mon mari avait travaillé dans les meilleurs termes pendant onze années, s'était comporté comme un petit cafard de la police, comme un agent provocateur.

Ainsi, le 19 mai, mon mari se retrouva sans emploi.

La journée du vendredi se passa sans incident, et nous partîmes en week-end pour la datcha. Le lundi matin, de bonne heure, le responsable du bureau du logement vint à notre appartement. « Nous savons que vous n'avez plus de travail, et que vous n'avez plus droit à une surface supplémentaire. Vous devez évacuer les lieux. Un mandat d'éviction a été délivré par le tribunal. »

Le K.G.B. avait suivi mon conseil et attendu que l'un de nous fût renvoyé. Pourtant, nous étions déterminés à résister jusqu'au bout — et, si nous perdions, nous pourrions toujours survivre dans une seule pièce. La seule menace vraiment terrible, c'était la possible arrestation de mon mari. Tout le reste était secondaire.

Le 15 juin, je reçus la visite d'Ida Milgrom, mère d'Anatoli Chtcharanski. Anatoli était membre du groupe de Moscou pour la surveillance de l'application des accords d'Helsinki, et champion du droit des juifs à l'émigration. Plus d'un an avait passé depuis son arrestation sous l'inculpation injustifiée d'espionnage au profit des États-Unis. Ida savait que j'avais perdu mon « accès » aux procès politiques, mais elle espérait pouvoir faire jouer des relations et me faire obtenir un « accès unique » pour défendre son fils. Elle n'était revenue me voir qu'après avoir sollicité tous les autres avocats que je lui avais recommandés. Personne n'avait voulu défier une cour de justice pour une personne accusée d'espionnage.

J'acceptai de défendre Anatoli.

Le lendemain, Ida alla voir l'un des vice-présidents du collège des avocats de Moscou, qui refusa catégoriquement de me délivrer un « accès unique ». Le même soir, ce dernier m'appela au téléphone pour me réprimander longuement et bruyamment, me reprochant de ne pas avoir dit que j'étais malade ou trop occupée pour accepter le dossier.

Le week-end passa et, le lundi matin, alors que je me préparais à me rendre au tribunal pour y prononcer une plaidoirie, je fus convoquée d'urgence au bureau du praesidium du collège des avocats.

Je fus reçue par deux vice-présidents qui me montrèrent une lettre datée du 17 juin et signée par le procureur de Moscou. Elle recommandait que je fusse exclue du collège des avocats. Elle se référait à la perquisition, au fait que mon mari fût l'auteur d'un manuscrit « antisoviétique » et, naturellement, à mes rencontres avec des journalistes étrangers, qualifiés dans la presse soviétique d' « agents de la C.I.A. ».

« Vous réalisez, n'est-ce pas, que nous ne pouvons rien faire pour vous ? » dirent-ils.

Naturellement que je réalisais. Cela n'était pas en leur pouvoir.

Quelques minutes plus tard, mon mari et moi nous dirigions vers le tribunal où j'allais prononcer ma dernière plaidoirie. Konstantine essaya de me réconforter, mais c'était inutile. J'étais calme, comme si ce terrible désastre ne s'était jamais produit. Comme si je n'étais pas arrivée à la fin de ma vie professionnelle.

Tout ce qui s'est passé ensuite — l'alternative qu'on nous présenta d'avoir à quitter l'Union soviétique ou d'envisager l'arrestation de mon mari, les dix jours de préparatifs fiévreux au cours desquels nous fîmes nos valises, l'aide obligeante du K.G.B., qui retira nos billets d'avion et nous obtint les papiers nécessaires — tout cela s'est déroulé comme un film accéléré.

Pour moi, ma vie en Union soviétique s'est terminée en même temps que ma trente-septième année de travail dans les tribunaux soviétiques. J'ai prononcé ma dernière plaidoirie le 20 juin 1977.

Cet ouvrage a été composé par CID Éditions
et imprimé par la S.E.P.C. à Saint-Amand-Montrond (Cher)
pour le compte des éditions Laffont
Achevé d'imprimer le 12 avril 1983

Dépôt légal : avril 1983.
Nº d'Édition : K.129. Nº d'Impression : 684.